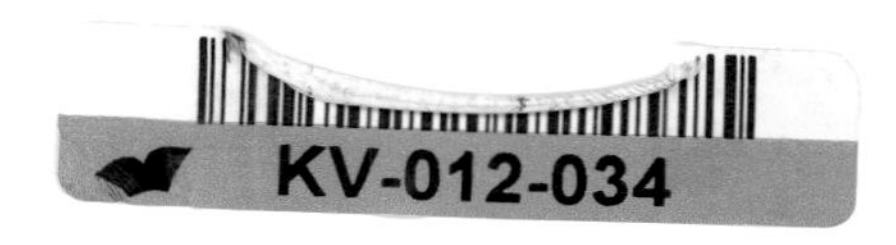
KV-012-034

738.094 551 72

BERTI, Fausto
Storia della ceramica di Montelupo: uomini e fornaci in un centro di produzione dal XIV al XVIII secolo / Fausto Berti. - Montelupo Fiorentino : Aedo, c1997- .- v.
Volume secondo : Le ceramiche da mensa dal 1480 alla fine del XVIII secolo. - c.1998. - 464 pp. : ill. ; 30 cm.

Sogg.: Ceramiche montelupine - Storia - secc. XIV-XVIII.

Fausto Berti

Storia della ceramica di Montelupo

Uomini e fornaci in un centro di produzione dal XIV al XVIII secolo

VOLUME SECONDO

Le ceramiche da mensa dal 1480 alla fine del XVIII secolo

Storia della ceramica di Montelupo
Uomini e fornaci in un centro di produzione dal XIV al XVIII secolo

Volume secondo
Le ceramiche da mensa dal 1480 alla fine del XVIII secolo

Realizzazione editoriale
Editoriale Tosca srl, Firenze

Progetto grafico e impaginazione
LCD Graphics, Firenze

Fotolito e stampa
Amilcare Pizzi spa, Cinisello Balsamo

In copertina
Parigi, *Collezione privata*.
Inedito, datato 1509.

Printed in Italy

ISBN 88-8242-098-1

Sommario

Parte Prima

Parte prima - Capitolo primo

Il "lungo XVI secolo" (1480-1630)

La periodizzazione delle attività. Nel primo volume di quest'opera abbiamo percorso, sulla scorta della documentazione fornita principalmente dalle ceramiche scartate durante la lavorazione dalle fornaci montelupine, i vari momenti di sviluppo delle attività fittili locali ad iniziare dalla prima produzione al momento nota della maiolica arcaica.
Si è così potuto constatare come all'iniziale fase di radicamento delle botteghe ceramiche in Montelupo, verosimilmente da collocare sul finire del XIII secolo, abbia seguito un fondamentale periodo di diversificazione produttiva delle medesime, avvenuto nel corso della seconda metà del Trecento, il quale venne poi ulteriormente a complicarsi a partire dagli anni '30 del Quattrocento. Questo momento di continua crescita tecnologica e tipologica sfociò poi in un'ulteriore fase di ricerca formale, già avvertibile all'inizio della seconda metà di quel secolo, sostanziata da un lato da un rapporto sempre più stretto con la produzione spagnola — ed in particolare con quella manisero-valenzana — e dal-

l'altro dalla sempre più spinta ricerca di un linguaggio autonomo, in grado di superare l'imitazione dei modelli iberici.

Abbiamo avuto anche agio di mostrare come a partire dagli anni '70-'80 del XV secolo si assista all'introduzione nelle fornaci di Montelupo di criteri di lavorazione sempre più seriali per forme e decorazioni, e come le restituzioni di scavo attestino ormai il raggiungimento di un elevato standard tecnologico. Per quest'ultimo aspetto si viene infatti a completare, mediante la fabbricazione del lustro metallico, e, di lì a poco, con l'introduzione di un pigmento rosso-materico "tipo Iznik", quella lunga fase di ricerca avviata ormai da circa un secolo[1]. Si è infine più volte accennato come la documentazione archivistica venga a segnalare, almeno dall'inizio degli anni '90 del Quattrocento, la presenza in Montelupo del capitale mercantile fiorentino, e segnatamente dell'impresa commerciale di Francesco Antinori, nota anche per il prezioso rogito notarile del settembre del 1490, attraverso il quale il medesimo si impegnava ad acquisire per tre anni l'intera produzione di ben 23 vasai montelupini[2].

Questo percorso ci ha condotto così alle soglie dell'Età Moderna, la quale costituisce l'argomento di questo volume: un arco di tempo assai esteso — secondo la scansione cronologica corrente esso comprende infatti gli anni dal 1492 al 1789 — nel corso del quale le fornaci di Montelupo intrapresero l'ultimo, poderoso balzo in avanti verso la loro storica crescita produttiva, ma svilupparono anche, ad iniziare dalla fine del XVI secolo, quei primi, evidenti germi della decadenza, che le condurranno, attraverso una lunga fase di ripiegamento, al termine del loro ciclo preindustriale.

Prima di addentrarci nello studio sistematico della produzione montelupina di questo lungo periodo è dunque necessario addivenire ad una scansione cronologica della nostra esposizione tale da consentirci una visione più approfondita delle problematiche di lungo periodo, in grado di far risaltare, in primo luogo, il nesso profondo che lega queste differenti fasi delle attività locali (crescita, stagnazione e decadenza) al clima storico dell'epoca. Qui, più che di uno scrupolo di carattere storiografico, si tratta in effetti della messa a punto di un indispensabile strumento d'indagine.

Se ci volgiamo per un attimo a confrontare la scansione cronologica che risalta dalla documentazione di Montelupo con la periodizzazione delle fasi relative alla storia della Toscana (e, più in generale, dell'Italia e dell'Europa tardo-medievale), avremo infatti agio di verificare come tra i periodi (di crescita, stagnazione, etc.) in tal modo rilevati ed i mutamenti del quadro economico e sociale generale esista una significativa correlazione. Come vedremo, tale correlazione non significa certo *imprinting* diretto, ma indica piuttosto un legame complesso ed articolato, la cui trama può essere ricostruita dallo storico della ceramica (così come da quello dell'economia e della società) previo un ordinato "smontaggio" delle sequenze cronologiche, e cioè appunto attraverso l'assunzione di un'ottica di lungo periodo che sia in grado di far emergere le tendenze secolari sottese a tali fenomeni.

Come, infatti, lo sviluppo delle attività del tardo XIII secolo corrisponde alla fase finale (che fu, probabilmente, anche la più tumultuosa) di crescita delle città e delle economie europee, così quel fondamentale periodo di diversificazione e di ricerca qualitativa della seconda metà del Trecento, al quale poc'anzi si accennava, si colloca nel momento in cui, a seguito del decremento della popolazione causato dalla brusca frenata demografica della "peste nera" del 1348-49 e, soprattutto, dell'endemicità "selettiva" del male, venne a ridursi non di poco il numero degli uomini in Toscana, in Italia e nell'intera Europa[3].

Com'è noto (e come abbiamo visto nel primo volume di quest'opera), tali fattori di regresso demografico, determinatosi all'interno di un quadro di stabile primato dello spazio economico mediterraneo[4], rappresentarono con ogni probabilità le cause prime di un meccanismo di miglioramento delle condizioni di vita dei ceti inferiori della popolazione e, come accadde per i consumi alimentari, esse poterono così costituire le premesse per un sensibile allargamento del mercato dei generi fittili, che in qualche modo compensò la deflazione ed il clima di regresso economico degli anni 1350-1450 circa. L'attenuarsi della pressione demografica si concretò infatti in un miglioramento delle condizioni di vita dei salariati e, più in generale, dei ceti della popolazione a reddito pressoché fisso[5], determinando perciò le condizioni favorevoli ad un più largo smercio di prodotti smaltati dalle caratteristiche "inferiori" sotto il profilo tecnico ed estetico, il che, coll'indurre i ceti più agiati alla richiesta di prodotti di più raffinata qualità, non mancò di favorire una sensibile diversificazione produttiva.

Sappiamo poi che attorno alla metà del XV secolo si avviò in Italia una nuova ripresa demografica, che invertì la tendenza plurisecolare al regresso e che, proprio ad iniziare dagli anni '70-'80, venne a consolidarsi, facendosi poi assai consistente nel corso del Cinquecento[6]. Firenze non fece eccezione a questo movimento generale[7].

Altri parametri, quali quelli relativi allo sviluppo delle attività finanziarie, si uniscono poi al movimento demografico, segnalando un precoce momento di ripresa del dinamismo imprenditoriale del ceto mercantile della città gigliata, che seppe allora approfittare sia dei nuovi equilibri politici determinati dalla caduta di Costantinopoli (1454) per indirizzare la propria azione verso l'esportazione di prodotti lanieri in Oriente, sia per introdursi massicciamente nella spettacolare crescita della piazza commerciale e bancaria di Lione, utilizzata in particolare dagli uomini d'affari fiorentini come supporto mercantile della loro nascente industria serica[8].

Ma, al di là di una più o meno stringente concordanza cronologica, i sintomi importanti di ripresa economica, oltre che demografica, segnalati per Firenze sono rilevabili in tutta Italia, e concordano, fatte salve le necessarie distinzioni, con il clima generale che allora venne stabilendosi in Europa; questo movimento, ad onta della crisi provocata dalle guerre d'Italia, si accelera costantemente sul finire del Quattrocento.

Nonostante il giusto richiamo che è possibile trarre dai moderni studi di storia economica all'espressione di un più raffinato giudizio sulle caratteristiche assunte dallo sviluppo dell'economia e della società in questa fase cruciale per i futuri equilibri del Vecchio Continente[9], è quindi necessario, se ci atteniamo all'evidenza manifestata dai maggiori indicatori congiunturali (demografia, produzione manifatturiera, prezzi, attività commerciali e finanziarie)[10] confermare quelle osservazioni sulla periodizzazione della storia economica europea già espresse in passato da storici come Fernand Braudel e Ruggiero Romano.

Gli studi sull'economia e la società dell'Italia moderna sono venuti infatti ad evidenziare una ben marcata onda secolare di crescita degli indicatori economici, la quale prende avvio tra gli anni '60 e gli anni '80 del Quattrocento, per perdere poi slancio sul finire del Cinquecento, ed infrangersi vistosamente nella crisi generale del 1618-21, che ne prepara il successivo (e definitivo, per i paesi dell'area mediterranea) rivolgimento in senso negativo ad iniziare dagli anni '30 e '40 del Seicento. Da qui inizia una lunga fase di deflazione e di crisi economica, dovuta allo sfascio dell'apparato produttivo ed alla caduta delle rese agricole, che si fa assai marcata per il nostro Paese, e viene a sua volta a terminare negli anni '40 del Settecento: in quel periodo prenderà avvio un nuovo movimento ascendente, anch'esso annunciato dai soliti indicatori congiunturali (demografia e prezzi in primo luogo), che riacquistano segno positivo.

In via generale, quindi, occorre tenere di conto, nell'analisi che ci accingiamo ad intraprendere di quel lunghissimo periodo che fu l'Età Moderna, di queste tre fasi fondamentali, e cioè di un primo momento di crescita generale (1480-1630), del ripiegamento che lo segue (1630-1740), e dell'ultima fase di ulteriore sviluppo economico-sociale, da noi solo parzialmente considerato (1740-1790).

Come vedremo (e come si può intuire da quanto già in precedenza affermato per il Medioevo), non è assolutamente scontato che una specifica attività, pur di indubbia valenza economica, come la produzione ceramica — che è la tematica del nostro studio — segua in maniera univoca e monocorde il clima economico che caratterizza una data epoca. Non trattandosi di uno dei marcatori fondamentali (come ad esempio la più volte richiamata tendenza generale dei prezzi), la produzione ceramica di un centro di fabbrica (nella fattispecie Montelupo) può infatti reagire in maniera inaspettata e difforme rispetto alla generale temperie economica di una data epoca. Così, ad esempio, abbiamo notato lo svilupparsi, per peculiari motivazioni, delle attività ceramistiche nel momento di deflazione e di regresso economico del tardo Medioevo (1330-1450), ma anche la progressiva cessazione delle medesime all'interno del nostro centro di fabbrica durante una fase di indubbia crescita (1740-1790). Quale senso, dunque, assegnare alla periodizzazione che intendiamo attribuire alla nostra indagine? Nonostante il fatto che la risposta a questo interrogativo sia tutt'altro che difficile a comprendere — e probabilmente sia già stata intuita dal lettore — l'importanza della questione esige che ci si soffermi brevemente su di essa.

Per concretizzarsi in aumento di ricchezza e benessere la produzione ceramica, così come ogni attività umana, necessita di seguire un preciso percorso economico, che si avvia con l'impiego di capitali e di lavoro, e che normalmente si chiude con il ricorso al mercato; tutto ciò la rende ovviamente sensibile al clima generale nel quale essa avviene, ma non la sottopone certo al suo dominio. Se, infatti, essa dovrà inevitabilmente confrontarsi con fenomeni quali la crescita inflazionistica dei prezzi o, all'opposto, con la loro caduta, il ricorso agli aspetti intimamente connessi con la natura di "produzione artistica", della quale essa si sostanzia, può rappresentare una via d'uscita, in grado, almeno parzialmente, di porre la medesima produzione ceramica al riparo dai grandi sommovimenti congiunturali del tempo al quale essa appartiene o, comunque, di collocarla in ambiti attraverso i quali essa può almeno in parte sottrarsi agli effetti negativi della congiuntura. E ciò è abbastanza comprensibile.

In ogni momento di crisi generale della società, infatti, alcuni ceti dominanti mantengono importanti risorse finanziarie (o, addirittura, le incrementano): basterà quindi sapersi rivolgere a questo mercato "di alto livello" per contrastare positivamente la depressione nella quale è caduto l'altro sbocco mercantile — quello, per così dire "di massa" o, comunque, "di minor livello". Naturalmente ciò non può avvenire da parte di tutti i produttori, stante il minore esito quantitativo che tale soluzione necessariamente implica, ma essa è soltanto attingibile da coloro i quali riusciranno a qualificare i loro prodotti nel senso più ampio del termine, magari introducendo in essi qualche importante novità tecnologica. È del resto possibile rintracciare storicamente esempi di tutto ciò: in cosa consistette, infatti, la fortuna dei "bianchi" di Faenza, se non nella capacità dimostrata dai vasai faentini di saper attivare questo fondamentale "segmento di mercato" di alto livello, attraverso la messa a punto di una particolare smaltatura, per la quale questi loro prodotti vennero a caratterizzarsi ed a ricercarsi? In tal modo Faenza e la sua produzione poterono superare — se non indenni sotto il profilo quantitativo rispetto alle fortune del secolo precedente, certo nella loro fama "qualitativa" (che non a caso toccò allora i vertici) — la crisi del tardo Cinquecento e della prima metà del secolo successivo.

Ma, se il problema si riducesse soltanto a questo, sarebbe di troppo facile soluzione. Va infatti considerato che i fattori di rischio per un'attività come la produzione della ceramica possono in epoca preindustriale (ma verrebbe da dire anche oltre quest'epoca), ben celarsi anche all'interno delle fasi di sviluppo generale dell'economia ad essa contemporanea. Se, infatti, come accadde puntualmente in quelle età che hanno preceduto la cosiddetta "rivoluzione industriale", la crescita economica si accompagna all'inflazione (connessa strettamente all'aumento della popolazione, oltreché all'incremento del circolante), anche in tal caso — quando i fenomeni, come purtroppo è storicamente sempre accaduto, assumono particolare violenza — essa finisce per poi riverberare i suoi effetti negativi, così come quelli di "segno opposto" derivati dalle crisi di tipo deflattivo, sulla produzione (nel caso nostro in quella della ceramica).

Come vedremo in particolare in riferimento al XVIII secolo — ma i medesimi parametri funzionarono anche nel momento della crescita economica cinquecentesca — il restringimento del mercato che del pari si determina in questi casi, per la necessità che gran parte della popolazione ha di impiegare maggiori risorse nell'acquisto di beni di primaria importanza (cibo, vestiario), di sempre più costoso acquisto, a fronte di un reddito che stenta a seguire l'andamento inflattivo[11], provoca la tendenza da parte dei ceramisti a rincorrere un mercato di sempre più basso profilo, inducendoli alla lunga allo scadimento della produzione, o almeno di parte di essa. Questo fenomeno, come vedremo, è a chiare lettere espresso dagli estensori della *Relazione sullo stato delle manifatture* della Comunità di Montelupo del 1768.

Ecco quindi che ogni riferimento alle generali tendenze di lungo periodo deve essere correttamente inteso non tanto come una rigida formula di meccanica interpretazione "economicistica" (crescita economica uguale sviluppo della produzione ceramica, e viceversa), quanto come corretto ed imprescindibile riferimento al clima generale di un'epoca, di fronte al quale però i ceramisti ed i singoli centri di fabbrica, per diverse e svariate condizioni ed occasioni, vengono a fornire risposte difformi, percorrendo talvolta anche strade opposte da periodo a periodo e da centro a centro; ma tutto ciò, come si è detto poc'anzi, non significa che tali fenomeni si producano al di fuori di precisi rapporti economici con la temperie generale nella quale essi si trovavano ad operare. Questo è il senso del nostro ricorso alla periodizzazione di "lungo periodo" che, ripetiamo ancora una volta, offre il fondamentale vantaggio di analizzare — ed esporre nella trattazione storica — periodi omogenei.

È ovvio, però, che questo approccio "di lungo periodo", che salvaguarda momenti omogenei di crescita o di decadenza generale, deve anche accompagnarsi ad un'analisi altrettanto raffinata, in grado di mettere in luce all'interno di questi fondamentali spaccati cronologici quelle variazioni di più corta estensione temporale che sono del pari indispensabili a stabilire un approccio non massivo ed indifferenziato al problema. Ognuno di questi lunghi movimenti, dalle essenziali caratteristiche omogenee, se colte a debita distanza e seguendo il metro degli indicatori generali, si compone infatti di più piccole fasi, anch'esse marcate, sia pure non così nettamente, da aspetti di generale valenza economico-sociale, e comunque contraddistinte da evidenti fenomeni di omogeneo sviluppo di specifiche problematiche (nel nostro caso stili, etc.). È questa l'ulteriore specificazione cronologica che, sullo sfondo della periodizzazione generale "di lungo periodo", seguiremo nella nostra esposizione, e che verremo adesso a discutere nei suoi differenti aspetti di valenza generale.

Le fasi di medio periodo. La crescita iniziale (1480-1540)

Come si è poc'anzi accennato, la periodizzazione "di lungo periodo" prevede la divisione della nostra esposizione in tre fasi: una che potremmo grosso modo definire "rinascimentale" (1480-1630), un'altra che comprende la restante porzione del XVII e la prima parte del secolo successivo (1630-1740), e l'ultima che riguarda invece la seconda metà del Settecento.

Abbiamo già accennato al fatto che verso il 1450 si notano i primi segni di una ripresa che, interessando gli aspetti fondamentali dell'economia e della società dell'epoca, giunge finalmente ad invertire il segno negativo assunto ad iniziare dai primi anni del XIV secolo dagli indicatori congiunturali di lungo periodo (in particolare da demografia e prezzi). I segnali di inversione del *trend* secolare negativo si palesano del tutto negli anni '70-'80 del Quattrocento: da questa data in poi prende avvio una crescita inflattiva assai sensibile, che si fa particolarmente marcata per i prezzi agricoli, sospinti su valori sempre più alti. L'inflazione — certamente favorita da noi, tra la fine del XV secolo e l'inizio del successivo, dalle turbolenze provocate dalle guerre d'Italia — supera negli anni '20 del Cinquecento una prima soglia qualitativa, amplificando sensibilmente la sua azione sino a tutto il decennio successivo: un'epoca che per Firenze segna anche la definitiva consacrazione dei Medici al rango di signori dell'antica Repubblica (e di formale riaffermazione del vassallaggio dello Stato fiorentino all'impero).

Ma è con gli anni '40 del Cinquecento che l'inflazione, la quale accompagna tutta la fase di crescita dei marcatori economici di questo "lungo XVI secolo", si accentua notevolmente (*Graf. 1*). A Firenze, infatti, l'indice dei prezzi del grano, sensibile indicatore del costo dei generi alimentari, quasi raddoppia (da 100 a 195) tra il decennio 1470-79 e quello 1540-49, iniziando a preoccupare sempre più i ceti popolari, che vedono rapidamente decurtato il loro potere d'acquisto[12]. È in questi anni che il timore di sollevazioni indotte dalle frequenti penurie di generi alimentari che si accompagna alla continua crescita dei prezzi induce Cosimo I de' Medici a mettere in piedi una rete diffusa (e probabilmente ineguagliata nell'intera Europa) di indicatori del livello dei prezzi agricoli correnti sul mercato, e di approntare complessi sistemi di approvvigionamento e stoccaggio dei grani[13].

Il fenomeno era però generale, e non certo limitato alla sola Toscana. In Italia ed in Spagna vengono infatti pubblicati allora i primi libelli nei quali si affronta il problema della crescita generale del costo della vita, che viene per lo più posto in relazione, così come farà negli anni '30 del nostro secolo E.J. Hamilton, con i massicci arrivi di argento dal Nuovo Mondo, i quali, per l'abbondanza del circolante che determinavano nell'intera Europa, avrebbero conseguentemente determinato lo svilimento della moneta rispetto alle merci in circolazione, ed in particolare di quelle di più largo consumo come i generi alimentari[14].

In via generale, possiamo quindi operare una prima divisione "di medio periodo" (che poi, di fatto, viene a coincidere con la "fase rinascimentale" in senso proprio) all'interno del nostro "lungo XVI secolo", comprendendovi gli anni 1480-1540, la quale viene in tal modo a circoscrivere il periodo della crescita economica

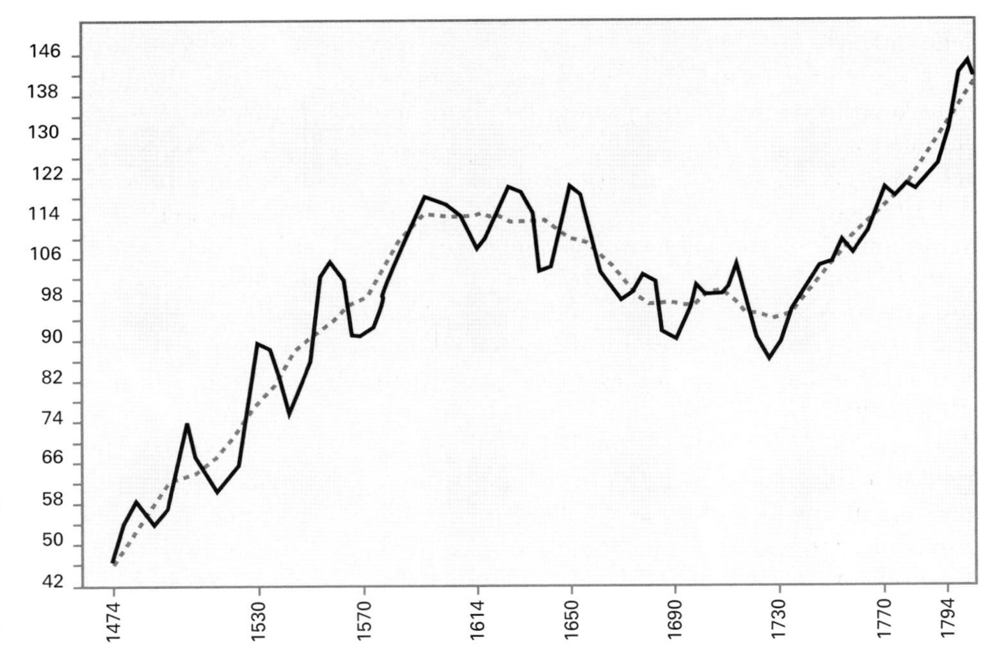

Graf. 1 - Prezzi del grano in Toscana (lire per sacco*). Medie quadriennali del* trend *e loro tendenza. Fonti: R.A. Goldthwaite,* I prezzi del grano... *cit. e G. Parenti,* Prezzi e mercato del grano a Siena, *Firenze, 1942*

avvenuta tra la fine del Medioevo ed i primi decenni dell'Età Moderna, ancora non interessata dal consistente sviluppo dell'inflazione cinquecentesca. Come sappiamo, questi anni sono poi quelli di più intenso sviluppo delle attività ceramistiche in gran parte dei maggiori centri di fabbrica italiani. E ciò, è bene notarlo, nonostante all'interno del medesimo periodo si comprendano anni assai difficili, quali, appunto, quelli delle guerre d'Italia e, per Montelupo, il buio momento dell'ultimo conflitto fiorentino-pisano e, sul finire degli anni '30 (1537-38), la guerra che portò sul trono ducale Cosimo de' Medici, provocando l'occupazione della cittadina valdarnese da parte di milizie spagnole sbandate e determinando addirittura il sostanziale — pur se momentaneo — abbandono del castello da parte dei suoi abitanti[15].

Visto nel suo complesso, possiamo però affermare che l'inversione in senso positivo del *trend* economico secolare, non ancora aggravato da fenomeni quali l'esasperata crescita inflattiva dei decenni seguenti (cioè dalla fase propria della cosiddetta "rivoluzione dei prezzi") rappresentò la condizione oggettiva per un considerevole sviluppo quantitativo della produzione ceramica in Montelupo. Tale sviluppo fu assai consistente nei primi lustri del Cinquecento (1500-1520), ma venne inevitabilmente, forse più a causa delle contingenze politiche e belliche già richiamate che del clima economico, a mostrare qualche segno di cedimento già negli anni '30 di quel secolo.

Nel decennio successivo si nota invece come i nostri ceramisti comincino ad avvertire la stretta inflazionistica che grava sulle loro attività, e s'ingegnino conseguentemente — vivendo ancora una fase positiva — di trovare valide risposte a questa temperie socio-economica che viene a farsi sfavorevole. Non per caso, quindi, è negli anni '40 che inizia a diffondersi il genere "compendiario", il quale rappresentò certamente una tendenza alla rarefazione cromatica della tavolozza, inscindibilmente connessa con il gusto grafico che andava facendosi strada allora, sulla scia della "maniera moderna", nella sensibilità estetica collettiva. Nel centro valdarnese è però anche visibile come il "compendiario" sia spesso utilizzato quale pretesto per la fabbricazione di maioliche di più rapida (e, quindi, meno costosa) lavorazione, dotate di smalti e pigmenti di modesta qualità. Ma qui è soprattutto evidente il progressivo incepparsi, tra gli anni '30 e gli anni '40 del Cinquecento di quel raffinato congegno che aveva portato, nel corso del XV e dei primi lustri del secolo successivo, dopo la grande crescita tecnologica del tardo Medioevo, a quella massiccia e costante introduzione nella produzione ceramica di novità tipologico-decorative, la quale costituiva forse l'aspetto più caratteristico dell'attività delle botteghe locali.

Con l'affacciarsi dell'inflazione, infatti, viene a mettersi in movimento quel noto principio di sostituzione dei consumi, secondo il quale, nel momento in cui diminuiscono le possibilità globali di acquisto, la massa dei compratori — ivi compresi i salariati, i cui compensi, pur accrescendosi, non possono tenere il passo del rapido aumento del costo della vita — per essere caratterizzata da una certa rigidità dei redditi, viene necessariamente ad orientare le proprie disponibilità finanziarie verso l'acquisto di merci di primaria necessità (il cibo) o comunque di fondamentale utilità (vestiario). A ciò, ovviamente, si deve aggiungere l'incremento della rendita, che provoca, ad esempio, un forte aumento dei fitti. Nelle società preindustriali questo fenomeno si accentua per il divario che caratterizza i repentini "picchi" di rialzo dei prezzi dei prodotti agricoli rispetto al coevo aumento del costo dei prodotti manifatturieri, non soltanto nei momenti topici di carestia, ma anche nelle meno drammatiche fasi di penuria alimentare: i primi, a causa del *trend* inflazionistico, partendo da un livello già alto, giungono infatti con estrema facilità a superare quella linea di equilibrio, oltre la quale tali beni vengono ad assorbire gran parte delle disponibilità finanziarie dei singoli.

Le fasi di medio periodo. Le prime difficoltà e le strategie di risposta dei vasai di Montelupo (1540-1590)

Una seconda fase, "centrale" al nostro "lungo XVI secolo" si colloca nel periodo 1540-1590. Nell'arco di questo cinquantennio la Toscana e, con essa, Montelupo, visse una fase di relativa tranquillità sotto il profilo degli avvenimenti militari, che poté concretarsi in un'ordinata costruzione dello Stato da parte di Cosimo I e dei suoi successori ascesi al titolo di Granduchi di Toscana. Lo Stato, allargato nel 1555 sino a comprendere anche Siena ed il suo territorio, fu però travagliato dalla crescita continua dell'inflazione e da un susseguirsi perentorio di carestie, dall'andamento sempre più traumatico (1545, 1561, 1590-91). Come si diceva, l'incalzare dei periodi di penuria alimentare fu visto con crescente preoccupazione dall'allora duca Cosimo, anche perché la crescita demografica prese un andamento assai consistente nel corso della seconda metà del Cinquecento, pur non riuscendo a colmare i vuoti già aperti dalla regressione secolare del Basso e Tardo Medioevo. Negli anni '70 si registra un moderato rasserenamento della tensione inflazionistica ed un allentarsi delle penurie alimentari, che però doveva preludere ad una fase di grande turbolenza, iniziatasi con il 1588. Una serie di sfortunati raccolti portarono infatti nel 1590-91 ad una memorabile carestia, che gettò nel panico i governanti di tutt'Italia. Fu allora evidente, infatti, come l'antico equilibrio mediterraneo, probabilmente di nuovo sbilanciato dall'eccessiva crescita demografica, fosse in procinto di infrangersi sui suoi limiti fisiologici, annunciando così il prossimo riflusso del *trend* secolare, sinora positivo, delle economie regionali.

Come giustamente rilevò Fernand Braudel, la massiccia introduzione di naviglio atlantico (navi anseatiche ed olandesi) nell'antico mare interno, attirate dalla spasmodica fame di granaglie, allora ricercate dai governanti italiani sulle piazze commerciali del Nord (si trattava soprattutto di segale polacca), rappresenta emblematicamente il ribaltamento epocale di un primato che già fu delle nazioni mediterranee[16], e che ora, nonostante il permanere nel panorama europeo della supremazia commerciale e finanziaria di alcune aree italiane, inizia rapidamente a volgere in favore dei popoli nordici.

I segni della futura decadenza cominciano ad affiorare nella vita del nuovo Stato regionale. Tra questi una fondamentale inversione di tendenza nelle emissioni monetarie della zecca fiorentina, la quale venne abbandonando sempre più la monetazione aurea per quella argentea (*Graf. 2*): un fenomeno palesemente connesso con il ridimensionamento progressivo delle funzioni mercantili internazionali fiorentine, le cui proporzioni sono tali da aver giustificato l'affermazione che allora "Firenze venne a trovarsi praticamente con un sistema monetario di tipo monometallico argenteo"[17].

Anche se tale fenomeno, che venne presentandosi in termini assai marcati dopo il 1558, è correlato con quanto avvenne nel resto d'Europa, gli storici dell'economia, valutando attentamente l'interscambio estero dello Stato fiorentino, hanno dedotto che un simile afflusso d'argento fosse in buona parte dovuto alla vendita d'oro[18]. L'argento, essendo coniato per oltre il 90% nei tipi monetari di maggior valore (come numerario

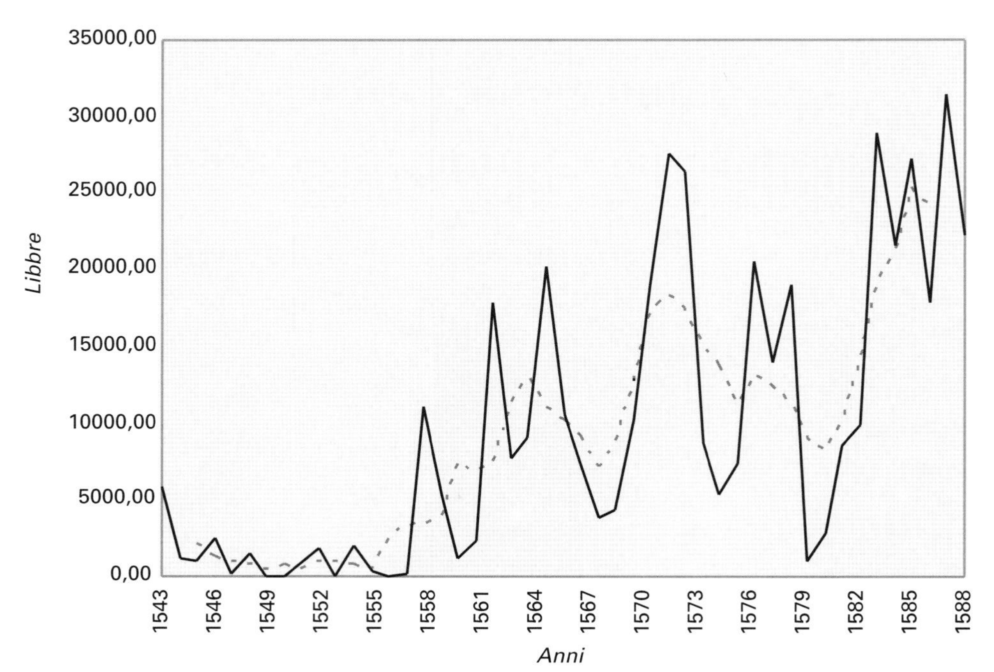

Graf. 2 - Coniazione argentea e relativo trend *a Firenze, 1543-1588.*
Fonte: C.M. Cipolla,
Il governo della moneta... *cit.*

in scudi d'argento, cioè in piastre) era infatti evidentemente destinato al commercio internazionale, al punto da far ritenere a C.M. Cipolla che un simile incremento numerico di tal genere di circolante non abbia rappresentato "per il mercato toscano un proporzionale aumento netto della liquidità"[19].

A questa marcata tendenza alla sostituzione della piastra al ducato d'oro, segno di per sé tutt'altro che tranquillizzante per la salute dell'economia fiorentina, verrà ad aggiungersi alla metà degli anni '70 del XVI secolo una pesantissima crisi bancaria, indotta dalla smisurata crescita del banco dei Ricci, favorito da Cosimo I[20]. Federigo de' Ricci aveva infatti prestato al Duca i denari necessari alla guerra di Siena nel 1555, e fu ricompensato dal Principe con l'assegnazione della competenza su gran parte della tesoreria ducale.

Avendo larghe possibilità finanziarie, dovute al cumulo dei propri fondi con quelli della Depositeria, i Ricci furono con ogni probabilità spinti ad espandere il credito attraverso i fondi pubblici, inducendo gli altri banchi fiorentini a fare altrettanto. In tal modo si finì presto per oltrepassare il segno di una corretta politica bancaria. Già nel 1568, determinandosi una incipiente carenza di liquidità in Firenze, a causa della quale gli amministratori delle botteghe delle arti tessili non riuscivano a ritirare i soldi dai banchi per pagare gli operai, il governo granducale fu costretto a promulgare un bando che vietava ai banchi di pagare con scritte di credito, imponendo loro di "contare", cioè di fornire il denaro liquido richiesto dai depositari. Ma, anche se il provvedimento fu ripetuto ancora nel 1574, una disposizione di legge non poteva ormai modificare una situazione che andava mettendosi al peggio. "I banchi non pagano se non d'inchiostro", affermava infatti in quegli anni Bastiano Arditi nel suo *Diario*[21].

La situazione andò ancora peggiorando nel 1576, poiché Napoleone Cambi, divenuto sin dal 1573 ministro della Depositeria generale, dopo esser stato responsabile del banco Carnesecchi e Strozzi, già posto in serie difficoltà dai Ricci per ragioni di liquidità, impose ai camarlinghi di non accettare in pagamento polizze di banco, e di portare il contante in loro mani alla Depositeria, e non al banco dei Ricci. La situazione creditizia in Firenze divenne perciò esplosiva. Il granduca Francesco, che già nel 1574 aveva dovuto concedere agli imprenditori tessili un prestito di 100.000 ducati per far fronte alle loro spese, per timore di una sommossa in Firenze fu addirittura costretto a rifugiarsi nella villa di Poggio a Caiano, protetta dalle Bande del Contado.

Nel luglio del 1577, di fronte alla perdurante crisi di liquidità, e stante il divieto di svilire la moneta, che fu una costante preoccupazione di Cosimo I e di Francesco I — quest'ultimo, temendo un'incontrollata proliferazione di numerario scadente aveva addirittura fatto serrare i

Tab. 1 - Produzione di panni di lana a Firenze

Anni	*numero pezze*
1318 circa	100.000
1336-38	70.000-80.000
1373	30.000
1383	19.000
1430	10.000-12.000
1488	17.000
1527	18.500
1550-60	16.000
1560-72	30.000
1589-99	13.750
1600-10	13.000
1615-19	7.600
1620-29	9.000
1630-45	6.200
1717-24	1.590
1763-78	2.930

Fonte: P. MALANIMA, *La decadenza...* cit., pp. 295 e 297 [1318-1383 da R. ROMANO, *À Florence au XVIIe siècle. Industries textiles et conjoncture*, in "Annales E.S.C.", 7, 1952, pp. 508-512; 1430 e 1488 da H. HOSHINO, *Per la storia dell'Arte della Lana...* cit.; 1527, M. FOSCARI, in *Relazioni degli ambasciatori veneti al Senato*, a cura di A. SEGARIZZI, Bari, 1916, III, parte I, p. 26; 1550-72, R. GALLUZZI, *Istoria del Granducato...* cit.; anche in *Legislazione Toscana*, I, p. 382; 1589-1610, M. CARMONA, *La Toscane...* cit.; 1616-45, R. ROMANO, *À Florence...* cit.; 1717-24 e 1763-78 in ASF, *Arte della Lana*, 442].

Tab. 3 - Numero dei telai da lana in Firenze

Anni	*numero telai*
1604	1.420
1618	920
1628	782
1684	224

Fonte: P. MALANIMA, *La decadenza...* cit., p. 293 [da M. CARMONA, *La Toscane...* cit. (per il 1618); M. LASTRI, *L'osservatore fiorentino*, Firenze, 1776, II, pp. 145 sgg., G. SARCHIANI, *Ragionamento sul commercio arti e manifatture della Toscana*, Firenze, 1781].

Tab. 2 - Botteghe d'arte della lana a Firenze

Anni	*Botteghe*	*Fonte*
1318	200	Villani
1382	283	Hoshino
1427	132	Hoshino
1458	111	Hoshino
1469	122	Hoshino
1530	150	Varchi
1537	63	Galluzzi
1551	136	Galluzzi
1561	152	Battara
1586	114	Carmona
1596	100	Carmona
1606	98	Carmona
1616	84	Malanima
1626	49	Carmona
1636	46	Carmona
1646	41	Carmona
1662	22	Malanima
1666	22	Carmona
1674	26	Malanima
1721	18	Malanima
1723	15	Malanima
1769	19	Malanima
1811	26	Malanima

Villani = G. VILLANI, *Cronica di Giovanni Villani a migliore lezione ridotta coll'aiuto de' testi a penna*, Firenze, 1823, (rist. anast. Roma, 1980); Hoshino = H. HOSHINO, *Per la storia dell'Arte della Lana...* cit.; Varchi = B. VARCHI, *Storia fiorentina*, in *Opere*, Trieste, 1858, vol. I, p. 193; Galluzzi = R. GALLUZZI, *Istoria del Granducato...* cit., vol. I, p. 155; Battara = P. BATTARA, *Botteghe e pigioni nella Firenze del Cinquecento*, in "Archivio Storico Italiano", XCV (1937), II, p. 27; Carmona = M. CARMONA, *La Toscane face à la crise de l'industrie lainière: techniques et mentalités économiques aux XVIe et XVIIe siècles* in *Produzione, commercio e consumo dei panni di lana*, Firenze, 1976, p. 151 nota 2 (da ASF, *Miscellanea Medicea*, 459, ins. II); stessi dati per il periodo 1586-1662 in P. MALANIMA, *La decadenza...* p. 292 e nota 11 (che però cita ASF, *Miscellanea medicea*, 311); Malanima = P. MALANIMA, *La decadenza di un'economia cittadina. L'industria di Firenze nei secoli XVI-XVIII*, Il Mulino, Bologna, 1982, p. 292 e nota 11 (da ASF, *Miscellanea Medicea*, 311).

punzoni che servivano a battere le crazie, la moneta divisionaria più diffusa — si dovette consentire la circolazione della moneta genovese (scudi, mezzi scudi e quarti d'argento); nel 1589 tale concessione fu estesa ai sottomultipli genovesi ed alle monete papaline (testoni, giulio e mezzo giulio), poi a quelli di Venezia, Milano, Ferrara ed Urbino, ampliando ancora la lista sino a 62 tipi monetali stranieri nel 1591.

La ristrettezza del circolante, cumulandosi con il balzo "di fine secolo" dei prezzi agricoli, determinò "una pesante deflazione"[22] nei prezzi delle merci non agricole, minando alla base l'economia manifatturiera fiorentina. Secondo quanto scrive lo storico settecentesco Galluzzi "nel 1580 cominciò a vedersi in Toscana un cambiamento così inaspettato che tutti ne rimasero sbigottiti: decadde repentinamente la mercatura, frequenti furono i fallimenti"[23]. Non servì certo ad evitare il triste epilogo di tante imprese commerciali la minaccia della galera per chi dichiarava fallimento, disposta per bando granducale nel 1582.

Come scrive C.M. Cipolla, Francesco I, negando la possibilità di alterare la moneta lasciò così alla sua morte [19 ottobre 1587] "...una situazione paradossale: una economia in profonda crisi e un sistema monetario additato a modello negli altri Stati italiani per la stabilità ed il corretto allineamento delle parità metalliche, il draconiano blocco del volume della moneta frazionaria, l'esclusione salvo qualche minima eccezione della moneta forestiera dalla circolazione interna"[24]. E suo fratello, il Granduca Ferdinando, avrebbe ben di poco cambiato tale politica.

La produzione manifatturiera, che nel settore tessile aveva ereditato dal Medioevo i suoi punti di forza, iniziò così a mostrare le prime, importanti difficoltà tra gli anni '70 e gli '80 del XVI secolo, e fu con ogni probabilità favorita anche dalla crisi che travagliò Lione, che da più di un secolo rappresentava la tradizionale piazzaforte dell'economia fiorentina in Europa, tra il 1571 ed il 1590.

Nel lanificio (*Tab. 1*), nonostante fossero ben lontane le 70-80.000 pezze prodotte in città nel 1318 secondo la stima di Giovanni Villani, i documenti relativi agli anni 1569 e 1570 mostrano ancora un'attività di buon livello, con 28.400 pezze prodotte nel primo, e 30.200 — con un numero di botteghe stimato tra le 130 e 150 — nel secondo[25].

Già nel 1586, però, gli esercizi di lanaiolo sono ridotti a 114, con una perdita, dunque, piuttosto sensibile, stimabile tra le 16 e le 36 unità (*Tab. 2*). Da quest'anno in poi il decremento del numero delle botteghe e delle pezze prodotte sarà continuo ed inarrestabile, riducendo, come vedremo, nel corso del XVII secolo questo settore produttivo, che per lungo tempo aveva rappresentato la gloria e la potenza economica fiorentina, ad un nonnulla (*Tab. 3*).

Alcuni storici, sulla scorta — a quanto pare — di certe prudenti valutazioni di Fernand Braudel, il quale collocava la vera decadenza italiana solo negli anni '60 del XVII secolo[26], tendono a mitigare l'impressione di drastica regressione economica della Toscana appuntando il loro interesse verso l'arte della seta: una manifattura che appare in controtendenza rispetto al segno accentuatamente negativo assunto dal *trend* produttivo del lanificio. Per quanto si cerchi di esaltarne l'aspetto positivo — peraltro non del tutto chiaro per la mancanza dei dati relativi proprio al XVI secolo — è tuttavia evidente come i benefici che l'economia fiorentina poté trarre dallo sviluppo del setificio non giunsero neppure lontanamente a compensare la perdita (soprattutto in termini di occupazione) causata dal crollo dell'altro corno, più antico e consistente, del settore tessile[27].

Anche in termini di produzione agricola i dati disponibili per la Toscana attestano, a partire dalla seconda metà del Cinquecento, una progressiva riduzione delle rese unitarie, e questo fenomeno trova un ampio riflesso nell'intero panorama italiano. Le grandi carestie di fine secolo (1590-91, 1597, 1601-02) sfociano, del resto, sul finire del primo ventennio del Seicento, nella crisi europea del 1618-21, che in Toscana fu anche (e, forse, soprattutto) una crisi agricola[28]. Per fenomeni che non è possibile affrontare in questa sede, gli effetti dell'appiattimento della tendenza secolare al rialzo dei prezzi agricoli, avvenuto all'inizio del XVII secolo, finirono per determinare anche la riduzione delle terre coltivate. Nel 1619, infatti, per costringere i proprietari a coltivare i loro terreni, il governo granducale si vide costretto a dar vita ad un'inedita magistratura, i *Sei sulla coltivazione* che avevano il compito di censire le terre incolte e di farle coltivare[29].

Che l'agricoltura toscana, probabilmente anche a causa del repentino abbassamento della temperatura media che comincia a determinarsi in questo periodo (la cosiddetta "piccola era glaciale", la cui eco si ritrova anche nelle cronache coeve)[30], sia andata incontro a forti cambiamenti, lo dimostrano gli stessi documenti relativi alle vendite delle derrate agricole. Sui maggiori mercati dello Stato, come quello di Empoli, infatti, le mercuriali dei prezzi registrano con sempre maggior frequenza non il valore medio per unità di misura di una singola tipologia di cereali, ma la vendita di mescolanze (grano vecciato, etc.), segno evidente di penuria, in specie delle qualità medie ed inferiori, del frumento[31].

Come sempre è avvenuto nella storia dell'uomo, il peggioramento delle condizioni di vita causate dal regresso economico non mancò neppure di favorire il diffondersi di malattie dagli esiti epidemici. Questo aspetto della vita delle popolazioni toscane del primo trentennio del Seicento ci è ben noto grazie agli studi esemplari che ad esso ha dedicato C.M. Cipolla, ai quali non ci resta, perciò, che rinviare il lettore[32].

Nel settore della ceramica, gli effetti dell'inflazione che infiamma i prezzi dei prodotti agricoli, e delle crisi finanziarie e manifatturiere degli anni '70-'80 non mancarono di far sentire la loro influenza negativa, deprimendo il mercato e creando condizioni sfavorevoli allo sviluppo ed al mantenimento di un elevato tono dell'attività ceramistica, specie per centri di fabbrica come Montelupo, il cui rapporto con il mercato rappresentò sempre un tratto distintivo e costitutivo. Sembra esser stata soprattutto l'inflazione, che spingeva sempre più in alto il valore dei beni di consumo di primaria necessità, ad aver inferto il colpo più grave a questo settore produttivo.

È chiaro che l'impatto inflazionistico non riguardò la sola Toscana, ma si estese ovviamente a tutti i centri ceramici italiani. Le risposte che allora vennero fornite a questo problema non furono però le medesime e, quindi, le risultanze furono difformi. Si può notare, infatti — e, se gli studi condotti seguendo un angolo visuale adeguato a far comprendere questi fenomeni fossero più estesi ed approfonditi, tale evidenza sarebbe senza dubbio ancora più spiccata — come alcuni centri di fabbrica siano riusciti a dar vita a qualche produzione di qualità, magari intraprendendo una (sia pur modesta) ricerca tecnologica in grado di rendere più gradevoli e raffinati i loro prodotti, senza per questo troppo elevare i costi di produzione.

Montelupo però non sembra tra questi. Come meglio vedremo attraverso l'indagine analitica delle tipologie formali, ciò che caratterizza con maggiore evidenza i decori su maiolica di questo periodo è la loro netta scissione in due gruppi distinti, che in tal modo vengono ad improntare con la loro ambivalenza la produzione smaltata montelupina sino alla fase di gravissima crisi della seconda metà del Seicento. Il primo di questi è costituito dall'iterazione, continua ed "estenuata" — cioè fiaccata dal ripetersi all'infinito del modello, che perde così il rigore e l'efficacia tipica dell'epoca della sua introduzione — ma anche involgarita dalle semplificazioni formali e dall'impiego di pigmenti "succedanei" (soprattutto del bruno di manganese al posto del bleu cobalto), dei decori rinascimentali. Non poca parte di questa produzione "estenuata" dimostra così, al confronto con le rispettive tipologie del periodo precedente (1480-1540), una sorta di scadimento entropico del gusto e dell'efficacia decorativa.

Nel secondo gruppo assistiamo all'accoglimento ed all'elaborazione locale dei più importanti stimoli formali che percorrono i centri di fabbrica italiani nel corso della seconda metà del Cinquecento. Le forze, ancora fresche e vivaci, dei vasai montelupini non tardano così a fornire varianti locali, anche ben caratterizzate, dei generi che vanno per la maggiore in Italia, ad iniziare soprattutto dal "compendiario", ma il processo di creatività di quelle botteghe sembra dipendere sempre di più da stimoli esterni.

Abbiamo già avuto modo di affermare come la comparsa del genere "compendiario", caratterizzato dalla semplificazione della tavolozza cromatica, all'inizio degli anni '40 del Cinquecento sia certamente da mettere in rapporto con l'aumento del costo di produzione determinato dall'inflazione cinquecentesca. Indubbiamente, come vedremo meglio in seguito, trattando distesamente di questi generi attraverso la documentazione fornita dagli scarichi delle fornaci montelupine, in un primo periodo la semplificazione della tavolozza cromatica non andò certo a scapito dell'elaborazione formale dei decori, che, anzi, si presentano allora (1540-60) ancora assai ricchi e complessi. Lo sviluppo successivo del "compendiario", però, ben esemplificato in Montelupo dall'evoluzione interna del genere cosiddetto "a paesi" — ma non solo da questo — imbocca però decisamente la strada di un evidente risparmio in termini di smalto e pigmenti: un'evoluzione formale che già induceva alcuni ceramologi a parlare di "maiolica povera" per la seconda metà del Cinquecento.

Ma se il "compendiario" in monocromia bleu denota ancora una non trascurabile inventiva, le altre tipologie decorative di questo periodo mostrano anche come spesso le "traduzioni" montelupine non vengano ad aggiungere niente di originale a questi modelli che attraversano gli *ateliers* italiani, e che non sembrano più, come si diceva, il frutto di un'apprezzabile elaborazione dei vasai locali.

Anche una delle conquiste più significative ed emblematiche della ricerca cromatica rinascimentale già avviata dai ceramisti montelupini, quel colore rosso che palesemente tendeva ad imitare i prestigiosi inserti, come di lacche sanguigne, delle maioliche di Iznik, viene a perdersi sul finire del XVI secolo.

Richiamando alla memoria quanto già precedentemente discusso in merito agli effetti "storici" dell'inflazione, ed in particolare alla divaricazione che essa induce nell'attività dei produttori, spingendoli da un lato ad attingere a segmenti più alti di mercato, e dall'altro a rincorrere il diminuito potere d'acquisto dei più, attraverso la creazione di manufatti caratterizzati da un minor costo di produzione, notiamo anche come questa fase evidenzi in Montelupo la spettacolare crescita delle ceramiche ingobbiate, che da meno dell'1% del periodo precedente, vengono ora, nel momento in cui si determina una forte crescita inflattiva, a raggiungere quasi il 50% degli scarti di lavorazione in alcuni scarichi di fornace particolarmente significativi. Qui siamo in effetti di fronte all'evoluzione più vistosa dell'epoca della quale si tratta.

Le ragioni di questo impressionante sviluppo dei generi ad ingobbio negli *ateliers* attivi nell'area fiorentina (di cui la crescita montelupina è significativa, ma non ne esaurisce la portata storica) è senza dubbio da ricercare nel fatto che esso apportava un consistente risparmio nei costi di produzione, in quanto con tali generi si poteva risparmiare non soltanto nell'acquisto dello stagno e nei più complessi passaggi di "accordo" tra le diverse componenti dello smalto, ma anche nella lavorazione necessaria a predisporre il corpo ceramico, che per la maiolica prevedeva la fabbricazione di un impasto di colore biancastro. Non per caso, infatti, nel momento della crisi del pieno Seicento e del Settecento, le fornaci montelupine abbandoneranno questo genere d'impasto al quale erano giunte grazie alla ricerca tecnologica iniziata nella seconda metà del XIV secolo, dovendo così recedere dai criteri di produzione di una maiolica dalla superficie candida.

Non per caso, inoltre, è negli anni '40 del Cinquecento (probabilmente nella seconda metà di questo decennio) che si incontra per la prima volta nella documentazione di scavo montelupina la ceramica marmorizzata, che costituirà uno dei generi "toscani" di maggior diffusione esterna ancora nei momenti di crisi conclamata dei centri ceramici regionali del XVII secolo. Come non vedere in questo prodotto il risultato di un'innovazione produttiva, ben calibrata per fornire una risposta all'esigenza di approntare un genere di aspetto gradevole ed innovativo, che fosse compatibile con quanto i ceti non abbienti della seconda metà del Cinquecento erano disponibili a far uscire dalle loro scarselle, erose dal continuo crescere del costo della vita? La straordinaria fortuna di questo genere (in quanti centri di fabbrica esso fu prodotto?) dimostra l'efficacia di questa risposta e la volontà dei ceramisti toscani di vincere la ristrettezza del mercato determinata dall'inflazione.

L'annuncio delle difficoltà alle quali andava incontro l'economia fiorentina (e, probabilmente, la produzione delle maioliche montelupine) è poi significativamente registrata dal sensibile indicatore rappresentato dal commercio internazionale, che ben permette di evidenziare la perdita, avvenuta sul finire del Cinquecento, di quel primato assoluto di cui godevano le esportazioni di Montelupo (assieme, probabilmente, a qualche altro centro ceramico toscano) sui lontani mercati atlantici. Dagli anni '90 in poi, infatti — segnale precoce, ma assai significativo dell'annunciato declino — sono le maioliche liguri (soprattutto savonesi ed albisolesi) ad ottenere il primato delle esportazioni ceramiche italiane in Inghilterra[33].

Le fasi di medio periodo. L'avvio della crisi (1590-1630)

Che l'inizio degli anni '90 del XVI secolo segni l'avvio di una lunga crisi, indotta dalle vicende che in quel tempo iniziarono a travagliare la Toscana, l'abbiamo più volte affermato, ed abbiamo poc'anzi visto come i primordi della medesima si contengano, sia pure *in nuce*, già nella seconda metà del Cinquecento.

Per ulteriore esemplificazione di ciò possiamo riferirci di nuovo alla supplica inoltrata dai vasai di Montelupo al Granduca Ferdinando I nel 1592[34]. Che di supplica si tratti, anche in assenza del documento specifico, lo prova il provvedimento del 6 novembre di quell'anno, indirizzato a Battista Marmi, che ha le caratteristiche di un pagamento successivo ad un "grazioso" intervento del Principe, sicuramente non dovuto ad un *motuproprio*.

Per la prima volta i vasai di Montelupo, messi a dura prova dalle difficoltà indotte dal lungo periodo d'inflazione cinquecentesca, ed ora travagliati dalla crisi alimentare del 1590-91, che evidentemente aveva inferto un duro colpo alle vendite dei loro prodotti — di certo passati su di un piano secondario rispetto alle impellenti necessità alimentari, che si concretarono in una consistente emorragia di risorse finanziarie, sia pubbliche che private, indirizzate all'acquisto di granaglie — chiedevano l'aiuto dello Stato. Ferdinando, comprendendo le ragioni del malessere (e probabilmente pensando di cicatrizzare le ferite aperte dalla "memorabile carestia") acconsentì all'erogazione di un donativo di 800 ducati, disposto in favore dei vasai di Montelupo, a condizione che di lì a due anni per questa cifra gli fossero corrisposti "tanti vasellami di Montelupo per sostentamento di quelle famiglie".

Abbiamo già avuto occasione di affermare che né Ferdinando, né i suoi successori concepirono un vero progetto "mercantilistico" incentrato sulla produzione ceramica, nonostante il medesimo Granduca, con l'impresa pisana e fiorentina di Niccolò Sisti[35], ed il suo predecessore Francesco, con l'avvio della fabbrica della porcellana[36], abbiano supportato finanziariamente l'avvio e lo sviluppo di manifatture di questa natura. L'azione dei Medici, non diversamente da quelle dei regnanti dell'epoca, era infatti sostanzialmente animata da questioni di prestigio, che in gran parte prescindevano dall'esito commerciale dell'iniziativa: bastava che essa non si concretasse in forti perdite e producesse manufatti apprezzati per la loro validità tecnica ed estetica, per essere considerata valida. Ne dobbiamo dedurre che venne sviluppandosi tra la fine del XVI secolo e la prima metà del Seicento una blanda attitudine dei Granduchi al "sostegno" delle attività montelupine, sulle quali spirava un'aria di crisi sempre più forte. Mai, però, a quanto risulta dalla documentazione sin qui nota, i Medici — come, invece, farà Pietro Leopoldo d'Asburgo Lorena[37] — intervennero a sostegno della languente produzione ceramica attraverso la promulgazione di qualche specifico provvedimento legislativo che fornisse un durevole ausilio a tutti i ceramisti dello Stato, la cui sorte era tutt'altro che difforme da quella dei loro colleghi montelupini.

Nel caso di Montelupo, quindi, a Ferdinando I bastava avere una qualche giustificazione per sottrarre all'erario (poiché le finanze private erano inscindibilmente confuse con quelle pubbliche) somme che sarebbero servite per alleviare lo stato di crisi di quei vasai e, nel contempo, a concretizzare qualche impresa medicea. Ben fece, quindi, Gaetano Guasti, notando che "l'arte e il commercio delle stoviglie erano assai decaduti sulla fine del secolo XVI" a presentare il donativo del 1592 come antefatto della fornitura di piastrelle per l'appartamento parigino di Maria de' Medici negli anni 1611-15[38]. Risulta tuttavia evidente da queste vicende, che bene segnalano le difficoltà nelle quali Montelupo viene a cadere in questo lasso di tempo, come tali provvedimenti non abbiano rappresentato un effettivo contributo alla loro risoluzione, e non siano serviti se non ad alleviare le difficoltà del momento.

Nubi assai minacciose si stavano del resto addensando sui cieli della Toscana, portando con sé problemi di ben più difficile soluzione. Con l'inizio del XVII secolo, infatti, Firenze e la Toscana furono travagliate da numerose epidemie, le quali rappresentano un'indubitabile spia del disagio che le popolazioni vivevano a causa del susseguirsi delle penurie alimentari (1597, 1602) e per il peggioramento delle condizioni economiche, ormai prossime a sfociare in una povertà diffusa.

Nel 1618-21 l'economia e la società della Toscana andarono così incontro in pessime condizioni ad una crisi economica che fu sì di portata europea, ma che venne vissuta con drammatica intensità in questa regione. La crisi, infatti, iniziò come penuria alimentare (era la puntuale ripetizione ciclica della "punta" trentennale negativa del 1588-91), ma si riverberò in maniera gravissima sull'intera struttura economica del Granducato.

Dopo altre carestie (1624, 1627), nel 1630-32 Firenze e la Toscana furono attraversate dalla grande pandemia di peste che allora si diffuse in Italia, e della quale C.M. Cipolla ci ha fornito un'efficace ed assai significativa ricostruzione anche per fatti che coinvolsero la cittadina valdarnese[39]. Da questi colpi mortali, così come l'Italia intera, questa regione non si risolleverà più, per attingere di nuovo a quei valori di diffusione dell'attività manifatturiera e di produzione agricola che le furono propri nel corso del XVI secolo, sino (ma in maniera non paragonabile) alla seconda metà del Settecento. Ad iniziare dagli anni '40 del Seicento, in particolare, la Toscana si trasforma in quella regione agricola e bucolica, costellata di ville e fattorie, che tanto fu cara alla letteratura romantica ed ai viaggiatori del *Grand tour*: a parte Firenze, le sue maggiori città persero costantemente abitanti, secondo un fenomeno che ben evidenzia questa tendenza alla ruralizzazione che, peraltro, secondo alcuni storici aveva un'origine ben più lontana nel tempo[40].

È allora che l'apparato produttivo montelupino (in perfetta correlazione con quello degli altri centri toscani e, probabilmente, con buona parte di quelli dell'Italia intera) va incontro ad un'inarrestabile decadenza, la quale, dopo un lungo tramonto, verrà a compimento nel secolo successivo.

È infatti tra il 1590 ed il 1630 che le maioliche di Montelupo — ma anche i dati relativi alla presenza dei vasai ed all'attività delle fornaci sono assai eloquenti al proposito — dimostrano per la prima volta di perdere rapidamente consistenza, assumendo sempre di più l'aspetto tipico dell'ordinaria stoviglieria.

Montelupo ed i centri ceramici regionali tra crisi e ripresa economica della Toscana (1630-1768)

La crisi apertasi nel corso del primo ventennio del XVII secolo colpì — lo abbiamo più volte evidenziato — non soltanto la Toscana, ma l'Italia intera ed il Vecchio Continente, almeno nella porzione di esso che direttamente gravitava sull'area mediterranea[41]. I dati economici in grado di attestare questa evoluzione, che ben presto venne configurandosi come una vera decadenza socio-economica degli antichi Stati, sono da tempo noti agli storici dell'economia, ed altrettanto conosciute sono le conseguenze sociali e "civili" del fenomeno.

Pur essendo indiscutibile il senso di questo movimento, che verrà radicalmente a trasformare, già ad iniziare dalla metà del Seicento, la fisionomia dell'Europa, che adesso ribalta il suo antico centro di gravità verso le coste dell'Atlantico — il nuovo spazio economico così aperto alle correnti più dinamiche della storia mondiale — resta agli indagatori del passato il compito (tutt'altro che agevole) di mettere in chiaro i fattori profondi e le dinamiche che causarono un simile sommovimento epocale.

Non è certo questa la sede idonea a dibattere tanta problematica, che da non poco tempo riempie le biblioteche ed attrae l'attività di studio degli storici dell'Età Moderna[42]. Appare però ineludibile, trattando del crepuscolo produttivo di Montelupo, collocare questo fenomeno nel più generale contesto della crisi dei tradizionali centri di fabbrica della maiolica, la quale a sua volta collima in questi primi decenni del Seicento con il fenomeno — certo di ben maggiore magnitudine — di generale ripiegamento dell'economia manifatturiera degli Stati italiani.

Rinviando per quest'ultimo aspetto a specifiche indagini di storia economica[43], possiamo semmai discutere sommariamente di tanta questione restringendo il campo della nostra osservazione alla sola Toscana (il che significa occuparsi per gran parte dell'economia fiorentina, che all'epoca di cui trattasi era di gran lunga la più importante). Per questa realtà si possiedono — e sono da tempo noti grazie ad un'apprezzabile serie di pregevoli studi — i dati relativi al maggiore settore produttivo di Firenze, quello dell'Arte della Lana. Orbene, i dati quantitativi che attengono a questo settore-chiave dell'economia fiorentina non soltanto dimostrano un'indubitabile decadenza produttiva, ma si spingono sino ad evidenziare la sostanziale scomparsa, nel corso della seconda metà del XVII secolo, di questo comparto produttivo sul quale erano venute a crescere e consolidarsi le fortune della Firenze medievale[44].

Il contemporaneo sviluppo della manifattura serica, dovuto al diffondersi di nuove mode e consumi di lusso, spesso segnalato dagli storici come possibile fattore di compensazione delle perdite registrate nel settore laniero, appare ben lungi dall'aver rappresentato un'alternativa efficace sotto il profilo economico e sociale alla crisi profondissima ed irreversibile del lanificio (*Tab. 4*).

Tab. 4 - Produzione di seta a Firenze

Anni	*Tele*
1430	498
1431	498
1432	659
1433	623
1434	1.110
1435	1.379
1436	1.416
1437	1.673
1438	1.966
1439	1.802
1440	1.698
1441	1.826
1442	1.905
1443	2.061
1444	1.905
1445	2.444
1446	2.104
1447	2.002
1608	10.306 *
1618	9.293 *
1628	9.769 *
1638	9.995 *
1647	10.276 *
1648	9.781 *
1649	8.689 *
1653	9.582 *
1654	11.435 *
1655	10.947 *
1721-30	18.203 *
1731-40	16.640 *
1741-50	14.720 *
1751-57	15.102 *

* Tele marchiate.
Fonte: P. MALANIMA, *La decadenza*... cit., pp. 310-316; i dati 1430-1447 provengono da G. CORTI, J.G. DA SILVA, *Note sur la production de la soie à Florence au XVe siècle*, in "Annales" (E.S.C.), XX (1965), pp. 309-311.
(Ma non è chiaro di che prodotti si tratti).

Anche le altre città della Toscana che nel passato avevano sviluppato una certa vocazione produttiva nel settore tessile, come Prato, dimostrarono di non trovare allora, nel momento in cui la Dominante cadeva in una spirale depressiva, quella spinta necessaria ad alimentare una ripresa di apprezzabile livello, mancando così l'occasione propizia per porsi alla testa dell'economia manifatturiera della regione, e rifarsi in tal modo dei torti subiti in passato, allorquando l'estensione territoriale di Firenze spesso venne accompagnandosi con il conculcamento delle attività che potevano ostacolare gli interessi economici fiorentini[45]. Questa possibilità, certo osteggiata da normative e tradizioni ereditate dal passato[46], qualora vi fossero state le condizioni oggettive per accoglierla, sarebbe stata favorita anche dal fatto che la Corte, più che al sostegno degli interessi del capitale cittadino, era ormai volta a parare gli effetti negativi della mancanza di vitalità economica dello Stato, che per questo si depauperava finanziariamente, facendo così assumere al Granducato un peso sempre più marginale nello scenario italiano[47]. Di certo, né i pubblici poteri, né le aree già "marginali" al momento in cui l'economia fiorentina si trovava in piena fase espansiva, seppero allora cogliere l'occasione per sviluppare quei nuovi modelli d'impresa che andavano diffondendosi in altre parti d'Europa, e che probabilmente furono di non secondaria importanza, insieme ai vantaggi geopolitici, nel sostenere la crescita economica di quelle nazioni.

Se, insomma, può ben dirsi che il modello di formazione dello Stato regionale abbia nel passato medievale e rinascimentale della Toscana (sino al 1530 circa) spesso coinciso con forme di sostanziale asservimento dell'economia delle altre antiche città-stato a quella fiorentina, l'incapacità di queste stesse aree di reagire positivamente nel periodo di crisi, prendendosi la rivincita su quel gigante malato che appare la Firenze del pieno Seicento[48], la dice lunga sulla gravità e sulle caratteristiche "profonde" e strutturali di un tale ripiegamento epocale, che già veniva ridisegnando la fisionomia della Toscana, e trasformando questa regione da terra costellata di grandi e piccole città, animate da una vivace attività manifatturiera, a regione dal dominante carattere agricolo, ove l'antica propensione della borghesia e della nobiltà di denaro cittadina ad investire nei "poderi" della campagna si qualificava ormai (non diversamente, del resto, da altre parti d'Italia) come tendenza alla formazione di grandi tenute, che facevano capo a ville e fattorie monumentali[49].

Quale poteva essere, del resto, la spinta a formare nuove imprese manifatturiere e ad impiegare in esse consistenti capitali, nel momento in cui tutti gli indicatori economici — da quelli finanziari a quelli commerciali — assumevano un segno fortemente negativo? Non a caso in quegli anni il porto di Livorno, sognato da Cosimo I quale grande scalo toscano, in grado di consentire ai prodotti delle manifatture ed ai commerci del Ducato di partecipare da protagonisti ai traffici mediterranei, venne sempre più a trasformarsi in emporio delle fiorenti economie marittime dei paesi del Nord che, non a caso, entreranno addirittura in conflitto tra di loro — senza per questo incontrare alcun accenno di reazione politica da parte dei Medici — per assicurarsi la supremazia sullo scalo labronico[50].

Come, quindi, pensare che anche il nostro, sia pur assai più limitato, settore della produzione, quello della ceramica, sia stato immune dai contraccolpi deleteri di un clima economico e sociale tutt'altro che favorevole, non soltanto ad ogni processo di sviluppo, ma persino al mantenimento dei livelli di dinamismo raggiunti sul finire del Cinquecento?[51].

Indubbiamente queste difficoltà si avvertirono, e dovettero pesare in maniera particolarmente gravosa su un centro di fabbrica come Montelupo, che da non poco tempo (cioè almeno dal XV secolo) annoverava tra i suoi fattori produttivi di maggior momento anche il capitale mercantile fiorentino, ora ovviamente sempre meno disponibile ad un simile impiego; ma non troppo diversa da quella di Montelupo dovette essere la situazione di tutti gli altri centri che, lavorando per un mercato sufficientemente vasto, necessitavano di usufruire di sbocchi commerciali che ora si facevano sempre più angusti. La crisi economica, ormai conclamata ad iniziare dagli anni 1618-21, infatti, non favorì certo consumi come quello della ceramica; essa, inoltre, moltiplicò i suoi effetti negativi per il fatto di seguire un lungo periodo di difficoltà.

L'inflazione cinquecentesca era infatti sfociata, come si è visto, all'inizio del Seicento in una serie di gravi penurie alimentari che, oltre ad impoverire il pubblico erario, avevano inevitabilmente indirizzato gli acquisti della massa più rilevante dei ceti "urbani" verso merci di prima necessità. Tale meccanismo di "sostituzione" degli acquisti aveva a sua volta ingenerato un sensibile scadimento qualitativo della produzione, depauperando così, lentamente ma inesorabilmente, la tradizione di bottega. Visto che le imprese ceramiche erano addirittura costrette, per rincorrere la tendenza al ribasso del mercato, a comprimere i prezzi di vendita dei loro manufatti in una fase di crescita inflattiva generalizzata, era inevitabile che si cercasse di decurtare in ogni modo anche i costi di produzione, a tutto svantaggio, però, sia della qualità delle materie prime che dell'accuratezza della lavorazione. A lungo andare questo processo finì, come vedremo[52], per trasformare una produzione dai buoni contenuti artistici in un'attività dal profilo sempre più utilitaristico, volta, cioè, a produrre manufatti in grado di soddisfare, al più basso costo possibile, i bisogni elementari legati alla funzione di "stoviglieria" dei medesimi.

La crisi economica, che attanagliò le popolazioni della Toscana in maniera sempre più feroce, e che dimostra tutta la sua gravità "epocale" negli anni '40 del XVII secolo, decurtando poi in senso assoluto le possibilità di acquisto di larghe masse di popolazione, giungeva quindi a colpire con forza proprio quei prodotti ceramici di "media qualità", cioè a dire la maiolica di fattura ordinaria — ma anche le "seconde scelte" delle produzioni di qualità — che di fatto costituivano (basta verificare la composizione di uno scarico di fornace) gran parte della produzione di bottega in centri di fabbrica come Montelupo. Ecco quindi che questo modello tradizionale di attività, che costituiva il perno dell'organizzazione della produzione, garantendo la sopravvivenza nell'*atelier* di capacità tecnico-estetiche diffuse tra tutti i lavoranti (da coloro i quali producevano gli impasti ceramici, a quelli che fabbricavano smalti e pigmenti, oltre, beninteso ai pittori non di elevatissime attitudini, che si impegnavano nella produzione ordinaria), venne a crollare del tutto dopo esser stato destabilizzato da un secolo di progressive difficoltà.

Private di questa possibilità, le fornaci vennero dunque rincorrendo un mercato di sempre più basso profilo, perdendo così definitivamente quelle capacità tecnico-artistiche che, invece, l'allargamento del mercato (assai sensibile, come si è visto, già all'inizio della seconda metà del Trecento) aveva per lungo tempo garantito loro. In questo scenario, infatti, è facile comprendere come da un lato potessero ancora sussistere le opportunità di perseguire una produzione di alta (e talvolta altissima) qualità, ma come esse fossero legate agli umori troppo variabili di una ristretta committenza, i quali non erano compatibili con la sopravvivenza dei centri di fabbrica tradizionali, legata ad una continuità di lavoro ed a numeri assai più elevati di produzione: da qui, dunque, la necessità di introdurre nelle lavorazioni criteri che sembrano più consoni alla comune stoviglieria che alla fabbricazione di manufatti di pregio.

Il fenomeno, che certo non può essere colto col metro dei tradizionali studi "ceramologici", troppo selettivi nei loro interessi di indagine — e di non facile documentazione attraverso l'archeologia post-medievale, ancora allo stato nascente nel nostro paese — si fa però assai chiaro non soltanto nella documentazione archivistica, ma anche ad un grossolano raffronto dell'attività dei vari centri di fabbrica italiani, magari attraverso una semplice comparazione "qualitativa" tra lo stato di salute dimostrato dai vari *ateliers* in quel lasso di tempo (cioè a dire nella seconda metà del Seicento e nella prima parte del Settecento) e quanto avvenuto nei medesimi nel corso del XV e XVI secolo. Un simile — e, ripetiamo, grossolano — confronto è infatti sufficiente ad evidenziare un generale andamento negativo, che mostra nel corso del Settecento di attenuarsi per evidenziare qualche tendenza positiva alla ripresa, la quale significativamente si accentua nella seconda metà di quel secolo.

All'inizio del Settecento, però, centri come Casteldurante, Urbino, Venezia e Pesaro avevano da tempo cessato le attività, ed in altri, come Deruta, essa languiva profondamente, registrando evidenti difficoltà (specie se rapportate al passato cinquecentesco) nella stessa Faenza. Laddove la produzione si incentrava in una sola fornace o, comunque, assumeva più modesta entità economica, era sicuramente più facile superare le sfavorevoli contingenze del periodo, ma anche per questo genere di *ateliers* le cose erano tutt'altro che facili. Se, infatti, in luoghi come Castelli l'attività ceramistica poté riprendere nel corso del XVIII secolo sul tronco (si fa per dire) della vecchia tradizione cinquecentesca, non altrettanto avvenne per luoghi come Cafaggiolo, che pure avevano dato luogo ad esperienze di altissimo livello in epoca rinascimentale.

A Montelupo, come vedremo, queste sfavorevoli contingenze ebbero esiti particolarmente drammatici, ma può dirsi che l'intera Toscana (di cui, del resto, il centro valdarnese era allora gran parte) abbia sostanzialmente perduto nel corso di questi quasi cento anni la propria illustre tradizione, specie nella pittura su smalto.

Per delineare questo movimento complessivo che meglio lascia comprendere il senso del tramonto della grande tradizione montelupina, non possiamo però al momento far ricorso a studi specifici che illustrino con sufficiente dovizia di particolari questo momento storico all'interno dei centri di produzione allora in attività. A questa carenza di indagini, che lascia al proposito amplissime zone d'ombra, si può però ovviare in due modi distinti, ma tra di loro complementari. Il primo consiste nel riunire quelle poche indicazioni che è possibile ricavare da documenti di natura occasionale che, pur non trattando dello stato di salute dei singoli centri di fabbrica, testimoniano del clima generale nel quale si esercitava la produzione della ceramica in Toscana dalla seconda metà del Seicento alla prima metà del secolo successivo; il secondo (e certo più importante e significativo) consiste nel mettere a frutto la grande mole di informazioni ricavabili dalle indagini che, nel corso della seconda metà del Settecento, l'amministrazione granducale, sotto la spinta riformatrice di Pietro Leopoldo, venne acquisendo per analizzare lo stato dell'economia della Toscana di quel tempo, e per riformare quelle istituzioni d'*ancien régime*, che ormai erano ritenute esercitare un'azione negativa nei confronti di una possibile ripresa produttiva del Granducato nel settore manifatturiero. Grazie alle indicazioni fornite da questi documenti, potremo ragionevolmente dedurre che la vicenda produttiva di Montelupo, cioè la quasi totale scomparsa della sua tradizione ceramica sul finire del Settecento, lungi dal rappresentare un'eccezione (sia in ambito nazionale che regionale), deve essere intesa piuttosto come uno dei casi più netti ed emblematici della generale crisi che interessò gli antichi centri italiani di produzione della maiolica.

Su questo sfondo complesso vanno collocate le vicende di spostamento dei vasai da un luogo all'altro del Granducato, ma anche l'immigrazione di ceramisti che provengono da altre regioni d'Italia, i quali trovano facile asilo in città e comunità della Toscana, che ora li attraggono e li favoriscono per sopperire ai propri bisogni, divenuti più impellenti per la necessità, ormai generalizzata, di importare dall'estero non piccola parte delle ceramiche (specie quelle di qualità) destinate al consumo interno. Mentre in passato, infatti, i vasai passavano attraverso i vari centri di produzione sfruttando la maglia di una reciproca colleganza, che divenne sempre più stretta e percorribile nel corso del XVI secolo, in questo periodo di crisi la mobilità dei maestri vasai rispondeva piuttosto alla necessità pubblica di rianimare un'attività scomparsa o, magari, di impiantarla *ex nihilo* in un luogo ove la rarefazione degli scambi regionali, non più animati dai potenti motori degli antichi centri di fabbrica, rendeva non solo possibile, per l'assenza di agguerriti concorrenti, creare un nuovo esercizio, ma anche ottenere per questo facilitazioni pubbliche (esenzioni dalle tasse o, addirittura, privilegi e privative).

Questi tentativi di reimpianto di un'attività ormai perduta hanno quindi un significato storico che trascende il fatto in sé considerato, assumendo piuttosto il valore di testimonianze di un clima di avvenuta destrutturazione degli antichi scenari produttivi già affermatisi in epoca rinascimentale in Toscana, a cui si cerca di ovviare con una serie di espedienti, i quali non sempre ottennero buon esito e, soprattutto, mai attecchirono sino al punto di dare vita ad una rinnovata stagione produttiva.

Tra questi tentativi possiamo annoverare i favori disposti dalla Repubblica di Lucca per Giovanni Antonio Salomoni ad iniziare dal 1642, al fine che egli tenesse aperta nella città una fornace da maiolica[53], e lo spostamento di alcuni vasai da Asciano in quel di Siena sino a San Miniato al Tedesco, cittadina del Medio Valdarno non troppo distante da Montelupo, nel 1655[54].

Questo movimento di immigrazione dall'estero, che si assomma alla migrazione interna dei ceramisti, che da zone meno favorite tentano ora di occupare posizioni più favorevoli nel Granducato, proseguirà ancora nel XVIII secolo, come si può dedurre dalla vicenda del genovese (savonese?) Stefano Grogio dal 1712 — e poi con Bartolomeo Terchi laziale — in San Quirico d'Orcia[55], per finire, per quanto a tutt'oggi è a nostra conoscenza, con l'albisolese Domenico Lorenzo Levantino in Empoli[56].

Queste vicende, come si deduce anche dal fatto che i loro protagonisti sono spesso ceramisti liguri, i più intraprendenti dell'epoca, e certamente quelli che meglio seppero affrontare la sfavorevole congiuntura del XVII secolo, dimostrano, secondo un succedersi tutt'altro che casuale, come la crisi ormai profonda ed irreversibile delle manifatture tradizionali sia venuta sin dalla fine del primo trentennio del Seicento non soltanto ad aprire in Toscana spazi di mercato assai ampi, ma anche ad interessare la fabbricazione della maiolica di qualità, alla quale in passato sopperivano proprio i più importanti centri di produzione regionali.

La ceramica nell'Inchiesta sullo stato delle manifatture (1765-1768)

Una preziosa immagine sintetica dello stato ormai languente nel quale versavano gli antichi centri di fabbrica della maiolica nella Toscana della seconda metà del XVIII secolo la si può poi ricavare, come poc'anzi si accennava, dalla documentazione relativa alle "inchieste" economiche promosse da Pietro Leopoldo d'Asburgo Lorena e dal gruppo dei riformatori toscani che, trovandosi nel governo di quel Principe, ne supportarono l'opera di trasformazione istituzionale a partire dagli anni '60 del XVIII secolo, data della raggiunta maggiore età del primogenito di Maria Teresa d'Austria.

La prima di queste è la nota Inchiesta sullo stato delle manifatture, avviata nel 1765 per opera di Pompeo Neri, e condotta a termine nei tre anni successivi. Essa è stata ampiamente utilizzata dagli storici dell'economia, ad iniziare da Luigi Dal Pane[57], per studiare le condizioni economiche della Toscana in questa fase "prerisorgimentale" e risorgimentale, e ricavare quell'immagine della base produttiva sulla quale poggiavano le forze sociali che diedero vita ai moti del XIX secolo, conclusisi con l'abbattimento del Granducato e con l'annessione al Piemonte.

Nonostante la notorietà della fonte nel suo complesso, è tuttavia possibile reperire in essa, attraverso un'indagine tematica, ulteriori, preziose informazioni su singoli comparti produttivi che non sono stati ancora trattati in maniera diretta ed omogenea. Poiché l'inchiesta venne condotta attraverso un apposito questionario, nel quale si contenevano anche domande relative all'epoca in cui, a memoria dei contemporanei, queste attività erano state impiantate nelle comunità, e sullo stato attuale delle medesime, è possibile formarsi da essa un'idea piuttosto precisa non soltanto sulle condizioni nelle quali versavano le diverse imprese, ma anche sulla parabola produttiva da essi descritta negli ultimi trenta-quaranta anni, cioè, in pratica, dal primo trentennio del XVIII secolo. Ed il panorama che si ricava dalla lettura di questa documentazione relativamente alla produzione ceramica è sconfortante e concordemente indicativo di una profonda decadenza.

Nell'area fiorentina, ad esempio — la più sviluppata della regione sotto il profilo economico e demografico — oltre che a Montelupo, si segnalava una certa attività ceramistica solo in Empoli e Fucecchio.

Nella prima[58], però, si poteva vantare solo la recente introduzione della lavorazione della maiolica "all'uso delle fajanze di Francia" da parte di Domenico Lorenzo Levantini, venuto a Empoli solo tre anni prima (cioè nel 1765), dopo un probabile tentativo di riavviare la fornace di San Miniato.

La stima che i *deputati* alla compilazione dell'Inchiesta potevano fornire in merito all'attività della fornace "Levantini" (così, toscanizzandolo, il ceramista ligure aveva trasformato il suo cognome), non era elevatissima per quantità, ma certamente assai significativa sotto il profilo qualitativo, non fosse altro perché introduceva in quest'area, nella quale ormai circolavano prodotti piuttosto scadenti, le tecniche più moderne e le lavorazioni più impegnative che nell'area savonese-albisolese si era saputo mantenere e sviluppare.

La produzione era infatti stimata a circa 80.000 manufatti ceramici annui, prodotti attraverso 40 fornaciate, che in media contenevano 2.000 pezzi. Il ritmo di lavorazione era dunque piuttosto elevato, visto che da queste valutazioni si deduce una frequenza di oltre tre cotte il mese (3,3, quasi una alla settimana), con una fabbricazione mensile media che superava i 6.600 capi.

La capacità produttiva della fornace Levantino, secondo gli stimatori empolesi (che certo si avvalsero delle informazioni fornite loro dallo stesso ceramista) avrebbe poi potuto addirittura raddoppiarsi, se vi fossero esistite condizioni favorevoli allo smercio dei suoi prodotti ("e se ne fabbricherebbe anche il doppio, quando vi fosse lo smercio"), ma questa affermazione deve certamente considerarsi iperbolica o, comunque, non riferibile allo stato dell'impresa dell'immigrato ligure in quegli anni. L'intraprendente vasaio savonese avrebbe potuto, però, costruire altre fornaci da ceramica in Empoli, visto che di lì a poco (1772) edificò, a fianco della vaseria, una manifattura vetraria[59].

Il giro d'affari che faceva capo alla fornace Levantino era di tutto rispetto, visto che si segnalava per essa un ricavo annuo di circa 40.000 lire, realizzato attraverso una vendita del prodotto che si effettuava soprattutto nel mercato interno del Granducato, una porzione importante del quale era considerata Firenze, ma si segnalava già allora, a soli tre anni dall'inizio dell'attività, la presenza di correnti d'esportazione indirizzate vero lo "Stato Pontificio" ed il territorio di Lucca.

Naturalmente Domenico Lorenzo non mancava, attraverso gli atti dell'Inchiesta, di sollecitare il governo ad intraprendere un'opera di protezione della sua impresa, segnalando in particolare la sproporzione tra la gabella che le maioliche come le sue, prodotte nel territorio di Genova, pagavano all'ingresso del Granducato (4 lire per ogni soma di 500 libbre), rispetto a quanto i manufatti da lui prodotti venivano gravati di tasse doganali al momento in cui si introducessero nel Genovesato (un 40% sulla stima del loro valore), segnalando anche come questa attività, ad eccezione del piombo e dello stagno "che si provvede a Livorno", si avvalesse di materie prime locali, e fosse perciò in grado di apportare significativi benefici sociali, vista soprattutto l'occupazione da essa indotta, in specie per l'approvvigionamento del combustibile.

La produzione empolese del Levantino, che sarebbe continuata per lungo tempo (probabilmente sino agli anni '20 del XIX secolo), non ci è al momento nota attraverso la concretezza di alcun manufatto; di essa, tuttavia, oltre alla dichiarazione dello stesso Domenico Lorenzo ("fajanze all'uso di Francia") contenuta nell'Inchiesta, possediamo alcune descrizioni, contenute sia in un foglio reclamistico ritrovato da E. Biavati nella Civica Raccolta Bertarelli di Milano[60], sia l'inventario del suo magazzino rinvenuto tra gli atti civili del podestà di Empoli[61]. Da questi documenti, ai quali potremmo aggiungere alcuni inventari domestici, all'interno dei quali compare la maiolica "della fabbrica di Empoli", e le forniture effettuate dal medesimo Levantino al convento della SS. Annunziata in Firenze[62], traspare con sufficiente chiarezza come questa manifattura savonese trasferita in Toscana sia da considerare con tutta probabilità, assieme — anche se su di un piano di gran lunga inferiore — alla ben più complessa produzione ceramica avviata dal marchese Carlo Ginori a Sesto Fiorentino, come la novità più importante registratasi in Toscana negli anni 1765-90.

Lo sviluppo di queste attività, avviate *ex novo* al di fuori degli antichi centri di fabbrica, ormai giunti allo stremo delle proprie forze, già fresche e vigorose nel periodo rinascimentale, ben si coglie poi dal quadro che i *deputati* empolesi ci delineano per Pontorme, un piccolo agglomerato che già fu castello dei conti Alberti di Capraia, ove sul finire del XV secolo, grazie soprattutto all'immigrazione di vasai provenienti da Bacchereto (tra i quali di particolare rilievo furono quelli appartenenti alla famiglia degli Spigliati), era andata sviluppandosi un'apprezzabile attività ceramistica[63].

Pontorme poteva vantare tra Quattro e Cinquecento un buon numero di fornaci, ma tra Sei e Settecento l'attività vasaria pontormese venne a decadere profondamente, sin quasi a cancellarsi del tutto. I *deputati* empolesi potevano infatti affermare al proposito che "nei tempi addietro" (cioè sicuramente negli anni '20-'30 del XVIII secolo), esistevano ancora in Pontorme "più fabbriche", già ridotte però alla produzione di "terra ordinaria ... per uso di stoviglie da cucina e simili", ma questa attività era modernamente venuta pressoché ad interrompersi, essendo allora "ridotta ad una sola fabbrica". L'analisi delle cause di tale decadenza fornita dagli stessi *deputati* è del resto assai significativa, e chiama direttamente in causa gli effetti deleteri della lunga depressione seicentesca, il cui impatto, evidentemente, in questo caso non poteva ancora dirsi in fase di superamento; è infatti la povertà dei pontormesi, per gli estensori dell'inchiesta, ad impedire che essi possano rianimare questa tradizionale manifattura della loro terra "...e ciò perché quegli abitanti sono in miserabile stato e non hanno contante da potere aprire e tirare avanti fabbriche, quantunque non abbisogni per simili negozi un capitale di gran conseguenza".

In una posizione simile a quella di Pontorme, anche se caratterizzata da un livello produttivo più elevato, si può collocare un altro centro di fabbrica attivo nel Valdarno Fiorentino: Fucecchio. La similitudine tra i due centri, oltre che di tipo geografico, in ragione del posizionamento di entrambi (e di Montelupo) nei pressi delle rive dell'Arno, è estensibile infatti alle loro caratteristiche produttive. Sia in Pontorme che a Fucecchio, infatti, pur non potendosi escludere la fabbricazione della maiolica, appare più che probabile la presenza di botteghe che affidano le loro fortune alle tipologie con ingobbio, in tutte le loro varianti tipologiche[64].

Ancora nel 1765, data di compilazione dell'Inchiesta, in Fucecchio risultano attive ben nove fornaci ceramiche, che producevano una quantità rilevante di stoviglieria, valutata in

4.000 some; questa indicazione quantitativa espressa dai *deputati* fucecchiesi porterebbe dunque ad oltre 444 some annue l'entità produttiva di ciascuna fornace. Ad onta della sua rilevanza numerica, però, la produzione fucecchiese sembra caratterizzarsi per un valore intrinseco piuttosto modesto, pari a lire 6 per ogni soma venduta alla bottega, il che porterebbe il valore globale del prodotto a 24.000 lire, cioè a dire a poco più della metà di quanto ricavato dalla sola fornace empolese di Domenico Lorenzo Levantino. Da queste cifre risalta quindi con evidenza la differenza di pregio (dovuta evidentemente ad una difformità di genere) tra le maioliche empolesi e le coeve ceramiche di Fucecchio.

Trattando, del resto, delle materie prime necessarie all'attività ceramistica locale, il documento cita l'argilla locale ("terra nera"), cavata dai depositi fluviali dell'Arno, e la "terra bianca" di provenienza senese ("la terra bianca che viene dallo Stato senese"), da considerare, con ogni evidenza, quella terra da ingobbio cavata nella podesteria di Sovicille, nella Montagnola di Siena, sulla quale avremmo modo di ritornare trattando delle esportazioni interne al Granducato. Oltre a queste materie argillose, la relazione indica nella "renella" proveniente dal Valdarno superiore — cioè la nota "sabbia di San Giovanni" (Valdarno), di cui tratta anche Cipriano Piccolpasso nel suo famoso trattato sull'Arte del Vasaio[66], e nel piombo le materie prime necessarie alle attività ceramistiche fucecchiesi; l'assenza di stagno avvalora l'ipotesi di una produzione ad ingobbio sotto vetrina ("il piombo in pani che si provvede a Livorno, quale si fa macinare assieme colla renella ai mulini del fiume Elsa, quando è cotto, e serve per la vernice di dette stoviglie").

Nel documento approntato per l'Inchiesta si valuta che il commercio delle ceramiche fucecchiesi sia da ripartire a metà per flussi d'esportazione, intendendo con ciò che una parte venga esitata all'interno del Granducato, ed in particolare in Firenze e nel suo Contado, nelle città di Pisa e di Livorno e nei loro rispettivi territori, e nella Val di Nievole, varcando invece l'altra metà i confini dello Stato fiorentino, probabilmente per dirigersi anche verso Lucca e l'*énclave* di Pietrasanta[67].

Gli estensori della relazione valutavano che l'attività ceramistica fucecchiese avesse subito un forte decremento negli ultimi tempi, e che addirittura questo settore produttivo fosse l'unico, tra quelli presenti sul posto, a caratterizzarsi per un segno negativo. Dal punto di vista cronologico l'inizio della crisi, che si pensava avesse addirittura dimezzato la produzione locale, veniva collocato attorno al 1740, cioè a circa venticinque anni prima, ma questa indicazione deve essere accolta con la dovuta ponderazione, visto che per i tempi di cui trattasi non doveva essere agevole risalire ad un periodo relativamente così distante nel tempo.

Circa le cause di tanta decadenza, i *deputati* di Fucecchio, pur interessati a lanciare il solito messaggio protezionistico alle autorità dello Stato — per loro un motivo della crisi delle loro fornaci risiederebbe nell'"essersi aperte altre fabbriche di stoviglie consimili in altre parti del Granducato", cosa che non risulta corrispondere al vero — indicavano con precisione nella marginalità dei generi ad ingobbio, ormai ridotti ad un mercato residuale, e di certo non più in grado, adesso che da tempo venivano a manifestarsi i primi segni di una nuova ripresa "secolare", di contrastare i più pregiati generi smaltati, prodotti dalle fabbriche di nuovo introdotte nel Granducato (e, aggiungiamo noi, provenienti dall'estero): "Il motivo della decadenza è stato l'essersi introdotte ed aperte in questo Granducato più fabbriche di majolica, per lo che a motivo della pulizia maggiore con cui trattano le persone culte, se ne è ristretto l'esito".

Nel caso di Pontorme e Fucecchio, quindi, ci troviamo di fronte a centri di fabbrica che furono già di una certa importanza, e che probabilmente riuscirono a crescere nel corso della seconda metà del Cinquecento grazie allo spazio che venne aprendosi alla produzione di ceramica ingobbiata a seguito delle difficoltà economiche derivate da quel rialzo generalizzato del costo della vita (la cosiddetta "rivoluzione dei prezzi") sulla quale abbiamo già avuto modo di soffermarci nel capitolo dedicato allo scenario economico nel quale si colloca la produzione ceramica degli anni 1480-1630 (il "lungo XVI secolo" di Fernand Braudel).

Tra questi dovremmo poi inserire centri che evidentemente cessarono la loro attività nel corso del Seicento, come Castelfiorentino e Pomarance.

Del primo, infatti, conosciamo un'attività che sembra, dopo una probabile produzione medievale in maiolica arcaica, restringersi in epoca rinascimentale alla sola fabbricazione di ceramiche ingobbiate[68]. La mancanza, però, di qualsiasi memoria di questa attività nell'Inchiesta del 1765, lascia intendere che la medesima sia cessata molto tempo prima della redazione di quest'ultima, tanto da non essere nota a memoria d'uomo.

Nel caso di Pomarance, centro noto anch'esso unicamente per la produzione di ingobbiate, è invece la stessa relazione ad indicare espressamente il 1630 come data terminale delle attività ceramistiche locali, interrottesi a causa delle conseguenze della pandemia di peste, che, sembra di capire, si suppone abbia portato all'estinzione le famiglie dei vasai: "si fabbricavano in questa comunità majoliche di buona qualità e con buone vernici; si è perduta affatto quest'arte da circa 130 anni in qua per la peste, che di quel tempo afflisse questi paesi".

Va da sé che tanto l'affermazione della fabbricazione di ceramiche con copertura stannifera, la quale contrasta con quel poco che a tutt'oggi è possibile sapere in merito all'attività delle fornaci di Pomarance, quanto l'identificazione di quel terribile periodo come momento terminale delle attività, sono da prendere con la dovuta cautela. Appare più plausibile, infatti, che la fabbricazione della ceramica sia venuta qui a cessare più per quel lento, ma inesorabile declino della seconda metà del XVII, che in ragione di un evento subitaneo e traumatico (perché, infatti, anche ammesso che fossero mancati i ceramisti, nessuno pensò di affidare le loro fornaci a qualche vasaio venuto dall'esterno di quella comunità, così come avvenne in tanti altri luoghi?).

Ciò detto, bisogna riconoscere la grande abilità, quasi "archeologica", degli estensori della relazione, che indicavano non solo nella presenza di vecchi edifici di fornace ancora visibili nel paese, ma anche nel ritrovamento di distanziatori da cottura muniti degli stemmi di famiglie locali, le prove inconfutabili dell'esistenza di questa produzione in Pomarance: "Se ne conserva memoria perché si vedono dentro il paese le fornaci antiche, ed esistono vasi e piatti fabbricati in questo paese, e si trovano frequenti negli scassi i treppiedini da piatti coll'arme dei paesani". Persino la località ove i ceramisti cavavano la terra era nota.

Nel novero dei centri di produzione che erano venuti specializzandosi nella fabbricazione di ceramica ad ingobbio è poi da inserire anche Pisa, dopo gli splendori dei secoli XIII-XIV, nel corso dei quali probabilmente esercitò il ruolo di motore fondamentale della diffusione, almeno a livello regionale, dell'arte della maiolica[69]. Caduta definitivamente, nonostante eroici tentativi di riacquistare la propria sovranità, nelle mani dei Fiorentini, Pisa finì infatti per abbandonare le lavorazioni a smalto che avevano caratterizzato l'attività delle sue fornaci nel corso di quei due secoli del Medioevo.

Della importante produzione ad ingobbio pisana, probabilmente avviata negli anni immediatamente seguenti la metà del Quattrocento, hanno trattato con dovizia di particolari G. Berti ed E. Tongiorgi[70]; i manufatti relativi sono esposti al pubblico presso il Museo Nazionale di Pisa. Quando, però, venne a cessare anche questa attività? Per il momento tale domanda non ha possibilità di incontrare una risposta sufficientemente precisa ed esauriente, in quanto i contributi scientifici dedicati al tema delle attività ceramistiche pisane non sono stati ancora indirizzati (o, più probabilmente, non sono stati in grado di farlo per mancanza della documentazione materiale) a chiarire questo punto che riveste per noi un particolare interesse[71]. È possibile, infatti, che ciò sia accaduto alla fine del XVI secolo, visto che la produzione sinora nota giunge a quest'epoca, ma una simile soluzione ci appare contrastare troppo nettamente la tendenza all'affermazione seicentesca della ceramica ingobbiata. In attesa di più precisi dati sull'argomento, appare comunque significativo il fatto che si profili anche nel caso della città crociata un allineamento alla situazione "congiunturale" negativa evidenziabile nell'intera regione, anche se in questo caso sembra di assistere ad una battuta d'arresto, che pare piuttosto drastica (forse simile a quella di Castelfiorentino e di Pomarance), e più precoce di quella degli altri centri "minori" del Valdarno, come Pontorme e Fucecchio.

La fortissima riduzione delle attività ceramistiche in tutta la valle dell'Arno, la quale aveva rappresentato l'area di gran lunga più forte in questo settore, era poi aggravata considerevolmente dalla crisi gravissima nella quale in questo scorcio del XVIII secolo versavano le botteghe di Montelupo e dalla chiusura della fornace di San Miniato. Qui, come abbiamo visto, all'inizio della seconda metà del Seicento un'anomala situazione proprietaria (era l'ospedale locale a detenere il possesso della struttura produttiva) aveva in qualche modo favorito il travaso in terra samminiatese di alcuni vasai di Asciano, che sappiamo aver condotto per non poco tempo tale impresa.

All'epoca dell'Inchiesta, però, la fornace di San Miniato era stata da qualche tempo abbandonata, con rincrescimento degli esponenti della comunità locale, che vedevano in tal modo chiudersi forse l'unica prospettiva di sviluppo "manifatturiero" per questa "terra murata", che già fu importante avamposto pisano sui confini di Firenze. La manifattura della maiolica, infatti, secondo essi "riusciva con perfezione", ed era caduta in rovina "perché gl'impresari non erano tutti di Samminiato e ...non ebbero forse comodo di fare il fondo capace per il mantenimento". Un tale esito negativo rappresentava una vera sconfitta per questo luogo, che aveva tutto l'occorrente per sviluppare una simile attività, in quanto "le terre vi erano perfette, i contadini vi si educavano e la situazione era nel più bel punto di vista della Toscana, in mezzo fra Pisa e Firenze, col comodo dell'Arno e con legne in abbondanza e a buon prezzo, a segno tale che non può tacersi che non [*sic*] sia stata una perdita considerabile per questo paese", tanto da costituire un problema da risolvere con rapidità "se potesse trovarsi il mezzo di ravvivare questa fabbrica".

Ma in quegli anni del Settecento non sussistevano certo le condizioni per rianimare simili imprese, che, come si è già notato, rappresentavano a loro volta il frutto transeunte dei nuovi, precari equilibri determinatisi nel corso del XVII secolo in seguito alla crisi dei centri di fabbrica "tradizionali", che a loro volta erano il risultato del processo di concentrazione quattrocentesca delle attività ceramistiche della Toscana.

Se, del resto, volgiamo la nostra attenzione ad altre aree regionali, possiamo notare come la sopravvivenza di alcuni centri di fabbrica ancora in attività non fosse più legata al fenomeno rinascimentale della concentrazione produttiva, che dava vita a forti correnti d'esportazione, tanto da attrarre persino il capitale mercantile come fattore di crescita e di supporto, ma viceversa come tale sopravvivenza fosse relegata piuttosto ad un ruolo subregionale che alcuni di essi, in ragione della loro collocazione geografica, potevano esercitare. Centri come Anghiari e Montepulciano, infatti, trovandosi ben all'interno del territorio regionale, erano evidentemente protetti dalle importazioni che avvenivano via mare le quali, secondo il classico modello dei commerci delle età preindustriali, coinvolgevano in primo luogo gli ambiti territoriali i quali si trovavano in più facile ed immediata connessione con le vie di penetrazione fluviale (come il caso della valle dell'Arno).

Sfruttando a dovere questa loro collocazione, che rendeva oneroso, per i costi di trasporto, l'acquisto di ceramiche "forestiere" (che, come vedremo, erano allora soprattutto maioliche di area "savonese" — cioè a dire soprattutto di Albisola), questi centri di fabbrica avevano potuto mantenere in vita la propria attività, pur adeguandosi ad un mercato piuttosto ristretto e dai connotati sostanzialmente "locali".

La relazione di Anghiari è non di poco confusa proprio nella parte che riguarda la ceramica, certo per essere stata redatta da persone che non avevano alcuna familiarità con la materia. In essa, infatti, si afferma che i prodotti delle tre fornaci attive sul posto in "parte servono per l'uso ordinario di cucina e tavola" e parte consistono "in chicchere, ciotole, caldani e con vernice nera, rosa, bianca e mischiata", cosa che contrasta col fatto che entro le medesime si fabbricavano ceramiche "parte invetriate e parte rozze". Dal contesto del documento si deduce infatti che qui si produceva anche la maiolica (sicuramente quella ceramica con "vernice" rosa — che sembra esser stata una moda toscana dell'epoca[72] — e bianca), la quale probabilmente veniva richiesta direttamente dagli acquirenti, e perciò non era stimata né per quantità né per prezzo: "l'altro vasellame più fine, con vernice e qualità e lavoro ragionevole si vende a contanti nel paese e fuori, secondo le commissioni e secondo la finezza del lavoro".

Il valore medio della produzione più comune di Anghiari che, in ragione di quanto si afferma nel documento, consisteva in stovigliame comune e ceramica invetriata ("chicchere, ciotole, caldani con vernice nera... e mischiata") era piuttosto basso, essendo stimata al netto la soma lire 4.13.4, ed al lordo delle tasse e dei costi di trasporto lire 7. Poiché si valutava che annualmente la produzione ascendesse a 400 some, il valore totale annuo della medesima ammontava dunque a lire 1.866, 11 soldi e 4 denari (al lordo 2.800 lire): un giro d'affari ben più modesto, quindi, di quello non soltanto alimentato dalla fornace Levantino di Empoli, ma anche dalle botteghe fucecchiesi allora in attività.

Il raggio delle esportazioni dei vasai anghiaresi, del resto, si riferiva ad ambito locale od alle vicine aree subregionali ("S'esitano nel paese, nella città di San Sepolcro, Pieve Santo Stefano...") o lungo le usuali direttrici che collegavano il centro toscano con le più vicine comunità umbre ("Città di Castello, Stato Pontificio...").

Il limitato pregio dei fittili di Anghiari era attribuito dagli estensori della relazione alla qualità dell'argilla locale, che non sarebbe stata idonea a supportare una produzione di qualità, non essendo la natura ferrosa della stessa in grado di tollerare la smaltatura ("...attesa la qualità della terra rossa, di cui ordinariamente si servono, quale non è atta a ricevere qualunque sorte di vernice, ma solo la nera e la tartarugata"), mentre quella bianca sembra troppo poco resistente al calore e ribelle alla smaltatura corposa ("...e quelli di terra bianca, non essendo di buona qualità, i lavori non reggano al fuoco, e non ricevono una vernice stimabile, per cui a' detti manifattori manca l'arte di fare specialmente la bianca, per il che non gli riesce di lavorare maioliche fini")[73]. Non vi sono nella relazione valutazioni (che pure erano richieste) sull'andamento congiunturale delle attività ceramistiche, né sulla storia della loro presenza nella comunità, ma, da quanto abbiamo potuto osservare, emerge con chiarezza una funzione piuttosto marginale delle medesime (si veda la stima del valore medio della produzione), che probabilmente impediva agli estensori del documento di esprimere, attesa la modestia delle attività, che sembrano riempire una sorta di "nicchia" di favore, creata dalla collocazione geografica di questi luoghi, appropriate valutazioni in merito.

Una situazione simile a quella di Anghiari era quella di Montepulciano. Anche in questo caso le fornaci locali sembrano aver goduto di una collocazione territoriale che le preservava dalla più agguerrita competizione qualitativa con altri centri di produzione, e le metteva in grado di mantenere così in vita, nonostante quella spinta alla qualificazione del prodotto che acutamente rilevavano gli estensori della relazione di Fucecchio, un'attività caratterizzata da una qualità intrinseca non troppo elevata ("Si fabbricano vasi da tavola che sono di qualità ordinaria e per gli usi ordinari"), la quale trovava esito soltanto all'interno dei confini di quel territorio ("non si vendono che dentro la comunità"), alimentandosi solo dalla domanda locale ("si fabbricano a misura del bisogno di essa"). I prezzi non lievi che la caratterizzano ("circa L. 14 la soma" e "L. 10 per la ceramica da cucina"[74]) dimostrano però eloquentemente l'opportunità che a quei vasai si offriva di spuntare un buon guadagno, anche se dalle loro fornaci non uscivano manufatti di pregio.

Per le imprese ceramiche poliziane, però, a differenza di quelle di Anghiari, vi sono varie prove dell'esistenza di una fase produttiva Cinque-Seicentesca di buon livello[75], la quale è avvalorata dalla stessa relazione, visto che in essa si dichiarano le origini "antiche", pur in un quadro di discontinuità ("ma non sono state di continuo"), delle medesime.

Al caso di Anghiari e di Montepulciano possiamo poi connettere altre testimonianze di sopravvivenza — o, addirittura, di avvio *ex novo* — di attività ridotte però ad un livello "marginale", all'interno di aree regionali non direttamente connesse con la rete principale delle comunicazioni, ed in particolare con la via fluviale, sfruttata con facilità dai generi di importazione. Tra questi citiamo Sorano, ove era segnalata "una fabbrica di vasellame di terra cotta", che tuttavia "non supplisce se non in parte ai bisogni del paese, molto più che da qualche tempo è deteriorata", ed un'altra "bottega di vasellame di creta cotta" in Pitigliano, che anch'essa "non supplisce se non in parte ai bisogni del paese, che viene per ogni tratto di tempo provveduto dai vasai forestieri". Anche a Poppi in Casentino esisteva "una fabbrica di vasi e cocci", i prodotti della quale però "per non essere a perfezione lavorati, non hanno grand'esito". Un caso di interessante sopravvivenza delle attività ceramistiche riguarda anche Borgo San Lorenzo, nella cui "terra murata" esistevano ancora[76] "due forni di vasellame rozzo, nei quali fabbricano piatti, pentole, tegami etc.": un'attività che però non alimenta un movimento commerciale di apprezzabile livello, visto che questi prodotti "si smerciano nel detto castello e mercati e fiere suddette".

Di recente impianto risultava invece una fornace aperta in Scarperia dalla famiglia Guidacci[77] e "due officine o fornaci di terra cotta" in Volterra[78]. Per quest'ultima cittadina, tuttavia, gli estensori della relazione, oltre ad affermare che questo genere di attività era stato "introdotto da pochi mesi", precisavano trattarsi " di cose usuali e rozze, cioè tegami, brocche, caldani e simili cose". Nonostante la povertà del prodotto e la sua assai modesta entità ("circa 30 some all'anno"), che alimentava un piccolo giro d'affari ("si vendono qui in paese circa lire 8 la soma" — per un totale annuo, quindi, valutato a sole 240 lire), gli stessi estensori manifestavano nei confronti della neonata attività ceramistica volterrana un notabile ottimismo, che certo si alimentava di ipotesi fantasiose ("potrebbe divenire ancora un oggetto più serio, quando si avanzasse ai lavori delle maioliche, e forse anco delle porcellane, giacché la terra sarebbe adattissima"), ma registrava comunque il buon esito iniziale dell'impresa, i cui prodotti "cominciano a spargersi per li detti castelli e per la detta Maremma bassa", approfittando con tutta evidenza della inesistenza di altre, sia pure di così basso livello tecnologico, attività similari.

Abbiamo infatti già detto della fine, attribuita agli anni della peste del 1630, della produzione ceramica in Pomarance, località prossima a Volterra, ma a questo dato possiamo unire quello significativo che riguardava l'altra parte della Maremma toscana, quella senese. Anche in questo caso, nonostante le modestissime attività di Sorano e Pitigliano, i *deputati* di Grosseto potevano lamentare l'assenza di qualsiasi fornace ceramica (e vetraria) i cui prodotti potessero soddisfare il consumo di quel vasto comprensorio ("siamo parimente privi di tali fabbriche in tutta la Maremma"), cosa che rendeva "carissimi tali generi, e specialmente le vasa". Solo la possibilità di spuntare prezzi elevati rendeva possibile che le ceramiche vi giungessero "...per ischena da Siena, da Asciano, da Montalcino e d'altri luoghi" e, ovviamente, secondo un dato che caratterizza l'intero panorama toscano dell'epoca "soprattutto per mare da Savona"[79].

In questo quadro piuttosto desolante sono semmai le produzioni particolari, come le terrecotte ed alcuni generi invetriati a sostenersi in maniera più solida.

Questo è il caso di Pistoia che, godendo anch'essa di un ambito territoriale sufficientemente appartato (specialmente nella storica espansione appenninica della "Montagna"), teneva in vita una produzione di vasellame non di pregio eccessivo ("lavorandosi vasellame d'ogni sorte"), all'interno della quale assumevano particolare rilievo, tanto da caratterizzarsi anche per un'esportazione extrapistoiese, gli scaldini invetriati ("una più vistosa apparenza ànno li scaldini per li ornati di rilievo in rabesco, de' quali perciò si fa esito anche nelle altre parti della Toscana")[80].

La quantità indicata per l'esportazione di questi generi è però piuttosto esigua ("n. di 90 dozzine ogn'anno"), ed il fatto stesso che una tale stima sia degna di nota, lascia intendere lo stato assai modesto nel quale versava tutta l'attività manifatturiera locale; era tuttavia importante per i *deputati* segnalare questa novità, anche perché essa si trovava allora in fase espansiva, essendo "...in miglior grado che nel passato", e ciò grazie a due importanti innovazioni tecniche: l'ornato per gli scaldini e la "vernice scura alla savonese che si adopra in molti vasi"[81]. Anche il caso di Pistoia, dunque, rappresenta un ulteriore capitolo della storia complessa della supremazia tecnico-artistica che i vasai liguri (in particolare savonesi e albisolesi) avevano stabilito nei confronti della Toscana a partire dalla metà circa del secolo precedente; questo fenomeno, sviluppatosi in concomitanza con la crisi delle manifatture toscane di tipo "tradizionale", conduceva dunque anche a forme imitative (laddove, beninteso, era possibile) da parte dei vasai locali.

Un altro caso di "nicchia" produttiva in area subregionale, sostanziata da produzioni particolari, sembra esser stato quello di Pescia, cittadina che, come la più grande Pistoia, si trovava anch'essa nella fascia subappenninica, a contatto con una propria area di influenza storica, posta anche in prossimità del confine con Lucca ed il ducato di Modena. In questo caso, però, a differenza di Pistoia, si segnalava una produzione di pentolame da cucina: "Vi sono ancora diversi pentolai che lavorano di vasellami di terra cotta, cioè a dire di pentole, tegami, testi e cose simili...", che, oltre a soddisfare il consumo locale ("hanno esito sul luogo"), venivano anche acquistate sul mercato locale da venditori ambulanti ("battelli"), che ne facevano commercio nelle località vicine ("ove son comprate da diversi battelli che le trasportano sul proprio dorso sulle montagne lucchesi e modanesi").

La crisi delle manifatture tradizionali lasciava aperto però nel settore ceramico dell'area pistoiese un vasto spiraglio alla lavorazione delle terrecotte, fossero esse destinate a contenere l'olio d'oliva (e, più limitatamente, impiegate per il vino ed il formaggio), o utilizzate per il giardino, anche come manufatti plastici.

In questo ambito, infatti, si segnalava una certa attività in quel di Spazzavento, nei pressi di Pistoia, ove "...alcuni degli abitanti esercitano l'arte del fornaciaio", fabbricando "vasi da piante d'agrumi, da fiori, da olio, detti coppi, da vino, detti tirle, di qualunque sorte...", ma che però sono destinati al consumo pistoiese ("...quali cose servono per il solo uso di questa città").

Un altro luogo dove si fabbricavano questi generi fittili era Montevettolini, nei pressi di Monsummano in Val di Nievole. Qui la produzione delle terrecotte, secondo i *deputati* locali, risalirebbe agli anni 1730-40 ("sarà da circa trent'anni che esiste nel paese") e conviveva — com'era da aspettarsi — con la produzione di laterizi ("si fabbricano embrici, tegoli da tetto, lavoro quadro d'ogni genere, vasi di terra cotta, coppi da olio e da vino, etc."), alimentando un commercio di modesta entità ("ne saranno cotte ogni anno circa a due fornaci"), indirizzato a soddisfare i consumi locali e delle comunità vicine.

In questo settore erano però le fornaci dell'Impruneta a detenere da lungo tempo il primato produttivo in Toscana[82]. La grande attività imprunetina aveva un largo predominio nel mercato regionale, incontrando nelle esportazioni la sola concorrenza dei montelupini, i quali riuscivano in questo caso a sfruttare il minor costo del loro prodotto (forse ritenuto di qualità inferiore per il tipo di argilla utilizzata), ed i minori oneri di trasporto derivanti dalla favorevole collocazione delle loro fornaci sulla riva dell'Arno.

Le notizie dell'Inchiesta relative all'Impruneta, contenute nella relazione della podesteria del Galluzzo, sono assai precise e dettagliate, essendo presentate come un'osservazione relativa alla produzione locale avvenuta negli ultimi cinque anni (cioè nel periodo 1762-67)[83].

Secondo gli estensori della relazione, in questi cinque anni le fornaci imprunetine avevano fabbricato 736 orci da olio "di diverse grandezze", con una media annua, quindi, di poco più che 147 esemplari all'anno. Il valore di questa produzione non era purtroppo stimabile in termini monetari, non conoscendosi le dimensioni relative del prodotto, anche se i *deputati* dichiaravano che esso veniva venduto sulla base del prezzo di lire 18 il barile.

Alla fabbricazione degli orci si dovevano aggiungere, sempre nel medesimo arco cronologico, 29 statue in terracotta (prodotte, quindi, alla media di circa sei unità all'anno), che erano stimate del pregio massimo di 5 scudi l'una.

Numericamente assai più cospicua era la fabbricazione di manufatti dalle più ridotte dimensioni, tra cui le "urne", le quali si valutavano fabbricate in 114 unità (mediamente circa 23 esemplari annui), per un valore totale delle vendite stimate nel quinquennio di 228 scudi[84].

Importante, infine, la produzione di "vasi da piante e fiori", che nell'arco dei cinque anni ai quali fa riferimento la relazione aveva attivato un giro d'affari pari a lire 13.084: una cifra probabilmente non inferiore a quella derivante dalla stessa rinomata produzione degli orci da olio[85].

Significativa anche la produzione di catini (3.654 unità, cioè poco più di 730 pezzi all'anno) e di conche (nel quinquennio 3.451, alla media annua di 683 esemplari). Generi meno importanti erano invece le basi "da pianta ed agrumi", che avevano determinato un giro d'affari di 314 lire, e le "cassette da fiori" (127, per un valore di 63 lire e mezzo).

Ma anche per l'Impruneta le cose non andavano bene, tant'è che i *deputati* denunciavano un forte decremento delle attività: "L'esito delle suddette terrecotte nei tempi andati era infinitamente maggiore avendo molte commissioni dai mercanti quali mandavano in diverse parti dell'Europa, ma queste sono mancate" e, vista la precisione numerica che contraddistingue la loro relazione, c'è da credere che una simile valutazione fosse espressa sulla scorta di elementi oggettivi.

Il panorama che abbiamo potuto delineare sulla scorta delle risposte all'Inchiesta sullo stato delle manifatture del 1768 assume quindi un senso complessivo poco confortante.

Agli apprezzabili successi delle terrecotte (Impruneta, Montevettolini, Spazzavento di Pistoia) che, però, si debbono mitigare con le osservazioni imprunetine e, come vedremo, sulla scorta delle valutazioni non positive espresse dai fabbricanti montelupini sui prezzi unitari degli orci da olio, nonché dalla restrizione di attività tradizionali, quali quelle legate alla fabbricazione delle brocche da acqua (Montaione)[86], si può aggiungere la persistenza di qualche residua attività ceramistica in zone che beneficiano di particolari "nicchie" produttive, e di una conseguente collocazione "marginale" dei loro manufatti nel panorama regionale (Cortona, Anghiari, Poppi, Borgo San Lorenzo,

Pescia, Montepulciano, Sorano, Pitigliano). Talvolta assistiamo anche all'impianto di nuove fornaci che si dedicano alle lavorazioni tradizionali (Scarperia, Volterra), o al timido sviluppo delle medesime grazie all'introduzione di qualche novità tecnologica (Pistoia con i suoi scaldini), ma tutti gli antichi luoghi di fabbrica risultano dismessi o fortemente ridimensionati: questo è il caso di Fucecchio, Pontorme e, ben più gravemente, di Pomarance, di Arezzo e di San Gimignano.

Ad Arezzo, ad esempio, si lamentava la scomparsa di ogni attività ceramistica, i cui primordi si facevano risalire senz'altro al Medioevo ("ai tempi che la nostra città era libera repubblica si fabbricavano i piatti della nostra terra ...uniti ad una buona vernice e vetrina"), ma tutto era terminato da secoli ("si è durato ancora a fabbricarvi maioliche simili, ma non però della stessa qualità delle antiche, fino a circa dugent'anni")[87].

A San Gimignano sappiamo per certo (grazie a documenti scritti e scarti di lavorazione) che si era prodotta almeno sin dalla seconda metà del XV secolo ceramica smaltata, anche se di un tipo particolare, con biscotto preventivamente velato d'ingobbio, oltre che ceramica ingobbiata sotto vetrina[88]. Nel 1768 i *deputati* locali potevano dunque a ragione scrivere: "Fu ancora in San Gimignano nei tempi antichi l'arte, che è perduta affatto, di fabbricare vasi e altri lavori di terra cotta, essendovi di ciò riscontro, oltre la comune tradizione, dal ritrovarsi dei vestigi ...di tal fabbricazione in luogo denominato anche a' dì nostri le fornaci, fuori della porta San Matteo". Per quanto la relazione non indichi una possibile data di scomparsa di tali attività, la presenza di scarti di lavorazione sicuramente attribuibili ad età tardo-rinascimentale indica il XVII secolo come il momento probabile di tale scomparsa.

Solo in alcune località ove più recentemente le lavorazioni fittili a smalto erano state introdotte, come a San Quirico d'Orcia e, soprattutto, ad Empoli, le cose andavano meglio, ma non bisogna dimenticare che anche in questi casi si era ben lontani dalla stabilità produttiva, come dimostra l'esperienza di San Miniato, la quale era venuta a perdersi nel corso della seconda metà del XVIII secolo.

Sono soprattutto i centri di fabbrica più antichi, che un tempo avevano rappresentato le punte più avanzate nella lavorazione della maiolica, a testimoniare questo stato di gravissima difficoltà, evidentemente connessa col fatto che in questi stessi luoghi, per complesse motivazioni storiche, legate alla "lunga crisi" del XVII secolo, non si era riusciti a qualificare, sotto il profilo estetico e tecnologico, la produzione, la quale, anzi, era decaduta verso forme qualitativamente di gran lunga inferiori a quelle del XVI secolo.

Si veda, a questo proposito, il caso di Siena. Qui tra Medioevo e Rinascimento erano stati attinti vertici molto elevati nella produzione fittile a smalto, ma nel corso del Seicento queste attività tradizionali erano andate incontro ad un evidente scadimento[89].

La relazione senese del 1768, forse la più accurata tra quelle allora prodotte, ripercorre con dovizia di particolari ed estrema lucidità di analisi questo processo di decadenza. In essa si afferma, sulla scorta della lettura dello statuto dei ceramisti, che "l'arte de' vasari fu ridotta in Siena a corpo d'arte l'anno 1528" e questa affermazione, pur da considerare opinabile e, forse, anche sostanzialmente erronea[90], dimostra come molte delle opinioni espresse in merito dai *deputati* senesi si basassero sulla consultazione diretta delle fonti storiche. Ineccepibile è dunque il fatto, rilevato dai medesimi "che quell'arte allora fioriva molto e manteneva un gran numero di lavoranti", cosa che contrastava apertamente con lo stato presente dell'arte ceramica, visto che gli stessi *deputati* notavano come allora in Siena vi fossero "tre sole botteghe di vasari, nelle quali sono impiegati venti lavoranti fissi". Facendo un riscontro sui documenti ("dai libri antichi dei maestri dove sono segnate le quantità delle some di vasa e terrine che ogn'anno mandavano fuori di Siena") non mancava peraltro di evidenziarsi una fortissima contrazione del prodotto ("questo lavorìo è scemato di quasi tre quarti da cinquant'anni in qua").

Di fronte a questo fenomeno i *deputati* senesi non manifestarono però opinioni lungimiranti e, invece di ricercare le cause di tale decadenza all'interno della stessa arte senese, notando l'incapacità di reazione che i ceramisti della città avevano manifestato nei confronti della crisi del secolo precedente, appuntavano piuttosto la loro attenzione, nell'evidente tentativo di ottenere qualche vantaggio protezionistico dal loro documento, verso la concorrenza esterna. Per essi, infatti "Questa decadenza" nasceva "in buona parte dalle moderne erezioni di diverse nuove fabbriche di vasa e terrine, della fabbrica Ginori, di quella d'Asciano, delle terre a Rapolano, di Mont'Ingegnoli, le quali non solamente distruggono l'esito delle vasa senesi per fuori di Siena, ma lo diminuiscono notabilmente dentro Siena, ove le vasa et terrine dai luoghi sopraccennati vengono frequentemente a vendersi a minuto"[91]. Questa, pur rivista e corretta per l'occasione, era in realtà una vecchia idea dei ceramisti senesi che, appoggiati dalla Signoria, avevano per lungo tempo cercato di contrastare l'ingresso nella città delle ceramiche "forestiere", senza peraltro ottenere da ciò alcun effettivo vantaggio, almeno di medio-lungo periodo, per le attività locali[92]. Alla ricerca di fattori esterni da additare quali cause della crisi della produzione ceramica locale, i *deputati* non esitavano poi a citare l'azione negativa dei commercianti forestieri, ed in particolare "dell'ebrei ed altre persone che dallo Stato Pontificio portano in Siena a vendere i piatti d'ogni sorte e vasi bianchi, facendone un esito rilevante".

In realtà la relazione, oltre a denunciare questo imponente regresso produttivo che, come si è visto, era valutato a ben il 75%, forniva cifre assai precise anche sulla composizione dei ricavi, suddividendoli tra la quota-parte esitata sul mercato cittadino (per un valore di 840 scudi all'anno) e su quello esterno (1.660 scudi, cioè a dire poco meno del doppio del valore delle vendite interne). Tra le direttrici d'esportazione si segnalavano le principali città della Toscana "Firenze, Pisa, Prato, Livorno, Pescia, Pistoia e Volterra", ma si aggiungeva anche che le fornaci senesi "per fuori di Toscana non hanno commissioni". Nonostante il valore ancora apprezzabile — soprattutto in considerazione del modesto giro d'affari a cui è ormai ridotta la produzione fittile nella regione (2.500 scudi equivalgono a 10.000 lire, cioè ad un quarto di quanto stimato per la fornace di Domenico Lorenzo Levantino in Empoli) — si nota come il territorio che storicamente più si connetteva a Siena, e cioè l'intera Maremma, non sia citato tra i luoghi di smercio delle ceramiche senesi. Se per spiegare questa assenza si può fare ricorso al modesto peso demografico dell'area maremmana, allora endemicamente afflitta dalla malaria, occorre tuttavia ricordare come questa fetta di mercato fosse da tempo solo in parte appannaggio dei vasai senesi, che, come afferma la relazione di Grosseto, la dovevano spartire con le ceramiche provenienti "da Asciano, da Montalcino e d'altri luoghi, e soprattutto per mare da Savona"[93].

Dopo aver verificato lo stato delle manifatture ceramiche in Toscana al tempo dell'Inchiesta del 1765-68, possiamo ora affrontare con maggiore consapevolezza quanto i *deputati* di Montelupo ebbero a scrivere in merito alla produzione fittile di questo centro di fabbrica e che, a riprova del peso specifico di questo settore nell'economia locale, non a caso rappresenta di gran lunga la parte più estesa del documento.

Domenico Bitossi e Diego Canneri, che firmano la relazione montelupina, si curano in via preliminare di distinguere le tre diverse tipologie "delle terre che si fabbricano nelle fornaci" di Montelupo, e cioè in "fornaci di coppi, conche et altri vasi, embrici, tegoli et altri lavori da fabbrica", in "fornaci da pentole, tegami, etc.", e in "fornaci da boccali, piatti, etc.", per affrontare analiticamente, stante la complessa articolazione della produzione fittile locale, i problemi economici (e sociali) ad essa relativi.

Per quanto attiene la prima delle tre tipologie, se ne attesta ovviamente l'antica tradizione ("quest'arte è molto antica nel paese"), risalendo, come sappiamo, certamente ad epoca medievale[94]. Il numero delle fornaci da terracotta attive nella comunità di Montelupo (intendendo ovviamente comprendersi sotto questa indicazione anche Samminiatello e Camaioni, che erano i "luoghi d'elezione" dei terracottai) era indicato in 10 unità, che si pensava facessero "circa cinquanta cotte in tutte", lavorando, cioè, alla media di cinque fornaciate all'anno, vale a dire poco meno di una ogni due mesi per ciascuna. Il valore globale della produzione delle terrecotte montelupine era valutato in circa 1.250 scudi (5.000 lire), cioè un ricavato di 25 scudi a cotta (100 lire), pari ad un giro d'affari stimato per ciascun esercizio di 500 lire circa.

Il lavoro esercitato nelle fornaci da terracotta aveva ovviamente un impatto benefico nell'intorno "in notabil vantaggio dei poveri braccianti che vi s'impiegano", certo sia nelle attività di estrazione e trasporto della materia prima (l'argilla cavata dal letto dell'Arno[95]), sia per la conduzione alla fornace del combustibile (*stipa*), ottenuto dall'abbondante sottobosco della zona, nonché dal trasporto del prodotto finito attraverso il sistema della navigazione fluviale (navicellai)[96]. L'argilla "si trova nella comunità, o in poca distanza", per cui il solo genere d'importazione è il piombo "che si provvede in Livorno", impiegato nell'impermeabilizzazione interna degli orci. Il prezzo del piombo è valutato tra i 26 ed i 30 scudi ogni mille libbre, il che significa che con uno scudo se ne poteva acquistare una quantità variabile tra i 12 ed i 14 chilogrammi (dalle 33 alle 38 libbre circa per lira), ed ha un costo a libbra per la calcinazione di 4 soldi e 8 denari, per cui, impiegandosene per ogni cotta una quantità variabile tra le 25 e le 30 libbre, i terracottai sopportavano per questa specifica voce un costo di produzione tra le 47 e le 64 lire a cotta, che rappresentava ben il 47 o il 64% del ricavato di ogni fornaciata. Con la crescita inflattiva dell'ultimo trentennio (avviata ad iniziare dal 1740 circa) il prezzo delle materie prime non prodotte in maniera autarchica era però aumentato ("i prezzi del piombo e delle legne sono rincarati"), per cui i fornaciai subivano un aggravio dei costi di produzione valutato in ben 15 lire a cotta.

In evidente parallelismo con quanto si è notato per gli altri centri di produzione delle terrecotte, in particolare per la diffusione di questa tipologia di fornaci (Montevettolini), anche a Montelupo si evidenziava un certo aumento della produzione ("questo genere di lavoro sarebbe piuttosto cresciuto"), soprattutto in ragione dell'aumento delle esportazioni esterne ("per l'esito maggiore che si ha per fuori di Stato, cioè per Livorno e per Lucca")[97], che si avvalevano, come si è già detto, di operazioni effettuate in gran parte dagli stessi fornaciai ("vien trasportato dai fabbricanti nei rispettivi luoghi a tutte loro spese per darsene esito"), utilizzando il sistema della navigazione fluviale ("quanto a' trasporti si ha il commodo del fiume Arno, tanto per Livorno che per Lucca, continuando il trasporto per la Serezza").

Nonostante l'incremento quantitativo, i fabbricanti denunziavano una flessione dei loro guadagni, dovuta, a quanto essi affermavano, ad un "ribasso dei prezzi" che, in controtendenza rispetto al clima generale del periodo, veniva valutato addirittura nell'ordine del 25-40% nell'arco di tempo degli ultimi trent'anni (a partire dal 1738, cioè a dire all'epoca della Reggenza lorenese); essa si estendeva anche alla fabbricazione dei laterizi, e derivava probabilmente dalla diffusione di queste attività nel panorama regionale ("nell'istessa forma è minorato il prezzo degl'embrici ed altri lavori da fabbrica, e queste diminuzioni, a nostro credere, procedono dalla molteplicità degli edifizi e poca condotta dei fabbricanti")[98]. Nel 1749, per contrastare la tendenza al ribasso dei prezzi delle terrecotte, alcuni fabbricanti montelupini vennero stringendo tra di loro un patto societario per la durata di cinque anni, impegnandosi anche a rilevare il lavoro dei loro colleghi non aderenti all'organizzazione ("col peso di ricevere da tutte le altre fabbriche il lavoro che veniva fatto"), al fine evidente di monopolizzare la commercializzazione delle terrecotte locali. L'impresa, tuttavia, non andò a buon fine "perché quelli che si erano obbligati a consegnare il lavoro alla società non stettero a' patti", cosa che diede la stura a molteplici controversie: constatata l'impossibilità di procedere in maniera ordinata alla formazione di un cartello, questa sorta di "sindacato dei produttori" fu costretto a sciogliersi.

Per quanto attiene la seconda tipologia di fornaci attive nella comunità di Montelupo, quelle che si dedicavano alla produzione del pentolame da cucina, la relazione del 1768 fissa a cinque il numero degli esercizi in attività. Il documento, inoltre, si cura di precisare che "quest'arte è introdotta da circa 60 anni in qua", e questo dato — della cui veridicità, peraltro, non vi era motivo di dubitare — è pienamente confermato dai dati di scavo[99].

L'entità della produzione di questo genere di fornaci era valutato dai *deputati* in ben 500 cotte, cioè a dire in circa 100 fornaciate ciascuna, il che significa che le cotte si sarebbero succedute al ritmo di oltre otto al mese, ovvero quasi due per settimana. Poiché si riteneva che il valore di ciascuna fornaciata ammontasse a "circa L. 50", la stima del valore complessivo del pentolame prodotto in Montelupo sarebbe di ben 25.000 lire annue: una cifra di tutto rispetto, specie in relazione al pregio non elevatissimo del prodotto.

Anche in questo caso l'indicazione economica fornita dalla relazione è positiva: il giro d'affari, infatti, sarebbe "cresciuto anco da 20 anni in qua per esservene un maggior esito tanto per lo Stato che per fuori"; le esportazioni erano ovviamente orientate nella direttrice di Livorno e Lucca, sfruttando la possibilità offerta dal sistema di trasporto fluviale.

Sotto il profilo dell'uso delle materie prime, la relazione indica in "40-45 libbre per cotta" l'impiego di piombo necessario all'invetriatura del pentolame, il che porterebbe quindi a 20.000-22.500 libbre (cioè a 7.000-8.000 chilogrammi) il consumo totale di piombo per questo genere di fornaci; il costo di produzione sarebbe quindi stato aggravato da questa voce, sulla base delle cifre fornite per i terracottai, per 13-14 lire a cotta, portando la spesa complessiva per piombo dei pentolai di Montelupo a 6.000-7.000 lire annue, cioè a poco più del 20% del ricavato.

È interessante notare come i *deputati* montelupini, notando puntualmente l'inflazione che si era sviluppata in Toscana (così come nell'intera Europa) ad iniziare dagli anni 1747-'50, giungessero ad affermare che per tale causa, la quale aumentava i costi di produzione di circa 3 lire e mezzo per cotta, pari al 7% del valore di ciascuna di esse, in ragione delle maggiori spese necessarie all'acquisto di piombo e legna da ardere, i pentolai locali avevano diminuito la qualità dei prodotti ("la qualità della fattura è l'istessa dell'anni addietro, ma riesce meno stabile perché i fabbricanti sono obbligati a dar minor vernice al lavoro").

Nonostante l'incremento quantitativo della produzione, essa non avrebbe sortito un effetto economico positivo, sia per il maggior costo di produzione che per la concorrenza tra i ceramisti ("la poca buona condotta dei fabbricanti") i quali per ottenere immediati ricavi ("hanno bisogno di riveder presto i suoi denari"), tenevano prezzi particolarmente bassi ("per ciò vendere a bassi prezzi"). Da quando questo fenomeno era iniziato, e cioè negli ultimi vent'anni, si valutava che esso avesse comportato una diminuzione nei ricavi di "almeno L. 14 per ogni cotta"[100].

È di particolare interesse notare come questa indicazione di discesa dei prezzi del pentolame da cucina si accoppi strettamente a quanto nello stesso documento si afferma circa il valore commerciale delle terrecotte (ed anche, come vedremo, delle maioliche), e come in entrambi i casi essa faccia corpo con valutazioni assai positive sotto il profilo della crescita quantitativa del prodotto. Siamo quindi di fronte ad un'importante testimonianza degli effetti tipici dell'inflazione sulla produzione manifatturiera di tipo "sostituibile" di epoca preindustriale. Come più volte ci è capitato di affermare, infatti, è in questa fase di crescita generalizzata dei prezzi, che interessa particolarmente i generi alimentari, vista la struttura di queste società, ancora strettamente dipendenti per la loro sopravvivenza dalla produzione agricola[101], che i manifattori — specie quelli che indirizzano la propria attività verso la fabbricazione di generi non strettamente indispensabili — vengono a subire l'apertura sempre più accentuata della forbice tra costi di produzione e prezzi da attribuire ai loro prodotti. Se, infatti, essi vogliono ripararsi dal fenomeno della "scelta sostituiva" del consumatore (per la quale a parità di reddito, determinandosi un aumento generalizzato dei prezzi, esso viene a destinare una fetta sempre maggiore della sua disponibilità economica alle merci più necessarie alla sua sopravvivenza), è per loro necessario ridurre i prezzi di vendita dei manufatti.

Così, nella migliore delle ipotesi, essi riescono ad esitare una quantità maggiore di prodotto a basso costo (verso il quale i consumatori, in una fase di crescita dei prezzi, sono attratti dalla possibilità di acquisto a buon mercato), ma il ricavato totale, diminuendo il valore unitario della merce venduta, difficilmente potrà così incrementarsi. A fronte, quindi, di una possibile stabilità dei ricavi, i produttori dovranno far fronte ad un incremento del costo di produzione (nel caso dei ceramisti innalzato, oltre che dagli ossidi metallici — sui quali grava l'onere del trasporto — anche dal prezzo ascendente della legna), cosa che li spingerà a risparmiare su questo fronte, diminuendo di fatto la qualità dei manufatti. Ciò, naturalmente, rappresenta un importante fattore di squilibrio, potenzialmente in grado di indebolire questi produttori nei confronti della concorrenza, qualora in altri centri di fabbrica si riesca a risolvere o migliorare (per condizioni oggettive, quali migliore disponibilità delle materie prime, od anche per innovazioni tecnologiche) questo problema. L'inflazione, poi, aumentando la velocità di circolazione del denaro, alla quale è strettamente connessa, indebolisce i produttori sul fronte della vendita, essendo gli stessi necessitati (così come lucidamente si descrive nella relazione) a realizzare rapidamente il ricavo e, perciò, a non poter negoziare a dovere sul prezzo.

Pur non essendo diverso il clima economico nel quale operava la terza tipologia di fornaci attive in Montelupo, e cioè quelle da maiolica e da stoviglieria in genere, è dato di assistere in questo caso ad una branca di attività che ormai si dibatteva nelle spire di una crisi secolare, tanto che "specialmente in rapporto delle fabbriche dei boccali, piatti e simili", i *deputati* di Montelupo non esitavano ad affermare che "il paese e dette comunità si sono ridotte al segno maggiore miserabili".

Come si è più volte affermato, infatti, mentre sia per le capacità manuali dei ceramisti della Toscana, sia — e probabilmente in maggior misura — per il più basso costo unitario delle terrecotte e del pentolame, che non ne rendeva economica l'importazione[102], le produzioni regionali godevano di un indiscutibile vantaggio di posizione, tutto ciò non si verificava per i generi smaltati. Su questi ultimi, infatti, gravava un costo di produzione più sensibile, che ovviamente portava il prezzo relativo ad un livello minimo apprezzabile, che probabilmente ne scoraggiava l'acquisto da parte dei ceti meno abbienti, i quali preferivano per questo rivolgersi a prodotti più modesti (ingobbiate, invetriate). Chi aveva maggiore disponibilità economica si trovava così a scegliere tra manufatti smaltati prodotti dalle fornaci regionali di modesta qualità, e maioliche d'importazione assai più accattivanti e dalle migliori caratteristiche intrinseche. Il differenziale di prezzo tra i due generi non doveva essere eccessivo[103], e ciò comprimeva, con tutta evidenza, il mercato delle ceramiche smaltate provenienti dai centri tradizionali della Toscana (che in questo periodo erano rappresentati unicamente da Montelupo e Siena).

Soltanto sei, a detta dei *deputati* di Montelupo, erano nel 1768 le fornaci che si dedicavano alla produzione di stoviglieria, e questo numero, se lo si confronta con la grande vivacità dei secoli XV-XVI, lascia intravedere tutta la profondità della crisi del Sei e Settecento, del quale esso era il risultato.

Se confrontiamo poi la valutazione economica della produzione di queste manifatture, fissata in "circa L. 270" l'una[104], per un giro d'affari complessivo di 1.620 lire, ci possiamo accorgere, del resto, di come il ricavo dalla lavorazione del pentolame, che pure era di introduzione relativamente recente (aveva, infatti, come si è visto una sessantina d'anni) avesse ormai superato di molto il peso economico di quella che era stata la tradizionale attività dei ceramisti di Montelupo: il ricavato dalla lavorazione delle maioliche rappresentava infatti solo il 6,5% circa del valore di quella del pentolame. Ciò è ancora più significativo ove si raffronti il valore piuttosto modesto di una singola cotta di quest'ultimo, cosa che implica un ritmo intensissimo dell'attività di fabbricazione di invetriata. Se, infatti, per assurdo dovessimo considerare una cotta di maiolica di pari valore rispetto ad una di pentolame (cioè lire 50), per ottenere un ricavato annuo di 1.620 lire le sei fornaci in attività in Montelupo avrebbero dovuto lavorare al ritmo di sole 5,4 cotte all'anno, il che significa una fornaciata ogni due mesi scarsi; poiché, tuttavia, questo valore deve considerarsi assai più alto, è chiaro che il ritmo produttivo della maiolica doveva essere allora assai blando e, forse, tali fornaci si riempivano mediamente solo per 2-3 cotte all'anno in questo scorcio del XVIII secolo. Da questo dato ben si può comprendere come la maiolica rappresentasse ormai un'attività quasi secondaria, la quale, infatti, sarebbe giunta ad estinguersi sul finire di quello stesso secolo.

Sotto il profilo tecnologico quest'ultima fase produttiva della maiolica, in correlazione con la sua funzione ormai "residuale" nel novero delle attività ceramistiche locali, registra un evidente regresso, ben testimoniato, come vedremo, in particolar modo dalla scadente qualità dei pigmenti, oltre che dalla reintroduzione, ormai generalizzata, dell'impasto rossastro. La relazione del 1768 chiarisce a questo proposito che l'argilla allora lavorata in Montelupo per la produzione della maiolica proveniva sia dalle cave di Montespertoli[105] sia dagli accumuli fluviali dell'Arno. Tralasciando, poi, l'indicazione di altre materie prime, i *deputati* montelupini dichiaravano — certo sulla scorta di dati loro forniti dai vasai — che per realizzare ogni cotta occorrevano "libbre 240 di piombo e libbre 18 di stagno", il che significa che nello smalto locale si valutava allora una percentuale di stagno pari al 7,5% rispetto al piombo (fatta salva, con ciò, la componente feldspato-silicea della fritta).

Anche in questo caso la relazione denunzia quel rilevante decremento dei prezzi (l'8,3%), sulle cui cause abbiamo già avuto modo di soffermarci ampiamente in precedenza e, soprattutto, punta l'indice sull'aspetto più evidente, pur nella stabilità a breve termine della produzione, della crisi di quello che fu, nel corso del XVI secolo, sicuramente il più importante centro di fabbrica della Toscana: la mancanza di liquidità dei produttori. Diminuendo considerevolmente gli introiti delle fornaci "non possano [*sic*] altresì i fabbricanti corrispondere a' garzoni né per la mercede giornaliera, per essere ridotto il pagamento alcune volte, invece di contanti, in terre cotte, o ritardati i pagamenti per deficienza di denaro nei padroni delle botteghe", ragione per cui "il paese e dette comunità si sono ridotte al segno maggiore miserabili, e specialmente in rapporto delle fabbriche dei boccali, piatti e simili, che è la terza specie delle fornaci sopra descritte".

Un'analisi più chiara della situazione Domenico Bitossi e Diego Canneri non l'avrebbero potuta fornire con le conoscenze dell'epoca: quanto da loro riferito a Montelupo appare, del resto, valido per i centri ceramici dell'intera regione, ove si segnalava con estrema chiarezza soprattutto la crisi profonda delle antiche manifatture della maiolica. Completeremo tra breve questo quadro, già piuttosto chiaro nei suoi contorni generali, con un altro aspetto: quello del commercio e della circolazione regionale dei prodotti ceramici.

I documenti dell'Inchiesta sullo stato delle manifatture (1765-1768)

(ARCHIVIO DI STATO DI FIRENZE, *Carte Gianni*, 39, 523)

Cancelleria di Empoli — Comunità di Empoli
(ins. 28)

[...] Rispetto a terre, è stata introdotta da circa tre anni in questo luogo una fabbrica di majoliche, all'uso delle fajanze di Francia, che va per conto di Domenico Levantini, oriundo genovese, domiciliato in Toscana, dove si è accasato. Queste majoliche sono di tal qualità che reggono a fuoco limitato, e sono miniate di vari colori, secondo le commissioni. La quantità che per un anno per l'altro se ne fabbrica ascende a circa 40 fornaciate, ed ognuna di queste contiene 2000 pezzi di diverse grandezze; e se ne fabbricherebbe anche il doppio, quando vi fosse lo smercio. Queste si vendono a diversi prezzi, secondo le quantità loro, ma si ragguagliano all'incirca a L. 6 la dozzina. Questa vendita si fa parte nello Stato, parte nella città Dominante e parte per lo Stato Pontificio e di Lucca, e porzione a respiro, secondo le occorrenze. La detta manifattura si fa con terre del territorio, mescolandovi stagno fine, piombo, sal grosso, cenere di feccia e arena. E a riserva dello stagno e del piombo, che si provvede a Livorno, il rimanente è nello Stato.
L'esito delle sopraddette majoliche è piccolo, che appena fa sussistere la fabbrica, atteso che le terre di simil natura, che dal Genovesato si introducono in questo Granducato hanno una tenue gabella di L. 4 in circa per ogni soma di libbre 500. Quando le maioliche di questo Stato, mandandole a Genova, vengono a pagare in quella dogana una gabella di L. 40 per 100 sopra la stima.
Questa nuova manifattura che alimenta[106] un buon numero di persone, di povere famiglie, non tanto per l'effettivo lavorìo, quanto per il consumo di legna sottili, che andrebbero a male nei boschi, merita che resti protetta per la sua sussistenza e maggior aumento. La manifattura di tutte le arti sopradescritte si fa in questo territorio e nelle comunità sopraddette, ove abbiamo tutto il comodo che richiede un tale lavorìo.
Nella comunità di Pontormo sopradetta vi erano nei tempi addietro più fabbriche di terra ordinaria, per uso di stoviglie da cucina e simili, e per mezzo di questa manifattura sussistevano gli artisti e braccianti di tal paese. In oggi è ridotta ad una sola fabbrica, e ciò perché quegli abitanti sono in miserabile stato e non hanno contante da potere aprire e tirare avanti fabbriche, quantunque non abbisogni per simili negozi un capitale di gran conseguenza.

Cancelleria di Empoli — Comunità di Montelupo
(ins. 28)

[...] Uno dei capi delle manifatture di maggior conseguenza e di maggior traffico per il paese è quella delle terre che si fabbricano nelle fornaci, essendo queste di tre generi, cioè: fornaci di coppi, conche et altri vasi, embrici, tegoli et altri lavori da fabbrica; fornaci da pentole, tegami, etc.; fornaci da boccali, piatti, etc. E, dando principio dalla prima qualità delle suddette fornaci, si dice che di queste nelle suddette comunità ve ne sono aperte n. 10, che quest'arte è molto antica nel paese, che le dette fornaci faranno annualmente circa cinquanta cotte in tutte, le quali saranno d'una rilevanza di scudi 25 per cotta ed il suo ammontare sarà di scudi 1250 in notabil vantaggio dei poveri braccianti che vi s'impiegano. La materia con cui si fabbricano i coppi et altri generi in dette fornaci si trova nella comunità, o in poca distanza, a riserva del piombo che si provvede in Livorno e suol pagarsi fra li scudi 26 e 30 il migliaio, e si calcina nel paese pagandoli L. -.4.8 la libbra e se ne impiega per ogni cotta circa libbre 25 in 30 secondo le qualità dei lavori. Questo genere di lavoro sarebbe piuttosto cresciuto per l'esito maggiore che si ha per fuori di Stato, cioè per Livorno e per Lucca, che vien trasportato dai fabbricanti nei rispettivi luoghi a tutte loro spese per darsene esito. È quanto al lavoro da fabbriche che si esita nel paese, la vendita per lo più si fa a pronti contanti e, nel caso che il lavoro abbia minor richiesta, si fa anco a respiro. La qualità dicesi essere l'istessa che era in antico, né che vi sia maniera di migliorarla, e quanto a' trasporti si ha il commodo del fiume Arno, tanto per Livorno che per Lucca, continuando il trasporto per la Serezza. Si è sentito dai fabbricanti che quest'arte sia di minor utile di presente di quello che fusse 30 anni addietro, procedendo ciò dal ribasso dei prezzi, e per darne un esempio si dice che un coppo che già si vendeva in Lucca L. 4 e fino a L. 5, presentemente il coppo dell'istessa qualità e grandezza appena arriva a venderlo L. 3 coll'aggravio al fabbricante per la gabella lucchese e per altre piccole spese che importano L. -.7.4 per ogni coppo. Nell'istessa forma è minorato il prezzo degl'embrici ed altri lavori da fabbrica e queste diminuzioni, a nostro credere, procedono dalla molteplicità degli edifizi e poca condotta dei fabbricanti. Nell'anno

1749 alcuni di essi fabbricanti formarono una società per anni cinque col peso di ricevere da tutte le altre fabbriche il lavoro che veniva fatto e, con tal regolamento gli riuscì di crescere il prezzo tanto in Livorno che in Lucca circa un quarto di più di quello si vende di presente. Ma ciò ebbe breve durazione perché quelli che si erano obbligati a consegnare il lavoro alla società non stettero su' patti ed, annoiata la società dall'inquietudini che davano i fabbricanti, si trovò in necessità di lasciar tutti in libertà. È ancora da avvertirsi che da alcuni anni in qua i prezzi del piombo e delle legne sono rincarati, onde i poveri fabbricanti ne risentano [*sic*] minor utile per ogni cotta che si valuta L. 15 di meno.
Le fornaci della seconda qualità, dove si fabbricano le pentole, tegami e simili ne abbiamo n. 5. Quest'arte è introdotta da circa 60 anni in qua e le dette 5 fornaci faranno un anno per l'altro 500 cotte, e ciascuna di esse fa un prodotto di circa L. 50. La materia di cui si fabbricano l'aviamo esposta di sopra, ed il consumo del piombo per ogni cotta si rende maggiore, perché se ne impiega fra le 40-45 libbre per cotta. Questo lavoro è cresciuto anco da 20 anni in qua per esservene un maggior esito tanto per lo Stato che per fuori, perché oltre a quello che si esita per diversi luoghi dello Stato, il restante si manda a Livorno ed a Lucca, per mezzo del comodo sopra descritto. La vendita regolarmente si fa a pronti contanti e per quello che si esita in Firenze e Livorno, dove è portato a spese dei fabbricanti, qualche volta si fa il respiro di circa 2 mesi. La qualità della fattura è l'istessa dell'anni addietro, ma riesce meno stabile perché i fabbricanti sono obbligati a dar minor vernice al lavoro, a motivo del prezzo più caro del piombo e delle legna, che importerà circa L. 3.10 per cotta. Quest'arte ancora da 20 anni in qua si è resa minor utile per i motivi suddetti e per la poca buona condotta dei fabbricanti, che hanno bisogno di riveder presto i suoi denari e per ciò vendere a bassi prezzi e, sebbene di tale scapito non se ne possa dare un sicuro dettaglio, tuttavia vien considerato che ascenda almeno a L. 14 per ogni cotta.
Le fornaci della terza qualità, dei boccali, piatti e simili, ne aviamo n. 6, e queste faranno un anno per l'altro circa L. 270. Quest'arte è antichissima nel paese, e la materia con cui si fabbricano i boccali è la terra che si prende da Montespertoli, in distanza di circa miglia 7, e quella che si prende dal fiume Arno, unendovisi del piombo e dello stagno, e se ne impiegherà per ogni cotta circa libbre 240 di piombo e libbre 18 di stagno, quale si provvede a Livorno a L. 4 la libbra, essendosi detti di sopra i prezzi del piombo. La quantità di tale lavoro si crede essere l'istessa che era in passato ed il maggior esito si fa in Livorno per fuori, vendendosene parte in Lucca e parte ancora per servizio dello Stato, e la condotta è a carico dei fabbricanti. E la vendita si fa a pronti contanti, essendo per altro alcune volte obbligati i fabbricanti a far respiro et a prendere in baratto del piombo e dello stagno. Gli aggravi sopra tutte le qualità delle fornaci sopra descritte sono di L. 14 per una sol volta all'Ufizio della Grascia con più le ricevute, et in oltre a titolo di torchietti ogni tre anni la tassa di L. 1.10.-, con più la ricevuta, con più l'aggravio della testa comunitativa che posa sopra la bottega.
Il paese o comunità di Montelupo nei tempi passati erano in diversa veduta di quello sia di presente, perché le suddette manifatture davano un notabil vantaggio ai fabbricanti ed in conseguenza di ciò si reggevano i braccianti e manifattori ma, diminuiti gl'utili delle fabbriche per i motivi sopra esposti, non possano [*sic*] altresì i fabbricanti corrispondere a' garzoni né per la mercede giornaliera, per essere ridotto il pagamento alcune volte, invece di contanti, in terre cotte, o ritardati i pagamenti per deficienza di denaro nei padroni delle botteghe ed il paese e dette comunità si sono ridotte al segno maggiore miserabili, e specialmente in rapporto delle fabbriche dei boccali, piatti e simili che è la terza specie delle fornaci sopra descritte. Gl'inconvenienti che nascono in pregiudizio del paese e dei popoli in queste arti non è così facile poterli esprimere, ma molti dependano [*sic*] dai fabbricanti medesimi e poca unione che è fra essi, perché su' prezzi fissati e che erano soliti vendersi le terre cotte, tanto in Livorno che in Lucca, per detta poca unione si sono minorati i medesimi, di modo che rispetto ai boccali, piatti per quello che era solito vendersi per il prezzo di L. 1.10.- è stato ridotto a L. 1.7.6 con altre diminuzioni di prezzi che tutte unite insieme formano un oggetto di notabil decadenza di quest'arte, che converrebbe trovare i mezzi efficaci per sostenerla, giacché la materia di essa è di poco o niun valore, sì che dentro lo Stato, si richiamerebbe del denaro di fuori e verrebbe a sostentare una non piccola popolazione.
[...]

Adì 31 Gennaio 1768 presentata
Io Domenico Bitossi deputato m[*an*]o p[*ropri*]a
Io Diego Canneri deputato m[*an*]o p[*ropri*]a
Mi rimetto all'esposto dei deputati,
Giovanni Lupardi Cancelliere.

Siena *(ins. 64)*

Arte de' vasari
Articolo primo
L'arte de' vasari fu ridotta in Siena a corpo d'arte l'anno 1528, come si rileva dal breve dell'arte e diverse memorie che vi sono fanno conoscere che quest'arte allora fioriva molto e manteneva un gran numero di lavoranti. Presentemente in Siena vi sono tre sole botteghe di vasari, nelle quali sono impiegati venti lavoranti fissi.
La lavorazione di queste botteghe consiste in piatti d'ogni sorte, vasi d'ogni genere, tazze, etc.
Il lavorìo di queste tre botteghe un anno pell'altro, non considerati i due ultimi anni 1766 e 1767, ascende al valore di duemilacinquecento scudi. Per il valore di scudi ottocento quaranta l'esitano un anno pell'altro nella città di Siena. E per il valore residuale delli scudi milleseicento sessanta l'esitano in Firenze, Pisa, Prato, Livorno, Pescia, Pistoia e Volterra, e per fuori di Toscana non hanno commissioni.
I generi necessari a questa manifattura parte sono del paese e parte forestiere. I generi del paese, che sono la terra, la gruma, la legna per cuocere[107], si ricavano[108] dalle masse di Siena, e per questi si calcola che con i trasporti le suddette tre botteghe spenderanno un anno pell'altro mille scudi.
I generi forestieri che sono il piombo, stagno, smalto, antimonio, si provvedono a Livorno e un anno pell'altro importeranno scudi sette cento, che si pagano a' pronti contanti.

Articolo secondo
Quest'arte da alcuni anni in qua ha sofferto una decadenza considerabile, la quale va crescendo continuamente. Dai libri antichi dei maestri dove sono segnate le quantità delle some di vasa e terrine che ogn'anno mandavano fuori di Siena si vede che questo lavorìo è scemato di quasi tre quarti da cinquant'anni in qua.
Questa decadenza nasce in buona parte dalle moderne erezioni di diverse nuove fabbriche di vasa e terrine, della fabbrica Ginori, di quella d'Asciano, delle terre a Rapolano, di Mont'Ingegnoli, le quali non solamente distruggono l'esito delle vasa senesi per fuori di Siena, ma lo diminuiscono notabilmente dentro Siena, ove le vasa et terrine dai luoghi sopraccennati vengono frequentemente a vendersi a minuto.
La terra e le legna che sono l'oggetti principali di questa manifattura per la consumagione che se ne fa, avanti l'anno 1738 pagavano per entrare alle porte della città, la terra dua quattrini per soma, le legne quattro quattrini per soma, ma dopo la gabella del pedaggio, la terra paga una crazia per soma e sette quattrini per soma le legna, dazi che non hanno le fabbriche suddette, erette da poco tempo in qua nello stato, e che tolgono la concorrenza nei prezzi a quelle della città di Siena, dove si aggiunge che il nutrimento dei lavoranti è ancora molto più caro che per lo stato.
Vi sono ancora dell'ebrei ed altre persone che dallo stato pontificio portano in Siena a vendere i piatti d'ogni sorte e vasi bianchi, facendone un esito rilevante.

Articolo terzo
Non vi è luogo a edifizi o macchine per questa manifattura, e riguardo a qualche notizia e lume da darsi agli artefici, ci rimettiamo a quel che si dice nella risposta all'art. 6 dell'istruzione.

Articolo quarto
Ci rimettiamo ancora su questo alla risposta all'art. sesto dell'istruzione.

Articolo quinto
Riguardo a questa manifattura non troviamo in questo articolo da accennare altro che di concludente, se non di procurare con qualche compenso di esimerla da quelle gabelle sopraccennate...
E sarebbe bene di aggravare di una maggior gabella alle porte della città le vasa e terrine venienti dallo Stato Pontificio.
[...]

Cortona *(ins. 53)*

[...] L'arte di fabbricare vasi di creta d'ogni sorte per uso di famiglia è in Cortona un capo di commercio per cui introducesi nel paese qualche denaro. Non ci riesce il poter così facilmente determinare la quantità precisa dei lavori che ogni anno si vanno facendo da questi fabbricanti per esser questo un genere così minuto. Quello che è certo si è che ha questa manifattura un esito piuttosto felice, non solo nella città e territorio, ma in occasione di mercato vengono ancora molti a caricarsene dai luoghi circonvicini di Val di Chiana, e più ancora dallo Stato Ecclesiastico.
Suol vendersi questo genere per lo più a minuto, talvolta ancora all'ingrosso al prezzo di lire sette la soma ragguagliatamente con pronti denari.
[...]

Anghiari *(ins. 30)*

[...]
Arte de' vasai e cocciai
Nella comunità d'Anghiari vi sono aperte tre fornaci di vasellami che parte si fabbricano invetriate e parte rozze.
Di questo lavoro se ne fabbricano ordinariamente un anno per l'altro circa a some 400, che parte servono per l'uso ordinario di cucina e tavola e parte consistente in chicchere, ciotole, caldani e con vernice nera, rosa, bianca e mischiata.
Il vasellame da cucina e da tavola suol vendersi al lordo L. 7.-.- la soma e al netto di porto, gabelle e pigione L. 4.13.4, e questo tutto a contanti, tanto nel paese che fuori.
L'altro vasellame più fine con vernice e di quale lavoro ragionevole, si vende a contanti nel paese e fuori secondo le commissioni e secondo la finezza del lavoro.
S'esitano nel paese, nella città di San Sepolcro, Pieve Santo Stefano e Città di Castello, stato Pontificio, ove sono portati i lavori a loro conto et a contanti, et i più fini in diverse parti della Toscana secondo le commissioni.
Questo genere si fabbrica con la terra del paese, con la rena bianca che fanno venire dalla terra di S. Giovanni in Valdarno, con il tufo, che lo provvedono nello stato senese, e con il piombo e stagno che lo provvedono in Livorno e alla fiera di Sinigaglia.
[...]
A' vasari poi quantunque i loro lavori restino perfezionati in quanto alle manifatture, con tutto ciò non riescano di quella stima che meriterebbero i medesimi, attesa la qualità della terra rossa, di cui ordinariamente si servono, quale non è atta a ricevere qualunque sorte di vernice, ma solo la nera e la tartarugata, e quelli di terra bianca, non essendo questa di buona qualità, i lavori non reggono al fuoco[109], e non ricevono una vernice stimabile, per cui a' detti manifattori manca l'arte di fare specialmente la bianca, per il che non gli riesce di lavorare maioliche fine.
[...]
I cocciai pagano per una volta tanto a Medici e Speziali della Città di Firenze L. 25.-.-.
A' detti per la tassolina ogni anno 2.-.-
e più ogn'anno L. -.13.4
A' detti per ogni 3 anni L. 1.12.-
[...]

Fucecchio *(ins. 33)*

1. Fabbrica di stoviglie
In numero di nove sono presentemente in questa terra le fornaci che fabbricano e cuocono le dette stoviglie.
Da tutte queste fornaci si fabbricano ogni anno ragguagliatamente circa some 4.000 di stoviglie di diverse qualità e grandezze, quali sono vendute dai fornaciaj ai vetturali e mercanti del paese a ragione di L. 6.-.- la soma a contante alle loro botteghe.
Di detta quantità di some da' detti mercanti e vetturali la metà viene esitata per diverse parti del Granducato, e specialmente nella città e contado di Firenze, nelle città e capitanati di Pisa e Livorno, e nella provincia della Valdinievole, e l'altra metà viene esitata fuori di stato a ragione di L. 9.-.- per soma a tutte loro spese di trasporto e gabella.
I generi necessari per la manifattura delle medesime sono:
— la terra nera, che si ricava dalla deposizione o sia belletta che lascia il fiume Arno nelle sue escrescenze di questo territorio;
— la terra bianca che viene dallo stato senese;
— la renella per confolare dette stoviglie, che si fa venire dalla provincia del Valdarno di sopra;
— il piombo in pani, che si provvede a Livorno, quale si fa macinare assieme colla renella ai mulini del fiume Elsa, quando è cotto, e serve per la vernice di dette stoviglie.
[...]

Articolo secondo
Rapporto poi allo stato delle manifatture che attualmente sussistono, queste sono in essere da tempo immemorabile, quali tutte si mantengono nello stato primiero, a riserva di quella delle stoviglie. Di questa principiò la decadenza fino dall'anno 1740 in circa e presentemente si è ridotta alla metà di quella era in detto tempo.
Il motivo della decadenza è stato l'essersi introdotte ed aperte in questo Granducato più fabbriche di majolica, per lo che a motivo della pulizia maggiore con cui si trattano le persone culte, se ne è ristretto l'esito; ed a motivo ancora di essersi aperte altre fabbriche di stoviglie consimili in altre parti del Granducato.
[...]

Articolo terzo
I manifattori capaci di bottega di stoviglie hanno di aggravio di pagare la matricola per una sol volta al magistrato dei Fabbricanti della città di Firenze ascendente a L. 8.-.- e per gli emolumenti dovuti ai ministri L. 2.-.-.

Annualmente poi L. -.15.- alla cassa dell'uffizio della Grascia per la tassolina e L. -.2.- per la ricevuta al ministro.
Ogni tra anni all'arte de' Medici e Speziali L. 1.10.- e L. -.2.- di ricevuta, ed ogni anno poi L. 4.-.- a questa comunità per la tassa della bocca della fornace, quale si risquote in oggi dagli appaltatori delle Regie Finanze. [...]

Cancelleria di Borgo San Lorenzo *(ins. 31)*

[...] Ci sono nel castello due fornaj di vasellame rozzo, nelle quali si fabbricano piatti, pentole, tegami etc., che si smerciano nel detto castello e mercati e fiere suddette.
[...]

Pistoia *(ins. 8)*

[...]
Par. IV. Delle terre con vetrina
L'arte figulina è al presente con ...[110] particolare industria esercitata in Pistoia, lavorandosi vasellame d'ogni sorte, ed una più vistosa apparenza ànno li scaldini per li ornati di rilievo in rabesco, de' quali perciò si fa esito anche nelle altri parti della Toscana in n. di 90 dozzine ogn'anno.
[...]
Par. IX
Le figuline sono in miglior grado che nel passato a causa della vernice scura alla savonese che si adopra in molti vasi e per gl'ornati di rilievo in rabesco introdotti modernamente, come si è notato all'articolo I.
[...]
Terre invetriate
Si pagano dai lavoranti di terre invetriate le seguenti annue tasse:
— alle cappe rosse di Firenze L. 1.10.-
— al Tribunale di Pistoia per la bottega L. -.10.
[...]

Provincia pistoiese *(ins. 15)*

In Pistoia si fabbricano vasi di terra cotta d'ogni genere e fra questi sono di una più vistosa apparenza i scaldini per gli ornati di rilievo in rabesco, dei quali perciò si fa esito anche nelle altre parti della Toscana in n. di 90 dozzine ogn'anno[111].
[...]

Pistoia *(ins. 2)*

[...] nella comunità di Spazzavento... alcuni degli abitanti esercitano l'arte del fornaciaio, ove si fabbricano vasi da piante d'agrumi, da fiori, da olio detti coppi, da vino detti tirle di qulunque sorte... quali cose servono per il solo uso di questa città.
[...]

Volterra *(ins. 59)*

[...]
Un altra specie del lavoro che si fa nel paese, introdotto da pochi mesi, sono due officine o fornaci di terra cotta, ma di cose usuali e rozze, cioè di tegami, brocche, caldani e simili cose, e benché per ora sia un piccolo oggetto, pure cominciano a spargersi per li detti castelli e per la detta maremma bassa, e potrebbe divenire ancora un oggetto più serio, quando si avanzasse ai lavori delle maioliche[112], e forse anco delle porcellane, giacché la terra sarebbe adattissima, ma per ora non vi è chi abbia questo pensiero, e questa forza, e ciò pure bisogna lasciare fare al tempo ed alla natura.

[...]
la stima del prodotto è di circa 30 some l'anno, quali si vendono qui in paese circa lire 8 la soma, ed il restante si esita in altri paesi e comunità circonvicine.
[...]

Pescia *(ins. 50)*

[...]
Par. X
[...] Vi sono ancora diversi pentolai che lavorano di vasellami di terra cotta, cioè a dire pentole, tegami, testi e cose simili, le quali hanno esito sul luogo ove son comprate da diversi battelli che le trasportano sul proprio dorso sulle montagne lucchesi e modanesi.
Il prodotto di questa arte è parimente difficile a dettagliarsi, ma per quanto sia è certo che ciò che viene in essa impiegato nasce tutto quivi a eccezione della schiuma di piombo, che si provvede in Livorno, e che è necessaria per la vernice di detti vasellami.
[...]

Montaione *(ins. n.n.)*

[...] In questo luogo erano parimente in antico le conce delle cuoia, come pure fabbriche di vasellami di terra cotta, delle quali prese il nome di Figuline, poi Figline, un piccol luogo di questo distretto già demolito, e di tal arte di vasellami si conserva solo un semplice residuo consistente in due fornaci di vasi ordinari e rossi.
[...]

Poppi *(ins. n.n.)*

[...] Una fabbrica di vasi e cocci, quali per non essere a perfezione lavorati non hanno grand'esito, benché si potesse in Casentino, attesa la buona qualità della terra per simili lavori, introdurre migliore e più vantaggioso traffico dei medesimi, come succedeva nei tempi antichi.
Quattro fornaci da calcina, vasi di terra cotta e d'altri lavori, come mattoni e mezzane.
[...]

Montepulciano *(ins. 54)*

[...]
Vasi da tavola e da fuoco
Si fabbricano vasi da tavola che sono di qualità ordinaria e per gli usi ordinarj; siccome non si vendono che dentro la comunità, così ordinariamente si fabbricano a misura del bisogno di essa, considerando la loro valuta all'ingrosso circa L. 14 la soma.
Il genere con cui sono lavorati si ha dal territorio medesimo, alla riserva del piombo, che se ne provvedano i manifattori a Livorno e Firenze.
L'istesso dicasi di quelli da fuoco, sì rispetto alla loro qualità e fabbricazione, o sia quantità di essa, sì rispetto al genere per la loro fabbricazione, alla riserva della loro valuta, che si considera all'ingrosso a circa L. 5 la somella, quale si reputa possa essere la metà di una soma intera.

Art. 2
[...] Quelle manifatture dette all'articolo 1 riguardanti i vetri ed i vasi da fuoco sono antiche, ma non sono state di continuo. La loro fabbricazione era maggiore, essendosi diminuite queste ...a motivo delle nuove gravezze per lo smercio delle medesime...

Scarperia *(ins. 44)*

[...]
Vi è ancora una fornace di vasi di creta nuovamente eretta dalla famiglia Guidacci.
[...]

Provincia Inferiore dello Stato Senese *(ins. 16)*

[...]
Vasellame di terra cotta
In Sorano vi è una fabbrica di vasellame di terra cotta che non supplisce se non in parte ai bisogni del paese, molto più che da qualche tempo è deteriorata.

Si propone pure d'introdurre fornaci da vetri e vasellami di terra cotta in Grosseto, Magliano e Castiglione della Pescaia.
[...]

Pitigliano *(ins. 11)*

[...]
Vi è in ultimo una bottega da vasellame di creta cotta che non supplisce se non in parte ai bisogni del paese, che viene per ogni tratto di tempo provveduto dai vasai forestieri.
Lo stato di quelli che esistono... eccettuata quella del vasellame, che era esercitata in antico da due artieri, è piuttosto accresciuto.
[...]

Arezzo *(ins. 39)*

[...] Ai tempi che la nostra città era libera Repubblica si fabbricavano i piatti della nostra terra, che erano e sono tutt'ora dalle storie rinomati per la loro leggerezza, resistenti al fuoco, uniti ad una buona vernice e vetrina. Si è durato ancora a fabbricarvi maioliche simili, ma non però della stessa qualità delle antiche, fino a circa dugent'anni sono. Oggidì non si trova più simil terra, ovvero non si sa più manipolare.

Art. 6
Studiare il modo di far venire uomini valenti per rintracciare, se possibile fosse, la nostra terra di piatti antichi, che erano sì leggeri[113] e resistenti al fuoco, lo che non potrebbesi eseguirsi senza la

precisa protezione di S.A.R., giacché alcuni che ai nostri tempi si sono provati, non vi sono riusciti con felicità, stante la rivalità dei vicini fabbricanti di simil genere di piatti.
[...]

Pomarance *(ins. 42)*

[...]
Art. secondo
Si fabbricavano in questa comunità majoliche di buona qualità e con buone vernici; si è perduta affatto quest'arte da circa 130 anni in qua per la peste, che di quel tempo afflisse questi paesi. Se ne conserva memoria perché si vedono dentro il paese le fornaci antiche, ed esistono vasi e piatti fabbricati in questo paese, e si trovano frequenti negli scassi i treppiedini da piatti coll'arme dei paesani. Abbiamo poi tradizione che la terra per fabbricare le dette majoliche fosse cavata da un luogo detto Botriccio, mezzo miglio distante da questo paese.
[...]

San Gimignano *(ins. 57)*

[...]
Art. 2
[...] Fu ancora in San Gimignano nei tempi antichi l'arte, che è perduta a fatto, di fabbricare vasi e altri lavori di terra cotta, essendovi di ciò riscontro oltre la comune tradizione, dal ritrovarsi dei vestigi o di tal fabbricazione in luogo denominato anche a' dì nostri, le fornaci, fuori della porta San Matteo.
[...]

Samminiato *(ins. 62)*

[...]
Art. 2
Non si trovano memorie di manifatture che in antico fabbricassero in questa comunità ed in oggi siano perdute, salvo che pochi anni sono fu aperta una fabbrica di maioliche, la quale avrebbe prodotto del vantaggio, quando che la medesima si fosse conservata, il che non seguì per mancanza, dicesi, di assegnamenti.

[Aggiunta della Comunità] [...]

Art. 2
[...] rispetto alla fabbrica delle maioliche, la quale riusciva con perfezione, e fu abbattuta perché gl'impresarj non erano tutti di Samminiato e che non ebbero forse comodo di fare il fondo capace per il mantenimento. Del resto le terre vi erano perfette, i contadini vi si educavano e la situazione era nel più bel punto di vista della Toscana, in mezzo fra Pisa e Firenze, col comodo dell'Arno e con legne in abbondanza e a buon prezzo, a segno tale che non può tacersi che non sia stata una perdita considerabile per questo paese, e anche per il pubblico commercio, e sarebbe d'interesse pubblico e privato ancora se potesse trovarsi il mezzo di ravvivare questa fabbrica.
[...]

Grosseto *(ins. 3)*

[...]
III. Fornace da vetri e vasa, tanto rosse che bianche
Siamo parimente privi di tali fabbriche in tutta la Maremma, quando per la prima la pianta della soda nasce da per sé quà e là spontaneamente... per la seconda si hanno in più luoghi della pianura di Grosseto ed anco in vicinanza delle città diversi banconi di terra sperimentata preziosa per farne vasa, tanto rosse che bianche.
Anche questa mancanza ci rende carissimi tali generi, e specialmente le vasa, che ci vengono per ischena da Siena, da Asciano, da Montalcino e d'altri luoghi, e soprattutto per mare da Savona.
[...]

Impruneta *(ins. 40)*

[...] Orci da olio di diverse grandezze che considerati in tutte le fornaci delle nostre comunità che sono stati fabbricati nei suddetti anni cinque ascendono al n. di 736 l'anno, ed il prezzo di questi varia secondo la grandezza, regolandosi ad un tanto il barile, cioè a L. 18 il barile.
Le statue di diverse grandezze e di queste nei suddetti anni cinque sono state fatte n. 29, e queste si vendono a sc. 5 l'una, variando questo prezzo secondo la grandezza.
Urne e diversi orinali secondo le richieste, e di queste nei predetti anni cinque ne sono state fabbricate n. 114, essendo il loro costo di sc. 2 per pezzo.

Vasi da piante e fiori, che nel suddetto spazio di anni cinque sono stati fatti, ascendono:
— quelli da otto a n. 2.163 a L. 4 l'uno;
— detti da dodici n. 464 a L. 6;
— detti da sedici n. 124 a L. 12;
— detti da 32 n. 10 a L. 16;

[...] Catini di più grandezze in cinque anni nelle dette fornaci ne sono stati fabbricati n. 3.654 e questi si vendono soldi 16.8 lo staio.

[...] Base da piante di agrumi in cinque anni ne sono state fabbricate n. 628 e queste si vendono soldi 10 l'una.
Conche di più grandezze nei suddetti 5 anni ne sono state fabbricate n. 3.415 e si vendono soldi 6.8, soldi 10, soldi 15, L. 1.6.8, L. 2.10 l'una secondo la loro grandezza.

Cassette da fiori di più grandezze ne sono state fatte n. 127 e si vendono l'una a soldi 10 l'una [*sic*].
[...]

Montevettolini *(ins. 60)*

[...]
Si fabbricano embrici, tevoli [*sic*] da tetto, lavoro quadro d'ogni genre, vasi di terra cotta, coppi da olio e da vino etc. e si esitano nel paese e fuori; di dette materie ne saranno cotte ogni anno circa a due fornaci.

Art. II
[...] la fabbrica e fornace di terre cotte sarà di circa trent'anni che esiste nel paese.

La circolazione dei prodotti ceramici nella "bilancia commerciale" del 1762

La "bilancia commerciale" del 1762 rappresenta una delle fonti più importanti per lo studio sintetico dei movimenti economici della Toscana settecentesca, sia sotto il profilo dell'interscambio con l'estero, sia per l'identificazione dei più complessi flussi di circolazione dei manufatti e delle materie prime tra le aree interne del Granducato.

Come ogni elaborazione basata su fonti di natura fiscale o doganale, tuttavia, essa presenta inevitabilmente zone di imprecisione o, comunque, di evidente approssimazione alla realtà, in questo caso per gli onnipresenti fenomeni di contrabbando, per la negligenza nelle registrazioni o l'imperfetta distinzione analitica delle voci, qui accentuata dalla tutt'altro che agevole percezione delle differenze intrinseche — spesso assai sottili — tra i vari generi ceramici che allora componevano i commerci della Toscana.

Tali limiti, del resto, furono ben presenti a coloro i quali formarono i registri oggetto della nostra indagine; costoro, infatti, li evidenziarono esplicitamente, precisandoli nelle frequenti note apposte, con la consapevolezza che essi erano del tutto naturali ed inevitabili per un documento contabile che rappresentava un'elaborazione ottenuta *a posteriori* da vecchi registri negli anni in cui si pose mano alla riforma del sistema doganale della Toscana. Ciò detto, non si può tuttavia che sottolineare come i fenomeni commerciali vi appaiono rilevati con estrema cura dal punto di vista qualitativo, senza per questo dare adito al sospetto di una troppo elevata approssimazione quantitativa, risultando perciò di estremo interesse e di indubbio valore storico.

L'interscambio con l'estero

Il nostro esame non può che iniziare dai movimenti di maggiore entità e di maggior significato per la formazione di un quadro d'insieme della produzione ceramica toscana di questo secolo, e cioè dall'interscambio con l'estero. In questo ambito possiamo notare, per la grande evidenza numerica che la contraddistingue, la massiccia importazione di un genere ceramico denominato "terra di Delfo", termine sotto il quale non è facile comprendere cosa si celi, ma che una nota apposta in calce al registro avvicina alla "porcellana ordinaria". L'evidente riferimento alla città olandese di Delft farebbe propendere, tuttavia, piuttosto per un tipo di maiolica di eccellente qualità.

La stragrande maggioranza della "terra di Delfo" risulta introdotta nel 1762 in Toscana via mare, in quanto proviene da Livorno e Lucca per circa il 94% del totale delle importazioni, mentre solo il rimanente 6% risulta giunto via terra, ed in particolare da Bologna.

Di notevole interesse, poi, il fatto che la destinazione di questo genere ceramico fosse quasi esclusivamente il territorio fiorentino (cioè l'antico Contado di Firenze con la capitale), nel quale esso veniva smerciato, secondo la nostra fonte, per ben il 99,7% del totale, con solo la residua, modestissima quantità, diretta nel Pisano. È da rimarcare, a questo proposito, la notevole differenza della "terra di Delfo" rispetto ai flussi d'importazione delle porcellane in genere, le quali non trovavano, invece, grande spazio nell'ambito territoriale fiorentino, ove, ovviamente, dovevano essere contrastate dalla presenza della manifattura Ginori di Doccia; esse, perciò, si indirizzavano prevalentemente nell'Aretino (92,8%) mentre solo il restante 7,2% si dirigeva verso Firenze.

Ma il genere ceramico "forestiero" più rilevante dal punto di vista quantitativo che giungeva in Toscana in questo periodo era di gran lunga il cosiddetto "vasellame di Genova": definizione impropria — in quanto relativa al porto d'imbarco — per maioliche che in effetti, come precisa la stessa fonte doganale, furono prodotte nelle fornaci savonesi ed albisolesi. Di queste maioliche, del resto, gli stessi inventari domestici dell'epoca attestano la massiccia diffusione in Toscana, tanto che ne troviamo evidente traccia anche nei maggiori centri ceramici come Montelupo.

Le vie di penetrazione nel Granducato delle maioliche liguri erano notevolmente diversificate, a testimonianza della consistenza di questi flussi commerciali, che possiamo far risalire, sulla scorta delle testimonianze archeologiche, almeno al secolo precedente; esse prevedevano ovviamente una prevalenza di ingresso via mare che faceva capo al porto di Livorno (38%), ma comprendeva anche flussi consistenti, provenienti direttamente da Genova (circa 31%), e la nostra fonte dichiara che esse trovavano esito in tutti gli ambiti territoriali della regione, ad eccezione dell'Aretino e della Romagna Granducale, evidentemente troppo distanti dalle vie di penetrazione. Parte dell'importazione della maiolica savonese ed albisolese doveva percorrere, quindi, la via di terra o, comunque, affrontare un primo, breve tratto "navigato" sino all'alta costa versiliese, per poi essere smistato, attraverso le strade del Capitanato di Massa e Carrara, soprattutto in direzione di Pietrasanta e della Val di Nievole. È facile supporre, in tali condizioni, un consistente smercio anche nello Stato di Lucca, che si trovava a diretto contatto con queste aree del Granducato di Toscana.

Comprensibilmente, quindi, i dati relativi all'importazione del "vasellame di Genova" denunziano il primato del Pietrasantino (28,8%), seguito dal Fiorentino (22,6%), dal Pisano (21,2%), dal Senese (14,8%), dalla Val di Nievole (9,6%) e, assai più limitatamente, dal Pistoiese (2%) e dal Volterrano (0,8%).

Tenuto di conto delle differenze del numero della popolazione residente, è evidente come l'area di Pietrasanta abbia rappresentato non soltanto un mercato ma, in misura probabilmente assai maggiore, un punto di smistamento per queste (ed altre) merci provenienti dalla Liguria dirette nel Granducato di Toscana.

Le dimensioni del fenomeno di importazione delle maioliche liguri, come si accennava poc'anzi, ci appaiono di una rilevanza tale da farci considerare senz'altro il XVIII secolo largamente dominato — e non solo dal punto di vista meramente commerciale — dall'attività di quegli intraprendenti ceramisti. La produzione toscana di una qualche qualità e quella montelupina in particolare si ingegnò infatti di riprodurre forme e stilemi decorativi propri di quella tradizione, mentre savonesi, come Domenico Lorenzo Levantino, immigrati nei più attivi centri commerciali della regione, per le ampie possibilità che qui si aprivano nel settore della lavorazione delle maioliche di pregio, svolsero un ruolo di primo piano in un panorama produttivo altrimenti, ove si eccettuino esperienze particolari, quali la manifattura Ginori, contraddistinto da un'irreversibile decadenza, soprattutto qualitativa, del prodotto ceramico.

Un'idea dell'importanza del commercio dei prodotti smaltati liguri in Toscana è ricavabile anche dal raffronto con la cifra fornita in merito all'introduzione nello Stato di altre maioliche forestiere, per le quali, sempre tenendo presente la loro approssimazione, è possibile una stima globale pari a solo il 7% di queste ultime. Contribuivano a formare questa voce in misura maggiore (42%) le ceramiche a copertura stannifera provenienti da Bologna, delle quali non si saprebbe indicare con certezza se trattavasi di maioliche effettivamente prodotte nel centro emiliano o, assai più verosimilmente, venute da nord e spedite nel Granducato di Toscana da quella piazza, nonché da Faenza (38%).

Le maioliche provenienti da Bologna erano in maggioranza (37,9%) destinate all'area fiorentina ed alla Val di Nievole (27,3%) seguite dal Pisano e dal Senese. Il primato nell'importazione di maiolica faentina spettava ancora di gran lunga a Firenze (87,4%), a cui si univa, per la restante percentuale, la sola area pisana.

Minore entità di importazioni — probabilmente rappresentate dalle fabbriche di Deruta — ma pure con cifre in assoluto non disprezzabili (336 libbre, pari a circa il 20% dell'intera voce) risultavano importate dal Perugino; l'intera quantità era esitata nel Senese.

Ancora più importante dal punto di vista quantitativo dell'insieme della "maiolica forestiera", ad esclusione, ovviamente, dei prodotti liguri, era tuttavia l'importazione di "vasellame di Roma", che risultava esser stato introdotto in Toscana nel 1762 per una stima complessiva di 2.470 libbre, valore assoluto che corrisponde a quasi una volta e mezzo la quantità della voce precedente. È da considerare che gran parte di questo prodotto (circa il 98%) — probabilmente delle fabbriche Cerasoli e Cuccumos, di recente apertura — risulta esitato nel Pisano per tramite del porto di Livorno, e quindi "navigato" da Civitavecchia, mentre il rimanente proveniva direttamente da Roma e deve probabilmente considerarsi trasportato per la via di terra. La percentuale maggiore dell'esito di questo genere ceramico nel Fiorentino rispetto a quella assai bassa del Senese nasconde sicuramente un prospero traffico di contrabbando, attivato tramite la costa maremmana; se così non fosse, infatti, non si comprenderebbe perché proprio contro il "vasellame di Roma" si appuntassero gli strali protezionistici dei senesi allorquando, pochi anni dopo, stesero la relazione sullo stato delle manifatture della loro città.

A fronte di questa massiccia importazione dall'estero di prodotti ceramici più raffinati, quali la "terra di Delfo" e le maioliche di qualità, prime tra tutte quelle liguri, assai limitata risultava l'introduzione nel Granducato di vasellame di minor pregio; di questo, anzi, la Toscana sembra fare oggetto di larga esportazione. Ciò, ovviamente, costituisce una precisa conferma del particolare momento di decadenza attraversato dai centri toscani, nei quali spesso, pur peggiorando parecchio la qualità della produzione, non si cessava mai del tutto la lavorazione dei generi fittili. I modesti quantitativi di "vasellame", così genericamente indicato — con una definizione sotto la quale si cela probabilmente la maiolica dozzinale e di più modesta qualità — invetriato e "rozzo", costituiscono prova eloquente della larga autosufficienza di questi prodotti, unici ad alimentare, come si diceva, assieme alle porcellane ed alle maioliche della fabbrica del marchese Ginori a Doccia, un consistente flusso di esportazioni. Solo sei some, infatti, di questa probabile maiolica dozzinale risultano spedite da Viareggio a Pietrasanta, e la circostanza ci fa comprendere trattarsi probabilmente di manufatti ceramici di provenienza ligure, mentre altre quattro some e mezzo provengono dalla Romagna Pontificia (Faenza?), e si indirizzano nei centri appenninici della Romagna Granducale. Identica origine rispetto a questi ultimi doveva avere anche la mezza soma introdotta dal Modenese e diretta all'*énclave* pietrasantino, vero punto di commistione delle produzioni ceramiche dell'area ligure, tosco-romagnola ed emiliana.

Altro territorio aperto alla penetrazione dei prodotti ceramici forestieri era quello della Toscana meridionale, che la lontananza dai maggiori centri di fabbrica del Valdarno fiorentino rendeva disponibile alle infiltrazioni, sia pure di modesta entità quantitativa, provenienti dall'Alto Lazio, come si deduce dall'importazione, avvenuta nel 1762, di due some di "vasellame" generico da Acquapendente.

Trascurabili, poi, sono le voci d'importazione relative ai generi invetriati e privi di copertura, sia sotto il profilo quantitativo che per quanto attiene alle correnti di traffico, ricalcato su quelle tracciate dalle tipologie precedenti. Ad esse possiamo aggiungere semmai una direttrice d'ingresso di ceramica di basso pregio ("vasellame mezzo invetriato") che dalla Romagna Pontificia si indirizzava verso l'Aretino, ma la minima quantità del medesimo lascia comprendere trattarsi di scambi limitati e di scarsa rilevanza economica, anche perché, con ogni probabilità, destinati a comunità prossime al confine.

L'unica, vera eccezione d'interesse per quanto attiene nuove direttrici di traffico, è rappresentata dalla ceramica siciliana, descritta nella bilancia sotto la voce di "vasellame di Messina" (ovviamente anch'esso identificato dal porto d'imbarco), che risulta sbarcato a Livorno e diretto, anche se in minima quantità (112 libbre) a Pisa. Contrariamente a quanto ci si potrebbe aspettare in ragione dell'antica tradizione siciliana, non siamo di fronte a vasellame con copertura stannifera, bensì "rozzo".

In aggiunta alle ceramiche di maggior pregio, la Toscana importava in misura consistente, invece, alcune materie prime fondamentali per la produzione fittile. Mentre è impossibile seguire da vicino l'introduzione nel Granducato dei metalli destinati alla produzione degli smalti e delle vetrine di copertura, nonché dei pigmenti, in quanto le cifre complessive contenute nella fonte non consentono di scindere la quota-parte dei medesimi che, una volta introdotta nello Stato, si indirizzava all'attività ceramica piuttosto che alla metallurgia o ad altri impieghi produttivi e di consumo, assai più agevole è rilevare l'importazione di terre, già in origine destinate alla confezione di impasti ceramici.

Nelle registrazioni doganali si rileva che molta parte di questi generi, quasi il 93%, si indirizzava, come era lecito attendersi, alla manifattura di Doccia, provenendo dal porto di Livorno.

L'esportazione dei prodotti ceramici toscani costituisce l'immagine speculare dei flussi d'importazione che abbiamo sommariamente esaminato. È ovvio, infatti, come le correnti commerciali raggruppate sotto tale denominazione si poterono mantenere in vita nel corso del XVIII secolo per precisi fattori strutturali, che legavano strettamente il momento produttivo con la distribuzione "internazionale" del prodotto ceramico.

La forte concorrenza alimentata dagli *ateliers* savonesi ed albisolesi, la cui importanza economica era moltiplicata ed accresciuta dalla crisi delle manifatture tradizionali della Toscana, incapaci di rinnovare gli antichi splendori rinascimentali, aveva determinato una sempre più marcata polarizzazione delle esportazioni toscane verso gli apici qualitativi estremi, in alto ed in basso, della scala di valore dei prodotti fittili. Tale divaricazione, cementata anche dalla cospicua penetrazione di generi stranieri di pregio, quali la "terra di Delfo", faceva sì che alla superiore porcellana della manifattura di Doccia si accoppiassero, nei flussi di esportazione, soprattutto ceramiche invetriate e grezze, a scapito della più fine maiolica, che pure ci appare dai dati disponibili — sia di provenienza archeologica che storico-documentaria — aver costituito per oltre due secoli uno dei punti di forza del commercio internazionale toscano dei prodotti fittili.

Tale situazione, che emerge chiaramente dalle cifre fornite dalla bilancia del 1762, non va tuttavia considerata immune da errori, poiché basta esaminare più da vicino le voci riguardanti l'esportazione della maiolica per rendersi conto di alcune palesi incongruenze in essa contenute. Secondo la nostra fonte, infatti, il 100% della maiolica toscana esportata sarebbe stata di fabbrica senese (cioè di Siena, Asciano, San Quirico d'Orcia e, forse, altri centri minori), cosa che, anche per i rapporti quantitativi riscontrabili tra i tre più importanti centri di fabbrica allora attivi in Toscana (il dato è precedente all'apertura della manifattura Levantino in Empoli, avvenuta nel 1765), appare difficile ritenere esatto. Sia la manifattura Ginori, nella quale notoriamente si producevano maioliche "alla francese", che le botteghe di Montelupo, infatti, dovevano concorrere in qualche modo ad impinguare tale voce. Per quanto attiene il caso montelupino, tuttavia, nonostante che le fornaci da maiolica fossero in numero doppio rispetto a quelle senesi e non producessero manufatti a quelle inferiori per qualità, non risultano nella medesima fonte neppure attive nell'interscambio tra le diverse aree della Toscana. Tale incongruenza, però, può in parte spiegarsi con la notevole esportazione di vasellame "invetriato" proveniente dal Fiorentino, ed in particolare, come vedremo, proprio da Montelupo; questo dato può quindi aver nascosto parzialmente, inglobandolo, anche il genere di maggior pregio, visto che altri documenti di poco successivi, quali la relazione del 1768, trattano espressamente del commercio d'esportazione delle maioliche montelupine.

Per quanto, tuttavia, si debbano ritenere imprecise le cifre fornite dalla bilancia del 1762 rispetto all'esportazione di maioliche, rimane il dato incontrovertibile di una mancanza di autosufficienza della Toscana settecentesca rispetto a questo genere ceramico per il quale essa aveva primeggiato nei secoli passati. Il portato "profondo" e devastante della crisi del tardo Cinquecento e del XVII secolo emerge quindi da queste cifre, pur filtrate attraverso un'inevitabile approssimazione, con tutta l'evidenza dimostrata da una così massiccia inversione di tendenza.

Nell'esportazione dei prodotti fittili toscani sono infatti le novità più recenti, maturate nel corso della fine del Seicento e della prima metà del secolo successivo, a salvare parzialmente il dato economico dell'interscambio con l'estero.

Significativo è, da questo punto di vista, il contributo offerto dalla più volte nominata fabbrica di Doccia, anche se il valore delle sue esportazioni veniva fissato per quell'anno a sole 1.803 lire, cifra che però, come si cura di precisare una nota apposta in calce al registro, è da considerare largamente inattendibile rispetto al valore reale del prodotto esportato. La sottoestimazione dell'esportazione di porcellane, del resto, era favorita dal fatto che il governo granducale manteneva esente questo genere da ogni tassazione, allo scopo di diffonderne ed accrescerne la produzione, la quale, però, in virtù soprattutto della necessità di importazione delle materie prime, richiedeva una preventiva, larga disponibilità di capitali.

L'inattendibilità della cifra relativa all'esportazione della porcellana Ginori riguarda in particolar modo la parte della stessa (e doveva essere di gran lunga la maggiore) che trovava esito per trasporto via mare, mentre una maggiore approssimazione al dato reale potrebbe essere contenuta nelle cifre relative all'esportazione via terra, la quale si indirizzava verso Roma e Lucca. Il rapporto tra esportazione ed importazione di porcellana dà comunque un ampio saldo attivo, definibile sulla scorta della nostra fonte in 1.141 lire, ma da considerare comunque assai maggiore nella realtà sulla base di quanto si è poc'anzi rilevato.

Il saldo negativo della maiolica, sul quale ci

siamo già ampiamente soffermati cercando di puntualizzarne il suo significato storico, emerge dalle cifre fornite dalla bilancia in maniera assai netta: almeno 27.189 libbre importate, alle quali si debbono presumibilmente aggiungere altre 2.470 di "vasellame di Roma" non meglio definito dal punto di vista qualitativo, ma con ogni probabilità, visto anche le zone nelle quali si dirige, ceramica a copertura stannifera. Del medesimo genere, il registro segna all'attivo della Toscana solo 1.260 libbre di maiolica senese. Pur con tutte le cautele del caso, dovute alla già discussa, probabile sottostima dell'esportazione di maioliche da Doccia e da Montelupo, si ottiene così un possibile saldo negativo di ben 28.369 libbre.

Il dato, poi, riceve un'ulteriore connotazione negativa ove si consideri la contemporanea importazione in Toscana di 23.110 libbre di "terra di Delfo", per un valore stimato pari a lire 7.395, cifra che rappresenta quasi sei volte e mezzo quanto stabilito circa l'esportazione delle porcellane di Doccia.

Questa situazione, non certo ottimale, muta tuttavia man mano che diminuisce la qualità intrinseca del prodotto. Per il vasellame generico, ad esempio, voce creata per necessità, in quanto derivante da partite non specificamente distinte nei registri doganali, già si evidenzia un attivo di 23 some da addebitare soprattutto ai centri di fabbrica della Val di Nievole (più probabilmente del Pesciatino) che intrattenevano proficui scambi con il vicino Stato lucchese.

Ancora più confortante per l'economia toscana è il dato riguardante le invetriate, in grandissima parte sicuramente costituite da ingobbiate e vasellame da cucina, per le quali si segnala un saldo attivo di ben 538 some e mezzo: un dato di grande rilievo quantitativo, la cui importanza economica è con ogni probabilità superiore alla stessa perdita causata dall'importazione della "terra di Delfo". Nella gabella di transito, infatti, questo genere ceramico è valutato lire 14 la soma, cifra che, moltiplicata per la stima totale della relativa esportazione, fornisce un saldo attivo di 7.539 lire.

Alle correnti di esportazione del vasellame invetriato partecipano in misura maggioritaria, pari a circa l'85% del totale, i centri di fabbrica dell'area fiorentina, seguiti da quelli del Pisano (13% circa), dell'Aretino (2% circa) e, in misura quasi trascurabile, della Val di Nievole. A proposito di quest'ultima area produttiva, però, bisogna tener conto di quanto detto poc'anzi circa l'esportazione del Pesciatino nello Stato di Lucca, non sempre controllabile dai doganieri granducali. Se poi, come riteniamo possibile, sotto la voce di "vasellame" generico si nasconde proprio l'invetriato, allora le percentuali relative all'esportazione di questo prodotto sarebbero da rettificare nelle proporzioni seguenti: Fiorentino 79%, Pisano 13%, Aretino 2%, Val di Nievole 5%.

Stesso aspetto positivo per il commercio toscano ha l'esportazione dei generi vascolari definiti nel registro della bilancia "mezzo invetriati", per il quale non è dato di conoscere con precisione cosa si intenda, anche se è probabile si tratti propriamente di pentolame da cucina, in quanto in esso il rivestimento a vernice piombica è talvolta esteso ad una sola (quella interna) delle superfici. In questo caso il saldo attivo risulta più modesto del precedente, valutato com'è a 64,83 some, per un valore, sempre ricavabile dalla stima unitaria di questo prodotto contenuta nella gabella interna (lire 7 la soma), pari a circa 454 lire. Va tuttavia considerato, a questo proposito, che si ritiene del pari sottostimata la quantità di tale genere ceramico esportata dal Pesciatino nel Lucchese.

Le provenienze del prodotto, pur essendo sostanzialmente le medesime, vedono questa volta al primo posto in quantità percentuale l'area pisana (63% circa del totale), seguita dal Fiorentino (28%) e dalla Val di Nievole (9%). La destinazione finale dei prodotti pisani è la città di Livorno in grande maggioranza e, solo in minima parte (12%) l'esportazione via mare. Una simile composizione ha anche il commercio del medesimo genere proveniente dall'area fiorentina, che tuttavia è diretto, oltre che nella città labronica, soltanto (26%) nello Stato di Lucca, luogo ove si indirizza anche la totalità di quello della Val di Nievole.

La larga maggioranza percentuale della destinazione complessiva verso Livorno (76%) di questo prodotto sembra tuttavia conseguire da un suo ancor modesto grado di commerciabilità che, di fatto, deve averne ridotto sino a quel periodo l'importanza economica, almeno per quanto attiene l'interscambio con l'estero.

Completamente diverso è invece il panorama relativo ai flussi di esportazione del vasellame rozzo, voce sotto la quale sono raggruppati i grandi contenitori da liquidi e, forse, anche i fittili ornamentali privi di rivestimento, come le cassette da fiori, oltre a qualche brocca da acqua in terracotta, erede di un'antica tradizione di contenitori idrici privi di rivestimento, ancora prodotta nel XVIII secolo.

Lo sviluppo di questa attività nella Toscana moderna è ancora in gran parte da approfondire ma, con ogni probabilità, si può formulare, in base a quanto è dato di assistere in Montelupo ed Impruneta, l'ipotesi di una sua importante presenza in questi ed altri centri di fabbrica durante il Settecento. Le cifre contenute nella nostra fonte attestano, in effetti, a fronte della già citata, modesta importazione di 112 libbre di "vasellame rozzo" di fabbrica siciliana, un'esportazione di 761 some, uscite dal Granducato di Toscana nell'anno 1762, per un valore complessivo di 3.805 lire, cifra che, tuttavia, rappresenta solo poco più della metà del saldo attivo dovuto all'esportazione di ceramica invetriata, la quale appare perciò, dal punto di vista strettamente economico, la merce "di punta" del commercio ceramico toscano di questo periodo.

La stragrande maggioranza della composizione della voce del "vasellame grezzo" è assegnata alle fornaci dell'area fiorentina (87%), seguite da quelle del Pisano (13%) e, con modesta percentuale, dell'Aretino (Cortona).

Le esportazioni dell'area fiorentina sono rivolte in maggioranza al commercio marittimo (52%), verso lo Stato di Lucca (39%) e, in percentuale minore, a Livorno ed al Perugino. Verso queste tre ultime direttrici vengono destinate anche le esportazioni delle aree pisana ed aretina, mentre la fonte si cura di precisare che il flusso commerciale verso l'Umbria veniva alimentato "dalle fornaci di Levane in Val d'Arno di Sopra" e da quelle cortonesi.

Come si vede, il commercio marittimo a lunga distanza e quello con il Lucchese (è bene ricordare al proposito che la fascia costiera lucchese, assieme a quella pietrasantina, era grande produttrice d'olio d'oliva, e quindi costituiva un ricco mercato per orci e conche) era quasi completamente riservato ai centri di fabbrica dell'area fiorentina, tra i quali primeggiavano di gran lunga le fornaci dell'Impruneta, di Montelupo e del Pratese.

La Toscana della seconda metà del XVIII secolo poi, oltre ad esportare prodotti ceramici finiti, rappresentava anche un fiorente mercato per le materie prime da impiegarsi nella lavorazione dei fittili. Nonostante la crisi delle manifatture tradizionali, infatti (e forse proprio in ragione di essa), alcuni prodotti già conosciuti sino dal XVI secolo erano ancora oggetto di sensibile esportazione, cosa che in parte controbilanciava la necessità di acquistare grosse partite di argilla forestiera, destinata, come si è visto, soprattutto alla fabbricazione della porcellana.

Una parte rilevante dell'interscambio con l'estero di materie prime a destinazione ceramica era svolta, secondo la nostra fonte, dalle cave di Montecarlo in Val di Nievole, da dove si estraeva una pregiata "terra bianca da fornace" che forse doveva trovare impiego anche come base per gli ingobbi. L'alta percentuale di essa (circa il 90%) che risulta destinata a Livorno, può senz'altro rappresentare l'individuazione del vettore commerciale intermedio, indirizzato a soddisfare le esigenze di centri di fabbrica probabilmente in gran parte collocati al di fuori del Granducato.

Da altre famose cave di argilla, quelle della Montagnola senese, proveniva poi quella "terra da orciuoli" il cui stesso nome testimonia della particolare fama che esse dovettero godere nel XV e XVI secolo. I clienti dell'argilla senese sono ben individuabili attraverso i dati forniti dalla nostra fonte: essi sono rappresentati dalle fabbriche faentine e romagnole (il 71% circa è destinato alla Romagna Pontificia) e, in misura assai più limitata, dai centri della "marca", cioè Pesaro, e gli altri luoghi della costiera adriatica, ove da sempre si lavorava la maiolica, oltre all'esportazione via mare in genere.

All'interno della medesima voce si evidenzia poi una rilevante quantità di prodotto che risulta provenire dal Fiorentino. Poiché in altri luoghi i nostri registri indicano chiaramente sotto la voce "terra bianca da orciuoli" che l'origine della medesima è da assegnare alle "cave del Valdarno di Sopra", sorge il sospetto che in questo caso non propriamente di argilla si tratti, bensì della famosa "renella da marzacotto", estratta nella zona di Laterina, nel circondario di San Giovanni Valdarno, che è più volte citata anche nel notissimo trattato del Piccolpasso. Tale ipotesi è rafforzata dal fatto che le correnti di esportazione di questa materia prima si indirizzano in prevalenza verso la già citata

"Marca", il Bolognese e la Romagna Pontificia, tutti luoghi ove esisteva una fervida attività ceramistica — ed in particolare la lavorazione della maiolica — e che da secoli, ormai, erano tradizionali acquirenti della ben nota "renella". In merito al commercio delle materie prime per uso ceramico, comunque, ancora più illuminante è la parte della bilancia che riguarda il commercio interno della Toscana; avremo perciò modo di riprendere questo argomento nel suo dettaglio.

A conclusione dell'esame analitico delle due parti riguardanti l'interscambio con l'estero, possiamo porci una domanda fondamentale: la Toscana del XVIII era complessivamente debitrice, o poteva vantare ancora un saldo attivo nel commercio "internazionale" dei prodotti ceramici? La risposta non può essere del tutto esatta in termini numerici, a causa principalmente dell'evidente sottostima dell'esportazione delle porcellane prodotte dalla manifattura Ginori, ma tale dato complessivo può essere comunque valutato con qualche approssimazione.

Il valore monetario dell'esportazione toscana di prodotti ceramici, così come è dato di ricavarlo dalla nostra fonte, è complessivamente di 13.237 lire, alle quali va aggiunta la stima della maiolica senese esportata, non quantificabile in termini monetari, ma però non di grande entità.

A fronte di questo movimento attivo sta l'uscita, stimabile sotto il profilo monetario, di 7.395 lire per l'importazione della "terra di Delfo" e di altre 838 unità di conto per le porcellane straniere, per un totale di 8.233 lire. A questa spesa va poi aggiunta la massiccia importazione della maiolica ligure (24.506 libbre), di Roma (2.470 libbre) e forestiera in genere (1.685 libbre), oltre a più modeste entità di altri prodotti ceramici invetriati o grezzi.

Poiché è probabile che il solo valore della maiolica ligure importata non si discosti di molto, in quanto lievemente superiore per quantità, a quello della "terra di Delfo", si può dedurre l'esistenza di un saldo passivo, già sensibile nel caso di un semplice raddoppio di quel valore, cosa che appare evidente per la maiolica ligure. La passività dell'interscambio, tuttavia, non doveva essere di proporzioni eccessive, in considerazione di quanto si è già detto più volte in merito alle porcellane toscane.

Sotto il profilo qualitativo, tuttavia, l'articolazione delle varie voci che concorrevano a formare l'interscambio nel settore ceramico dimostra come la Toscana rappresentasse nella seconda metà del XVIII secolo una regione largamente aperta alla penetrazione dei prodotti fittili stranieri, soprattutto di medio-alta ed alta qualità.

Il governo granducale si rese conto dell'importanza del problema, ma non riuscì ad attivare contromisure efficaci. Se già da tempo la fabbricazione della porcellana era stata esentata da ogni forma di dazio, nell'evidente tentativo di favorire la nascita di nuove manifatture in grado di impedire la sempre più massiccia importazione di questo genere — peraltro di prestigio, e quindi seguendo nei fatti una strategia tradizionale, di tipo ancora mercantilistico — per la maiolica si attese sino al 1766, quando cioè le dimensioni del problema si erano fatte ormai irreversibili, per promulgare un editto che prevedeva l'esenzione dei due terzi delle gabelle in favore degli esportatori toscani[114].

Tale provvedimento, infatti, giungeva in una fase tardiva e non poteva rianimare le manifatture tradizionali, da tempo smobilitate o riconvertite a seguito della lunga crisi che, iniziata alla fine del Cinquecento, si era protratta, aggravando sempre di più il quadro complessivo, nei due secoli seguenti.

All'agevole penetrazione delle maioliche straniere (cioè quasi sempre liguri) in Toscana si cercò successivamente di porre rimedio con misure apertamente protezionistiche, attraverso cioè un *motuproprio* del sovrano, pubblicato il 16 luglio del 1771, con il quale si accresceva la gabella su tali generi a lire 13.1.8 la soma[115].

La politica doganale del Granducato, tuttavia, non era tale da garantire in qualche modo la ripresa del settore, ed alla luce di questi fatti si definisce con maggior chiarezza il senso delle scelte di sviluppo dei vecchi centri di produzione, che ancora, come Montelupo, erano fortemente legati all'attività ceramica come fattore primario della propria identità economica. La ricerca di altre tipologie fittili nelle quali mettere a frutto le capacità tecniche e produttive del luogo, spesso significativamente ricercate in ambiti nei quali non vi era da rivoluzionare l'antico modulo produttivo di bottega e fornace di piccole dimensioni, di evidente, profondo significato sociale —

come la produzione di ceramica invetriata da cucina, di catini ingobbiati e dipinti, di ceramica grezza — furono evidentemente condizionati in maniera decisiva da tale situazione contingente, la quale faceva corpo, come si è visto nella parte relativa all'Inchiesta, con altri dati di natura economica, che aggiungevano a tale scelta anche il vantaggio di ridurre considerevolmente la necessità d'impiego di capitali. La risposta "tradizionalista" che venne dagli antichi centri di fabbrica toscani, e che ridusse drasticamente la produzione della maiolica in questa regione, fu quindi direttamente influenzata dal perdurare di un clima economico sfavorevole, estremo portato di una congiuntura negativa di lungo periodo, all'interno della quale irrompevano nuovi fattori negativi, e non tanto, come avremmo potuto attenderci, da un traumatico confronto con le novità tecnologiche dell'epoca, che risultano, sotto il profilo di un'estesa applicazione al processo produttivo, abbastanza tardive e comunque non attinenti alla fabbricazione della ceramica smaltata. Il dato maggiormente negativo per la bilancia commerciale del Granducato nel settore fittile riguardava infatti, proprio le massicce importazioni di maiolica di qualità dall'area savonese-albisolese, lasciando intendere come fosse stato proprio il mancato sviluppo in senso qualitativo di gran parte dei centri di fabbrica nei quali tradizionalmente si producevano le smaltate a creare tali difficoltà. Ciò presuppone un profondo deterioramento della cellula produttiva di base rappresentata dalla bottega e dalla fornace di tipo tradizionale, che evidentemente non aveva saputo trovare la via di una sufficiente evoluzione interna in grado di porne la produzione su livelli accettabili per qualità. Sembra indubbio, da quanto emerge dai dati di tipo diretto od indiretto relativi alla produzione ceramica della Toscana, come tanto il decremento quantitativo, quanto lo scadimento qualitativo delle smaltate, si siano fatti sensibili almeno alla metà del XVII secolo, trovando significative anticipazioni già sul finire del Cinquecento. Questa cronologia interna alla produzione fittile, ed in specie a quella di qualità, è del resto strettamente correlata con quanto sappiamo essere avvenuto nel panorama regionale a scapito delle più significative attività manifatturiere del Granducato. Il portato profondo di questa crisi è del resto confermato da molti particolari relativi alla cronologia del suo inizio ed al divaricamento tra produzione di qualità ed indirizzo dei centri di fabbrica verso produzioni alternative alla maiolica dozzinale od alla sua imitazione (sviluppo della fabbricazione di ceramiche ingobbiate, di pentolame, di terrecotte, etc.) ed alla crisi delle botteghe tradizionali attive nei maggiori centri di fabbrica, desumibili dalle relazioni sullo stato delle manifatture, di pochi anni successive al periodo illustrato dalla nostra fonte doganale.

I flussi commerciali interni

Attraverso ulteriori elaborazioni, la bilancia commerciale del 1762 consente anche di mettere in luce altre importanti caratteristiche strutturali relative alla produzione ed al commercio dei generi fittili e delle materie prime a destinazione ceramica; essa, infatti, oltre alle cifre relative all'interscambio con l'estero, fornisce pure i dati riguardanti la circolazione di questi prodotti tra le diverse aree della Toscana. La comparazione tra le cifre relative alle due voci permette così di ottenere un'immagine sufficientemente definita — anche se non del tutto precisa sotto il profilo numerico — del rapporto tra i due movimenti commerciali e, quindi, di valutare nel suo complesso sia la potenzialità di esportazione dei diversi generi, sia la quotaparte con la quale le diverse aree produttive concorrevano a formare l'interscambio globale.

È ovvio, tuttavia, che questi dati non possono in alcun modo essere significativi dell'intero prodotto "nazionale", poiché non contengono alcuna quantificazione degli scambi che non attraversano le barriere doganali, prescindendo essi del tutto dal commercio interno alle varie aree che, ovviamente, è da ritenere in pratica proporzionalmente assai maggiore dei flussi di esportazione. Il dato relativo alla produzione globale toscana di prodotti fittili può così essere oggetto di stima largamente ipotetica tramite il confronto di questi dati commerciali con quanto risulta sui livelli produttivi dei maggiori centri di fabbrica regionali; è tuttavia questo un compito che esula dagli scopi che qui ci siamo prefissi.

Per quanto, comunque, attiene il rapporto tra i due flussi commerciali, interno ed estero, le cifre fornite dalla nostra fonte dimostrano una proporzione complessivamente favorevole, in termini monetari, al primo di circa il 17,4%. Gli scambi interni — considerando il dato globale fornito dalla nostra fonte comprensivo della commercializzazione delle materie prime per uso ceramico e della città di Livorno — sono alimentate in grande maggioranza dai centri di fabbrica della zona fiorentina, ai quali spetta il 53,3% del prodotto globale, seguiti a grande distanza dalla Val di Nievole (17,5%), dal Senese (14,5%), dal Pisano (11,3%) e, con percentuali assai più modeste, dall'Aretino, Volterrano e Pistoiese.

Per una valutazione del tono produttivo delle aree toscane, però, è ovviamente indispensabile sommare ai dati relativi all'interscambio interno anche quelli riguardanti i flussi commerciali che dalle stesse si dirigono all'esterno del Granducato. Sotto questo angolo visuale si può notare in primo luogo la riduzione del numero delle aree interessate da sette a cinque, per la mancanza di esportazioni extraregionali attribuite al Volterrano ed al Pistoiese e, inoltre, il considerevole aumento del peso relativo della zona fiorentina. Le aree "forti", le uniche che dimostrano di alimentare un movimento di esportazione esterna non occasionale, sono in primo luogo il Fiorentino, con ben l'87,6% della cifra globale, ed il Senese, il cui apporto, tuttavia (valutato solamente al 5,9%), si deve considerare ben più consistente, in quanto non si è potuto tenere di conto di una produzione di maiolica esportata pari a 1.260 libbre. Seguono a notevole distanza la Val di Nievole, l'Aretino ed il Pisano.

La somma dei valori relativi ai due tipi di esportazione, quindi, conferma la netta prevalenza dell'area fiorentina quanto ad entità produttiva in questo periodo, e suggerisce come la sola area senese potesse ancora vantare un'attiva partecipazione dei propri *ateliers* ceramici all'interscambio toscano. Assieme al Fiorentino, infatti, soltanto quest'area e, più limitatamente, la Val di Nievole, mantengono un saldo attivo nella bilancia commerciale interna (*Tab. h*), almeno rispetto ai dati forniti dalla nostra fonte.

Anche se, come più volte si è avuto modo di osservare, i dati numerici forniti dalla gabella del 1762 sono da considerare in sé certamente assai inferiori ai movimenti reali, come si potrà notare dalle cifre fornite per i vari centri ceramici dalle relazioni del 1768, pur tuttavia le proporzioni della partecipazione di queste aree ai flussi commerciali ceramici della Toscana, anche all'interno di questa generalizzata sottoestimazione, non sono da considerare difformi dalla realtà. Essi, infatti, corrispondono alla densità e qualità delle fornaci allora attive nel panorama regionale e, anzi, va al proposito osservato come la situazione risultante dai medesimi rifletta un momento di relativa stasi, poi ulteriormente sbilanciato verso la zona fiorentina per l'apertura, avvenuta nel 1765, della fabbrica di maiolica di Domenico Lorenzo Levantino in Empoli.

Raggruppando i dati della nostra fonte per tipologie produttive, si possono poi far risaltare alcune particolarità di rilievo, relative alla proporzione con la quale le singole voci partecipano al dato globale secondo la loro distribuzione nel mercato regionale ed extraregionale. Appare così di grande interesse il fatto che le tipologie che occupano i primi due posti nella scala dei valori economici — rispettivamente la ceramica "invetriata" ed il "vasellame rozzo" (assieme il 61,1% del dato globale) — siano anche le tipologie contraddistinte da una sensibile prevalenza dell'esportazione estera su quella interna. Tale raffronto, in effetti, ci sembra ribadire, pur con l'approssimazione più volte denunciata della fonte, il fenomeno già notato nell'analisi dell'interscambio con l'estero, e cioè il mantenimento di queste due produzioni — qualitativamente di minor pregio — a buoni livelli produttivi, in diretta relazione al massiccio ingresso sul mercato toscano di prodotti stranieri di qualità, quali la maiolica ligure e la "terra di Delfo".

L'esame dei dati riguardanti il solo commercio interno, inoltre, indica come il genere ceramico toscano di maggior pregio, la porcellana (e, si potrebbe aggiungere, la maiolica) della manifattura di Doccia, si indirizzasse in quantità maggiore verso il mercato interno, e fosse perciò l'unica tipologia "di lusso" a contrastare il primato dei centri ceramici stranieri. Essa, in particolare, risulta esportata solo per il 37,1% del dato globale.

Delle altre voci comprese nella bilancia del 1762 il "vasellame" e la "ceramica mezza invetriata" sottendono certamente più definizioni di comodo, imposte dalle pratiche doganali, che veri e propri generi fittili, ben caratterizzati dal punto di vista tecnologico e produttivo. Le cifre fornite dai registri della gabella evidenziano comunque per essi un dato complessivo di entità assai limitata rispetto al valore globale delle esportazioni, tanto che i due generi costituiscono assieme soltanto il 5,8% di quest'ultimo.

Di maggior rilievo, invece, il dato relativo alle materie prime per uso ceramico, che le colloca al quarto posto nel valore assoluto delle esportazioni, ma mostra anche come esse siano destinate in maggiore quantità alla trasformazione interna rispetto alla vendita all'estero, la quale rappresenta il 27,2% circa del valore globale.

Dopo aver sommariamente accennato ai dati di natura numerica che emergono dall'elaborazione dei registri della gabella, non resta che individuare con maggior precisione, laddove la fonte lo consenta, la provenienza geografica di questi flussi, limitando la nostra analisi al solo mercato interno, in quanto i medesimi sono già stati oggetto di precedente disamina nel paragrafo dedicato all'esportazione ed importazione extraregionale.

L'area fiorentina che, come si è visto, risulta di gran lunga la più importante in questo scorcio del XVIII secolo, mostra in primo luogo una consistente esportazione di porcellane della manifattura Ginori nel Pisano, per un importo che raggiunge il 42,4% del totale di questa voce; seguono per importanza le vendite nel Senese (21%), nell'Aretino (14,6%), nel Volterrano (10,2%), nel Pistoiese (7,2%). Ad esse si aggiungono poi quantità più modeste esitate nella Romagna Granducale (3,2%), in Val di Nievole (0,5%) e in Lunigiana (0,4%).

Composizione molto simile alla porcellana ha il commercio della maiolica proveniente dalla medesima fabbrica di Doccia, come si può notare dal 38% netto destinato all'area pisana, dal 22,9% assorbito dal Volterrano e dalle percentuali dell'Aretino (17,8%) e del Senese (10,6%). A proposito di quest'ultima area regionale va ricordato che, pur trovandosi di fronte ad una probabilissima sottostima del movimento commerciale della medesima con la manifattura sestese, la penetrazione della maiolica fiorentina doveva essere qui contrastata in maniera più efficace che altrove sia dai prodotti smaltati liguri e laziali — e ciò a causa della sua collocazione geografica all'interno del territorio regionale, tale da non rendere agevole l'esportazione via terra dalla Toscana settentrionale — sia perché Siena ed Asciano restavano ancora due centri attivi nella produzione di maioliche. In tal senso, ferma restando la generale approssimazione numerica della fonte, deve ritenersi plausibile l'esistenza di una discrepanza come quella rilevata circa un ben più largo assorbimento della porcellana nel Senese rispetto alla maiolica fiorentina che, infine, si indirizzava in quantità ben più modesta anche nella Val di Nievole (6,3%) e a Portoferraio (4,3%).

Più importante dal punto di vista economico e, conseguentemente, anche di più articolata destinazione commerciale rispetto ai generi precedenti, è il vasellame cosiddetto "invetriato", per il quale è da segnalare la forte presenza dei manufatti provenienti dall'area fiorentina all'interno del complesso di quelli toscani (57,6%), ancora prevalentemente esportati nel Pisano (49,2%). Seguono a notevole distanza il Pistoiese (15,4%), l'Aretino (9,4%) e la Val di Nievole (8,9%). Di minore entità, poi, sono le esportazioni di "invetriata" che la nostra fonte registra per essere transitate da Firenze nel Pietrasantino (6%), a Livorno (5,5%), nel Volterrano (3,7%), nella Romagna Granducale (1%). Assai bassa, infine, la quantità di manufatti "invetriati" esitati dal Fiorentino nel Senese e nell'Isola d'Elba (Portoferraio), in entrambi i casi con identiche percentuali pari a mezza unità.

Risentendo i coefficienti relativi alle esportazioni della prossimità o meno delle aree di destinazione, oltreché della valenza territoriale e demografica delle medesime, è poi comprensibile come i dati che risultano per noi più interessanti siano proprio quelli che si discostano da queste regole generali, quali quelli relativi alla città di Livorno ed al Senese. Nel primo caso, infatti, la percentuale inaspettatamente bassa di esportazione della ceramica invetriata fiorentina — considerando anche che la città labronica assorbiva una porzione rilevante, pari al 21,2% del commercio interno toscano dei generi fittili — si giustifica ampiamente col fatto che tale prodotto proveniva dall'area pisana (85,1%), la quale assumeva in generale una posizione di predominio sul mercato livornese rispetto a tutti gli altri centri di fabbrica toscani. Per quanto attiene invece al Senese, dobbiamo constatare ancora una volta come, ad eccezione di generi qualitativamente inarrivabili come la porcellana, le botteghe operanti nell'area, ed in particolare quelle di Siena ed Asciano, riuscissero evidentemente a contrastare ancora con successo la concorrenza dei prodotti nostrani, ad essi tecnicamente non superiori, confermando così l'esistenza dell'ancor operante, anche se fortemente decaduta, tradizione produttiva locale.

Se ben poco può dirci la classe definita "mezza invetriata" dalla nostra fonte, la quale risulta esportata dal Fiorentino nel Volterrano (51,7%) ed a Livorno (48,3%), molto più interessante è la voce relativa al vasellame rozzo che, come si è visto, costituiva una delle entrate più rilevanti tra le esportazioni dei prodotti fittili dell'area produttiva più forte della Toscana. Anche per quest'ultimo genere ceramico, comunque, a conferma dell'efficacia documentaria (almeno a livello qualitativo) della fonte, la composizione delle esportazioni risulta assai simile a quella delle altre, con una presenza percentualmente più rilevante del flusso commerciale diretto verso il Pisano (38,2%), seguito dal Pistoiese (12,4%) e dalla città di Livorno (12,4%). La relativa limitazione dei manufatti "rozzi" esportati nel porto toscano è connessa alla concorrenza, meno forte di quella relativa al vasellame invetriato, ma pur sempre rilevante, delle fornaci pisane, le quali risultano aver esitato in Livorno il 69,3% del valore complessivo di questo genere. Molto più limitati, infine, risultano i flussi commerciali diretti verso la Val di Nievole (0,9%) e l'Isola d'Elba (Portoferraio 0,1%). Il dato, abbastanza anomalo ove lo si confronti con il commercio della maiolica e dell'invetriata "fiorentina" in Val di Nievole, è ben spiegabile ove si tenga conto che quest'area possedeva proprie fornaci dedite alla produzione di ceramica grezza, cosa che, ovviamente, era in grado di limitare le importazioni delle medesime.

Circa le materie prime per uso ceramico, la zona fiorentina esportava dalle cave di renella del Valdarno superiore "terra da orcioli" unicamente nella Romagna Granducale, forse destinata ad essere transitata da qui nei possedimenti pontifici.

Qualora si considerino gli introiti derivanti dalla commercializzazione delle materie prime per uso ceramico, la seconda area produttiva nella scala dei valori assoluti degli scambi della Toscana nella seconda metà del XVIII secolo risulta essere, come si diceva, la Val di Nievole. Per una migliore comprensione di questo dato, dobbiamo, tuttavia, tenere presente che l'esportazione della "terra bianca" rappresentava ben l'82,3% del valore globale del commercio esterno di prodotti ceramici di quell'area. Le cave di Montecarlo, d'altronde, costituivano una consistente voce attiva che, per quanto attiene all'interscambio toscano, si indirizzava nella sua totalità nell'area fiorentina e, più particolarmente, come si cura di precisare la fonte, in maggioranza verso la fabbrica Ginori di Doccia (51,2%), in Firenze (27%), e nel Contado Fiorentino (21,5%). Altra direttrice commerciale di grande importanza — probabilmente quale vettore intermedio per ulteriori destinazioni, non sappiamo se interne od estere alla nostra regione, ma verosimilmente di entrambi i tipi — era rappresentato da Livorno, che recepiva il 17,8% dell'esportazione nell'area fiorentina.

La Val di Nievole, tuttavia, esportava anche manufatti ceramici che trovavano buon esito nelle aree limitrofe. Tra queste particolarmente consistente era la commercializzazione del vasellame invetriato, nella quasi totalità (98,5%) passato nel Pisano, con una piccola, anche se significativa appendice, diretta verso il contado di Volterra. Altra importante esportazione dell'area della Val di Nievole riguardava il vasellame generico, di cui erano buoni clienti gli abitanti del Pistoiese (93,3%) e del quale, inoltre, si faceva smercio sino agli estremi limiti geografici della regione, nella zona di Barga.

I fittili grezzi prodotti in Val di Nievole — con ogni probabilità, come si è visto, a Montevettolini — pur non determinando benefici economici paragonabili alle altre voci sin qui esaminate, risultavano tuttavia alimentare una non disprezzabile esportazione, che veniva assorbita nella sua totalità dall'area pisana.

Un'identica composizione delle voci caratterizza anche il commercio regionale dei generi ceramici prodotti nell'area senese, la più importante, dopo la fiorentina, per il mantenimento della lavorazione ceramica. Anche qui, come in Val di Nievole, una grande importanza assumeva l'attività estrattiva di argille "bianche" per la lavorazione della ceramica, che la nostra fonte distesamente indica provenire "dalla potesteria di Sovicille, nella Montagnola". La quantità estratta annualmente, sempre secondo i nostri documenti, veniva valutata "ogn'anno in circa 1.500 corbelli di libbre 80 l'uno", cioè a poco più di 43 tonnellate, precisandosi ancora in calce che la terra senese "serve per il vasellame e per le pitture a fuoco, sì dentro il Granducato che nello Stato Pontificio. Le cave di detta terra sono tanti pozzi profondi talvolta fino quaranta braccia".

Anche nel caso dell'argilla senese i migliori clienti toscani erano i fiorentini, che assorbivano l'83,5% del prodotto esportato nelle altre aree regionali, mentre il rimanente veniva esitato nell'Aretino (14,7%), in Livorno (1,2%) e nella Romagna Granducale (0,6%).

Altra voce di notevole interesse nell'attivo della bilancia commerciale interna dell'area senese era il "vasellame", che una volta tanto la nostra fonte chiarisce essere "bianco ad uso di maiolica", cioè probabilmente il genere a smaltatura leggera su biscotto ingobbiato che caratterizza buona parte della produzione senese. Questi manufatti, che i dati forniti dalla gabella dimostrano esser stati esportati nel 1762 nel Fiorentino (41,2%) e, in maggior misura, nell'Aretino (48,7%), con una piccola quota destinata al Volterrano (1%), sono dichiarati provenire "per lo più da Siena e Asciano". Identica origine, quindi, avranno avuto con ogni probabilità anche le 225 libbre di maiolica senese che risultano vendute in Livorno.

Segue in ordine d'importanza economica nelle esportazioni interne del Senese il genere invetriato, il cui esito risulta abbastanza consistente nell'area fiorentina — probabilmente con percentuali più rilevanti nelle zone confinanti all'antico Stato — per l'82,5% del dato globale. Altre direttrici di esportazione dell'"invetriata" senese risultano indirizzate verso l'Aretino (13,6%), la Val di Nievole (2,5%) ed il Pistoiese (1,2%).

Completa il quadro del commercio dei fittili senesi nelle aree interne alla Toscana una nuova esportazione nell'Aretino, questa volta di vasellame "rozzo", di non disprezzabile valore economico.

La contiguità territoriale con l'Aretino, del resto, si manifesta chiaramente anche nel commercio di esportazione di quest'area, la quale indirizzava a sua volta l'intera produzione di "vasellame" ed il 9% del genere invetriato verso il Senese. Il maggior cliente dei prodotti fittili aretini era tuttavia, ancora una volta, il Fiorentino, verso il quale si dirigeva il 91% del vasellame invetriato prodotto in quella zona; cifra della quale si intende meglio l'importanza se si considera come essa rappresenti ben l'83% del valore globale delle esportazioni interne aretine.

Anche per il Pistoiese, le cui esportazioni interne risultavano composte in larga maggioranza dall'invetriata, seguita dal vasellame generico e dal rozzo, i flussi commerciali più importanti risultano diretti verso il Fiorentino, che assorbiva l'83,3% del genere invetriato ed una modestissima quota (il 16,7% della tipologia, che tuttavia rappresentava solo l'1% circa dello specifico interscambio) del "rozzo". Seguiva a notevole distanza l'area pisana con il 18,6% globale, composto dal 16,7% circa dell'invetriato e dall'83,3% del grezzo. L'esportazione totale del "vasellame" pistoiese risultava esitata in Val di Nievole.

Altra area di qualche interesse per l'individuazione degli scambi ceramici interni alla Toscana era il Volterrano, che risulta dalla bilancia del 1762 aver esportato in quell'anno prodotti fittili grezzi nel mercato regionale per un valore globale di 88 lire, esitandoli nel Senese per ben il 96,6%, con i residui 2,3% e 1,1% rispettivamente nel Fiorentino e nell'Aretino.

Resta da esaminare, per completare l'analisi degli scambi interni, la composizione dei commerci dei generi fittili relativa all'area pisana, che risulta, come già abbiamo avuto modo di accennare, particolarmente sbilanciata verso la città di Livorno. Nel porto toscano, in effetti, l'area pisana risulta aver commerciato tutti i generi in essa prodotti, cioè il vasellame generico, l'invetriato, il mezzo invetriato ed il rozzo, con una percentuale altissima, pari al 97% della stima complessiva della sua esportazione. In essa assume particolare rilievo il commercio dell'invetriata (il 51,9% del valore globale delle esportazioni pisane), con il 96,9% diretto nella città labronica, a fronte del restante 3,1% assorbito dalla Val di Nievole. Segue per importanza economica il genere "rozzo" (28,2% delle esportazioni pisane), anch'esso per il 96,1% esitato in Livorno, con percentuali assai più modeste (pari al 2%, 1% e 0,8%) dirette rispettivamente nella Val di Nievole, nell'Isola d'Elba (Portoferraio) e nel Fiorentino.

Una simile sproporzione a favore di

Livorno si registra ancora nella tipologia "mezza invetriata" (15,1% del valore complessivo) con ben il 98,1% ed un modesto 1,9% esitato nel Volterrano.

Il rimanente "vasellame", poi, per il 4,8% della cifra complessiva risulta diretto nella sua interezza verso la città marittima.

I documenti della "bilancia commerciale" del 1762

(Archivio di Stato di Firenze, *Segreteria di Gabinetto*, 104-106)

I. Esportazione

/Pag. 295/

Porcellane per la stima di lire 1.803 sono uscite da Fiorentino, e per quanto si rileva tutte della fabbrica del signor marchese Ginori a Doccia con il destino seguente per esportazione:

1.100	per Roma
548	per Lucca
108	per navigare
33	per Bologna
12	per Perugia
2	per Lucca

È così accreditata la predetta fabbrica per le sue porcellane che si può avanzare con fondamento non essere la sopradetta somma di lire 1.803 il valore dei lavori mandati da quella fabbrica fuori dello Stato, tanto più si dubita molto che alcuni ministri non siano stati esatti nel prendere il dovuto registro delle spedizioni che hanno fatto delle suddette porcellane.

/Pagg. 295-96/

Maiolica in libbre 1.290 ha avuto la seguente esportazione:

da Siena	780	per navigare
	225	per Livorno
	225	per Vernio
da Pisa	60	per Livorno

Le libbre 60 di Pisa sono trenta boccali da olio di vasellame di Genova che il marcatore pubblico manda in Livorno predetto.

/Pag. 296/

Vasellame di Genova in libbre 410 è andato fuori di Stato come segue:

da Firenze	330	per Bologna
da Pisa	80	per Livorno

Il predetto vasellame è di Savona e Arbizzola [*sic*].

/Pag. 296-97/

Vasellame in some 36 nell'esportazione ha avuto il destino che si vede in appresso:

dalla Val di Nievole	26	per Lucca
dal Pisano	6	per Livorno
dall'Aretino	4	per Perugia

Si pensa che la Val di Nievole mandi nel Lucchese una quantità maggiore di vasellame, e che non se ne trovi registro perché viene levato dagl'appaltatori alla gabella di Pescia. /297/ I registri non dichiarano se il predetto vasellame sia invetriato o rozzo.

/Pag. 297/

Vasellame invetriato in some 542 ha avuto il destino per esportazione come si vede nel ristretto seguente:

Fiorentino 459	367	per navigare
	81	per Lucca
	11	per Livorno
Dal Pisano 69	63	per Livorno
	6	per Lucca
Dall'Aretino 10	10	per Marca
Dalla Val di Nievole 4	4	per navigare

Le some 10 dell'Aretino sono state levate da San Sepolcro e Anghiari.

/Pag. 298/

Vasellame mezzo invetriato in some 67 è andato fuori dello Stato come appresso:

Dal Pisano 42	37	per Livorno
	5	per navigare
Dal Fiorentino 19	14	per Livorno
	5	per Lucca
Dalla Val di Nievole 6	6	per idem

Può essere che gli appalti della gabella comunitativa di Pescia abbiano portato nel Lucchese una quantità maggiore del predetto vasellame.

/Pag. 298/

Vasellame rozzo in some 761 ha avuto la provenienza e destino seguente per esportazione:

Dal Fiorentino 662	346	per navigare
	256	per Lucca
	42	per Livorno
	18	per Perugia

Dal Pisano 97	89	per Livorno
	8	per Lucca
Aretino 2	2	per Perugia

Le some 18 del Fiorentino per Perugia sono state levate dalle fornaci di Levane in Val d'Arno di sopra. Le altre some due dell'Aretino sono state levate da Cortona.

/Pag. 299/

Lavori di terra cotta per la stima di lire 133 hanno avuto il destino per fuori di Stato come appresso:

Da Pistoia 64	64	per Livorno
Fiorentino 60	50	per navigare
	10	per Perugia
Volterra 5	5	per Livorno
Pisa 4	4	per idem

Le lire 64 di Pistoia sono il valore di n. 64 forme di terre cotte. Le altre lire 10 del Fiorentino per Perugia, come pure le lire 4 del Pisano per Livorno sono valore di ripe di terra cotta.

Ripe di terra in libbre 65 sono state levate da Firenze per le seguenti parti:

Da Firenze	50	per Bologna
	15	per navigare

/Pag. 292/

Terra da colori in libbre 700 da Grosseto in Maremma di Siena è andata a Livorno, e non si sa bene qual'ingrediente possa essere.
Terra gialla in libbre 195 da Siena ha avuto il destino per Bologna.
Terra da orciuoli in some 148 ha avuto il destino seguente per esportazione/pag. 293/:

dal Senese 75	53	per Romagna Pontificia
	9	per Marca
	11	per navigare
	2	per Livorno
dal Fiorentino 73	38	per Marca
	29	per Bolognese
	6	per Rom. Pont.

Per la terra da orciuoli venuta dal Senese vedasi la dichiarazione all'esportazione della Provincia Senese nella circolazione interna all'articolo di detta terra.

/Pag. 161/

Terra bianca da fornace in libbre 29.000 è stata levata dal comune di Montecarlo in Val di Nievole con il destino seguente:

dalla Val di Nievole 29.000	26.000	per Livorno
	3.000	per navigare

II. Importazione

/Pag. 451/

Porcellane per la stima di lire 1.509 ànno avuto il destino d'importazione che segue:

da Livorno 671	347	per il Pisano
	243	per il Fiorentino
Bologna 60	60	per Firenze
Marca 12	12	per l'Aretino
Roma 766	766	per idem

I registri dimostrano che la massima parte delle porcellane provenienti da Livorno per la stima di lire 671 erano della fabbrica del Ginori a Doccia, la quale tiene un magazzino per lo smercio in Livorno predetto.

/Pag. 452/

Porcellane e maioliche in libbre 530 erano della fabbrica del Ginori come sopra e da Livorno ànno avuto il destino seguente:

da Livorno 530	250	per il Fiorentino
	195	per Pisa
	55	per Pistoia
	30	per Val di Nievole

Maiolica forestiera in libbre 1.685 à avuto l'importazione seguente:

da Bologna 713	270	per il Fiorentino
	243	per Val di Nievole
	110	per il Pisano
	90	per il Senese
Faenza 636	556	per il Fiorentino
	80	per Pisa
Perugino 336	336	per il Senese

/Pag. 453/

Terra di Delfo in libbre 28.110 è venuta nello Stato nella forma seguente:

da Livorno	26.680	per Firenze
da Bologna	1.410	per idem
da Lucca	20	per Pisa

Delft è una città di Olanda da cui ne' tempi andati venne una specie di terra tra la porcellana la più inferiore ed il migliore vasellame d'Italia, e sotto il nome di terra di Delfo si continova [*sic*] a spedire nelle dogane la porcellana ordinaria con la stima di lire 80 la cassa di libbre 250.

Vasellame di Genova in libbre 24.506 dalle seguenti parti estere è venuto nelle appresso provincie del Gran Ducato:

da Genova 7.566	3.350	per il Senese
	2.250	per Pietrasanta
	1.216	per Pisano
	450	per Pistoiese
	300	per Fiorentino
da Livorno 9.380	3.992	per Pisano
	2.289	per Valdinievole
	1.877	per Fiorentino
	682	per Pietrasanta
	295	per Senese
	195	per Volterra
	50	per Pistoiese
da Massa e Carrara 4.185	4.125	per Pietrasanta
	60	per Valdinievole
Marca 3.375	3.375	per Firenze

Il predetto vasellame viene da Savona e Arbizzola [*sic*]. Non si sa comprendere poi come sia potuto venire dalla Marca la partita delle libbre 3.375 per Firenze, poiché i registri dichiarandola per terra di Savona, pare improbabile che sia stata sbarcata nell'Adriatico e condotta del pari a Firenze.

/Pag. 455/

Vasellame di Messina in libbre 112 era rozzo e da Livorno è venuto in Pisa.

Vasellame di Roma in libbre 2.470 è venuto in Toscana nella seguente maniera:

da Livorno 2.420	2.420	per il Pisano
Roma 50	40	per Fiorentino
	10	per il Senese

/Pag. 456/

Vasellame in some 16 delle seguenti parti estere è venuto nel Gran Ducato nella seguente maniera:

da Livorno 3	3	per il Pisano
daViareggio 6	6	per Pietrasanta
dal Modanese 1/2	1/2	per idem
dalla Romagna Pontificia 4 1/2	4 1/2	per Romagna Granducale
da Acquapendente 2	2	per l'Aretino

Le some tre di Livorno per il Pisano sono di vasellame nostrale andato a Campiglia. Il restante poi del suddetto vasellame è ordinario e all'uso nostrale.

Vasellame invetriato in some 44 à avuto il destino d'importazione che segue:

da Livorno	39 1/2	—
da Piombino	1/4	—
dal Perugino	4	—
dalla Romagna Pontificia	1/4	—

Le some 39 1/2 di Livorno per Portoferraio sono di vasellame nostrale. Sono di vasellame ordinario all'uso nostrale le tre altre partite seguenti.

Vasellame mezzo invetriato in some sei e un sesto à avuto l'importazione che segue:

da Livorno 4	2	per il Pisano
	1 1/2	per Portoferraio
	1/2	per Pietrasanta
dalla Romagna Pontificia 2 1/6	1 1/2	per Aretino
	2/3	per Fiorentino

Il vasellame di Livorno è nostrale, e quello della Romagna Pontificia è ordinario all'uso nostrale.

/Pag. 443/

Terra bianca in libbre 71.610 per quanto si rileva nei registri, serve a far maiolica o porcellana e da Livorno è venuta nel Fiorentino. Ne sono andate libbre 66.400 alla fabbrica della Doccia.

Terra da fornace in libbre 650 da Livorno è venuta nel Fiorentino.

Terra gialla in libbre 1.300 è venuta da Livorno nei seguenti luoghi:

da Livorno 1.300	940	per il Pisano
	360	per il Fiorentino

III. Flussi commerciali interni

Provincia Fiorentina, Esportazione

Genere	*q. tot*	*luogo*	*q. relat.*	*valuta*	*gabella*
Porcellane diverse	casse 2	Pisano	casse 2	800	—
Porcellane diverse	cassette 1	Volterrano	cassette 1	140	—
Porcellane diverse	libbre 6	Pisano	libbre 6	18	—
		Senese	962	642	—
		Pisano	719	479	—
		Aretino	432	288	—
Porc. piattini, vasi	n. 2.887	Pistoiese	330	220	—
		Romagna Granduc.	146	97	—
		Val di Nievole	24	16	—
		Lunigiana	18	12	—
Porcellane fiori	n. 107	Aretino	107	178	—

La di contro dimostrazione contiene ciò che i registri delle dogane danno in materia di porcellane. Per altro questa non è tutta la quantità che dalla fabbrica della Doccia ne è stata spedita nelle diverse provincie dello Stato, ed inoltre è spiegata così confusamente che sarà difficile il darli qualche sorte di valutazione, quando ancora si ricorresse al proprietario di detta fabbrica, il quale non saprà il vero destino di tutte le partite che à spacciato alla giornata nel 1762.

Genere	*q. tot*	*luogo*	*q. relat.*	*valuta*	*gabella*
Terra bianc. orciuoli	some 6	Romagna Granduc.	some 6	32.-.-	-.8.-

Viene dalle cave del Valdarno di Sopra.

Genere	*q. tot*	*luogo*	*q. relat.*	*valuta*	*gabella*
Maioliche	corbelli 1	Portoferraio	corbelli 1	21	—
		Pisano	447	186	—
		Volterrano	268	112	—
Maioliche	pezzi 1.122	Aretino	208	87	—
		Senese	125	52	—
		Val di Nievole	74	31	—

Le di contro maioliche vengono pure dalla fabbrica della Doccia e sopra le medesime cammina l'istessa osservazione che di là alle porcellane.

Genere	*q. tot*	*luogo*	*q. relat.*	*valuta*	*gabella*
		(1) Pisano	99	1386	278.17.-
		(2) Pistoiese	31	434	28.11.-
		(3) Aretino	19	266	37. 8.-
Vasell. invetriato	some 190	(4) Val di Nievole	18	252	28. 4.-
		Pietrasanta	12	168	25.16.-
		Volterrano	7	98	10.19.-
		(5) Romagna Granduc.	2	28	3. 2.-
		Portoferraio	1	14	—
		Senese	1	14	3.11.-

1) Viene di verso Monte Lupo; 2) viene dalle parti di Prato; 3) viene dall'Impruneta e Levane; 4) viene da Fucecchio; 5) viene di verso Monte Lupo.

Genere	*q. tot*	*luogo*	*q. relat.*	*valuta*	*gabella*
Vas. mezzo invetr.	some 15	Volterrano	15	105	23.10.-

Genere	*q. tot*	*luogo*	*q. relat.*	*valuta*	*gabella*
		(1) Pisano	129,5	647	156.11.-
		(2) Aretino	28	140	22. 8.-
		Senese	35	175	93. 6.-
Vasellame rozzo	some 297	Volterrano	41	205	27. 6.-
		(3) Val di Nievole	3	15	2. -.-
		Portoferraio	0,5	2	-. -.-
		(4) Pistoiese	60	300	58. -.-

1)Viene dalle parti di Monte Lupo; 2) viene dall'Impruneta e Levane; 3) viene dalle parti di Monte Lupo; 4) some 30 vengono dal Pratese e some 30 da Fucecchio.

PROVINCIA PISTOIESE, Esportazione

Genere	*q. tot*	*luogo*	*q. relat.*	*valuta*	*gabella*
Vasellame	some 2.33	(1) Val di Nievole	2 1/3	12	1.10.-
		(2) Fiorentino	5	70	14.13.-
Invetriato	some 6	(2) Pisano	1	14	2. 5.-
Mortai terra cotta	n. 6	(3) Fiorentino	6	20	3. 3.-

1) Viene da Pistoia; 2) come sopra; 3) vanno a Prato per strugger vetro.

PROVINCIA SENESE, Esportazione

Genere	*q. tot*	*luogo*	*q. relat.*	*valuta*	*gabella*
		Fiorentino	142	757	16.11.-
T. da orciuoli (1)	some 168	Aretino	25	133	1. 6.-
		Romagna Granduc.	1	—	—
		Fiorentino	33	165	96.16.-
Vasellame (2)	some 80	Aretino	39	195	39. -.-
		Volterrano	8	40	4.16.-
		Aretino	5 1/2	77	5.10.-
		Val di Nievole	1	14	2.18.-
Invetriato	some 40				
		Pistoia	1/2	7	1. 9.-
		Fiorentino	33	468	96.16.-

1) Viene dalla potesteria di Sovicille nella Montagnola e se n'estrae ogn'anno in circa 1.500 corbelli di libbre 80 l'uno che si pagano un paolo. Serve per il vasellame e per le pitture e fuoco, sì dentro il Granducato che nello Stato Pontificio. Le cave di detta terra sono tanti pozzi profondi talvolta fino a quaranta braccia.
2) Viene per lo più da Siena e Asciano, è bianco a uso di maiolica.

Provincia pisana, Esportazione

Genere	*q. tot*	*luogo*	*q. relat.*	*valuta*	*gabella*
Vas. invetriato	some 2	Val di Nievole	2	28	2. -.-
Vas. mezzo inv.	some 3/4	Volterrano	3/4	5	-. 7.-
		Fiorentino	3/4	4	-. 8.-
Vas. rozzo	some 3 3/4	Portoferraio	1	5	-. -.-
		Val di Nievole	2	10	1. -.-

Provincia volterrana, Esportazione

Genere	*q. tot*	*luogo*	*q. relat.*	*valuta*	*gabella*
		Senese	17	85	34. -.-
Vas. rozzo	some 17 3/4	Fiorentino	1/2	2	1. 3.-
		Aretino	1/4	1	-. 4.-

Val di Nievole, Esportazione

Genere	*q. tot*	*luogo*	*q. relat.*	*valuta*	*gabella*
Terra bianca (1)	lib. 146.500	Fiorentino	146.500	1.953	5. 5.-
		Pistoiese	28	140	28. -.-
Vasellame	some 30				
		Barga	2	10	-. -.-
		Pisano	14	196	14. -.-
Invetriata	some 14 1/4				
		Volterrano	1/4	3	-.11.-
Rozzo	some 14	Pisano	14	70	4. 4.-

1) Viene dal comune di Montecarlo e libbre 39.500 sono state per Firenze e altre libbre 75.000 per Doccia ed il restante libbre 31.500 per Contado Fiorentino.

Provincia aretina, Esportazione

Genere	*q. tot*	*luogo*	*q. relat.*	*valuta*	*gabella*
Vasellame (1)	some 6	Senese	6	30	12. -.-
		Fiorentino	20	280	57. 2.-
Invetriato (2)	some 22				
		Senese	2	28	4.10.-

1) Viene da Monte Pulciano; 2) viene da Cortona, S. Sepolcro e di verso Rassina.

Tabelle ricavate dalla "bilancia commerciale" del 1762

a) Aree di produzione che attivano correnti di esportazione interna (in lire)

Tabella 1. Area fiorentina - Esportazione interna

Porcellane	3.061
Invetriata	2.814
Rozzo	1.694
Maiolica	489
Mezza invetriata	203
Terra da orciuoli	32

Tabella 2. Val di Nievole - Esportazione interna

Terra da orciuoli	2.300
Invetriata	199
Vasellame	150
Rozzo	70

Tabella 3. Senese - Esportazione interna

Terra da orciuoli	901
Invetriata	566
Vasellame	400
Rozzo	385

Tabella 4. Pisano - Esportazione interna

Invetriata	910
Rozzo	494
Mezza invetriata	264
Vasellame	84

Tabella 5. Aretino - Esportazione interna

Invetriata	308
Vasellame	30

Tabella 6. Pistoiese - Esportazione interna

Invetriata	84
Vasellame	12
Rozzo	6

Tabella 7. Volterrano - Esportazione interna

Rozzo	88

b) Aree di produzione che attivano correnti di esportazione interna suddivise per tipologie ceramiche (in lire)

Tabella a. Porcellana

Fiorentino	3.061

Tabella b. Maiolica

Fiorentino	489

Tabella c. Vasellame

Senese	400
Val di Nievole	150
Pisano	84
Aretino	30
Pistoiese	12

Tabella d. Vasellame invetriato

Fiorentino	2.814
Pisano	910
Senese	566
Aretino	308
Val di Nievole	199
Pistoiese	84

Tabella e. Mezza invetriata

Pisano	264
Fiorentino	203

Tabella f. Ceramica rozza

Fiorentino	1.694
Pisano	494
Senese	385
Volterrano	88
Val di Nievole	70
Pistoiese	6

Tabella g. Terra da orcioli

Val di Nievole	2.300
Senese	901
Fiorentino	32

Tabella h. Scambi interni alla Toscana (in lire) comprese le materie prime per uso ceramico con l'aggiunta dell'importazione nella città di Livorno

Area	*Esportazione*	*Importazione*	*Differenza*
Fiorentino	8.293	3.700	+ 4.593
Val di Nievole	2.719	378	+ 2.341
Senese	2.252	1.026	+ 1.226
Barga	—	10	- 10
Lunigiana	—	12	- 12
Portoferraio	—	42	- 42
Romagna Granducale	—	157	- 157
Pietrasanta	—	168	- 168
Volterrano	88	879	- 791
Pistoiese	102	1.101	- 908
Aretino	338	1.750	- 1.412
Pisano	1.752	3.801	- 2.049
Livorno	—	2.520	- 2.520
Totale	*15.544*	*15.544*	

NB. Non è stato tenuto di conto, in quanto non valutabile sotto il profilo monetario, della esportazione di libbre 225 di maiolica senese a Livorno. L'esportazione verso questa città è stata valutata secondo i seguenti parametri che tengono di conto di quanto è iscritto alle medesime voci nell'importazione interna:
vasellame invetriato fiorentino: lire 14 la soma; vasellame mezzo invetriato fiorentino: lire 7 la soma; vasellame rozzo fiorentino: lire 5 la soma; terra fiorentina: lire 5.6.8 la soma (approssimata per eccesso al denaro); vasellame rozzo pisano: lire 5.3 la soma; vasellame pisano: lire 14 la soma (per analogia rispetto al fiorentino); terra senese: lire 5.6.8 la soma; terra bianca da fornace della Val di Nievole: importo calcolato per proporzione con quanto indicato all'importazione interna.

Tabella i. Produzione per l'esportazione verso le aree interne e per l'estero della Toscana comprese le materie prime per uso ceramico secondo la gabella del 1762 (in lire) Suddivisione per aree (la città di Livorno è considerata interna)

Area	*Interno*	*(%)*	*Estero*	*(%)*	*Totale*	*(%)*
Fiorentino	8.293	53,3	11.599	87,6	19.892	69,1
Val di Nievole	2.719	17,5	495	3,7	3.214	11,2
Senese	2.252	14,5	778	5,9	3.030	10,5
Pisano	1.752	11,3	159	1,2	1.911	6,6
Aretino	338	2,2	206	1,6	544	1,9
Pistoiese	102	0,6	—	—	102	0,3
Volterrano	88	0,6	—	—	88	0,3
Totale	*15.544*	*100,0*	*13.237*	*100,0*	*28.781*	*100,0*

Mancano all'esportazione senese estera 1.260 libbre di maiolica.

Tabella I. Movimento commerciale della ceramica in Toscana, aree interne ed estero, comprese le materie prime per uso ceramico. Suddivisione per genere (la città di Livorno è considerata nell'esportazione interna al Granducato)

Area	*Interno*	*(%)*	*Estero*	*(%)*	*Totale*	*(%)*
Invetriata	4.881	31,4	6.552	49,5	11.433	39,7
Porcellana	3.061	19,7	1.803	13,6	4.864	16,9
Terra da orcioli	3.233	20,8	1.207	9,1	4.440	15,4
Vasellame rozzo	2.737	17,7	3.150	23,8	5.887	20,5
Vasellame	676	4,3	420	3,2	1.096	3,8
Maiolica	489	3,1	—	—	489	1,7
Mezza invetriata	467	3,0	105	0,8	572	2,0
Totale	*15.544*	*100,0*	*13.237*	*100,0*	*28.781*	*100,0*

Mancano all'esportazione estera 1.260 libbre di maiolica senese.

Note alla Parte Prima

[1] Tutto ciò pone interessanti quesiti circa la ripartizione regionale delle conquiste tecnologiche nel settore ceramico. È infatti ormai ben evidenziato dall'indagine archeologica come l'intera Toscana possa grossolanamente dividersi, sotto il profilo della ricerca di materie prime idonee allo sviluppo della tecnologia ceramica nel corso del Basso e Tardo Medioevo, in tre aree distinte, individuabili (sempre *grosso modo*) con i territori di Pisa, Siena e Firenze (Arezzo e Pistoia, presto inserite in ambito fiorentino non appaiono al momento caratterizzarsi per particolari individualità, non essendo, tra l'altro, note le loro eventuali produzioni tardomedievali). Oltre la maiolica arcaica, che pare assumere, al di là di questioni di dettaglio una spiccata omogeneità (invetriature più o meno diffuse, etc.), nel momento della diversificazione produttiva, infatti, i centri di fabbrica operanti all'interno di questi tre territori sembrano percorrere strade diverse. Pisa, infatti, deprimendo sin forse a far quasi cessare del tutto, la lavorazione della maiolica, sviluppa fortemente la tecnica dell'ingobbio sotto vetrina, mentre Siena e Firenze, impegnandosi nella produzione a smalto, imboccano due strade diverse sotto il profilo tecnologico per risolvere il problema di fondo rappresentato dallo schiarimento dei biscotti, utile alla fabbricazione di maioliche dalla più candida superficie smaltata. Mentre Siena elabora la tecnica del biscotto ingobbiato e smaltato, Firenze si getta nell'avventura della realizzazione di supporti ceramici biancastri, ottenuti attraverso l'addizionamento di calcio alle argille ferrose delle quali dispone. Per quanto riguarda Montelupo, questa vicenda sarà ripercorsa nel quarto volume di questa *Storia* nel capitolo relativo all'evoluzione degli impasti ceramici e della tecnologia produttiva locale.
Tra gli altri problemi aperti resta adesso da affrontare la questione a quale (o quali) centri di fabbrica dell'area fiorentina si debba l'introduzione di questa (e di altre) novità tecnologiche. Quanto si è detto, quindi, circa l'evoluzione tecnica della produzione di Montelupo non intende *ipso facto* equivalere all'affermazione che ciò avvenne per la prima volta in ambito montelupino, ma semplicemente rimarcare il senso e le tappe di quella stessa evoluzione.

[2] Pubblicato in G. CORA, *Storia della maiolica di Firenze e del Contado*, voll. 2, Firenze, 1973, vol. I, pp. 422-423. Sappiamo inoltre che Francesco Antinori aveva donato a Lorenzo de' Medici quelle "maioliche belle" di Montelupo, che sono descritte nell'inventario redatto *post mortem* del Magnifico (cfr. G. CORA, *Storia...* cit., vol. I, p. 420).

[3] Le perdite demografiche del periodo tra il 1288 circa ed il 1427 emergono in termini assai drastici (percentuali di oltre il 76,9% in meno per Prato città) dallo studio di D. HERLIHY, C. KLAPISCH-ZUBER, *I Toscani e le loro famiglie. Uno studio sul catasto fiorentino del 1427*, Bologna, 1988, pp. 227-248.

[4] Senza ricorrere alle categorie interpretative di un Wallerstein, va comunque considerato attentamente come la regressione demografica (e la generale deflazione) della seconda metà del XIV secolo e della prima metà del Quattrocento non abbiano prodotto gli stessi effetti per questa ragione. Alla fine di questa fase negativa, infatti, l'economia delle nazioni mediterranee potè riprendere.

[5] Per questo aspetto dei consumi bassomedievali il nostro riferimento è sempre agli studi di W. ABEL, ed in particolare al suo *Agrakrisen und Agrakonjunktur. Eine Geschichte der Land- und Ernährungswirtschaft Mitteleuropas seit dem Mittelalter*, Hamburg und Berlin, 1962, trad. it. *Congiuntura agraria e crisi agrarie. Storia dell'agricoltura e della produzione alimentare nell'Europa centrale dal XIII secolo all'Età Industriale*, Torino, 1976, ma anche al suo *Wustungen und Preisfall im spät mittelalterlichen Europa* in "Jahrbücher für Nationalökonomie und Statistik", CLXV (1953) trad. it. *Spopolamento dei villaggi e caduta dei prezzi in Europa nel Basso Medioevo* in *Saggi di storia dei prezzi raccolti e presentati da R. Romano*, Torino, 1967, pp. 89-141. Per quanto le posizioni di W. Abel e di quanti sottolineano lo stretto rapporto che sussiste tra livelli di popolazione e risorse economiche possano essere tacciate di neomalthusianesimo, occorre dire che ogni critica a Malthus non può fare a meno di appoggiarsi su di un elemento sostanziale: il progresso. Ma quale fu il progresso dell'agricoltura europea (cioè nel nostro caso, mediterranea) tra il XIV ed il XVIII secolo? Senza negare del tutto la possibilità che nelle campagne si siano registrati miglioramenti colturali, è ben difficile credere che questi ultimi abbiamo potuto tenere il passo di incrementi secolari della popolazione, quale quello verificatosi, ad esempio, in Toscana dal 1460 al 1620 che, con tutta probabilità, portò quasi al raddoppio del numero degli individui. Così deve far almeno riflettere sul fatto che verso la fine del Cinquecento, ormai raggiunti i livelli "critici" degli ultimi anni del XIII secolo, la popolazione della Toscana abbia di nuovo invertito la sua tendenza ascendente.

[6] Per quanto attiene il movimento demografico italiano è ancora utile K.J. BELOCH, *Bevölkerungsgeschicte Italiens*, Berlin-Leipzig, 1937-61 (trad. it. *Storia della popolazione d'Italia*, Firenze, 1994) che, per il *trend* generale, può essere integrato da A. BELLETTINI, *La popolazione italiana dall'inizio dell'era volgare ai giorni nostri* in *Storia d'Italia*, vol. 5, t. I, Torino 1973, pp. 489-525.

[7] Per la demografia fiorentina oltre a D. HERLIHY, C. KLAPISCH-ZUBER, *I Toscani e le loro famiglie...* cit., alle pp. 248-277, si veda ora M. GINATEMPO, L. SANDRI, *L'Italia delle città*, Firenze, 1990. Tenendo poi presente la validità relativa di fonti più analitiche rispetto ai censimenti già studiati dal Beloch, discusse da G. PARENTI, *Fonti per lo studio della demografia fiorentina: I libri dei morti*, in "Genus", VI-VIII (1943-49) e C.M. CIPOLLA, *I "Libri dei morti" di Firenze*, ora in IDEM, *Saggi di storia economica e sociale*, Bologna, 1988, pp. 357-365, si veda la recente messa a punto del problema di C.A. CORSINI, *La demografia fiorentina nell'età di Lorenzo il Magnifico*, in "Comitato Nazionale per le celebrazioni del V centenario della morte di Lorenzo il Magnifico. La Toscana al tempo di Lorenzo il Magnifico. Politica, Economia, Cultura, Arte", Convegno di studi promosso dalle Università di Firenze, Pisa e Siena, 5-8 novembre 1992, Pisa 1996: "Negli ultimi quarant'anni del XV secolo ci sono diversi segnali che denotano l'avvio di un processo di recupero delle perdite demografiche precedenti; in definitiva un processo di crescita demografica che si consoliderà nel secolo XVI — benché in modo non continuativo — e che sembra interessare tutto lo Stato fiorentino, anche se più le campagne che le città. Un recupero che, nel caso di Firenze, sarebbe da ascrivere a fenomeni di immigrazione, più che ad un aumento della natalità", vol. III, pp. 778-779. Ma è questo il "modello classico" della nostra regione, che vede una forte crescita della città (dopo il Medioevo soprattutto di Firenze) a spese delle campagne? Per questo interrogativo si veda anche più oltre, in questo volume, alla nota 9.

[8] Sull'argomento è importante la sintesi di B. DINI, *L'economia fiorentina dal 1450 al 1538* in "Comitato Nazionale per le celebrazioni del V centenario della morte di Lorenzo il Magnifico. La Toscana..." cit., vol. III, pp. 799-823. Il Dini sottolinea, in particolare, come già all'indomani della caduta di Costantinopoli (1453) i fiorentini vennero incrementando i loro traffici orientali, ed in particolare le esportazioni in Turchia di panni di lana (*ivi*, pp. 802-804), tanto che sul finire degli anni '70 del XV secolo essi vennero aprendo nuove vie (facendo giungere le merci a Valona via mare da Lecce, o a Ragusa da Ancona), per poi raggiungere la città turca per percorsi terrestri, cercando in tal modo di diminuire al massimo la permanenza in mare per i rischi della guerra turco-veneziana, e per la crescente pirateria marittima. Al dinamismo del settore laniero venne affiancandosi anche l'arte della seta, che coincise con l'apertura delle fiere di

Lione da parte di Luigi XI nel 1460, e che proseguì nella città francese anche dopo la momentanea interruzione delle medesime (1484-94), sino alla definitiva chiusura della piazza lionese negli anni '60 del Cinquecento. In generale, secondo il Dini "L'andamento dell'economia di Firenze nel periodo considerato, ad eccezione della crisi del 1464-65 e dei periodi congiunturali negativi... è un andamento di espansione, soprattutto per il nascere di quella che è stata chiamata la repubblica internazionale del denaro [il riferimento è ad un noto saggio di A. DE MADDALENA, *n.d.t.*] che sovrasta l'intera economia europea diretta dai finanzieri di Lione, cioè dai grandi banchieri fiorentini", p. 813. A riprova di ciò stanno i profitti di grande rilievo che caratterizzano nell'ultimo trentennio del XV secolo le attività dei setaioli fiorentini, dai Martelli, ai Gondi, ai Serristori, alla grande *holding* familiare dei Capponi e all'andamento positivo (ad eccezione di una contrazione nel ventennio 1460-80, assai sensibile nell'ultimo decennio, ed una nuova, lieve caduta nei primi due lustri del nuovo secolo) dei capitali investiti nelle società in accomandita. Occorre tuttavia considerare come, in base alle cifre fornite dal Dini per il periodo 1450-1530, la ripartizione di questi investimenti sia per la stragrande maggioranza indirizzata al commercio internazionale (459.535 fiorini) rispetto alla manifattura (86.347 fiorini) ed all'artigianato (61.860 fiorini); inoltre "Le accomandite relative alle attività seriche si accaparrarono il 63% degli investimenti del settore [manifatturiero, *n.d.t.*]...", mentre "Le aziende laniere ebbero investimenti di appena un terzo rispetto alle precedenti", e ciò nonostante questa più antica manifattura continuasse "a prevalere in città. Secondo l'ambasciatore Marco Foscari, nel 1527, il valore della produzione di drappi serici raggiungeva i 40.000 ducati, quello dei panni di lana 60.000 ducati..", *ivi*, p. 820 e nota 116.

9 È questo, ad esempio, la direzione "non tradizionale" verso la quale rivolge le sue ricerche S.R. Epstein, cercando di verificare le conseguenze economico-sociali della costruzione Stato fiorentino, per il quale l'allargamento del potere della Dominante sul territorio della Toscana non presentò quei vantaggi che pure ad altri storici sembrano evidenti. Epstein, in particolare, mette in luce la dinamica della popolazione urbana: "D'altro canto notiamo che, una volta messa in moto, la ripresa demografica è più lenta in Toscana che in altre regioni d'Italia, e che nella gerarchia urbana della penisola Firenze scivola di rango, dal terzo al settimo o all'ottavo posto", S.R. EPSTEIN, *Stato territoriale ed economia regionale nella Toscana del Quattrocento* in "Comitato Nazionale per le celebrazioni del V centenario della morte di Lorenzo il Magnifico. La Toscana..." cit., pp. 871-872. Valutazioni simili in D. HERLIHY, C. KLAPISCH-ZUBER, *I Toscani e le loro famiglie...* cit., p. 257 e in M. GINATEMPO, L. SANDRI, *L'Italia delle città...* cit., pp. 111-115.

10 L'andamento alla crescita dei prezzi agricoli (grano) in Firenze ad iniziare dal 1470 circa si può ben rilevare da R.A. GOLDTHWAITE, *I prezzi del grano a Firenze dal XIV al XV secolo*, in "Quaderni Storici", 28, gennaio-aprile 1975, pp. 5-36, e concorda sostanzialmente con i coevi movimenti europei (F. BRAUDEL, F.C. SPOONER, *Prices in Europe from 1450 to 1750* in *The Cambridge Economic History of Europe*, IV, Cambridge, 1967 (trad. it. *I prezzi in Europa dal 1450 al 1750* in *Storia Economica di Cambridge*, IV Torino, 1975, pp. 436-562).

11 Nonostante il proverbiale ottimismo di questo studio — dovuto alla data nella quale esso comparve — l'incapacità dei salari ad adeguarsi rapidamente all'andamento dell'inflazione nella Firenze del XVI secolo è dimostrata da G. PARENTI, *Prime ricerche sulla rivoluzione dei prezzi in Firenze*, Firenze, 1939, in particolare alle pp. 232-240.

12 R.A. GOLDTHWAITE, *I prezzi del grano...* cit., p. 34, tabella C.

13 A.M. PULT QUAGLIA, *"Per provvedere ai popoli". Il sistema annonario nella Toscana dei Medici*. Firenze, 1990, (Biblioteca Storica Toscana, XXVII).

14 Oltre al classico E.J. HAMILTON, *American Treasure and Andalusian Prices, 1503-1160. A Study in the Spanish Price Revolution*, in "Journal of Economic and Business History", I (1928), 1, si veda sull'argomento l'agile sintesi di A. DE MADDALENA, *Moneta e mercato nel Cinquecento. La rivoluzione dei prezzi*, Firenze, 1973, in particolare alle pp. 85-93.

15 Sulla vicenda, che avremo modo di ripercorrere nel quarto volume di questa *Storia* sulla scorta dei documenti inediti dell'Archivio Storico di Montelupo, si può al momento vedere L. GUERRINI, *Empoli dalla peste del 1523-26 a quella del 1631*, Firenze, 1990, voll. 2, vol. I, p. 122.

16 F. BRAUDEL, *La Méditerranée et le monde méditerranéen à l'époque de Philippe II*, Paris 1966, (trad. it. *Civiltà ed imperi nel Mediterraneo all'epoca di Filippo II*, voll. 2, Torino 1976), in particolare alle pp. 640-649: "Tutta questa storia... deve essere fatta scorrere come un fondale provvisorio dietro la storia del grano italiano... L'inversione della congiuntura *contadina* avviene di sicuro dopo il 1550, forse non prima del 1600... Non ci sono dubbi, però: il molteplice sforzo dei contadini italiani e la durezza dei proprietari permisero di raggiungere, nonostante i molti sussulti, l'equilibrio, per lo meno apparente, degli anni 1564-90", *ivi*, p. 645 [il corsivo è nel testo]. Sulla vicenda (e, più in generale, sulla crisi agricola della fine del Cinquecento) vedi anche F. DIAZ, *Il Granducato di Toscana. I Medici*, Torino, 1976 (*Storia d'Italia*, vol. XIII, tomo I), pp. 328-342.

17 C.M. CIPOLLA, *Il governo della moneta a Firenze e a Milano nei secoli XIV-XVI*, Bologna, 1990, p. 237.

18 *Idem, ibidem.*

19 *Idem*, p. 238.

20 Quanto segue dipende ancora da C.M. CIPOLLA, *Il governo della moneta...*, cit., in particolare alle pp. 243-251 ("La crisi bancaria").

21 B. ARDITI, *Diario di Firenze e di altre parti della Cristianità (1574-1579)* a cura di R. CANTAGALLI, Firenze, 1970, p. 123.

22 C.M. CIPOLLA, *Il governo della moneta...* cit., p. 255.

23 R. GALLUZZI, *Istoria del Granducato di Toscana sotto il governo della casa Medici*, voll. 5, Firenze, Cambiagi, 1781, vol. II, p. 465.

24 C.M. CIPOLLA, *Il governo della moneta...* cit., p. 257.

25 I dati sulla produzione laniera in Firenze sono tratti da M. CARMONA, *La Toscane face à la crise de l'industrie lainière: techniques et mentalités économiques aux XVIe e XVIIe siècles* in *Produzione, commercio e consumo dei pnni di lana (nei secoli XII-XVIII)*, a cura di M. SPALLANZANI, Istituto Internazionale di Storia Economica "F. Datini", Prato, 2, Firenze, 1976; P. MALANIMA, *La decadenza di un'economia cittadina. L'industria di Firenze nei secoli XVI-XVIII*, Bologna, 1982. Per la situazione basso-medievale, H. HOSHINO, *L'arte della lana in Firenze nel Basso Medioevo. Il commercio della lana e il mercato dei panni fiorentini nei secoli XIII-XV*, Firenze, 1980, (Biblioteca Storica Toscana, XXI).

26 F. BRAUDEL, *L'Italia fuori d'Italia. Due secoli e tre Italie* in *Storia d'Italia*, voll. 5, vol. II, pp. 2233-2247.

27 Una posizione diversa è espressa da P. MALANIMA, *La decadenza...* cit., particolarmente alle pp. 310-317, ma le serie numeriche che l'A. presenta a sostegno di questa tesi non appaiono sufficienti all'espressione di un giudizio certo sull'argomento. Si veda al proposito l'osservazione di F. DIAZ (*Il Granducato di Toscana...* cit., p. 354-355): "Dato il diverso grado d'importanza delle due manifatture, non a torto le autorità granducali mostrano di preoccuparsi prevalentemente del crollo dell'Arte della Lana".

28 Per gli aspetti generali della questione rinviamo senz'altro alla successiva nota 43. Per quanto attiene alle rese agricole, una serie riguardante i raccolti del

grano in 28 poderi e terre di proprietà del monastero di Santa Maria Novella dal 1613 al 1635, da noi elaborata sulla scorta dei registri di *Entrata e Uscita* del convento (in Archivio di Stato di Firenze, *Conventi Soppressi*, 102 sgg.), mostra come l'indice 100 del 1613 venga gradualmente ad abbassarsi sino a toccare quota 69 nel 1618; nonostante una pronta reazione, che s'innalza sino a 93 e 98 nei due anni successivi, nel 1621 si precipita a quota 63, per toccare altri livelli assai bassi (55 e 66) nel 1626 e nel 1630. Dopo il 1620 solo in tre casi (1624, 1633 e 1634 — questi ultimi dovuti chiaramente alla ripresa della coltivazione dopo la drammatica parentesi della pandemia di peste) si torna ancora a superare la quota delle 2.000 staia di grano, che costituiva la norma degli anni precedenti al 1618. Questi dati trovano conferma in E. Conti, *La formazione della struttura agraria moderna nel Contado fiorentino, I, Le campagne nell'età precomunale*, Roma, 1965 (nell'appendice alla p. 359 *tav.* 1), ove si presentano le raccolte di parte dominicale in due poderi della zona di Passignano in Val di Pesa; anche in questo caso da una quantità rispettiva di 8,3 staia e 10,5 staia nel decennio 1611-20, si passa a 6,6 e 8,6, per non ritrovare più (sino al 1807!) i precedenti livelli di produttività.

[29] F. Diaz, *Il Granducato di Toscana...* cit., pp. 400-403.

[30] Sull'argomento è sempre stimolante la lettura di E. Le Roy Ladurie, *Histoire et climat* (già in "Annales E.S.C:", XIV [1959], 1, gennaio-marzo, pp. 3-34), trad. it. *Storia e clima* in *Problemi di metodo storico*, Bari, 1973, pp. 140-182, particolarmente alle pp. 172-179.

[31] Le rilevazioni settimanali del mercato sono contenute nelle serie degli *Atti Civili dei podestà* (Archivio Storico di Empoli, *Podestarile*).

[32] Vedili ora riuniti in C.M. Cipolla, *Contro un nemico invisibile. Epidemie e strutture sanitarie nell'Italia del Rinascimento*, Bologna, 1985, (che, nonostante il titolo, tratta della Toscana tra il 1604 ed il 1632).

[33] J.G. Hurst, D.S. Neal, H.J.E. van Beuningen, *Pottery produced and traded in north-west Europe. 1350 1650*, Rotterdam, 1986, (Rotterdam Papers, VI), pp. 12-36. (Qui le graffite e le marmorizzate sono tutte considerate pisane).

[34] Il documento fu pubblicato da G. Guasti, *Di Cafaggiolo e d'altre fabbriche di ceramica in Toscana, secondo studi e documenti in parte raccolti dal comm. Gaetano Milanesi. Commentario storico di Gaetano Guasti*, Firenze, 1902, p. 307.

[35] Cfr. più oltre alla nota 71.

[36] G. Cora, A. Fanfani, *La porcellana dei Medici*, Milano 1986.

[37] Cfr. le facilitazioni all'esportazione stabilite con la *Notificazione per l'esenzione da due terzi delle gabelle dovute per l'estrazione delle majoliche del dì 8 Agosto 1766* (in *Legislazione toscana raccolta e illustrata da Lorenzo Cantini*, 30 voll., Firenze, Albizzini, 1800-1808, tomo XXVIII, pp. 239-240), e l'inasprimento delle gabelle d'ingresso per l'importazione disposta con la *Notificazione di un motuproprio relativo alle majoliche forestiere del dì 16 Luglio 1771* (in *idem*, tomo XXX, p. 130).

[38] G. Guasti, *Di Cafaggiolo...* cit., pp. 306-310.

[39] C.M. Cipolla, *Chi ruppe i rastelli a Monte Lupo?* in idem, *Contro un nemico invisibile...* cit., pp.185-261.

[40] M. Ginatempo, L. Sandri, *L'Italia delle città...*, pp. 109-15; S.R. Epstein, *Stato territoriale...* cit., pp. 873-874.

[41] Per la definizione di "area mediterranea" con le sue implicazioni di "spazio storico" è da vedere il fondamentale lavoro di F. Braudel, *La Méditerranée...* cit., specialmente alla parte seconda (pp. 379-493).

[42] Ci limitiamo ad indicare le opere di sintesi sull'argomento. Oltre a F. Braudel, *La Méditerranée...*, già citato alla nota precedente, occorre vedere dello stesso autore *Civiltà materiale, economia e capitalismo (secoli XV-XVIII)*, vol. 3, Torino 1982. Circa i "ritmi economici" del nuovo spazio atlantico, e le sue connessioni all'economia del vecchio continente, vedi P. H. e P. Chanu, *Séville et l'Atlantique*, Paris 1956, voll. 12.

[43] Per gli aspetti politico-sociali, oltre che economici, della crisi del XVII secolo, si veda *Crisis in Europe. 1560-1660*, a cura di T. Aston, London, 1965 (trad. it. *Crisi in Europa*, Napoli, 1968) e *The General Crisis of the Seventeenth Century* (trad. it. *La crisi generale del XVII secolo*, Genova, 1988). Sull'argomento visto nella sua globalità e nelle connessioni tra demografia, commercio, produzione agricola e manifatturiera è da vedere R. Romano, *Opposte congiunture. La crisi del Seicento in Europa e in America*, Venezia, 1992, ove si discute anche dei differenti movimenti economici di lungo periodo del XVII secolo tra le diverse aree europee, e tra queste ed i nuovi "spazi economici" americani. Il volume è anche corredato da un'importante bibliografia, essenziale alla comprensione del dibattito storiografico sull'argomento. Per la prospettiva "italiana", ancora F. Braudel, *L'Italia fuori d'Italia...* cit.; S. Worms, *Il problema della "decadenza" italiana nella recente storiografia*, in "Clio", XI, 1975; P. Malanima, *La perdita del primato*, in "Rivista di storia economica" nuova serie, XIII (1997), 2, pp. 131-172.

[44] Cfr. la precedente nota 25. Sulla crisi delle manifatture italiane è da vedere G. Sivori, *Il tramonto dell'industria serica genovese*, in "Rivista storica italiana", LXXXIV (1972), pp. 921-925.

[45] P. Malanima, *La decadenza...* cit., pp. 166-172.

[46] Oltre alla normativa che penalizzava l'attività laniera pratese, è interessante anche il caso di Empoli, ove la produzione di panni venne praticamente a cessare a causa di un'imposta stabilita dall'Arte della Lana fiorentina nel 1525. Questa "gravezza", introdotta con tutta evidenza per difendere la manifattura cittadina dalla concorrenza che poteva subire dai centri dello Stato i quali si trovavano ad operare in una situazione caratterizzata da più bassi costi di produzione (gabelle, salari, etc.) è una delle più evidenti dimostrazioni della chiusura dei ceti imprenditoriali urbani verso investimenti da effettuare all'esterno delle mura cittadine. Tutto ciò, naturalmente, non impediva la presenza di un'attività artigianale nei centri rurali, ma ne limitava sicuramente lo sviluppo, costituendo il contrario di quanto avveniva in alcune parti d'Europa, ove invece il capitale urbano si apriva verso i centri della campagna. Sull'argomento, oltre al classico M. Dobb, *Problemi di storia del capitalismo*, Roma 1958, (che riguarda soprattutto il caso inglese) è da vedere anche, sull'industria "decentrata" dei Paesi Bassi, E. Coornaert, *Draperie rurales, draperies urbaines. L'évolution de l'industrie flamande au Moyen Âge et au XVIe siècle* in "Revue belge de philologie et d'histoire", XXVIII (1950), pp. 59-96.

[47] In attesa di studi più analitici sulla politica economica medicea dei secoli XVI-XVIII (sino alla morte di Gian Gastone, ultimo granduca della casata) è utile consultare F. Diaz, *Il Granducato di Toscana. I Medici...* cit., pp. 127-169 e 327-363. Sulla politica annonaria si veda il più recente studio di A. Pult Quaglia, *"Per provvedere ai popoli..."* cit.

[48] Questo clima è ben colto da R. Galluzzi, *Istoria del Granducato...* cit., VI, pp. 98-101.

[49] Il fenomeno, com'è noto, non è certo circoscrivibile alla Toscana, ma riguarda gran parte delle regioni italiane, ed in particolare quelle che nel Medioevo avevano dato vita a forme di "capitalismo" mercantile-finanziario assai avanzate, come ad esempio il Veneto. L'argomento è stato più volte trattato con efficacia da R. Romano, che ha dimostrato come la spinta alla dismissione delle attività produttive (intese anche come mercantili-finanziarie) sia stata accompagnata da fenomeni sociali e culturali di grande rilievo, a partire dai saggi contenuti nel volume *Tra due crisi: l'Italia del Rinascimento*, Torino, 1971, sino all'ultimo *Paese Italia. Venti secoli d'identità*, Roma, 1997. La definizione di "rifeudalizzazione" impiega-

ta dal Romano per definire un tale fenomeno, deve essere intesa (come lo stesso Romano ammette) quale una sorta di "provocazione", tesa a rimarcare fortemente questo fenomeno di "ruralizzazione" del capitale italiano in contrapposizione con le storie dei progressi mercantili verso i quali propendeva la storiogrfia economica "tradizionale" (di A. Fanfani, A. Sapori, R.S. Lopez, F. Melis, tanto per fare qualche nome). Sull'argomento si veda ora anche il contributo di P. MALANIMA, *La perdita del primato*, in "Rivista di storia economica", XIII (1997) n. 2, pp. 131-172. Del disimpegno dai commerci e dalla finanza di un'importante famiglia fiorentina costituisce un buon esempio lo studio di P. MALANIMA, *I Riccardi di Firenze. Una famiglia ed un patrimonio nella Toscana dei Medici*, Firenze, 1977.

[50] Su Livorno è ancora fondamentale il classico F. BRAUDEL, R. ROMANO, *Navires et marchandises à l'entrée du port de Livourne (1547-1611)*, Paris, 1951. Per le vicende della città e dell'economia portuale nel momento centrale della crisi del XVII secolo, si veda il recente contributo di L. FRATTARELLI FISCHER, *Livorno 1676: la città e il porto franco* in F. ANGIOLINI, V. BECAGLI, M. VERGA (a cura di), *La Toscana nell'Età di Cosimo III.* Atti del convegno, Pisa-San Domenico di Fiesole, 1990, Firenze 1993, alle pp. 45-66: "I dati disponibili, come dimostrano gli studi di Braudel e Romano sul periodo 1547-1611, confermano che Livorno si era sviluppata come porto di confluenza di navi che provenivano dal Mediterraneo orientale e dal Nord Europa. Da una relazione sul traffico d'Italia nel 1674 si evince che tra gli scali della penisola, tutti con differenti specializzazioni, Livorno è lo scalo di deposito, in cui giungono i convogli mercantili nordici (inglesi, fiamminghi e di Amburgo)", *ivi*, p. 46. Il fatto è che questo traffico è ormai in mano a compagnie commerciali straniere, e non rappresenta certo quell'apertura sui traffici internazionali dei mercanti toscani per il quale era stato concepito da Cosimo I.

[51] Manca ancora un'opera di sintesi sulla crisi economico-sociale della Toscana nel periodo di passaggio tra XVI e XVII secolo, che certo dovrebbe comprendere l'intero cinquantennio 1590-1640, cioè il momento dell'avvio "conclamato" della crisi medesima con la grande carestia del 1590-91, i frequenti anni di carovita a cavallo del secolo (1597-1602), i quali evidentemente rappresentano la "coda" della penuria "mediterranea" del '90, sino alla nuova crisi agricola del 1618-21, che si accompagnò anche all'avvio di una profonda depressione manifatturiera, avvertita a livello europeo. Questo quadro dovrebbe inoltre comprendere l'insorgenza e la diffusione di malattie contagiose, che furono particolarmente intense ad iniziare dai primi anni del Seicento, per poi sfociare nella terribile pandemia di peste del 1630-32. Per meglio comprendere la drammaticità di questi momenti, oltre alle opere già citate, occorre consultare i numerosi lavori dedicati da C.M. Cipolla alle vicende sanitarie dello Stato fiorentino, ora riunite nel volume *Contro un nemico invisibile...* cit.

[52] Cfr. in proposito quanto esposto in questo volume particolarmente alle pp. 154-155.

[53] La Repubblica di Lucca, il "pacifico et popular stato", le cui vicende storico-sociali del XVI secolo sono da tempo note grazie al classico studio di M. BERENGO, *Nobili e mercanti nella Lucca del Cinquecento*, Torino, 1965, nonostante abbia sempre guardato con sospetto (specie dall'ascesa al titolo di Duca di Cosimo I nel 1537 per merito delle armi spagnole) ai vicini "fiorentini", non mancava di intrattenere rapporti economici assai stretti con le fornaci di Montelupo, costituendo di fatto per quei ceramisti un importante mercato di smercio della loro produzione. Ciò non esclude la presenza di una produzione locale, i cui dati storici sono stati per la prima volta ricostruiti da G. BERTI, L. CAPPELLI, *Lucca. Le produzioni locali dei secc. XV-XVII dal Museo nazionale di Villa Guinigi*, in G.C. BOJANI (a cura di), *Ceramica toscana. Dal Medioevo al XVIII secolo*, s.d., s.l. (ma Roma, 1990, Catalogo della mostra, Monte San Savino, 2 giugno-6 agosto 1990), che così sintetizzavano i dati più significativi emersi dal loro studio: "anche se l'uso delle ceramiche con coperture vetrificate si era allineato nei secoli XV-XVII con quello degli altri grossi centri toscani, l'impressione che si ricava è che l'attività cittadina in tal senso sia stata sempre piuttosto scarsa, pur non mancando, in alcuni casi, di esprimersi con prodotti piacevoli e qualificati, tali anche da competere con quelli che, negli stessi periodi, venivano largamente importati da luoghi diversi. Fra questi non si mancherà di ricordare la cospicua presenza di maioliche di Montelupo Firentino [*sic*], di ceramiche ingobbiate e graffite di località della Pianura Padana, ma anche, come del resto in tutte le città toscane di un qualche rilievo, di manufatti spagnoli dell'area valenzana, dei secoli XIV-XV". *Ivi*, pp. 263-264.
Tanto i ritrovamenti effettuati all'interno dei depositi archeologici che costituiscono i riempimenti della sua magnifica cinta muraria (databili per gran parte ad iniziare dall'ultimo ventennio del XV secolo), quanto occasionali scavi effettuati nel centro della città (con restituzioni che giungono sino al XVIII secolo), dimostrano in effetti che la stragrande maggioranza delle maioliche acquistate dai lucchesi nel corso dell'Età Moderna provenivano da botteghe montelupine. Cfr. G. CIAMPOLTRINI, G. BERTI, D. STIAFFINI, *La suppellettile da tavola del tardo Rinascimento a Lucca. Un contributo archeologico* in "Archeologia Medievale", XXI (1994), pp. 555-589; E. ABELA, *La chiesa rinascimentale di Santa Giustina a Lucca. La ricostruzione di un monumento scomparso attraverso il confronto tra i risultati delle indagini archeologiche e le fonti documentarie* in "Momus. Rivista di studi umanistici" VII-VIII (1997), in particolare alle pp. 36-39 (ringrazio anche G. Berti per avermi con gentilezza mostrato i materiali provenienti dagli scavi effettuati lungo le mura, adesso depositati presso il Museo Nazionale di Villa Guinigi, dei quali sta preparando la pubblicazione). La vicenda legata alla presenza di Giovanni Antonio Salomoni (il cognome è toscanizzato) è stata segnalata da G. MARTINELLI, G. PUCCINELLI, *Le mura del Cinquecento. Lucca*, Lucca, 1983, pp. 178-179, nota 41, e si esplicò nell'assegnazione venticinquennale del "casone contiguo alla porta San Donato" per avviare sul posto una fornace da "maioliche e altri vagellami di ogni sorte".

[54] Questa vicenda fu sommariamente narrata da G. GUASTI nel suo *Di Cafaggiolo...* cit., alle pp. 375-381 sulla scorta di ricerche effettuate da Gaetano Milanesi con l'ausilio del canonico Emilio Marrucci. Un personale controllo archivistico, oltre a permettere di meglio precisare la vicenda, mi ha consentito di confermare la lettura "di Sciano" accanto al nome di uno di questi vasai (Giacinto Nannetti) per cui non si dovrebbe dubitare che si tratti di ceramisti ascianesi (il Guasti non aveva compreso il riferimento alla località senese, pur leggendo correttamente questa parola).

[55] Ma a prescindere dall'inserimento di maestri vasai "forestieri", è tutta la vicenda della manifattura chigiana in San Quirico che deve essere interpretata come "succedanea" rispetto alla storia produttiva della vicina Asciano, di certo assai più antica; è infatti più che probabile che lo spazio apertosi sul finire del XVII secolo (i primi documenti sulla produzione quirichese risalgono al 1693) per l'impianto di una fornace nella località della Val d'Orcia siano connessi con la contemporanea crisi di Asciano (che, come si è visto, alla metà del secolo alimentava ancora una qualche corrente d'emigrazione). La storia di San Quirico si caratterizza per la presenza di maestranze qualificate "di passaggio", secondo un modello tipico di certe iniziative "padronali", le quali oscillavano tra gli estremi assai distanti della gestione economica (i vasai pagavano l'affitto) e l'impresa signorile, talvolta svincolata dalle ferree leggi del mercato; essa, del resto, aveva antecedenti illustri (basti pensare alla fornace di Cafaggiolo). Non a caso, tuttavia, in questa fase tardo-seicentesca la fornace

di San Quirico risulta significativamente animata dai vasai liguri, che di certo furono i più attivi nel coevo panorama italiano. Nonostante, quindi, la fama della manifattura fosse raggiunta per opera di Bartolomeo Terchi, da Bassano Romano, già importante pittore, il significato profondo della storia della "vaseria" quirichese deve essere ricercata in un più ampio contesto di "ricostruzione" di una tradizione di fabbrica in Toscana.
Su San Quirico è ora da vedere il ben documentato catalogo della mostra *Ceramica chigiana a San Quirico. Una manifattura settecentesca in Val d'Orcia*, San Quirico, 1996, oltre ovviamente a E. Pellizzoni, G. Zanchi, *La maiolica dei Terchi. Una famiglia di vascellari romani nel Settecento tra Lazio e Impero austro-ungarico*, Firenze, 1982, studio che per la prima volta, dopo la falsificazione storica operata da G.M. Urbani de Gheltol, riportava i Terchi alla loro effettiva origine laziale.

[56] E. Biavati, *Domenico Lorenzo Levantini, "oriundo genovese", maiolicaro "alla francese"* in *Empoli nel 1776*, in *Atti del VI Convegno Internazionale sulla Ceramica*, Albisola 30 maggio - 3 giugno 1973, Albisola s.d., pp. 199-206; F. Berti, *Domenico Lorenzo Levantino ad Empoli (1765-1808)* in *Atti XVIII Convegno Internazionale della Ceramica*, Albisola, 31 maggio - 2 giugno 1985, s.d. (ma 1988), s.l., pp. 157-171.

[57] L. Dal Pane, *Storia del lavoro in Italia dagli inizi del secolo XVIII al 1815*, Milano 1944. Parti di essa compaiono anche in M. Milanese, *La ceramica post-medievale in Toscana: centri di produzione e manufatti alla luce delle fonti archeologiche* in *Atti del XXVII convegno Internazionale della Ceramica*, Albisola, 27-29 maggio 1994, Firenze 1997, pp. 79-111.

[58] In Asf, *Carte Gianni*, 39. Cancelleria di Empoli, inserto 28 (c. n.n.).

[59] F. Berti, *Domenico Lorenzo Levantino*... cit., p. 161.

[60] E. Biavati, *Domenico Lorenzo Levantini*... cit.

[61] F. Berti, *Domenico Lorenzo Levantino*... cit., pp. 165-169.

[62] P. Ircani Menichini, *Fornitori di ceramiche e di stoviglie alla SS. Annunziata (secoli XV-XIX)* in *Da "una casupola" nella Firenze del sec. XIII. Celebrazioni giubilari dell'Ordine dei Servi di Maria. Cronaca, liturgia, arte*, Firenze, 1990.

[63] Per i documenti medievali su Pontorme si veda G. Cora, *Storia della maiolica di Firenze e del Contado*, voll. 2, Firenze, 1973, al vol. I, pp. 397-399. Per i documenti dei secoli XVI e XVII, G. Cora, A. Fanfani, *Vasai del Contado di Firenze*, in "Faenza", LXXIII (1987), 4-6, pp. 263-264.

[64] Per Pontorme si segnala in particolare una massiccia produzione del genere "marmorato". Sino al 1547, del resto, risulta che Fucecchio consumava 6 some di ceramica proveniente da Montelupo, che deve sicuramente intendersi come maiolica; vedi A. Malvolti, *Un documento per la storia economica di Fucecchio nell'Età di Cosimo I*, in "Bullettino Storico Empolese", a. XXXI (1987). Su Fucecchio vedi anche A. Vanni Desideri, *Fornaci e vasellami in un centro minore del Basso Valdarno* in "Archeologia medievale", IX (1982), pp. 193-216.

[65] Il documento specifica che nel caso dell'esportazione il prezzo saliva a lire 9 la soma, ma in questa cifra si intendevano comprese le spese di trasporto e gabella che, gravando sui produttori ("a tutte loro spese di trasporto e gabella"), ne abbassavano considerevolmente il guadagno.

[66] C. Piccolpasso, *I tre libri dell'Arte del Vasaio nei quali si tratta non solo la pratica, ma brevemente tutti i secreti di essa cosa che persino al di d'oggi è stata sempre tenuta ascosta del Cav. C.P. Durantino*, Pesaro, A. Nobili, 1879.

[67] Riprenderemo successivamente queste indicazioni trattando dei flussi commerciali interni al Granducato sulla scorta della Gabella del 1762.

[68] Su Castelfiorentino, oltre a G. Guasti, *Di Cafaggiolo e d'altre fabbriche*... cit., pp. 374-375, si veda G. Cora, *Storia della maiolica*... cit., I, pp. 373-374 e G. Cora, A. Fanfani, *Vasai del Contado di Firenze* in "Faenza", LXXIII (1987) 1-3, pp. 137-144. Alcuni particolari sulla presenza di vasai nel corso del XV secolo sono ricavabili da P. Pirillo, *Dal XIII secolo alla fine del Medioevo: le componenti e gli attori di una crisi* in *Storia di Castelfiorentino*, voll. 3, Pisa, 1994-97, vol. 2, *Dalle origini al 1737*, p. 53. Le caratteristiche della produzione locale, nella quale è al momento documentata solo la presenza di ceramica ad ingobbio, è deducibile dagli scarti di fornace rinvenuti sul posto (in parte anche da chi scrive), di cui una campionatura si conserva presso la locale Associazione Archeologica.

[69] Per la produzione medievale pisana si veda ora l'importante contributo di G. Berti, *Pisa. Le "maioliche arcaiche". Secc. XIII-XV (Museo Nazionale di San Matteo)*, Firenze, 1997, (Ricerche di Archeologia Altomedievale e Medievale, 23-24).

[70] G. Berti, E. Tongiorgi, *Aspetti della produzione pisana di ceramica ingobbiata* in "Archeologia Medievale", IX (1982), pp. 141-173. G. Berti, L. Tongiorgi, *Ceramica decorata a occhio di penna di pavone nella produzione di una fabbrica pisana* in "Faenza", LXV (1979), 6, pp. 263-268.

[71] Fanno ovviamente parte di questa problematica anche le vicende relative alla manifattura di maiolica avviata in Pisa da Niccolò Sisti, in merito alla quale si possiedono varie notizie archivistiche ed alcuni esemplari ceramici che, per portare l'inequivocabile scritta "Pisa", sono ad essa logicamente attribuiti. Si veda in proposito G. Cora, *Sulla fabbrica di maioliche sorta in Pisa alla fine del Cinquecento* in "Faenza", L (1964), pp. 25-30. Su Niccolò Sisti cfr. anche i documenti pubblicati da G. Cora, A. Fanfani, *La porcellana dei Medici*, Milano, 1986, pp. 27-39. Per l'"anfora" biansata con la scritta "Pisa" cfr. G. Cora, *Sulla fabbrica*... cit., p. 27. Il fatto, però, che l'impresa del Sisti, oltre ad avere breve vita, non sia stata il frutto di uno sviluppo autoctono, ma piuttosto il risultato di una collocazione "calata dall'alto" nel panorama produttivo locale, ne limita di fatto il significato "pisano". Detto questo, va tuttavia notato che l'insediamento della manifattura, che probabilmente fu stabilito in base a criteri "imprenditoriali" (forse soprattutto per la agevole disponibilità delle materie prime "navigate", che potevano facilmente giungere alla foce dell'Arno), non poteva comunque trascurare il problema della manodopera da impiegare nell'impresa medesima. Ora, fatta salva la possibilità che nella manifattura lavorassero pittori non toscani e forse anche montelupini (la presenza di questi ultimi sembra indicata soprattutto dalla vicinanza tra le maioliche pisane e la particolare "raffaellesca" montelupina — quella, per intendersi, che trova sviluppo nella fornitura per Santa Maria Novella o sulle famose fiasche con stemma Medici Lorena), appare tuttavia improbabile che tale collocazione fosse stata decisa dal Sisti (probabilmente in accordo con le autorità dello Stato e, forse, con lo stesso Granduca) prescindendo del tutto dall'esistenza *in loco* di capacità produttive nel settore ceramico. In altre parole, anche se in Pisa non vi erano più pittori che dipingevano su smalto, qui dovevano comunque trovarsi altri manifattori (tornianti, fornaciai, ceramisti in grado di preparare rivestimenti e colori) capaci di supportare tecnicamente un'impresa del genere. Il fatto, quindi, che questa fornace abbia lavorato nel corso dell'ultimo decennio del XVI secolo appare indicativo di una persistenza delle attività ceramistiche in Pisa almeno sino a quella data.

[72] Maioliche con forme "a crespina" caratterizzate da una pesante smaltatura rosata sono state rinvenute infatti anche in Pontorme tra gli scarichi di fornace locale (materiali già depositati presso l'Associazione Archeologica del Medio Valdarno di Empoli). Purtroppo questi documenti, rinvenuti in giacitura secondaria, erano privi del contesto di appartenenza. È tuttavia assai probabile che si tratti di una produzione della seconda metà del XVIII secolo.

[73] Nonostante questa marginale produ-

zione di maiolica, gli stessi *deputati* presentano per Anghiari un quadro d'importazione della materia prima che sembrerebbe tipica di un centro di fabbrica dalle cui fornaci escono normalmente anche lavori in maiolica "Questo genere si fabbrica con la terra del paese, con la rena bianca che fanno venire dalla terra di San Giovanni in Valdarno, con il tufo, che lo provvedono nello stato Senese, e con il piombo e stagno che lo provvedono in Livorno e alla fiera di Sinigaglia".

[74] "L'istesso dicasi di quelli da fuoco... alla riserva della loro valuta, che si considera all'ingrosso a circa L. 5 la somella, quale si reputa possa essere la metà di una soma intera".

[75] Varie ricerche eseguite sul posto da appassionati locali hanno infatti consentito non soltanto di individuare alcuni siti di fornace, e di reperire scarti di lavorazione databili anche nell'arco del XV secolo. Si può, in particolare, assegnare alle fornaci di Montepulciano quel genere di tardo figurato con curiose immagini di cavalli pomellati, che a suo tempo destò l'interesse di Galeazzo Cora, il quale (cfr. G. CORA, *"Cavalli" e maioliche italiane*, in "Faenza", 1951) attribuiva erroneamente questa produzione a Montelupo, ma anche una serie parallela a questa con immagini di fucilieri ed altri armigeri non lontani dalla coeva sensibilità montelupina, anche se riprodotti su maioliche con supporto rossastro ingobbiato e rovescio invetriato, non dissimili dal clima tecnologico tipico della Toscana meridionale e dell'Alto Lazio (tra Siena e Viterbo), ma non aliena anche dal recepire le sollecitazioni iconografiche dei centri umbri (Deruta).

[76] Per Borgo San Lorenzo, oltre a G. CORA, *Storia della maiolica...* cit., vol. I, pp. 370-71, e G. CORA, A. FANFANI, *Vasai del Contado di Firenze*, cit., p. 132, è in corso di ultimazione uno studio di chi scrive su uno scarico di fornace costituito da ceramica ingobbiata e graffita, databile alla seconda metà del XVI secolo, all'interno del quale si presenta una sintesi della documentazione storica riguardante la produzione ceramica di età preindustriale borghigiana. Possiamo tuttavia qui anticipare che i dati disponibili dimostrano un forte sviluppo delle attività locali nel corso del Cinquecento, ed un'altrettanto forte contrazione successiva delle medesime che, come si vede, risulta assai depauperata alla data (1768) di redazione dell'Inchiesta.

[77] Per questa fornace abbiamo potuto reperire anche la documentazione fondiaria: ARCHIVIO DI STATO DI FIRENZE, *Decima Granducale*, 5816, c. 466r: "Francesco Maria del Tenente Giuseppe Francesco di Gabriello Guidacci [...] Una casa posta nel castello di Scarperia che serve per uso d'abitazione di detto Guidacci, con due botteghe poste sotto la medesima casa, che serve ad uso di pizzicagnolo e l'altra ad uso di vasellaio... Una fornace a uso di vassellajo fatta e fabbricata accanto alla sopradetta casa... quali case e botteghe furono di nuovo decimate... fino l'anno 1772...".

[78] Sulla produzione ceramica medievale di Volterra, ancora non ben documentata sotto il profilo delle testimonianze materiali, si veda G. PASQUINELLI, *La ceramica di Volterra nel Medioevo (secc. XIII-XV)*, Firenze, 1987 (Quaderni dell'insegnamento di Archeologia Medievale della facoltà di Lettere e Filosofia dell'Università di Siena, 9). Sulla vicina Pomarance cfr. A. COSCARELLA, M. DE MARCO, G. PASQUINELLI, *Testimonianze archeologiche della produzione ceramica a Pomarance*, in "Archeologia Medievale", XIV (1987), pp. 277-288.

[79] Per la composizione delle importazioni di ceramiche nella Maremma senese sono assai significativi i dati quantitativi che è possibile derivare dagli scavi archeologici promossi dall'insegnamento di Archeologia medievale dell'Università degli Studi di Siena in varie località, ed in particolare nel castello di Scarlino, caratterizzato, a differenza degli altri siti indagati, da una continuità insediativa che giunge sino ai nostri giorni, oltre che dal complesso della fortezza medicea di Grosseto (cfr. *La ceramica della fortezza medicea di Grosseto* a cura di R. FRANCOVICH e S. GELICHI, Roma 1980).

[80] Pistoia ebbe una produzione a smalto già in epoca medievale, con una sicura presenza della maiolica arcaica. Per questi aspetti cfr. G. VANNINI, *Firenze, Prato, Pistoia. Aspetti di produzione e consumo della ceramica nel medio Valdarno medioevale*, in G.C. BOJANI (a cura di), *Ceramica toscana. Dal Medioevo al XVIII secolo* cit., pp. 24-37. Nella relazione del 1765-68 le stesse parole che riguardano Pistoia sono usate, a proposito delle ceramiche, anche nell'inserto relativo alla "Provincia pistoiese" (*ivi*, inserto 15).

[81] Per "vernice scura alla savonese" si dovrebbe intendere quella particolare invetriatura di color caramello che trova una straordinaria affermazione nel cosiddetto "tache noire". Per questa tipologia si veda A. CAMEIRANA, *La terraglia nera ad Albisola all'inizio dell'Ottocento*, Savona, 1971.

[82] Per l'Impruneta si veda AA.VV., *La civiltà del cotto. Arte della terracotta nell'area fiorentina dal XV al XX secolo*, Firenze, 1980.

[83] Per una giusta valutazione del dato quantitativo va osservato che in questo periodo ricade una delle annate più difficili (per il diffondersi di una delle carestie "storiche", avvertita in tutta Europa), e cioè l'anno 1764.

[84] Nella relazione si tratta di "urne e diversi orinali", ma i secondi non fanno parte della stima. Cosa fossero con precisione le "urne" non ci è chiaro.

[85] A differenza di altri sistemi di numerazione delle ceramiche (ad es. il pentolame, che nell'area montelupina era numerato a partire dal costo della tipologia più grande — il tegame "di lira"— con i relativi sottomultipli monetali — paolo, crazia, etc.), in questo caso il riferimento era anche di tipo dimensionale, con un minimo fissato al numero otto. In tal modo quattro pezzi di vaso da fiori (che doveva essere del tipo "a cassetta") "da otto" equivalevano ad un vaso "da 32": il costo del primo era infatti di lire 4, mentre del secondo di lire 16. Lo stesso risultato si otteneva anche moltiplicando il numero relativo alle due specie (8x4=32). La scala numerica, però, era utile al conteggio, ma non equivaleva sempre a quella dei prezzi relativi (l'"8" è la metà di "16", ma il costo di questi generi — rispettivamente 4 e 12 lire — non corrisponde a tale multiplità, così come il "12" e il "16" hanno un costo frazionario — 6 e 12 lire — ma questa caratteristica non si estende alla loro denominazione). Da ciò si deduce che i vasai imprunetini stabilivano i prezzi dei loro prodotti fittili in base a criteri relativi al valore del lavoro che si riteneva necessario alla fabbricazione dei singoli manufatti. Così, ad esempio, si considerava equivalente ad un vaso da fiori "di 32" (lire 16) o, come si è detto, quattro esemplari "dell'8", o tre vasi variamente assortiti: ad esempio due "del 12" (6 lire l'uno) ed uno "dell'8" (4 lire), oppure uno "del 16" (lire 12) ed uno "dell'8" (lire 4).

[86] Per Montaione, che non compare negli studi di G. Cora, abbiamo in corso una ricerca documentaria che incrocia i dati del Catasto del 1427 elaborati da A. TAMBURINI, *Vita economica e sociale del comune di Montaione tra la fine del XIV e l'inizio del XV secolo*, in "Miscellanea Storica della Valdelsa" LXXXIII (1977), 3, pp. 117-194 con quelli delle Decime sino al 1776 (ARCHIVIO DI STATO DI FIRENZE, *Decima Granducale*, 5784-86). A quella data il numero degli esercizi di vasaio risulta assai ridotto rispetto al quello del XVI secolo. Si nota infatti una protratta registrazione degli immobili, che risultano descritti tutti nel corso del Cinquecento, mentre i soli due aggiornamenti fondiari del Settecento attestano che entrambe le strutture sono "rovinate" e "pericolanti".

[87] A lungo la "storiografia" tradizionale venne a dibattere il problema della presenza o meno in Arezzo di fornaci da maiolica che, sostenuta da A. Del Vita — cfr. A. DEL VITA, *Vi furono fabbriche di maioliche in Arezzo?*, in "Faenza" VII (1919), 2, pp. 33-41 — era invece negata da G. Ballardini, il quale fece discutere dell'argomento sulla rivista "Faenza", riportando anche le tesi del Pasqui che la negava (cfr. U. PASQUI in "Rivista bibliografica dell'arte italia-

na" nn. 11-12, 1915, pp. 140 sgg.); (G. BALLARDINI, *Vi furono fabbriche di maioliche in Arezzo?*, in "Faenza", V (1917), pp. 28-29). In anni assai più vicini a noi la questione è stata affrontata da R. FRANCOVICH, S. GELICHI, *La ceramica medievale nelle raccolte del Museo Medievale e Moderno di Arezzo*, Firenze, 1983, (Ricerche di Archeologia Altomedievale e Medievale, 8). Secondo gli estensori della relazione, dunque, si sarebbe fabbricata ceramica "smaltata" in Arezzo sino al 1560 circa. Occorre ovviamente prendere con cautela l'appellativo di "maioliche" in relazione a questa produzione rinascimentale aretina.

[88] Su San Gimignano si veda G. VANNINI, *La spezieria: formazione e dotazione*, in AA.VV., *Una spezieria preindustriale in Valdelsa*, Certaldo, 1983, pp. 37-58, ove si riportano alcuni documenti relativi alle forniture farmaceutiche per il locale nosocomio di Santa Fina. Documenti che riguardano i vasai di San Gimignano sono pubblicati in G. CORA, *Storia*... cit., vol. I, pp. 400-401 e in G. CORA, A. FANFANI, *Vasai del contado*... cit., in "Faenza" LXXIII (1987), 4-6, pp. 264-268. Un esame diretto di queste ceramiche a tutt'oggi conservate presso il Museo Civico di quella città conferma che sino alla metà del XVI secolo, data di arrivo delle prime forniture da Montelupo, sia le spezierie sangimignanesi (laiche e religiose), sia lo stesso ospedale, si approvvigionavano da botteghe del luogo (cfr. F. BERTI, *Le ceramiche della spezieria di Santa Fina di San Gimignano*, Lastra a Signa, 1996). Per la presenza di scarti di fornace, in attesa della pubblicazione di studi specifici che renda noti i risultati di ricerche accademiche già effettuate, si rimanda per il momento a R. FRANCOVICH, *La ceramica medievale a Siena e nella Toscana meridionale (Secc. XIV-XV). Materiali per una tipologia*, Firenze, 1982 (Ricerche di Archeologia Altomedievale e Medievale, 5-6), p. 111.

[89] La storia della produzione ceramica senese è ancora da ricostruire in tutto il suo arco cronologico, anche se su di essa possediamo da tempo preziosi contributi, ad iniziare dalle pagine di G. GUASTI, *Di Cafaggiolo*... cit., pp. 313-355. Fondamentale alla conoscenza della produzione medievale è R. FRANCOVICH, *La ceramica. medievale a Siena*... cit.; al proposito è utile anche L. CAPPELLI, *Siena. Aspetti della produzione ceramica fra XIII e XV secolo* in G.C. BOJANI (a cura di), *Ceramica toscana. Dal Medioevo al XVIII secolo* cit., pp. 323-343. M. Luccarelli ha poi fornito importantissimi contributi che illustrano le vicende rinascimentali della lavorazione della ceramica in Siena — cfr. M. LUCCARELLI, *Contributo alla conoscenza della maiolica senese. Di un piatto nel Musée des Antiquités di Rouen*, in "Faenza", LXV (1975), 4-5; IDEM, *Contributo alla conoscenza della maiolica senese. Di un piatto nel Musée des Antiquités di Rouen*, in "Faenza", LXVIII (1982), 1-2; IDEM, *Contributo alla conoscenza della maiolica senese. Il pavimento della cappella Bichi in Sant'Agostino*, in "Faenza", LXIX (1983), 3-4, pp. 197-198; IDEM, *Contributo alla conoscenza della maiolica senese. Fedele da Urbino*, in "Faenza", LXIX (1983), 3-4, pp.199-201; IDEM, *Contributo alla conoscenza della maiolica senese. La "maniera di Mastro Benedetto"*, in "Faenza", LXX (1984), 3-4, pp. 302-304; IDEM, *Contributo alla conoscenza della maiolica senese. Il pavimento della cappella Docci nella Basilica di San Francesco in Siena*, in "Faenza", LXX (1984), 5-6, pp. 391-397; IDEM, *Antiche maioliche senesi*, Siena, 1988; IDEM, *La maiolica senese del Rinascimento*, in G.C. BOJANI (a cura di), *Ceramica toscana. Dal Medioevo al XVIII secolo* cit., pp. 358-371. Sui vasai senesi si veda A. MIGLIORI LUCCARELLI, *Orciolai a Siena*, in "Faenza", LXIX (1983), 3-4, pp. 255-288 e IDEM, *Orciolai a Siena. Parte seconda*, in "Faenza", LXIX (1983) 5-6, pp. 368-400. Della decadenza settecentesca della produzione senese è eloquente testimonianza la serie dei vasi farmaceutici inediti conservati presso l'ospedale di Santa Maria della Scala.

[90] Lo statuto dei vasai senesi (del quale è in corso di stampa una nuova edizione, curata da chi scrive, che modifica notevolmente quanto già pubblicato in G. GUASTI, *Di Cafaggiolo*... cit., pp. 317-321) citato dai *deputati* era infatti — come si ricava da una sua attenta lettura — nient'altro che una copia di una versione precedente. È purtroppo impossibile, allo stato attuale delle ricerche, risalire alla data di pristina stesura dello statuto medesimo.

[91] Non sappiamo quali fabbriche siano state attive a Rapolano e Mont'Ingegnoli e quali siano state le loro caratteristiche produttive.

[92] Nel codice che contiene lo statuto del 1528 dell'Archivio di Stato di Siena, infatti, si contengono anche disposizioni attraverso le quali si cerca di inibire l'ingresso in Siena delle ceramiche di Asciano e Buonconvento. Questi atti, imposti ai "vasai stralonghi" (cioè forestieri), non sembrano aver però protetto, come gli stessi ceramisti pensavano, le attività senesi dalla concorrenza esterna, che comunque di certo si avvaleva di minori costi di produzione. Per questo aspetto fondamentale si veda quanto lucidamente espresso dagli stessi *deputati* a proposito delle materie prime — cioè a dire argilla e legna (aggravate, a quanto si affermava, dalla gabella di pedaggio introdotta nel periodo della Reggenza lorenese) — che dovevano pagare "dazi che non hanno le fabbriche suddette" e circa i minori salari che era possibile pagare ai lavoranti fuori della città ("dove si aggiunge che il nutrimento dei lavoranti è ancora molto più caro che per lo stato").

[93] *Carte Gianni*, cit., inserto 3.

[94] Cfr., in attesa del terzo volume di quest'opera, la matrice riprodotta alla p.104 in F. BERTI, *Storia della ceramica di Montelupo. Uomini e fornaci in un centro di produzione dal XIV al XVIII secolo*, vol. I, Cinisello Balsamo, 1997.

[95] L'impiego dell'argilla depositata dall'Arno sembra esser stato di gran lunga maggioritario nella produzione delle terrecotte montelupine. Per raccogliere questi sedimenti si utilizzavano barche che, avvicinandosi alle sponde, cavavano il limo dal fondo, pescandolo con appositi attrezzi; l'argilla veniva depositata all'interno delle imbarcazioni, formava cumuli il cui peso le faceva quasi affondare (un procedimento simile adottavano anche coloro — detti *renaioli* — che cercavano sabbia nel letto del fiume). Nei documenti, tuttavia, non mancano accenni a cave di terra da impiegare a questo fine, che sono per lo più collocate nella zona di Camaioni-San Vito in Fior di Selva, all'interno dei possidimenti degli Antinori.

[96] Non sempre, però, i navicellai erano personaggi esterni all'attività delle fornaci di Samminiatello e Camaioni: piuttosto frequentemente, infatti, la figura del fornaciaio e del navicellaio coincidevano o, anche, rappresentavano professioni esercitate nell'ambito della stessa famiglia.

[97] La diffusione degli orci da olio montelupini in area versiliano-lucchese (e nel pietrasantino) è da mettere però soprattutto in connessione con la massiccia presenza dell'olivicoltura che caratterizza il paesaggio di questi luoghi, ed è eloquentemente testimoniata anche dalla documentazione storica. L'invio, infine, degli orci montelupini a Livorno si collega a flussi di esportazione mediterranea — in particolare, ci sembra, in direzione orientale — dei quali abbiamo al momento riscontro in manufatti notati in Grecia, anche in questo caso soprattutto in zone contrassegnate dalla forte presenza dell'olivo, come Delfi (più esemplari documentati nel centro urbano e, soprattutto, nella sottostante pianura costiera nei pressi di Ithea, detta anche "il mare degli olivi"), oltre che nelle isole, tra cui Corfù (tra questi un orcio dato "1789" e siglato "Bitossi") e Mikonos.

[98] Doveva incidere sulla quantità del prodotto disponibile, oltre alla diffusione di fornaci specializzate, anche l'uso sempre più accentuato — tanto da divenire massiccio nel corso del secolo seguente — di costruire forni da laterizi nei pressi delle fattorie, grazie ai quali si poteva soddisfare il consumo interno (sia di laterizi che, talvolta, anche di orci), impiegando la manodo-

pera mezzadrile e/o salariata nei momenti di stasi dell'attività agricola. È assai probabile, del resto, che da questo "modello" produttivo, il quale poteva vantare precedenti illustri (si vedano, ad es. le fornaci inserite nella villa romana di impianto tardo-repubblicano scavata in località "podere Virginio", nei pressi di Montelupo in F. BERTI, *La villa romana di Pulica* in *Montelupo Fiorentino. Il paese della ceramica fra Arno e Pesa*, Firenze, 1993, pp. 101-105), sia venuta sviluppandosi in maniera più specifica e concentrata la stessa arte delle terrecotte. È possibile che alcuni fornaciai (si rammenti la "poca condotta dei fabbricanti" lamentata dalla relazione) trovassero impiego in queste stesse imprese, organizzando stagionalmente il lavoro presso le fattorie. A questa conclusione, del resto, conduce la constatazione della fabbricazione di orci, anche dalle caratteristiche piuttosto impegnative — e quindi difficilmente attribuibili a manodopera non specializzata — che avveniva presso le fattorie di maggiori dimensioni. Una struttura produttiva (fornace e laboratorio per orci, conche e laterizi) si è conservata sino ai giorni nostri nel comune di Montelupo presso la fattoria di Sammontana.

[99] Tutto il pentolame da cucina rinvenuto nei depositi archeologici montelupini anteriori al XVIII secolo (ed in particolare negli scarichi delle fornaci) si caratterizza infatti per modalità di scarto derivanti dall'uso, e non da incidenti o difetti di produzione. Nel grande scarico di via XX Settembre (con manufatti datati dal 1725 al 1790) compaiono invece importanti quantità di pentole, tegami, ed altri oggetti vascolari invetriati destinati all'uso della cucina, scartati durante la lavorazione.

[100] Questa indicazione non ci consente di valutare il decremento percentuale del valore del pentolame: è presumibile, infatti, che nella valutazione del pregio di una cotta (lire 50) fornito dalla relazione si tenga conto di questa diminuzione di valore di circa 14 lire per fornaciata.

[101] In ogni fase inflattiva preindustriale sono infatti i prezzi agricoli, legati all'alimentazione, a dimostrare il maggior dinamismo verso la crescita. Il ripetersi ravvicinato di queste "punte" è del resto evidentemente collegato con fenomeni di forte turbamento sociale, come ha dimostrato E. Labrousse per la Rivoluzione francese del 1789: cfr. C.E. LABROUSSE, *Prix et structure régionale: le froment dans les régions françaises (1782-1790)*, in "Annales d'histoire sociale", I (1939), pp. 382-400 (trad. it. *Prezzi e struttura regionale: il grano nelle regioni francesi dal 1782 al 1790*, in *I prezzi in Europa...* cit., pp. 483-504). In ordine di importanza (e celerità di incremento), inoltre, si può notare come ai prezzi agricoli seguano quelli dei generi legati comunque a problemi di sopravvivenza come il vestiario.

[102] Questo fatto salvo ovviamente i generi invetriati come il cosiddetto *"tache noire"* savonese-albisolese, che poteva brillantemente far concorrenza alle maioliche "tradizionali" della Toscana, ormai tecnicamente assai impoverite. Cfr. M. MILANESE, *La maiolica ligure come indicatore archeologico del commercio d'Età Moderna e la sua diffusione nei contesti archeologici della Toscana*, in *Atti del XXV Convegno Internazionale della Ceramica*, Albisola, 1992, pp. 211-226 e M. MILANESE, *Archeologia postmedievale in Toscana* in "Archeologia postmedievale. Società, ambiente, produzione", I (1997), pp. 290-292.

[103] Ciò poteva avvenire anche perché il costo del trasporto, che sfruttava all'inverso il sistema di esportazione toscano, non doveva gravare sulle maioliche d'importazione in maniera troppo sensibile: le fornaci "genovesi" (cioè savonesi ed albisolesi in grande maggioranza) erano infatti ben collegate via mare a Livorno ed a tutto il sistema dei porti toscani.

[104] La relazione non è esplicita circa il riferimento di questa valutazione all'attività di una singola fornace o, piuttosto, a quello complessivo di tutte e sei. La modestia del dato (270 lire annue che, se fossero divise per sei, porterebbero il valore economico della produzione di ciascuna fornace da maioliche a sole 45 lire, cifra che sarebbe inferiore alla stima di una sola fornaciata di invetriate) rende però palesemente improponibile quest'ultima ipotesi.

[105] La cava, come meglio vedremo nel quarto volume di quest'opera, si trova in località San Michele a Morzano, nel comune di Montespertoli. Lo sfruttamento di questo grande bacino sedimentario è alla base della produzione ceramica di Montelupo, nel senso che da questa base argillosa, addizionata di calcio, si ottenne il biscotto bianco il cui impiego diviene sempre più frequente nelle botteghe montelupine ad iniziare dall'ultimo ventennio del XIV secolo, per poi generalizzarsi verso la metà del Quattrocento.

[106] "...aumenta...", nel testo.

[107] "...quocere...", nel testo.

[108] "...si ricava...", nel testo.

[109] "...reggano...", nel testo.

[110] Manca una frase nel testo.

[111] Segue il periodo sulla "vernice alla savonese" e sulle tasse dei vasai già inserito nella Relazione di Pistoia in Inserto 8.

[112] "...maiolche...", nel testo.

[113] "...leggieri...", nel testo.

Parte Seconda

Parte seconda - Capitolo primo

La maiolica del primo Rinascimento

I primi decori rinascimentali. Ben sappiamo come ogni forma di classificazione, costringendo necessariamente nelle maglie di un astratto reticolo concettuale il fluido sviluppo della realtà, rischi di misurare quest'ultima su di un novello letto di Procuste, che la può amputare delle molteplici sfumature delle quali essa, invece, è sostanziata. A questo rischio ci si deve sottoporre soprattutto qualora si intenda ricostruire la storia, per l'inderogabile esigenza di tracciare in termini netti e comprensibili le linee principali di sviluppo degli avvenimenti o delle problematiche che ci interessano.

Anche noi, dunque, ci troviamo di fronte a tale necessità che, nella fattispecie, ci impone ora di distinguere (e quindi scindere, incasellare, separare) nel complesso delle decorazioni che abbiamo visto aver rappresentato l'ultimo sforzo dei vasai montelupini verso l'affermazione di un "linguaggio nazionale", quelle produzioni che, nascendo negli ultimi lustri del Quattrocento, assumeranno un forte sviluppo nel primo trentennio del secolo successivo.

Questo sarà il gruppo dei decori che definiremo "rinascimentali", anche se essi hanno un'origine comune a quelli tardo-medievali, dei quali abbiamo sin qui trattato, e possono essere da questi separati essenzialmente per la continuità produttiva che li caratterizza, e che ne protrae la fase vitale sino al momento critico del quarto decennio del XVI secolo.

Nel periodo di sviluppo, che precede l'altra fase già da noi definita di "estenuazione", queste tipologie sono ancora oggetto di trasformazioni creative, che ne modificano l'aspetto, anche se tale processo si inserisce nella cornice di un'incipiente ricerca di standardizzazione, utile a facilitarne la replica, non ancora spinta sino alla banalizzazione e al peggioramento del loro contenuto formale.

Anche se il senso di quanto stiamo affermando ci appare sufficientemente chiaro, giova però richiamare adesso, nel momento dell'individuazione di questa nuova categoria, i limiti di tale classificazione e le cautele con le quali un simile concetto deve essere utilizzato ed eventualmente sviluppato. Ciò, appunto, per non immiserire entro i termini troppo netti di una sistemazione astrattamente imposta ad una materia così viva e dinamica, i molti risvolti e le importanti sfumature con le quali l'argomento dovrebbe essere trattato.

Per fare ciò dobbiamo in primo luogo comprendere le ragioni per le quali questi "primi decori rinascimentali" rappresentino quel gruppo di decorazioni sulle quali verrà accentrandosi il maggiore interesse da parte dei vasai di Montelupo. Questa discontinuità, infatti, rappresenta il fattore essenziale, grazie al quale nuove decorazioni verranno ad affermarsi e ad affinare la loro struttura compositiva, generalizzandosi poi nell'attività degli *ateliers* locali.

La nostra selezione deve perciò incentrarsi su criteri di natura essenzialmente tipologica, più che seguire parametri di tipo cronologico. L'affermazione che queste tipologie rappresentano i "primi decori rinascimentali" di Montelupo deve quindi suonare come il riconoscimento di un più intenso sviluppo post-medievale dei medesimi, implicando nel contempo la consapevolezza che trattasi di motivi "tipizzati" dall'affinamento e dalla continua iterazione, anche se essi appartengono nella loro quasi totalità alla più vasta famiglia delle tipologie formali scaturite dalla straordinaria crescita produttiva della Montelupo tardo-medievale. Come tali, quindi, essi si apparentano strettamente ad alcuni dei generi che abbiamo trattato nel precedente volume.

Naturalmente tutto ciò non esaurisce il problema, ma ne fornisce solo un primo inquadramento, presentando nel contempo nuovi interrogativi. Con l'unica eccezione della "floreale", infatti, i motivi che si sono descritti nel primo volume di quest'opera — alcuni dei quali particolarmente importanti, come l'imitazione del lustro metallico e la foglia di prezzemolo — non trovano riscontri formali in tradizioni extraregionali. Motivi "a penna di pavone", a "palmetta persiana", certi decori "alla porcellana" e, persino, le fasce di contorno "al bleu graffito", hanno invece riferimenti nella pittura su maiolica ben al di fuori di Montelupo.

Se la vicenda della "floreale" dimostra come già negli anni '70 del XV secolo si avvertano le prime spinte consistenti verso la formazione di un linguaggio nazionale, è però ad iniziare dal decennio successivo che queste premesse trovano il modo di svilupparsi in maniera sufficientemente estesa. Abbiamo già indicato nella ripresa economica e sociale dell'Italia di quegli anni il fattore più importante per il dispiegarsi di tale fenomeno ma, detto questo, restano evidentemente ancora da mettere in chiaro le motivazioni che resero possibile la diffusione solo di alcuni di questi generi.

Nel modello che definiremo "diffusionistico", del quale fu campione l'Argnani, ma che trovò eco e sostanza in tutta quella che potremmo comprendere sotto il termine di "tradizione faentina", la risposta che viene fornita a questo problema è assai semplice: è sostanzialmente un centro di fabbrica che esporta i modelli (e, talora, anche le maestranze in grado di riprodurli) dei più noti "decori rinascimentali". Quest'idea, pur depurata dagli eccessi dell'Argnani, attrasse persino studiosi come il Ballardini che, sia pure in maniera sofferta e contraddittoria, non mancarono di fornirle qualche pezza d'appoggio di tipo storico.

Esemplare è a questo proposito il caso della cosiddetta "penna di pavone", che lo stesso Ballardini originariamente negò potersi dichiarare di origine faentina, propendendo per una simbologia di lontana origine persiana, poi assurta nell'arte cristiana a simbolo della Resurrezione[1], finendo poi per avvalorarne con un successivo contributo la "faentinità", come possibile diffusione del motivo, quale decoro sulla ceramica, anche attraverso il legame linguistico-simbolico — in precedenza ritenuto irrilevante — che popolarmente si instaurava tra questo decoro e la vicenda di Cassandra Pavoni, amante di Galeotto Manfredi, signore di Faenza[2]. La donna, infatti, dopo l'uccisione del Manfredi, finì i suoi giorni in convento, e per questo si pensava che i ceramisti della città romagnola, commossi della triste vicenda (che condurrà anche a fine immatura i figli di lei), l'avessero celebrata da par loro, dipingendo sulle stoviglie la penna stilizzata del pavone.

Se però togliamo dalle opinioni del Ballardini quel tanto di "difesa campanilistica" delle glorie locali, che sempre i fiorentini sembrano minacciare (ancora bruciava la polemica su Cafaggiolo)[3], e ricerchiamo piuttosto nel suo argomentare le parti più disincantate, allora avremo modo di apprezzare quanto lucidamente la riflessione di questo studioso — certamente grande, e non solo per la vastità della sua produzione scientifica — contribuisca a mettere in luce l'essenza del problema. Scrive infatti il Ballardini: "Questo tipo, mentre è *affatto sconosciuto altrove, veduto come effetto policromo applicato alla decorazione delle maioliche*, è altresì assolutamente indipendente dalle influenze che in quel tempo l'arte italiana subiva dalle ceramiche della Spagna moresca. Esso fu uno dei modi, per gli artefici italiani, di manifestare la loro padronanza della tavolozza a gran fuoco, in ispecie a coprire ampie superfici ininterrotte, disposto a guisa di embricazione, e il suo rendimento coloristico è di alto valore, superiore anche a quello di talune ceramiche anatoliche, che impiegavano il rosso, di estrema rarità presso i maiolicari italiani"[4].

La "penna di pavone" è cioè per il Ballardini sostanzialmente un geniale artificio coloristico, utile per svincolarsi dal rigido cromatismo delle maioliche d'ispirazione ispanica, e ad introdurre nei manufatti smaltati quella squillante policromia che rappresenta, se non l'essenza stessa, certo l'aspetto più importante di quella sorta di "rivoluzione formale" che animerà la pittura vascolare su smalto all'inizio dell'ultimo ventennio del Quattrocento. Questo è davvero il nocciolo della questione. Da tale punto di vista è ozioso chiedersi se in questo motivo si celi un antico significato salvifico o, addirittura, la memoria di una determinata vicenda storica. Anche ammesso che così sia stato — ed è cosa assai ardua da dimostrare — chi l'ha utilizzato e riprodotto lo ha fatto esclusivamente perché ne ha apprezzato i valori formali, e non certo per la consapevolezza di un eventuale, recondito simbolismo, del quale esso si ammanterebbe. Di questo possiamo essere certi, così come siamo sicuri che nella conquista di nuovi valori formali, i quali spingono verso la rappresentazione realistica, risiede l'altro aspetto fondamentale della pittura su maiolica nel Rinascimento.

È poi possibile notare come molte delle decorazioni sulla ceramica smaltata presentino in questo periodo nei diversi centri di fabbrica una molteplicità di interpretazioni, che giunge persino ad interessarne il valore significante, e che comunque non sempre concorda con il nome che viene loro assegnato. Sempre per proseguire nel nostro esempio, a Montelupo — ma anche negli altri centri italiani ove si produceva la maiolica — la cosiddetta "penna di pavone" è infatti percepita sin dalla sua comparsa — inseribile, come si è visto nel primo volume di questa *Storia*, tra gli anni '70 e gli anni '80 del XV secolo — come un elemento di natura vegetale (cosa ben dimostrabile per il fatto che essa si accoppia a foglie e stami dall'indubbio significato fitomorfo), e non come la riproduzione, sia pure stilizzata e lontanamente mimetica, dell'"occhio" che punteggia le piume del regale volatile.

Ciò non significa che questo motivo non abbia potuto assumere con l'andar del tempo un significato più aulico e simbolico, o che le due cose — la rappresentazione di un'infiorescenza e il disegno della penna — non abbiano potuto sovrapporsi, per la forza attrattiva di bellezza e nobiltà che da sempre si attaglia all'immagine del pavone.

La documentazione montelupina suggerisce inoltre una genesi di tale decoro come motivo di contorno assai più complessa rispetto a quella che avevano in mente i propugnatori del "diffusionismo", in quanto — come si è visto — tale processo inizia con un impiego minoritario nella decorazione, culminando poi con la sua successiva affermazione e standardizzazione tipologica. Niente vieta, quindi, che questo percorso, il quale sfocia nella costruzione di un vero e proprio decoro "tipico" di contorno, abbia trovato il suo terreno di crescita proprio nel sottile giuoco delle reciproche influenze tra centri di fabbrica.

Il modello primigenio della "penna di pavone" lo dovremmo semmai ricercare ancora una volta nel grande repertorio della maiolica islamica, ed in particolare nei lustri metallici dell'Iran, ove si incontrano motivi assai simili che, tra l'altro, sembrano assumere in quella tradizione un evidente mimetismo vegetale, in perfetta coerenza con le caratteristiche secondo le quali esso appare in origine nella pittura su smalto in Italia[5].

Ma, a differenza di quanto avvenuto nel passato, qui notiamo quella profonda trasformazione alla quale già accennava il Ballardini: non più l'assimilazione di un linguaggio attraverso la copia, ma un semplice imprestito "lessicale" (il singolo motivo); quest'ultimo, trasformato e tradotto (qui in un elemento dalla spiccata policromia), viene inserito in una lingua nuova, che si identifica ormai in ciò che tante volte abbiamo definito come il nuovo "linguaggio nazionale" della pittura su smalto (e della decorazione ceramica in genere).

Quanto abbiamo potuto rilevare per la "penna di pavone" lo potremmo poi ripetere — come meglio vedremo in seguito — per altre fondamentali decorazioni del Rinascimento, ed in particolare per la "palmetta persiana", ma anche per il "nodo", etc., per le quali non ci è difficile trovare qualche riferimento nell'affascinante ed immenso repertorio della ceramica orientale. Ma questo approccio "genetico", che pure è possibile e lecito utilizzare, appare in fin dei conti uno sterile giuoco intellettuale, che non ci conduce ad una vera comprensione del problema.

Più interessante sarà, ad esempio, notare come nei casi citati, nonostante l'evidente similarità dei motivi fondanti la decorazione, si incontrino varianti anche di natura sostanziale, che marcano la differenza tra i diversi centri di produzione, le quali perciò non soltanto ne rendono riconoscibile — purché si abbia un occhio appena esercitato ai confronti — la provenienza, ma appaiono persino in grado di mostrare in maniera significativa le diverse sensibilità (o, se vogliamo, i diversi "caratteri") che guidano l'opera dei pittori locali. Nei vasai di Montelupo, ad esempio, risalta uno spiccato "naturalismo vegetale", che coinvolge non soltanto la cosiddetta "penna di pavone", della quale si è trattato sin qui, ma anche le maggiori decorazioni rinascimentali che si sviluppano in quelle botteghe, e che sono in grado di trovare confronti nelle produzioni di altri centri di fabbrica.

Nel caso del gruppo fondamentale dei decori detti "alla porcellana", ad esempio, questa differenziazione, pur all'interno di una medesima volontà imitativa dell'aspetto della porcellana o dei decori vegetali orientali, si fa particolarmente evidente. Mentre, infatti, i vasai di Montelupo si affaticano nella ricerca di numerose varianti dei tralci vegetali che costituiscono la base "logica" del decoro, non disdegnando neppure di riprodurlo con filologica esattezza sulla scorta di prototipi cinesi, in altri centri ci si indirizza invece verso stilizzazioni meno elaborate sotto il profilo della mimesi naturalistica, approdando così rapidamente ad una formulazione canonica e "geometrizzata" del motivo.

Possiamo dire, insomma, che il primo "repertorio rinascimentale" venne formandosi attraverso l'impiego di decori scelti perché si prestavano allo sviluppo di quell'idea di natura come epifania della perfezione, e di quell'accentuato cromatismo "solare", fatto di luminosi accostamenti coloristici: aspetti che costituirono, assieme alla piena consapevolezza dell'artificio spaziale ed all'idea "realistica" della rappresentazione, i punti fondanti della sensibilità estetica del Rinascimento. Questa scelta, più che obbedire ad astratti criteri di tipo simbolico — ai quali pure arrise in questo periodo una larga fortuna — si poneva perciò su di un genuino piano di scelta artistica.

Troppo sordo dovette infatti sembrare l'accostamento del bleu e del manganese nella foglia di prezzemolo, così come rigida la canonica monocromia dell'imitazione del lustro metallico, variata solo per qualche tocco di cobalto. Queste decorazioni, funzionali alla riproduzione dell'aspetto delle maioliche provenienti dalle fornaci di Manises, non potevano certo consentire ai pittori nostrani quei raffinati giuochi cromatici e quelle raffigurazioni realistiche o cariche di rigoroso, ma esuberante naturalismo, verso i quali tendeva la sensibilità estetica della fine del XV secolo, e che adesso le capacità tecniche dei ceramisti, tanto nella preparazione come nell'impiego dei colori, potevano permettere.

Sarebbe stato ben strano dipingere nel centro dei piatti o negli spazi "nobili" della faccia a vista dei boccali paesaggi e figure policrome, per poi mortificarle con contorni insufficienti a stabilire l'unità formale di questi manufatti dal punto di vista cromatico. Nonostante tali spazi destinati alle figurazioni venissero separati dai motivi di contorno mediante vari artifici (cerchiature, ghirlande, anelli stilizzati) l'accostamento di parti dissimili sarebbe stato infatti di pessimo effetto.

La combinazione dei gialli con il verde, con l'arancio ed il manganese, gli effetti di profondità del bleu intenso, steso per larghe campiture, non si potevano ottenere con i decori di contorno sviluppati per queste tipologie. Essi riuscivano invece a dispiegarsi con grande libertà attraverso altri motivi, che si prestassero sì alle geometrizzazioni indispensabili alla loro standardizzazione produttiva, ma, attraverso molteplici richiami di tipo naturalistico (echeggianti soprattutto l'infinita varietà formale del mondo vegetale), garantissero anche la possibilità di una loro trasformazione in spazi colmi di una pittura policroma, ricca di caldi accostamenti cromatici e tonali.

Per queste esigenze venne con ogni probabilità a svilupparsi dal più vasto tronco delle decorazioni tardo-medievali, la cui nascita, ad iniziare dagli anni '70-'80 del Quattrocento, conduceva di fatto i ceramisti italiani verso una pittura nuova (o, se vogliamo — come si è detto sin qui — poneva le basi per la crescita di un vero "linguaggio nazionale" nell'arte di dipingere la maiolica), un gruppo di decori che, pur affondando le proprie radici in quel momento di fondamentale sviluppo, presentavano le caratteristiche idonee alla loro successiva trasformazione.

Addentrandoci nell'esposizione di queste tipologie decorative che rappresentano le prime tappe di questo "linguaggio nazionale" che ormai si afferma, dopo aver abbandonato ogni sterile velleità di approccio "diffusionistico" al problema, ci volgeremo perciò a mettere in chiaro quelle peculiarità compositive dalle quali queste stesse tipologie sorsero e si arricchirono, aprendo così la strada alle successive "standardizzazioni", le quali costruirono la vera e propria tradizione rinascimentale del nostro centro di fabbrica. I valori formali così riconoscibili, lungi dal poter essere inquadrati come semplici varianti "locali" di un canone decorativo d'importazione, "diffuso" da un centro di fabbrica, diverranno così per noi la fonte principale per la conoscenza di quella straordinaria vitalità e creatività che animò l'opera dei ceramisti italiani nell'arco di quei sessant'anni (1480-1540), al termine dei quali anche questo "linguaggio", ormai codificato, sembrerà a sua volta frusto e desueto.

Ma prima del trionfo dell'istoriato e dell'affermazione del compendiario, grandi e luminosi furono gli apporti che molti centri di produzione italiani vennero fornendo alla costruzione di questo linguaggio, dalle dimensioni ormai nazionali, e Montelupo fu tra questi certamente uno dei più significativi.

Genere 15. Bleu robbiano

Negli scarichi delle fornaci montelupine della seconda metà del XV secolo emergono con apprezzabile frequenza frammenti di maiolica contraddistinti dallo smalto colorato in differenti tonalità del bleu cobalto, che vanno dal turchino all'azzurro grigiastro (*tavv. 1-2*).

Si tratta di lavorazioni smaltate che precedono di almeno mezzo secolo gli sviluppi cinquecenteschi dello "smalto colorato" (il nostro genere 47), e che quindi per la loro cronologia sono da ritenere dipendenti dalla coeva diffusione dei vasi robbiani, contraddistinti da un simile cromatismo dello sfondo.

La quantità dei documenti sinora disponibili non consente una ricostruzione sufficientemente ampia di questa produzione, che dimostra però con sufficiente chiarezza di incentrarsi su forme speciali, destinate sulla mensa ad un uso peculiare. Tra le morfe più rappresentate incontriamo il microboccale, il bicchiere ansato, l'ampolla, lo scodellino. È da segnalare la frequenza con la quale compaiono manufatti con parti rifinite "a ferro" dopo la foggiatura sul tornio, operazione dalla quale essi traggono quegli spigoli vivi e quelle nette divisioni tra i piani, che palesemente vogliono avvicinare questi fittili ai prodotti della metallotecnica.

La datazione della tipologia sembra attenere soprattutto ad un ambito tardo-quattrocentesco, meglio inquadrabile nel ventennio 1480-1500, anche se, come si diceva, lo smalto colorato in bleu (più noto, secondo il lessico durantino del Piccolpasso, come "smalto berettino") troverà ancora impiego in Montelupo a cavallo della metà del Cinquecento. Ma, oltre alla comunanza tecnologica dovuta alla coloritura del rivestimento, queste produzioni non presentano ulteriori punti di contatto tra di loro; trattandosi, anzi, di generi incentrati su forme differenti e derivanti da attività distinte, in quanto separate dall'arco cronologico di più di una generazione, è necessario distinguerle in due specifici raggruppamenti.

Quanto, poi, il più antico dei due sia perlomeno idealmente collegabile all'esempio delle botteghe robbiane (in particolare di quella di Andrea) è al momento assai arduo da definire, in quanto non ci è dato ancora di possedere per il primo un accettabile repertorio morfologico. Ci appare comunque giustificato parlare in questo caso di "bleu robbiano" per l'evidente similitudine cromatica di alcune delle realizzazioni montelupine, e per la vicinanza cronologica delle stesse ai più noti vasi formati e successivamente intagliati nell'argilla dalle botteghe fiorentine dei Della Robbia. Pur essendo, infine, caratterizzati da diversa destinazione d'uso, occorre notare come questo genere di maioliche prodotte dal centro valdarnese dimostri di non appartenere all'usuale stoviglieria da mensa o, per meglio dire, di far parte di quella categoria del servizio da tavola (saliere, salsiere, etc.), che è destinata ad accompagnare e completare la piatteria ed i recipienti per le bevande. È proprio in ragione di questo carattere che i manufatti appartenenti al nostro raggruppamento intendono, per la particolare foggiatura alla quale sono sottoposti, avvicinarsi mimeticamente ai prodotti della metallotecnica e della toreutica.

Per il farsi similari al metallo, è poi comprensibile che la gran parte delle maioliche di tipo "bleu robbiano" non si fregi di una decorazione dipinta — la quale, in effetti, si limita tutt'al più all'apposizione sui manufatti di emblemi di natura conventuale — affidando piuttosto la loro efficacia estetica al nobile cromatismo del cobalto.

Genere 16. Imitazione della foglia valenzana

Abbiamo già avuto modo di presentare nel primo volume di questa *Storia* i decori derivati dalla foglia d'edera manisero-valenzana, ed abbiamo allora notato come questi, al di là di alcuni tentativi di riprodurne l'esatto cromatismo, incentrato sull'alternanza della foglia in lustro metallico con quella in cobalto, consistessero il più delle volte in parti vegetali in bruno di manganese, intervallate ad altre dipinte in bleu.

Ad iniziare dagli anni '80 del XV secolo, sulla spinta di quella ricerca formale della quale si è ampiamente trattato in precedenza — ma anche di un processo di semplificazione dei decori, volto ad assicurarne una più rapida esecuzione — l'imitazione della foglia d'edera ispanica si trasforma nel succedersi cadenzato di segmenti orizzontali di ampiezza decrescente, rapidamente dipinti in tratti, di norma paralleli, che fanno assumere al motivo così realizzato una forma piramidale (*tav. 3*). Il riferimento ai prototipi prodotti dalle fornaci di Manises ai quali la tipologia si ispira, lo si ritrova nell'alternanza delle parti in arancio brillante, allusive al lustro, a quelle in bleu, ed anche, ovviamente, nel ritmo della composizione. Le partizioni dei settori che procedono in senso verticale, inoltre, tagliano a metà dei segni a "V" (il cui apice si rivolge verso il piede nelle forme chiuse, ed indica il centro nelle aperte), i quali, in estrema stilizzazione, intendono suggerire i vilucchi che accompagnano il tralcio vegetale dell'edera.

La raggiunta standardizzazione nello sviluppo del decoro non richiede la formazione di sottogruppi nella classificazione del genere, e ciò almeno sino alla fase di "estenuazione" del medesimo, che si rende percepibile negli anni attorno alla metà del XVI secolo. La fase "entropica" nell'imitazione della foglia d'edera si avverte peraltro solo nel cromatismo dell'arancio — divenuto ora assai meno brillante e più vicino ai toni marroni della ferraccia — e dell'azzurro slavato, che si sostituisce al bleu intenso del periodo precedente, mentre il reticolo che spartisce la composizione è frequentemente tracciato in bruno di manganese. La versione "estenuata" del genere 16 pare poi interessare soprattutto la produzione farmaceutica (che non trattiamo in questo volume), ed in particolare la produzione di albarelli: rara, infatti, è la presenza negli scarichi di fornace databili a partire dalla metà del Cinquecento di forme vascolari destinate alla mensa che si fregiano di questo decoro. In un solo caso, infine, troviamo la stilizzazione della foglia d'edera dipinta per segmenti verticali, a formare una sorta d'arco, piuttosto che di piramide, ma questa variante, non altrimenti documentata, deve essere attribuita più all'estro estemporaneo di un pittore che alla volontà di operare una modifica in una composizione già divenuta canonica nelle botteghe di Montelupo nel corso dell'ultimo ventennio del XV secolo. Come tale non le assegniamo, per il momento, una numerazione differente.

Le varianti del genere 16 sono perciò di tipo essenzialmente produttivo, legate cioè alla natura degli ordinativi e delle committenze: così, se da un lato è dato di assistere ad un campeggiare largamente maggioritario dei motivi fitomorfi stilizzati al centro di scodellini, scodelle e piatti, che sono evidentemente destinati alla vendita generica, non è infrequente incontrare il motivo "a foglia d'edera" come contorno di simbologie

Fig. 1 - Vassoio a "imitazione della foglia valenzana" (Genere 16) con stemma Medici sovrastato dal cappello cardinalizio (Giovanni di Lorenzo de' Medici, poi papa Leone X). Ultimo decennio del XV secolo. Da scavo adiacenze Museo, inedito. Montelupo, Museo Archeologico e della Ceramica

religiose o di insegne araldiche.

Nel primo caso, oltre a rapide stilizzazioni che ripetono l'antica composizione delle foglie inquartate — la cui diffusione in Montelupo risaliva addirittura alle fortune trecentesche della "maiolica arcaica" — si incontra con frequenza una sorta di corolla floreale aperta, della quale si riconosce il bottone giallastro del pistillo e lo sviluppo radiale dei petali, realizzati a risparmio, nei quali tratti mediani in bleu intendono suggerire il volume.

Questa forma di fiore troverà ampia diffusione in tutta la pittura montelupina su smalto del XVI secolo: campeggiando al centro delle forme aperte, infatti, essa, pur in diverse versioni, accompagnerà tutte le tipologie di contorno elaborate dai vasai del centro valdarnese nel corso della prima metà del Cinquecento. Allargandosi, però, all'inizio di quel secolo, la circonferenza che stringe la parte centrale dei piatti e delle scodelle, sino ad individuare un largo cerchio, anche la fisionomia di questo elemento floreale viene a trasformarsi, allungando i suoi petali in più lunghe escrescenze, per occupare così uno spazio considerevolmente più ampio.

Entro questa cerchiatura, normalmente sottolineata da una fascia campita d'arancio, si collocano però, come si diceva, anche emblemi religiosi come nel caso di un piatto con il trigramma bernardiniano (*tav. 5*) o stemmi familiari, come nell'esemplare con lo stemma dei Medici sovrastato da un cappello privo di nappe (*fig. 1*). Questo particolare, forse dovuto alla trascuratezza del pittore, non si presta comunque ad incertezze circa l'identificazione con Giovanni de' Medici, il futuro papa Leone X, che fu ordinato cardinale in giovanissima età nel 1489.

Sulle forme chiuse troviamo il genere 16 impiegato di preferenza in maniera invasiva, e tale da comprendere nel suo sviluppo tutta la superficie vascolare (*tav. 4*).

È poi curioso notare come questo decoro, assieme a pochi altri del repertorio rinascimentale montelupino, sia utilizzato anche sui bicchieri in

Fig. 2 - Piatto frammentario con decoro derivato dall'"imitazione della foglia valenzana" (Gruppo 17.2) ed emblema religioso. Ultimo decennio del XV secolo. Da scavo adiacenze Museo, inedito. Montelupo, Museo Archeologico e della Ceramica

maiolica: una produzione sicuramente minoritaria, ma non del tutto marginale nell'attività delle botteghe valdarnesi. La presenza, infine, di boccali che si fregiano dello stesso motivo, sottende la probabile esistenza di forniture omogenee sotto il profilo decorativo, probabilmente composte da "giuochi d'orcioli" e da bicchieri smaltati.

Genere 17. Derivati dell'imitazione della foglia valenzana

Il motivo che echeggia la foglia d'edera si ritrova come elemento costitutivo anche in un altro genere di decoro diffuso in Montelupo sul finire del Quattrocento; in questo caso, però, esso non ha impiego nella costruzione di un reticolo largamente invasivo, quanto piuttosto nelle parti bicrome di un tralcio vegetale, che ben si presta ad incorniciare le cerchiature centrali delle forme aperte, sulle quali al momento unicamente si documenta.

Mentre nella precedente stilizzazione del motivo valenzano lo sviluppo del decoro rispetta una rigorosa alternanza spaziale tra le parti imitative del lustro e quelle in cobalto, qui assistiamo invece all'intervallarsi lineare, nell'ingiro di un tralcio che spesso s'intende formato da viluc-chi minuscoli, di una coppia di "foglia d'edera" in arancio ad un'altra in bleu (*tav.* 7, gruppo 17.1). Le foglie, opponendosi al picciuolo, guardano in direzioni contrarie; da esse può così formarsi una corona circolare di variabile larghezza. Allo scopo di cancellare le parti vuote, si riempie poi tale corona di punti, spirali e segmenti angolati, creando così una fascia densa ed animata, che sembra scorrere senza attrito attorno al disco centrale.

L'idea di questo contorno si evolve però verso forme semplificate che — specie laddove il centro si espanda ad ospitare motivi complessi — finiscono per trasformarla in una sorta di assai più modesta cornice. Riducendosi drasticamente lo sviluppo settoriale, il tralcio stilizzato dell'edera raggiunge così una ragguardevole stilizzazione. Solo un filetto di bleu richiama ora il tronco centrale, mentre la minuta teoria dei riempitivi si riduce a semplici puntinature, o scompare del tutto. Persino la foglia muta la sua fisionomia, per trasformarsi in insieme di minuscoli tratti, simili a quelli della foglia del prezzemolo.

Nei motivi centrali che si accoppiano al contorno del genere 17 (gruppo 17.1) nella sua versione principale si ritrovano in primo luogo la corolla floreale aperta, che già abbiamo incontrato nella tipologia precedente, ma anche insegne araldiche.

Con il gruppo 17.2, ove il motivo della foglia è stilizzato "a monticello" (*tav. 8*), abbiamo insegne araldiche e simbologie religiose, quali la conchiglia da pellegrino che si sovrappone ad un bastone (o, piuttosto, ad un pastorale), palese richiamo ad un cenobio o ad una compagnia religiosa (*fig. 2*). Tra gli esemplari più interessanti di questo genere (gruppo 17.1) si segnala un grande piatto in cui la cerchiatura "a foglia d'edera" stilizzata del contorno lascia una vasta corona pressoché priva di decoro, punteggiata soltanto da sei losanghe con i lati tangenti a quattro piccoli cerchi in arancio. Nella cerchiatura centrale, stretta da una ghirlanda stilizzata e ripassata in azzurro liquido, sta una fascia mediana a risparmio con la scritta "Nanina bell[*a*]", che evidentemente allude al nome della destinataria del piatto, una fanciulla di nome Giovanna (un nome assai comune a Montelupo, poiché il santo patrono della comunità è San Giovanni Evangelista, *tav. 6*).

Di non poco interesse è in questo esemplare — oltre alla non comune qualità grafica della scritta amatoria — la presenza di due settori, tagliati a metà dall'epigrafe, nei quali campeggia una composizione simile, ma non identica, incentrata sulla rappresentazione di una coppia di fiori divergenti, dal calice particolarmente allungato, e simile a quello del convolvolo. Dal medesimo stelo spunta poi, in posizione centrale, un ulteriore fiore dalla diversa fisionomia, che sembra mostrare una corolla completamente aperta solo nel settore superiore alla scritta, ove s'incornicia di due eleganti foglie, protese verso l'alto.

Si noti la sensibilità pittorica che l'esecutore mostra nel tenue ripasso dei calici trasparenti dei convolvoli, nella fresca minuzia con la quale esegue i particolari della composizione vegetale e nella scelta di un verde pallido, dai toni quasi azzurrini, per far brillare le tenere corolle floreali. Si veda, infine, l'uso dell'arancio nella campitura dello spazio che funge da sfondo alla composizione vegetale: un modo di dipingere che avvicina considerevolmente questo esemplare a certe maioliche senesi dell'inizio del XVI secolo e, più in generale, alla tradizione della pittura su smalto dell'Italia centrale (Marche ed Umbria in particolare).

Genere 18. Fasce geometriche

Abbiamo più volte affermato che gli anni a cavallo tra Quattro e Cinquecento hanno rappresentato per i vasai di Montelupo un periodo di intensa sperimentazione, volta alla ricerca ed alla codificazione di espressioni formali loro proprie, e si è anche discusso sul rapporto tra imitazione di modelli formali esterni ed elaborazione autonoma degli stessi da parte dei ceramisti montelupini.

La tipologia che abbiamo definito "fascia a triangoli" viene a fornirci ora uno dei casi più emblematici di trasformazione e costruzione di un nuovo genere attraverso un processo che, pur di valenza chiaramente innovativa, ben si può ricondurre alla trasformazione di lontane suggestioni, da lungo tempo metabolizzate nel lavoro dei nostri ceramisti.

In questo decoro, che appare di tipo essenzialmente geometrico, si avverte infatti, seppur ridotto ad un'eco appena percettibile, ancora l'esempio della "foglia d'edera" manisero-valenzana.

L'idea del tralcio vegetale corrente alla bordatura delle forme aperte è però trasformato in una linea spezzata, composta da una teoria ininterrotta di triangoli isosceli in arancio, alle cui basi si collocano una sorta di minuscole foglie trilobe, dipinte in bleu, che sono collegate tra di loro mediante una sottile linea, tracciata col medesimo pigmento (*tav. 9*). Pur non animata da una forza rotatoria paragonabile a quella che dinamizza il tralcio vegetale "a foglia d'edera", questa fascia trasmette ancora un apprezzabile dinamismo percettivo, presentando nel contempo rispetto a quella i vantaggi di un'esecuzione pittorica assai più semplice e rapida.

In quest'ultimo aspetto risiede probabilmente uno dei motivi del suo successo, eloquentemente attestato dal numero di esemplari contraddistinti da tale decoro rinvenuti nello scarico di fornace posto in luce dai lavori per la costruzione della centrale termica del Museo di

Montelupo: un numero che è sensibilmente maggiore rispetto a quello degli esemplari appartenenti al gruppo della "foglia d'edera". L'altro punto favorevole all'affermazione della tipologia consiste nella sua spiccata caratteristica di più discreta e meno invasiva fascia di contorno, la quale ben si presta a servire da cerchiatura per quei motivi centrali, contraddistinti da sempre maggior sviluppo dimensionale che, nel processo di affermazione della nuova sintassi decorativa rinascimentale, vanno incontro sul finire del XV secolo ad una sempre più massiccia diffusione.

Si può così comprendere come i decori del genere 18, caratterizzati da fasce di contorno "a triangoli" e "a losanghe" (in specie di quelli del primo gruppo), bene rappresentino la tendenza che si manifesta nell'attività delle botteghe ceramiche di Montelupo verso l'affermazione di una spiccata gerarchia strutturale, incentrata sulla sempre più rigorosa divisione spaziale tra decori centrali (che potremmo anche definire "individuali", in quanto variabili da fornitura a fornitura, se non addirittura da esemplare ad esemplare) e motivi di contorno, che, invece, tendono ad assumere una fisionomia seriale e ripetitiva.

Con il contorno della "fascia a triangoli" incontriamo unicamente motivi centrali di tipo fitomorfo stilizzato, esemplati sulla rappresentazione — costantemente variata e trasformata in maniera estemporanea nel momento dell'esecuzione — della corolla floreale che allarga i suoi petali a partire da un grande bottone centrale. Nel ricasco degli scodelliformi (e talora anche nella fascia di separazione tra la cerchiatura centrale e la corona circolare di contorno) è dato spesso di trovare un insieme di "s" posti in posizione coricata, i quali, nel loro andamento continuo, riecheggiano in maniera più o meno stilizzata la "catenella" di lontana origine basso-medievale.

Gruppo 18.1

Nonostante l'evidenza con la quale le maioliche di questo gruppo si legano a quelle della precedente "fascia a triangoli", per l'essere le prime nient'altro che il prodotto del raddoppiamento del motivo-base impiegato nelle seconde (o, se vogliamo, queste ultime una mera divisione per metà delle medesime), si è ritenuto opportuno formare per esse un nuovo raggruppamento. Ciò è dovuto al fatto che questa versione "più complessa" si presta, a differenza della precedente, ad un'interessante suddivisione in sottogruppi.

Sottogruppo 18.1.1

È costituito da un motivo corrente sull'ala dei piatti piani o degli scodelliformi, il quale si presenta alla vista come l'intreccio sovrapposto di due "catene" formate da maglie romboidali, che sembrano esser state costruite mediante il raddoppio (nel senso logico del collocarsi l'una al di sopra dell'altra) di due fasce proprie al precedente genere "a triangoli". L'effetto che se ne ricava è quello di una più robusta "catena" di losanghe color arancio, attraversata da un'altra, assai più esile e munita di tenere foglioline stilizzate agli apici, in bleu (*tav. 10*).

In termini meramente quantitativi possiamo affermare che le maioliche appartenenti a questo sottogruppo, costituendo una delle tipologie decorative maggioritarie nel già citato scarico di fornace rinvenuto nei pressi del Museo di Montelupo, dimostrano di rappresentare una delle produzioni più importanti tra i "generi di passaggio" alla codificazione rinascimentale.

Grazie alla sua limitata espansione in senso verticale, la fascia decorativa "a losanghe" di questo sottogruppo si accoppia con decorazioni centrali di apprezzabile ampiezza. Quando queste ultime (per l'evidente serialità della produzione dalla quale provengono) sono rappresentate dalla solita corolla, che satura con l'espansione dei suoi petali lo spazio circolare posto al centro delle forme aperte, allora diviene necessario riempire la corona circolare che così si determina tra la cerchiatura centrale e la fascia corrente sull'ala con semplici filettature o mediante l'ingiro di quei motivi ad "s" coricata che abbiamo già incontrato. Questo riempitivo si accompagna talvolta anche a più complesse figurazioni del centro, in specie qualora esse, come certe insegne araldiche, presentino un moderato sviluppo spaziale.

Più raro, ma non inusuale, è incontrare la fascia di contorno "a losanghe" posta a cerchiare direttamente, senza la mediazione della "catenella" stilizzata, i motivi centrali; in questo caso, vista l'ancora moderata espansione delle figurazioni, diviene naturale inspessirla con ampie campiture in bleu e, soprattutto, in ossequio al cromatismo prevalente della tipologia, in arancio.

Al centro di questi cerchi dal più semplice contorno si possono così inserire figurazioni dal maggiore sviluppo spaziale, come animali o stemmi, spesso interpretati con grande libertà nella fisionomia dello scudo.

Fig. 3 - Piatto scodelliforme con decoro "a fascia geometrica" (Sottogruppo 18.1.2). Ultimo decennio del XV secolo. Da scavo adiacenze Museo, inedito. Montelupo, Museo Archeologico e della Ceramica

Sottogruppo 18.1.2

La composizione della fascia "a losanghe" può talvolta variarsi nella sovrapposizione di una duplice catena sovrapposta, le cui maglie di forma romboidale, sempre dipinte in bleu ed arancio con andamento ondulante, presentano talvolta i tratti di eguale spessore (*fig. 3*).

Lo sviluppo della decorazione come fascia di contorno è il medesimo, tanto che si unisce ad una cerchiatura posta a stringere il disco centrale — il più delle volte riempito dalla solita corolla floreale stilizzata — che, per essere ancora di modeste dimensioni, è spesso rafforzato da una corona circolare di "*acicates*" stilizzati, piuttosto comune in questo periodo.

A questo sottogruppo appartengono anche alcuni curiosi manufatti a forma di cestino (sono purtroppo lacunosi delle prese di cui erano muniti, e che dovevano attraversarli, innalzandosi "a ponte" dalla metà dei lati lunghi), nei quali è possibile riconoscere piccole saliere da tavola (*fig. 4*). In questo caso la catenella a maglie romboidali di colore arancio ritorna a farsi di spessore maggiore rispetto a quella bleu, mentre quest'ultima si fregia di minuscole foglie stilizzate in verde.

Sottogruppo 18.1.3

La fascia a losanghe che caratterizza il nostro genere 18 può poi aumentare il suo spessore e farsi doppia o tripla. In questo caso essa può ben riempire il ricasco di piatti scodelliformi, estendendosi sino alla cerchiatura del solito centro con motivo floreale, oppure ritrovare le sue originarie modalità costruttive attraverso la sovrapposizione continua di elementi triangolari (*tav. 11*).

Per fare ciò basta intrecciare nella parte periferica dei piatti piani quattro linee spezzate, che si piegano a descrivere spazi triangolari, estendendosi, quasi rimbalzassero tra questi limiti, tra la fascia che stringe il centro e la bordatura che ne sottolinea il limite esterno. In tal modo la parte del contorno trova al suo interno una forte spinta rotatoria che, per l'espansione

Fig. 4 - Saliera in forma di paniere con decoro "a fascia geometrica" (Sottogruppo 18.1.2). Ultimo decennio del XV secolo. Da scavo adiacenze Museo, inedito. Montelupo, Museo Archeologico e della Ceramica

Fig. 5 - Piatto frammentario con decoro "a fascia geometrica" (Sottogruppo 18.1.6). Ultimo decennio del XV secolo. Da scavo adiacenze Museo, inedito. Montelupo, Museo Archeologico e della Ceramica

delle losanghe dal centro alla periferia in tal modo ottenuta, induce alla vista una sensazione di profondità, quasi che l'ala del piatto si piegasse in senso curvilineo.

Sottogruppo 18.1.4

La sovrapposizione di due o più fasce "a losanghe" può anche essere il prodotto di una ulteriore (e più complessa) costruzione, che in apparenza consiste nella semplice alternanza, all'interno delle due "catene" che costituiscono il motivo, di una "maglia" in arancio ad una in bleu, alla quale si riferisce, in quella sovrastante, un'ulteriore maglia, dipinta però nel pigmento diverso. In tal modo avremo nel motivo di contorno una mescolanza alternata, sia in senso verticale che orizzontale, di losanghe di bleu e d'arancio (*tav. 12*).

Come se si trattasse di una raggiatura che si diparte dal centro (quasi sempre occupato dalla solita corolla stilizzata), le due "catene" sono tagliate, nella separazione di ciascuna losanga dall'altra, da un segmento in bleu che attraversa tutta la fascia di contorno, estendendosi dalla circonferenza della cerchiatura centrale al bordo dei piatti. Un'ulteriore divisione, eseguita in bleu diluito, separa poi le due catene nel loro punto di tangenza.

La decorazione di contorno risulta in tal modo come incasellata in settori dall'andamento rettilineo, che si caratterizzano però per una precisa espansione verso l'esterno: in tal modo si ha l'impressione visiva di un aprirsi prospettico della figurazione di contorno, che così sottolinea e rafforza lo schiudersi del fiore il quale ne campeggia il centro. L'effetto è ottenuto mediante un artificio compositivo, incentrato sulla sovrapposizione di tre linee spezzate, composte da un *continuo* di sottili segmenti parabolici in cobalto, la cui origine sembra trovarsi al bordo del piatto (ma che in realtà sono dipinti a partire dalla cerchiatura centrale). L'intersecarsi delle parabole individua tre punti che rappresentano il centro di due losanghe dello stesso colore ed il punto attra-

versato dai segmenti verticali, i quali possono in tal modo aprirsi una fuga verso l'esterno.

Nell'alternanza di arancio e bleu si avverte l'eco dei criteri compositivi propri all'imitazione della foglia d'edera manisera, già fortemente stilizzata, come si è avuto modo di osservare, dai ceramisti di Montelupo in questi anni finali del XV secolo.

Sottogruppo 18.1.5

Talvolta, però, questa rigorosa alternanza viene a perdersi, e la composizione "a catena di losanghe" che ne risulta si fa perciò assai più omologa, ricercando quell'effetto di espansione radiale verso l'esterno appena sviluppato nel sottogruppo precedente.

In questo caso ogni settore della corona circolare formata dal contorno assume un cromatismo omogeneo, indirizzandosi percettivamente verso il centro e distinguendosi per l'alternanza di due colori, che ora divengono l'arancio ed il verde; il bleu viene così riservato al reticolo strutturale che sostiene l'intera composizione (*tav. 13*).

Anche in questo sottogruppo predominano nel centro dei piatti i soliti motivi floreali stilizzati, ma talvolta è dato di incontrare qualche altro soggetto, di solito di tipo zoomorfo, come piccole lepri dai grandi occhi, colte nel momento della loro rapida corsa (*tav. 14*). Si noti come nella rappresentazione animata ci si curi ormai di suggerire gli elementi fondamentali del paesaggio, come i ciuffi d'erba, che indicano l'ambientazione della scena, e la linea del suolo, oltre alle nuvole nelle quali s'addensa il cielo, il limite del quale è ormai stilizzato in una campitura secante la parte superiore del cerchio, nel quale il pittore dipinge le sue figure.

Sottogruppo 18.1.6

L'orientamento verso la realizzazione di settori radiali in alternanza verde e arancio, sviluppata nel precedente sottogruppo, si fa ancora più incisiva con l'abbandono delle puntinature o delle foglioline stilizzate, ancora presenti come retaggio

Fig. 6 - Piatto scodelliforme con decoro "a fascia geometrica" (Gruppo 18.2). Ultimo decennio del XV secolo. Da scavo adiacenze Museo, inedito. Montelupo, Museo Archeologico e della Ceramica

Fig. 7 - Ciotola umbonata a pareti sottili con decoro "a fascia geometrica" (Gruppo 18.2), 1495-1505 circa. Marcata sul retro "Go". Da scavo "pozzo dei lavatoi", inedito. Montelupo, Museo Archeologico e della Ceramica

della composizione "a fascia di losanghe".

Adesso si ricerca unicamente l'effetto visivo di una fuga dal centro di settori riempiti da segmenti in arancio e giallo, che il pittore semplicemente trova senza l'ausilio delle puntinature, ma tracciando un tratto con uno dei due colori-base disposto in senso parallelo alle archeggiature paraboliche — ora assai più fitte — che tagliano lo spazio tra la circonferenza della cerchiatura ed il bordo dei piatti (*fig. 5*).

La rapidità con la quale viene costruita la composizione, attraversata anche da numerose cerchiature concentriche, gioca talvolta dei brutti scherzi ai vasai, i quali, volendo accoppiare a due a due le fasce radiali che realizzano, non riescono talvolta, in quel grande viluppo di linee che realizzano, a ripartire a dovere gli spazi, ottenendo così settori radiali di differente spessore.

Gruppo 18.2

La ricerca di un linguaggio standardizzato, che costituisce il tratto caratterizzante la produzione di questa fase finale del Quattrocento, non è ovviamente in grado di uniformare l'intera attività dei pittori di Montelupo e, nonostante le lavorazioni delle botteghe ceramiche del centro valdarnese siano ormai incanalate entro precisi filoni produttivi, costringerla nei termini prefissati di decorazioni di contorno seriali e normalizzate. Occorre pertanto tenere di conto delle eccezioni — pur se di molto minoritarie — a questa regola che s'impone nel momento del grande "decollo" montelupino, per mettere così in evidenza gli spazi che pur sempre si offrono alla creatività dei singoli ceramisti.

Questi esempi, che dobbiamo definire "atipici", in quanto posti al di fuori di una riconoscibile produzione seriale, riecheggiano talvolta l'aspetto formale e la struttura costruttiva di alcuni gruppi; è quindi possibile nella nostra opera di classificazione, pur salvaguardandone l'atipicità, presentarli a fianco delle tipologie dalle quali dimostrano concettualmente di dipendere.

Talvolta questa dipendenza può farsi più

diretta e riconoscibile, come nel caso di una scodella nel cui ricasco viene dipinta una duplice fascia di triangoli isosceli, individuabile come derivazione del motivo fondante il genere, anche se in questo caso caratterizzata da un diverso cromatismo (la spezzata principale è infatti dipinta in bleu e non in arancio), ma che diviene decisamente atipica per il contorno "a petali" che si stende sulla sua tesa (*fig. 6*).

In altre occasioni, come si può notare nell'esemplare della *tav. 17*, la fascia di contorno che si stende sulla tesa assume un aspetto fitomorfo, che richiama una teoria continua di foglie alternate.

Meno evidente nel suo legame logico con la costruzione a linee ellittiche, propria ai sottogruppi precedenti, è poi una sorta di ciotola umbonata a pareti sottilissime, nella quale le archeggiature del contorno, invece di costituire l'elemento-guida di settori raggiati, come nei generi tipici dei quali si è trattato in precedenza, assumono il valore autonomo di tratti fondanti della decorazione (*fig. 7*). Gli spazi "a losanga" che risultano dall'intersecarsi delle linee principali vengono poi riempiti con puntinature in rosso, poste nell'angolo superiore della losanga, e riportate da un trattino in bleu a quello inferiore, in maniera tale da far assumere a questo motivo accessorio un movimento di fuga rispetto al centro del manufatto.

In questo motivo, che vedremo collegarsi per il suo effetto visivo — ma non per la struttura costruttiva che, invece, è più simile a quella della cosiddetta "penna di pavone" — è palese il riferimento alle superfici colorate in bleu e puntinate di rosso di alcune tipologie di vetro millefiori, note sin dall'antichità. I supporti sui quali questo genere di contorno trova applicazione sono del resto assai eloquenti della loro specificità imitativa. La ciotola, infatti, rappresenta una forma vascolare abbastanza rara nella produzione montelupina, ancorché rinvenuta con più marche di fabbrica (soprattutto con quelle identificate dalle sigle "Go" — come nel caso che stiamo trattando — e "Lo"), mentre un altro esempio di applicazione di questo motivo "atipico" riguarda

Fig. 8 - Piatto frammentario con decoro "a fascia geometrica" (Sottogruppo 18.3.1). Ultimo decennio del XV secolo. Da scavo adiacenze Museo, inedito. Montelupo, Museo Archeologico e della Ceramica

una sfera cava, aperta ai poli da due fori passanti, che trova, come meglio vedremo nel terzo volume di questa *Storia*, similitudini formali nella produzione smaltata di Iznik.

L'ampia umbonatura della ciotola, ottenuta dalla foggiatura del pezzo sulla calotta (tecnica localmente detta "a taboga") e, soprattutto, il suo accurato assottigliamento con lo strumento di ferro, eseguito dopo averlo rovesciato su una controforma, sino a ridurre le dimensioni del fondo e delle pareti ad uno spessore sottilissimo, indica del resto in maniera eloquente questa volontà di imitare certe realizzazioni in vetro, contraddistinte da particolare leggerezza della materia.

Gruppo 18.3

Una palese comunanza nel modo di eseguire il motivo principale avvicina invece le maioliche di questo gruppo alle altre che abbiamo inserito nella nostra classificazione al precedente genere 16. Si nota infatti in entrambe le serie la trasformazione della fisionomia della "foglia d'edera" ispanica in quel gruppo di segmenti paralleli, dallo sviluppo lineare decrescente in senso orizzontale, a partire dalla tangenza della cerchiatura del centro verso il bordo delle forme aperte, che rappresenta il decoro fondante gran parte delle tipologie sin qui esaminate. Qui, però, il richiamo naturalistico al tralcio vegetale, dal quale per opposte direzioni si dipartono le foglie stilizzate, sembra cancellato dalla scelta di una più astratta figurazione, composta di elementi dalla forma piramidale che, alternandosi tra la cerchiatura centrale ed il bordo delle forme aperte, mostrano volersi piuttosto assimilare all'immagine di una corona raggiata.

A ben guardare, però, il sovrapporsi nei punti di contatto tra gli elementi di cromatismo diverso di una fascia continua, composta da altri motivi triangolari — ma in questo caso realizzati per sottili barrature verticali — che si arricciano in duplici espansioni spiralate dall'andamento contrapposto, viene a ristabilire il fondamento naturalistico e fitomorfo proprio all'intera composizione (*tav. 15*). Il mimetismo vegetale, che l'assenza del verde ramina sembra allontanare da queste decorazioni montelupine, è infatti ben presente, anche se risulta filtrato dall'esempio delle maioliche spagnole, nelle quali esso si risolve nell'alternanza canonica del bleu al lustro dorato.

Nel centro dei piatti, ma anche nel fondo delle ciotole con l'esterno della parete scanalata — una delle forme-guida di questo periodo — che si fregiano del decoro di questo gruppo, si incontra del resto costantemente la grande corolla floreale dai petali aperti, la quale costituisce il motivo di ascendenza vegetale più rappresentato in questa fase di attività dalle botteghe di Montelupo.

Sottogruppo 18.3.1

A riprova del valore fitomorfo delle composizioni che ruotano intorno al gruppo 18.3, gli scavi ci restituiscono anche esemplari contraddistinti da una variante del motivo principale, ottenuta tramite la sovrapposizione delle sottili barrature triangolari — che precedentemente, invece, si alternavano — agli elementi piramidali: in questo caso, ad eccezione del loro segmento di base, dipinto in bleu, essi risultano però composti da barrature in arancio. Il tutto, tracciando una linea spezzata, apparentemente formata da triangoli isosceli, è sottolineato all'esterno con uno spesso tratto in cobalto (*fig. 8*).

Il motivo così ottenuto è, nei valori formali che lo costituiscono, simile a quello che caratterizza la cosiddetta "penna di pavone", che abbiamo già incontrato in funzione accessoria in alcuni esemplari presentati nel primo volume di quest'opera, e sulla quale avremo modo di diffonderci più oltre con maggiore dovizia di particolari, trattando del suo aspetto di decoro tipico. Come la "penna di pavone", infatti, anche gli elementi triangolari di questo sottogruppo presentano una parte orizzontale che sembra minutamente innervata e partita da molteplici raggiature che li attraversano in senso normale, quasi a suggerirne un aspetto composito.

Il richiamo al mondo vegetale dell'insieme, che già risalta da questi elementi riprodotti in estrema stilizzazione, si accentua poi per la collocazione negli spazi di risulta aperti tra gli stessi di più riconoscibili corolle floreali partite a metà. Anche in questo caso la composizione, che pure presenta qualche traccia di verde-ramina, osserva l'alternanza delle parti in bleu a quelle in arancio, rispettando così ancora una volta quel modello formale manisero, veicolato dall'imitazione della "foglia d'edera", che più volte abbiamo avuto occasione di incontrare.

Gruppo 18.4

Breve è il passo che occorre compiere per abbandonare il terzo raggruppamento del nostro genere ed introdursi in una nuova tipologia decorativa, incentrata sulla rappresentazione — sempre riservata alle forme aperte — di una serie continua e pressoché invadente di corolle floreali.

Abbiamo visto come la parte più rappresentativa sotto il profilo estetico del fiore sia onnipresente nella pittura su maiolica delle botteghe montelupine degli ultimi anni del Quattrocento, essendo in particolare riservata alla decorazione degli spazi cerchiati, posti al centro di piatti, ciotole e scodelle. Si è anche notato come in questo caso i pittori montelupini abbiano sviluppato uno schema fortemente semplificativo della corolla aperta, incentrandolo sulla rappresentazione di un bottone centrale, che viene espanso attraverso cerchiature, le quali vengono a formare una corona di petali. La corolla stilizzata che compare nel decoro di questo gruppo si caratterizza invece per una corona esterna munita di puntinature in bleu, che suggeriscono la visione di un fiore completamente schiuso dai petali tondeggianti, e non lanceolati come nel caso delle rappresentazioni centrali (*tav. 16*).

La costruzione del motivo di contorno ricalca poi le modalità strutturali che abbiamo già visto nel precedente gruppo 18.2: esse si evidenziano soprattutto nella linea che le caratterizza, piegata sino a tracciare settori triangolari, la quale, raddoppiandosi, viene a formare una serie continua di losanghe. Questi spazi sono invasi dalle corolle floreali, che sembrano poi espandersi in una serie di minuti vilucchi, arricciati alle sommità, in grado di saturarne la superficie. Le parti triangolari di risulta sono anch'esse riempite dal fiore stilizzato, che però è diviso a metà lungo la cerchiatura del centro ed al bordo, quasi a suggerire l'esistenza di uno sviluppo continuo in senso logico, interrotto solo dai limiti essenziali del manufatto.

cazione produttiva, può facilmente trasformarsi in uno strumento in grado di raggelare e disseccare la stessa tradizione che contribuisce ad affermare.

Abbiamo già anticipato come in Montelupo sia possibile seguire con estrema abbondanza di documentazione un tale processo di crescita e d'inaridimento delle fonti che alimentarono la sua crescita come centro di produzione della ceramica, ed abbiamo introdotto tale problematica connettendola agli effetti della coeva congiuntura economica. Diciamo qui che, sullo sfondo delle spinte oggettive, in grado di favorire o deprimere lo slancio produttivo di un centro di fabbrica come il nostro, pesa comunque in maniera decisiva quel *quid* che comunque resta imponderabile ed insondabile all'analisi storica (in quanto non documentabile), e lega intimamente questi due aspetti. Cosa spinga i pittori di un centro ceramico ad iterare costantemente un repertorio decorativo "canonico", sino a determinare quel fenomeno di impoverimento formale dei medesimi (che qui definiremo "estenuazione"), rimarrà infatti per noi sempre misterioso. Di questo fenomeno possiamo infatti conoscere l'ambiente nel quale si attua, ma ci sfuggiranno sempre le forze vive che lo portano a compimento e la logica per la quale i protagonisti di questo processo sembrano attratti da una sorta di vortice che li risucchia verso esiti sempre peggiori, dimostrandosi incapaci di evadere da questa stretta fatale.

Nel bilanciamento tra innovazione e standardizzazione sta così la chiave più importante per la comprensione di quel processo di definitiva affermazione del linguaggio rinascimentale nella decorazione su maiolica, la quale rappresenta la prima, fondamentale questione che dobbiamo affrontare nel ripercorrere lo sviluppo storico delle attività ceramistiche in Montelupo. Mentre qui la definiamo nei suoi termini generali, riprenderemo la questione nel paragrafo successivo, analizzando la documentazione materiale prodotta dalle botteghe ceramiche di Montelupo nel corso dell'ultimo ventennio del XV secolo, allorquando i vasai del centro valdarnese, dopo aver messo a punto un nuovo linguaggio formale, elaborano le nuove tipologie decorative ad esso improntate. Alcune tra queste godranno di particolare fortuna e saranno conseguentemente oggetto di una palese opera di standardizzazione, altre verranno abbandonate, restando così legate all'attività di breve o medio-breve periodo di singole botteghe.

Ma questo non è tutto: un altro necessario strumento di lettura del diffondersi del nuovo linguaggio è infatti rappresentato, come si diceva, dall'innovazione tecnica, in particolare nel settore della fabbricazione ed elaborazione dei pigmenti. La rappresentazione realistica che viene affermandosi nella decorazione su smalto necessita infatti di una gamma cromatica più ampia rispetto a quella antecedente al 1480 circa, nella quale prevalgono le tonalità fredde, incentrate sull'impiego dell'azzurro, del verde e del bruno di manganese: una tavolozza ravvivata solo da modesti inserti di un caratteristico giallo-citrino, che non ne cambia le caratteristiche di fondo. Negli ultimi vent'anni del XV secolo, invece, si diffonde ampiamente l'arancio e si ottiene un giallo che talvolta si avvicina considerevolmente all'aspetto dei pigmenti ottenuti dalla ferraccia. Tutta la tavolozza muta, vibrando decisamente di toni caldi per tale nuovo accostamento di colori.

Il riscaldamento e l'alleggerimento tonale della tavolozza si compie negli ultimi anni del Quattrocento attraverso un processo che interessa gli stessi pigmenti principali del passato, quali il bleu di cobalto ed il verde-ramina, che ora vengono schiariti ed alleggeriti. Il bleu assume così l'aspetto di un azzurro liquido e translucido, la cui superficie si fa più omogenea, riassorbendo in sé quella grana discontinua che caratterizzava la pittura montelupina in "azzurro prevalente" sin dalla prima metà del secolo; il verde si volge contemporaneamente a morbidi toni pastellati, raggiunti grazie alla mescolanza nella ramina del nuovo giallo solare ottenuto in questi anni.

Tali colori rinnovati ben si prestano alla rappresentazione delle figure e degli spazi "umanizzati" dal contenuto realistico, alla cui costruzione tendono in questi anni i pittori della maiolica. Gli sfondi naturali non sono più realizzati nel solo azzurro, magari ravvivato da qualche tocco di manganese, o da inserti di un verde decisamente metallico, poco incline alla mimesi con il colore dei prati e dei boschi. Il corpo degli animali assume ora i toni fulvi dell'arancio, o suggerisce la sua volumetria attraverso la brillantezza calda e trasparente del giallo. Il cielo ed i paesaggi lontani si sostanziano dell'azzurro etereo degli spazi distanti, suggerendo l'aerea trasparenza delle riflessioni.

Un incidente storico — nel senso dell'effetto di un'azione specifica, forse di committenza o di contatto occasionale — o, piuttosto, la volontà consapevole di completare la tavolozza cromatica disponibile con un colore che meglio possa rappresentare i particolari significativi delle insegne araldiche (oltre che, ovviamente, alcuni aspetti del reale) è poi alla base dell'introduzione in Montelupo del colore rosso.

Della sua composizione chimica tratteremo nel quarto volume di questa *Storia*, discutendo delle caratteristiche tecnologiche della produzione vascolare di Montelupo; qui affermeremo solo che esso rappresenta il tentativo, forse il meglio riuscito in Italia nel corso dell'Età Moderna, di attingere le vette inarrivabili di quel rosso sanguigno e laccato delle maioliche di Iznik. Il rosso di Montelupo presenta, infatti, come quello anatolico, un certo rilievo sulla superficie smaltata ma, a differenza di quello, riesce assai raramente a distendersi in larghe gocce, ed occupare così vasti settori della superficie dipinta. Mentre il pigmento turco rigonfia in maniera omogenea, facendosi ben avvolgere dalla cristallina superficiale, quello montelupino spesso si raggrinzisce su di sé, non riuscendo a prendere volume in cottura, bruciando talvolta in fornace, se posto a contatto con altri colori.

Nonostante le difficoltà tecniche connesse con la sua realizzazione, il rosso di Montelupo offre ai pittori del centro valdarnese la possibilità di rappresentare con tonalità appropriate lambelli, cappelli e nappe cardinalizie, nonché campiture di stemmi ed emblemi, ma anche di ravvivare le composizioni geometriche, di eseguire gli sfondi purpurei delle più ricche "grottesche", e financo di tingere di colore sanguigno le fauci degli animali feroci e l'alito ardente dei draghi.

Ecco quindi — con le conquiste cromatiche che vengono a diffondersi nell'ultimo ventennio del Quattrocento e con la ricerca formale volta all'applicazione del nuovo linguaggio ad un gruppo di decorazioni "tipizzate" e standardizzate — che possono finalmente concretarsi nella produzione in maiolica quelle favorevoli opportunità che da un lato la ripresa economica e sociale della Firenze rinascimentale e dall'altro la spinta alla ricerca di un linguaggio "nazionale", potevano offrire ai ceramisti valdarnesi.

Genere 19. Settori puntinati

La standardizzazione dell'ultimo decennio del Quattrocento si pone dunque all'origine delle nuove tipologie rinascimentali, concretandosi in generi che assumono un aspetto formale definito, anche se spesso non del tutto formalizzato; tale processo verrà a concludersi nel corso di questi anni, dopo aver esaurito la ricerca delle varianti strutturali più significative, alle quali, come si diceva, i vasai montelupini si atterranno — pur peggiorandole in ragione della continua iterazione dei decori — sino alla crisi del XVII secolo. Non tutte le maioliche di questa fase che si colloca agli albori dell'Età Moderna mostrano, quindi, una matura fisionomia, e ciò rappresenta un fenomeno di grande interesse per individuare la genesi del repertorio decorativo rinascimentale del centro ceramico valdarnese.

Talvolta, come accade nel nostro genere 19, una decorazione viene ampiamente sperimentata per poi semplificarla, ed in parte variarne l'impiego, dando così origine ad uno o più generi nuovi, contraddistinti da una più ampia utilizzazione nelle botteghe locali.

L'idea che sta alla base di questa tipologia è quella della squamatura embricata, lumeggiata al centro da un trattino arancio, grazie alla quale si possono agevolmente riempire gli spazi che attorniano le figurazioni principali, ormai da tempo ristrette entro cerchiature di contorno. Sui boccali (gruppo 19.1) questo motivo si pone normalmente nel lato a vista, mentre nelle fasce laterali la sua fisionomia viene semplificata, riportandola ad un semplice "reticolo", formato da gruppi di linee, tra di loro parallele, che fittamente si intersecano. Nell'esemplare riprodotto alla *tav. 18* si nota come anche l'elemento separatore tra i due tipi di contorno (il principale ed il secondario) sia ancora provvisorio, in quanto al posto della "ghirlanda" o dell'"anello", che verranno a generalizzarsi nella produzione montelupina, compare una sorta di armilla composita, che non trova altri confronti negli scarichi delle fornaci rinascimentali di Montelupo.

L'eccellente qualità della testa femminile dipinta nel lato a vista del boccale, molto ben realizzata nelle sue proporzioni anatomiche e, soprattutto, resa di grande compattezza volumetrica dal sapiente ripasso dei contorni, ottenuto con un pigmento azzurro dalle delicate tonalità, costituisce la migliore dimostrazione delle capacità pittoriche raggiunte dai vasai montelupini nel momento di più intenso "decollo" delle locali attività ceramistiche: quello, per intendersi, che accompagnò la nascita del famoso "trust Antinori" nel 1490.

Nelle forme aperte questo stesso motivo di contorno presenta due varianti di dettaglio: nella prima (sottogruppo 19.2.1, *tav. 19*) esso si presenta suddiviso in settori — di solito inquartati — estendendosi ad una larga fascia periferica che lascia una parte attorno alla cerchiatura centrale pressoché priva di decoro; tra un settore "a squame embricate" e l'altro si collocano porzioni risparmiate, le quali sono parzialmente campite da tratti in bleu e, come nell'esemplare in questione, talvolta contrassegnate dalle figurazioni tipiche di questo periodo, come il rombo segmentato al proprio interno.

Nel secondo raggruppamento (sottogruppo 19.2.2) inseriremo invece quelle maioliche che, come il grande piatto della *tav. 20*, pur rispettando la medesima composizione che caratterizza l'impiego di questa tipologia decorativa sulle forme aperte, vengono però a mischiare nel contorno settori "embricati" con parti "a reticolo", separandole mediante i soliti elementi divisori, fittamente lumeggiati da pennellate azzurre.

Genere 20. "Penna di pavone"

Ci siamo ampiamente diffusi nel paragrafo precedente dedicato al significato del termine "decori rinascimentali", proprio sulla cosiddetta "penna di pavone" che, con la "palmetta persiana", si è indicata quale la tipologia decorativa che con maggior raffinatezza marca il passaggio tra il tardo Medioevo ed il Rinascimento. A differenza della "floreale", che pure ha un'origine pressoché sincrona ed un'iterazione produttiva del tutto simile, sono infatti la "penna" e la "palmetta" i generi che meglio si prestano ad introdurre nella pittura su smalto degli ultimi dieci-quindici anni del Quattrocento quella fastosa policromia che costituisce uno degli elementi caratterizzanti la fase propriamente rinascimentale (1480-1540) della maiolica italiana.

Tralasciando più lontane simbologie, che genericamente possono collegarsi a questo motivo — da denominarsi più precisamente "occhio della penna del pavone" — attraverso il ricorso all'immagine simbolica del pavone, si è anche detto che il prototipo a cui si ispira la decorazione della maiolica italiana si può rintracciare nella ceramica dell'Iran, ed in particolare nella produzione di Kashan, che viene normalmente datata tra il XIII ed il XIV secolo. Trattandosi, però, di lustro metallico, questa similitudine attiene propriamente alla struttura del decoro, e non all'interezza del suo aspetto formale.

Abbiamo anche accennato al fatto che la "penna di pavone" si introduce nella produzione montelupina sin dagli anni '70 del XV secolo come elemento accessorio, in grado di arricchire i decori principali, trasformandosi in un vero motivo di contorno solo nel decennio successivo. L'evoluzione funzionale della "penna" si attua infatti attraverso un rapido lavoro di standardizzazione, volto a trasformare questo motivo in un insieme strutturato, dal quale, per concatenazione lineare, sia possibile ottenere una cerchiatura per il contorno delle forme aperte, o, attraverso la sua espansione bidimensionale, una sorta di prezioso tessuto policromo, che ben si presta ad avvolgere i fianchi dei boccali e delle forme cupe in genere.

Il legame tra questo decoro ed il mondo vegetale, che si è notato ben risaltare nel momento del suo pristino impiego nella funzione accessoria dei motivi principali, viene in tal modo a perdersi: la standardizzazione formale alla quale la "penna" è sottoposta elimina infatti gli attributi fitomorfi che ad essa erano propri, impedendo in particolare l'immediata leggibilità degli steli, delle foglie e degli stami che l'accompagnavano al momento della sua comparsa.

Nelle versioni già "standardizzate", ma più antiche, come il piatto della *tav. 21*, proveniente dallo scarico di fornace rinvenuto in adiacenza all'edificio del Museo, la "penna" svolge già il suo ruolo di decorazione di contorno, assumendo in questo caso l'aspetto di una teoria di elementi dal profilo lanceolato che, trovando un'origine ideale nella cerchiatura del centro, occupata dalla solita corolla aperta, sembrano venire a schiudersi verso l'esterno (gruppo 20.1).

Negli spazi intercalari si nota la sopravvivenza degli elementi vegetali foliati ai quali si faceva riferimento poc'anzi, che qui appaiono ridotti, per l'accentuata stilizzazione alla quale sono sottoposti, ad una sorta di triplice "monticello", la cui fisionomia è formata dall'unione delle loro estremità. Questa soluzione formale, che ritroveremo in altre decorazioni di primaria importanza nell'attività delle fornaci rinascimentali di Montelupo, quali gli "ovali e rombi" ed i "nastri", può così essere riportata al suo significato originario, che la successiva elaborazione renderà sempre meno riconoscibile.

La "penna", nonostante il processo di stilizzazione al quale andrà incontro, si caratterizza però sin dai suoi primordi per un ben definito cromatismo. Il suo interno, infatti, è costruito con la sovrapposizione di quattro fasce di colore che, partendo dal basso, sono composte da altrettanti settori arcuati, campiti in bruno di manganese, verde ed arancio; tra le prime due viene anche lasciata una parte a risparmio, che fa così intravedere il bianco candido dello smalto. Sottili pennellate in bleu, inserite dopo la campitura, ne solcano il corpo in senso verticale, talora allargandosi in via divergente man mano che si allontanano dall'origine che, specie nelle forme chiuse, sembra spesso connessa ad una sorta di stelo, munito di un incavo mediano.

Il processo di costruzione del decoro non può dirsi ancora del tutto completato sino agli ultimi anni del Quattrocento: è per questo motivo che i ceramisti di Montelupo dimostrano di oscillare, nell'impiego della "penna" quale decorazione di contorno delle forme aperte, tra l'interpretazione della stessa come fascia radiale, che si apre verso l'area periferica, o come motivo concatenato, che si distende invece sulla superficie, quale una sorta di corona o ghirlanda (gruppo 20.2). Un contorno di questo genere lo incontriamo infatti su di un piatto (*tav. 22*) proveniente dal medesimo contesto di scarico del precedente; in esso si nota anche come le parti interposte tra i singoli "occhi" della "penna", che presentano, nonostante siano campite in arancio, la fisionomia di un ciuffo di foglie, abbiano una minore efficacia decorativa, perché sono costrette in questa figurazione ad assumere un posizionamento che ne rende assai difficile la stilizzazione.

È probabilmente per tale motivo che nelle testimonianze più recenti risulta difficile incontrare questo genere di decoro di contorno "a ghirlanda" della "penna", che dimostra invece di preferire sulle forme aperte la collocazione del tipo "a fascia radiale", già incontrato nel primo esemplare della nostra serie. Nelle versioni che denotano una sia pur lieve recenziorità rispetto ai documenti sin qui presentati (*tav. 23*), si nota inoltre l'avvenuta trasformazione in "monticelli" degli elementi intercalati, rispetto ai quali abbiamo rilevato il loro originario significato di parti vegetali. L'aspetto fitomorfo della composizione lo si recupera parzialmente alla base della "penna", che viene compresa entro una sorta di fogliame stilizzato, il quale sembra aprirsi per racchiuderne la parte basale, innestata sullo stelo che la sorregge.

Il decoro "alla penna" non fu certamente tra quelli maggiormente eseguiti in Montelupo: la quantità dei reperti di scavo che si fregiano di questo motivo all'interno degli scarichi delle fornaci locali è infatti notevolmente inferiore rispetto a quella che caratterizza i più fortunati motivi rinascimentali, quali la "palmetta persiana", le "embricazioni", gli "ovali" od i "nastri". L'aspetto quantitativo si riduce poi considerevolmente se prendiamo in esame le sole forme aperte, sulle quali non è davvero frequente rinvenire — almeno nella sua versione "pura", non contaminata, cioè, da altri decori di contorno — la "penna di pavone". Sembra, infatti, che questa decorazione fosse ritenuta dai ceramisti montelupini più idonea ad essere impiegata sulle forme chiuse, dove, in effetti, la si ritrova con assai maggiore abbondanza.

Nella decorazione di boccali e manufatti cupi, inoltre, è facile notare la spiccata tendenza della "penna" all'invasività delle superfici. Talvolta, come nel bellissimo boccale con stemma dei Guidacci di Firenze (*tav. 24*) del Victoria and Albert Museum, l'egemonia assoluta del nostro motivo trova necessariamente limite nell'esigenza di presentare l'insegna araldica del committente sul lato a vista del manufatto, ma non sempre è così. L'esemplare contrassegnato dalla marca "ff", e databile nell'ultimo decennio del Quattrocento, manifesta la sua appartenenza alla tradizione montelupina, oltre che per la marca, anche nella forma slanciata del corpo, dal quale si stacca la caratteristica ansa dal profilo pressoché dritto, campita da strisce in verde pallido. In esso la "penna", inserita in settori romboidali sapientemente variati nella dimensione (i più grandi si trovano in corrispondenza del diametro massimo del boccale, i più piccoli al suo collo), in maniera tale da accrescere l'eleganza della forma, assume la fisionomia di un prezioso tessuto, che sembra avvolgere quasi completamente il vaso. Le parti in bleu che sottendono la presenza degli elementi vegetali, posti all'origine della "penna", tracciano poi una sorta di reticolo sinuoso, come a sorreggere le più delicate parti di un serto ricamato.

In altri esemplari di scavo, certo meno raffinati del precedente, anche se provenienti dalle stesse botteghe, si incontra invece la "penna" nella sua versione più invasiva: non essendo derivati da una precisa committenza, essi possono evitare di interrompere la trama continua del decoro per inserire lo stemma nella parte a vista. Ecco quindi che l'intero corpo dei boccali si copre di una serie di cellette romboidali (i cui contorni sono ripassati in bleu al termine del lavoro), all'interno delle quali appare il motivo della "penna" (*tav. 25*).

Talvolta, però, i pittori montelupini preferiscono diradare, pur all'interno della versione "invasiva" della nostra decorazione, le maglie composte dall'iterazione continua della "penna", alternandole a spazi riempiti da figure geometriche o di natura vegetale (gruppo 20.4). Lo sviluppo di questi motivi "intercalari" avviene per fasce, nel senso che si colloca con andamento orizzontale sul corpo dei boccali, replicandosi una o più volte a seconda della dimensione del manufatto.

Tra questi "intercalari" incontriamo un semplice rombo riempito da puntinature (*tav. 26*, sottogruppo 20.4.1) od anche più complesse figurazioni geometriche, sempre caratterizzate dallo sviluppo romboidale. Con ancora maggiore frequenza si impiegano a questo scopo motivi vegetali stilizzati, composti da una parte centrale campita in bleu che sembra spuntare da un lungo stelo, e che, quasi fosse dotata di innumerevoli piccoli stami, dà origine ad una minuta raggiatura (*tav. 27*, sottogruppo 20.4.2).

Talvolta questi spazi a losanga vengono riempiti con minuscole corolle tondeggianti, che appaiono in tutto simili a quanto si contiene all'interno degli elementi che formano la catena decorativa degli "ovali e rombi" (*tav. 28*, sottogruppo 20.4.3), o a certe composizioni "alla porcellana": questa, in effetti, è la versione cinquecentesca (1510-20), ormai fortemente standardizzata, della "penna".

Se torniamo però indietro nel tempo, risalendo di nuovo alla fase nella quale questi decori iniziavano il loro processo di standardizzazione all'interno della produzione montelupina, possiamo incontrare anche esemplari nei quali il nostro motivo trova un impiego non esclusivo, ed anzi si mescola volentieri con la "palmetta persiana" (gruppo 20.5).

Tra questi segnaliamo un bel piatto che presenta nella cerchiatura centrale l'immagine sinuosa di un leopardo (*tav. 29*), appartenente alla bottega che ha dato origine allo scarico rinvenuto presso il Museo di Montelupo. A parte l'elegante figuretta del felino, l'esemplare si segnala per il ricco apparato di contorno, composto da due serie inquartate di "penne" e "palmette"; per ottenere la saturazione degli spazi vuoti, tipica di questo periodo, il pittore ha anche dipinto tra questi motivi un gruppo di tre fiori sovrapposti, che impediscono il contatto tra questi elementi "principali", e ne arricchiscono significativamente, con l'arancio brillante delle loro corolle punteggiate di verde, il contorno. Come si può agevolmente notare, è la varietà cromatica l'effetto più ricercato dai ceramografi in questa fase finale del XV secolo: per questo motivo non si teme di mischiare, sino ad accostarli direttamente, due decori di contorno diversi.

La stessa cosa, sia pure temperata da una distribuzione su due fasce sovrapposte, avviene nello scodellone proveniente dal medesimo contesto, che si fregia dell'immagine centrale di una lepre o di un coniglio. Il modello della decorazione periferica è quello più diffuso della fascia con la "penna" verticale ed i motivi intercalari a "monticello", ma nella vasca, piuttosto bassa e larga dello scodellone, corre una catena di "palmette", che stringono la cerchiatura del centro, a riprova che questi due decori vengono alle origini volentieri mischiati tra di loro, essendo apprezzati, al di là dei loro valori formali e "simbolici", soprattutto in ragione della loro vibrante policromia.

Genere 21. "Palmetta persiana"

Il Wallis, ponendo in luce le molteplici influenze "orientali" riscontrabili in alcune decorazioni tipiche della fase tardo-medievale e rinascimentale della maiolica italiana, ritenne opportuno contrassegnare con l'epiteto di "palmetta persiana" un motivo che ebbe grande fortuna presso i pittori nostrani, e che consiste fondamentalmente in una serie di elementi lanceolati, stretti e raggruppati tra di loro, come a formare una sorta di "pigna"[6]. Questa denominazione ha incontrato una particolare fortuna tra gli studiosi di storia della ceramica, tanto da costituire ormai parte integrante del lessico ceramologico internazionale.

Ci pare non sussistano dubbi soverchi sul fatto che la "palmetta" sia il prodotto dell'elaborazione di alcuni motivi accessori della decorazione che si ritrovano nelle ceramiche smaltate dei grandi centri di fabbrica iraniani, che da parte nostra possiamo estendere anche all'Oriente mediterraneo e, in particolare, a quelli della Siria[7]; da qui si è originata un'imitazione "lessicale" nella pittura ceramica italiana della fine del Medioevo, non concretandosi però, in perfetto parallelismo con la "penna", nell'assimilazione e riproposizione di una vera e propria "sintassi", in grado di rispecchiare il linguaggio formale dei prototipi orientali dai quali essa è derivata.

Anche la "palmetta" viene introdotta nella nostra tradizione in base a quel criterio eclettico che sta a fondamento dell'attività dei ceramisti rinascimentali, ormai esperti nell'utilizzare con grande libertà i più diversi spunti formali, per poi trasformarli nel fuoco di una sbrigliata e disinvolta creatività. Anche in ragione di questo "ri-facimento" del motivo, ci pare ozioso discutere se il termine sia adeguato a definire la decorazione, così come inutile appare indagare l'eventuale significato simbolico del motivo che la costituisce, poiché esso fu affatto estraneo ai ceramisti nostrani.

Diversamente dalla "floreale" e dalla "penna", la "palmetta" non si caratterizza per comparire già nelle maioliche tardo-medievali in versioni destrutturate, che accompagnano altresì l'origine di quei motivi.

Inizieremo l'esame dei documenti afferenti alla "palmetta" montelupina da un bel piatto conservato al Museo del Louvre con stemma Minerbetti (*tav. 30*). L'appartenenza del medesimo alla produzione tardo-quattrocentesca del centro valdarnese, più che dallo stemma, che pure si ritrova anche su un boccale di qualche lustro più antico, restituito dal "pozzo dei lavatoi"[8], la si può dedurre dalla fascia di contorno in arancio minutamente archeggiata di bleu, come avviene in non pochi documenti coevi di Montelupo, nei "monticelli" trilobi che si pongono sull'esterno della cerchiatura, e nei minuscoli riempitivi spiralati, sistemati negli spazi vuoti della decorazione.

In questo esemplare possiamo notare come, specularmente a quanto già abbiamo incontrato nel piatto della precedente *tav. 29*, inserito nella "penna di pavone", i motivi della "penna" e della "palmetta" tendono a mischiarsi in questa fase ancora iniziale della loro lunga vicenda produttiva (gruppo 21.1). Qui si noti anche come la prima svolga un ruolo subordinato rispetto alla seconda, e si adatti perciò, assumendo una figurazione tripartita — che ben ne sottolinea, tra l'altro, l'indubbio significato vegetale — agli spazi intercalari collocati tra le "palmette".

Un frammento coevo (*tav. 32*) al piatto Minerbetti del Louvre ci tramanda poi una delle versioni più antiche di questo motivo, ove esso si sviluppa sotto specie di fiore, formato da un raggruppamento di tre, due ed un petalo, particolarmente esteso in senso verticale, ed inserito in una serie concatenata di "ovali" (gruppo 21.2, *tav. 31*).

Già nell'ultimo decennio del XV secolo, però, la "palmetta" non manca di assumere la fisionomia che maggiormente ne caratterizzerà l'impiego nelle botteghe ceramiche di Montelupo, e che ne prevede la collocazione in senso verticale all'interno della fascia di contorno, quasi essa venisse a sorgere dal punto di tangenza con la cerchiatura centrale (gruppo 21.3). Come si ricava dall'esemplare riprodotto alla *tav. 33*, essa non manca tuttavia di accoppiarsi ancora con la "penna" (anche in questo caso di tipo vegetale), sebbene quest'ultimo motivo vada ad occupare la sola porzione mediana del supporto. Tra i singoli gruppi delle "palmette" si distendono altri decori stilizzati, sia di tipo fitomorfo che di natura geometrica.

Può essere assimilata alla "palmetta", con la quale, come vedremo tra breve, non manca di unirsi sui medesimi manufatti, anche una composizione formata da un insieme di cerchietti, che vengono ad affiancarsi — quasi fossero i petali di una corolla floreale — ad un disco centrale. Sul finire del XV secolo questa sorta di "rosetta", evidentemente derivata dagli antichissimi elementi vegetali dei lustri metallici mesopotamici, e di lì trascorsa nel vasto repertorio spagnolo[9], la si ritrova nel contorno delle forme aperte (gruppo 21.4, *tav. 34*). La decorazione che in tal modo si realizza non sembra però soddisfare appieno i vasai montelupini, che infatti l'abbandoneranno rapidamente, forse per la poca eleganza del motivo principale, almeno qualora esso venga iterato in maniera invasiva sulle superfici vascolari.

Ciò non impedisce, tuttavia, che la "rosetta" islamica si accompagni, in questa fase di messa a punto delle tipologie del Rinascimento, alla "pal-

Fig. 9 - Piatto con decoro "alla palmetta persiana" e "rosette" (Gruppo 21.5). Ultimo decennio del XV secolo. Da scavo adiacenze Museo, inedito. Montelupo, Museo Archeologico e della Ceramica

metta", dipinta secondo la più diffusa fisionomia dallo sviluppo verticale (gruppo 21.5, *fig. 9*). Di questo raggruppamento costituisce un'ottima esemplificazione anche il piatto riprodotto alla *tav. 35*, ove un motivo di contorno che mischia entrambi i decori viene a circondare lo stemma collocato in una piccola cerchiatura centrale[10], mentre tra i particolari decorativi che risalgono alla precedente tradizione quattrocentesca non poteva certo mancare l'onnipresente "foglia di prezzemolo", che si unisce alla "palmetta" nella versione imitativa del lustro metallico (gruppo 21.6, *tav. 36*)[11].

Con l'inizio del nuovo secolo, però, queste varianti verranno abbandonate. Come riempitivo degli spazi che si interpongono tra le singole "palmette" comparirà così di norma una sorta di corolla floreale tondeggiante, che sembra rappresentare il diretto sviluppo, in un cromatismo assai più efficace, dell'antica "rosetta". Una versione di questo motivo (sottogruppo 21.5.1), caratterizzata dal fondo giallo e lumeggiata da puntinature in rosso, disposte nel centro e lungo la circonferenza, la incontriamo in un piatto proveniente dal "pozzo dei lavatoi" (*tav. 37*), che denota una diffusione invasiva del decoro principale.

Più diffusa è però la versione della "rosetta" in giallo e bleu (puntinatura centrale in cobalto, circondata da piccola fascia in antimonio, coronata di petali del primo colore), che ben si può notare nell'interessante bottiglia triloba, già nella collezione Cora (*tav. 38*, sottogruppo 21.5.2) — che le puntinature in rosso poste nella "palmetta" ben individuano come prodotto montelupino. Al medesimo raggruppamento di quest'esemplare appartiene, tra l'altro, anche il noto boccale del Museo Nazionale di Firenze con stemma partito Medici-Salviati, marcato alla base dell'ansa dalla sigla di bottega "Lo" (*tav. 39*).

La maiolica, inoltre, mostra nel legame tra la "rosetta" ed il fiore allungato della "palmetta" di collocarsi tra questo raggruppamento che unisce i due motivi floreali ed un altro, che si attiene al motivo principale della tipologia, ma lo racchiude sulle forme chiuse, così come abbiamo visto accadere all'origine anche sulle aperte (cfr. *tavv. 31-32*), entro settori ovali (gruppo 21.2): di tale versione costituisce un'eccellente testimonianza il piccolo boccale (*tavv. 40-41*) con figura di rapace su fondo bleu circondato dall'anello con gemma già della collezione Cora — anch'esso marcato "Lo" — che è del tutto simile ad un esemplare della medesima forma (e contrassegnato dalla stessa marca), rinvenuto nel "pozzo dei lavatoi" di Montelupo.

Genere 22. Floreale evoluta

Nel primo volume di questa *Storia* abbiamo avuto modo di notare come l'introduzione del motivo vegetale stilizzato, da noi definito semplicemente "floreale" (senza l'aggettivo di "gotica"), sia databile nelle botteghe di Montelupo agli anni '70 del XV secolo. Si è anche potuto osservare in quell'occasione come esso si presenti in tre distinte varianti tecnico-cromatiche, dovute all'impiego del verde-ramina ("floreale verde"), del bleu ("floreale bleu") o dell'ossido di cobalto miscelato al piombo, che determina l'accrescersi in cottura del pigmento sulla superficie smaltata ("floreale a zaffera").

Verso il 1490, in correlazione con la fase di standardizzazione produttiva primo-rinascimentale, anche la "floreale" montelupina va incontro a modifiche sostanziali della sua morfologia, le quali si uniscono anche ad un'evidente "normalizzazione" del decoro, non più oggetto di continue varianti di dettaglio. Per le modificazioni formali avvenute ad iniziare da questo periodo, parleremo quindi di "floreale evoluta".

Si veda, ad esempio, il boccale con stemma Spina, proveniente proprio dagli strati databili all'ultimo decennio del Quattrocento del "pozzo dei lavatoi", riprodotto alla *tav. 42*: in questo caso, oltre ad una struttura decorativa già matura, che impone la netta separazione tra le fasce di contorno ed il motivo principale — isolato dalle prime mediante l'artificio della ghirlanda — si può notare come la fisionomia del petalo stilizzato, sulla quale si impernia la costruzione del motivo, assuma un'espansione sconosciuta alla prima versione della "floreale", e come essa venga a terminare in una voluta circolare, ben caratterizzata anche per il risparmio della campitura, dalla quale emerge un minuscolo elemento lanceolato, che sembra quasi appartenere (in modo peraltro innaturale) al pistillo del fiore.

È evidente come all'inizio dell'Età Moderna i pittori montelupini siano particolarmente attratti dalle doti cromatiche di questo decoro, che infatti non viene più impiegato per costruire fasce di contorno nelle forme aperte, ma trova invece la sua utilizzazione sui fianchi delle chiuse, ove con maggiore facilità può assumere uno sviluppo lineare particolarmente esuberante; i lunghi petali della "floreale" prendono in tal modo l'aspetto di vigorose sottolineature in bleu, in manganese, o persino (come nel caso della *tav. 42*) in rosso, contribuendo ad arricchire e vivacizzare non di poco l'aspetto delle maioliche sulle quali essi sono dipinti.

Il lato più visibile del petalo si caratterizza sempre per una triplice partizione, determinata da una parte periferica che si sottolinea con i toni turchini dell'ossido di cobalto, steso senza alcuna diluizione, degradando, attraverso un settore lievemente campito d'azzurro, in una parte risparmiata, ove emerge il candido aspetto dello smalto; talora su questa parte del fiore si tracciano sottili barrature orizzontali, che intendono suggerirne un volume ed una consistenza quasi carnosa. La faccia ventrale, percepibile laddove il lungo petalo si piega, è interamente campita in bruno di manganese (o, raramente, in rosso), mentre i pistilli lanceolati, sempre dipinti in arancio, sono adesso privi degli stami che spesso si ritrovavano nella versione più antica.

Ridotta, come si diceva, solo alle forme chiuse, la versione evoluta della "floreale" costituisce una decorazione minoritaria, anche se non marginale, nella produzione montelupina del primo periodo rinascimentale. Sempre rinvenuta sin qui con il motivo separatore della ghirlanda, essa si unisce di preferenza a stemmi araldici (*tavv. 42-43*), ma presenta talvolta anche immagini simboliche, quali ad esempio, quella del cervo (*tav. 44*).

Nonostante mostri qualche variante di dettaglio nella sua composizione, che talora può anche inaspettatamente prevedere l'unione con altri motivi coevi (ad esempio, i piccoli inserti a "penna di pavone" dell'esemplare della *tav. 43*), la "floreale" non presenterà sostanziali modifiche sino alla sua versione "estenuata" che, come gli altri decori montelupini, inizierà a comparire negli scarichi di fornace valdarnesi ad iniziare dagli anni '40 del XVI secolo.

Genere 23. Contorno a ghirlanda

Galeazzo Cora aveva indicato, nella sua *Storia della maiolica*, attraverso una buona documentazione di scavo, la presenza in Montelupo di un genere decorativo ampiamente diffuso sulle forme aperte, caratterizzato dalla presenza di una fascia periferica campita in arancio, sulla quale, dipingendosi minuscole archeggiature in bleu, esso assumeva l'aspetto di una sorta di squamatura o, come lo studioso piemontese preferì indicare, di "embricazione".

L'importante scarico di fornace rinvenuto nelle adiacenze del Museo di Montelupo ci consente ora, grazie alla grande quantità di documenti afferenti a questo genere decorativo, qui rappresentato nel momento iniziale della sua comparsa nelle fornaci montelupine — siamo, giova ripeterlo ancora una volta, negli anni '90 del XV secolo — di meglio riconoscere la genesi del motivo che lo caratterizza, evidenziando come in realtà non si tratti tanto di una generica "fascia embricata", bensì di una ghirlanda. Converrà perciò, pur operando le necessarie suddivisioni tipologiche al suo interno, definire questo genere con l'appellativo che appare più consono alla sua morfologia iniziale, e cioè come "contorno a ghirlanda".

Gruppo 23.1

Nel primo gruppo di questa tipologia decorativa — che è da considerare senza dubbio come una delle più numerose e rappresentative della produzione montelupina del primo Rinascimento — inseriremo ovviamente le versioni della medesima caratterizzate dalla fisionomia riconoscibile della "ghirlanda", le quali, per di più, sono tutte databili con sicurezza nell'arco dell'ultimo decennio del Quattrocento.

Tra queste si veda il piatto della *tav. 46*, proveniente dal già citato scavo delle adiacenze del Museo, ove in maniera piuttosto inusuale la fascia arancio con il fogliame di lauro stilizzato viene, quasi fungesse da semplice elemento separatore, a stringere da vicino il motivo principale, rappresentato da una corona. Tra questa e la sottolineatura del bordo, campita come la "ghirlanda" in arancio, è dipinta una treccia, la cui robusta consistenza è sapientemente resa da accurati ripassi nel bleu cobalto dai toni profondi che caratterizza questa fase produttiva tardo-quattrocentesca.

Al medesimo orizzonte cronologico del piatto appena descritto appartiene anche un'alzata su piede della Fondazione Bagatti Valsecchi (*tav. 45*), purtroppo assai lacunosa al centro, che presenta lungo la parete esterna il nostro motivo stilizzato, ripreso poi anche al piede. In questo esemplare possiamo notare come le foglie stilizzate siano lumeggiate al loro interno da minuscoli tocchi di giallo: una caratteristica che si ritrova nell'evoluzione del motivo tanto in Montelupo come in Faenza, ove, però, si tende a rendere queste parti in posizione "embricata", dipingendole anche secondo più minute proporzioni.

Sottogruppo 23.1.1

All'interno del primo gruppo del nostro genere 23 possiamo evidenziare una caratteristica che accompagnerà anche le successive evoluzioni della tipologia decorativa: intendiamo alludere alla presenza, su di una porzione in gran parte risparmiata dal decoro, di un motivo vegetale, nel quale si può riconoscere una corolla floreale resa in estrema stilizzazione.

Di questo sottogruppo costituisce un esempio significativo la scodella della *tav. 47*, anch'essa appartenente agli ultimi lustri del Quattrocento, ove le parti vegetali sono dipinte — intervallandole da inserti "a freccia" in rosso — nel ricasco del cavetto, mentre sulla tesa si distende la nostra "ghirlanda", fermata al bordo da un'elegante ed inedita archeggiatura dipinta.

Prima di approdare alla sua definitiva standardizzazione, l'idea formale della fascia periferica campita in arancio non poteva tuttavia che andare incontro a qualche tentativo di sperimentazione, perseguendo la quale si finì per allontanarsi non di poco dalla rappresentazione stilizzata della nobile cornice vegetale che stava a suo fondamento.

Gruppo 23.2

Tra queste varianti sostanziali — che, come tali, definiscono gruppi a parte — ne segnaliamo qui due di particolare interesse.

Il primo tra questi (gruppo 23.2) è documentato da un grande scodelliforme già nella collezione Cora (*tav. 48*), nel cui centro è dipinto un coniglio (od una lepre) in un paesaggio stilizzato. Oltre alla presenza di un ampio spazio periferico alla cerchiatura centrale che racchiude la figuretta, piuttosto frequente nel nostro genere 23, si noti come sull'ala del vassoio si distenda una fascia campita d'arancio, al cui interno non sono dipinte le foglie stilizzate della "ghirlanda", bensì un tralcio ondulante, popolato dalle minuscole foglie stilizzate del prezzemolo, che abbiamo visto caratterizzare il nostro genere 14.

Gruppo 23.3

Ancor più interessante, se vogliamo, è il grande piatto di scavo montelupino (anch'esso appartenente al solito contesto archeologico venuto alla luce in adiacenza all'edificio del Museo), nel quale è dipinto, secondo dimensioni piuttosto inusuali per l'epoca — siamo ancora verso il 1490 circa — un personaggio riccamente ammantato, a capo coperto, che si appoggia ad una spada poggiata sul terreno (*tav. 49*). In questo caso il contorno "a ghirlanda" è sostituito (gruppo 23.3) da una fascia formata da numerose metope, che hanno nella loro parte principale la figurazione della doppia losanga — un motivo assai diffuso, ad iniziare dall'ultimo ventennio del XV secolo, nella pittura su smalto dei centri di produzione italiani — separate tra di loro da una triplice barratura in manganese, che qui è però rinforzata da ulteriori segmenti, ottenuti per graffitura dello smalto.

Gruppo 23.4

La tendenza ad una stilizzazione della "ghirlanda" si afferma però assai precocemente, tanto che essa sembra convivere con i gruppi precedenti sin dai primi anni che vedono la comparsa del genere. In questo caso, come si diceva, la fisionomia della fascia di contorno assume finalmente l'aspetto "embricato" che fu a suo tempo notato dal Cora. Questa versione della tipologia decorativa presenta tuttavia al suo interno alcune varianti di dettaglio, delle quali occorre dar conto nella nostra classificazione.

Sottogruppo 23.4.1

Nella prima tra queste inseriremo quegli esemplari che presentano una lumeggiatura interna alle foglie della "ghirlanda" realizzata mediante graffitura del colore: uno stilema decorativo ben presente nelle botteghe di Montelupo che vediamo esemplificato dal grande piatto con figura femminile della *tav. 50*. L'esemplare, già nella collezione Fanfani, costituisce anche un ottimo esempio delle tendenze figurative che incontrano una particolare fortuna nel centro valdarnese tra Quattro e Cinquecento, trovando proprio nel nostro genere 23 un contorno che, per la sua "discrezione", ben si presta ad unirsi con la nuova sensibilità pittorica rinascimentale, desiderosa di misurarsi — in una evidente e sempre più consapevole ricerca di realismo — con superfici ampie e libere dai condizionamenti strutturali del contorno.

Sottogruppo 23.4.2

In un nuovo sottogruppo può essere inserita invece l'alzata con vasca emisferica riprodotta alle *tavv. 51-52*. Questa maiolica, rinvenuta insieme ad un esemplare gemello nello scarico della fornace che marcava con la sigla "Lo", in un contesto ben databile al primo decennio del XVI secolo, ha infatti le lumeggiature della fascia "a ghirlanda" che corre al suo interno dipinte con minuscoli tratti arcuati in bianco. La decorazione posta nella vasca dell'alzata si caratterizza, in effetti, per un ampio uso del bianco di stagno — peraltro non troppo frequente in Montelupo — al quale ci si affida sia per realizzare inserti vegetali di "bianco su bianco" sulle pareti, sia per suggerire in maniera assai efficace le raggiature che si dipartono dalla figuretta solare che sta nel suo centro, oltre la breve corona che, animata da un suggestivo movimento turbinoso, la circonda.

Questo esemplare, attribuibile senza dubbio, pur se non marcato, alla bottega "Lo", in quanto proviene dal sito di quella fornace, presenta larghi spazi bianchi, anche se la sua fascia di contorno è rafforzata da una duplice banda "a scacchiera", che si nota anche su altri esemplari aperti (*tav. 55*).

La rarefazione del contorno (sottogruppo 23.4.3) sembra del resto rappresentare una peculiare caratteristica di questo genere decorativo, e si evidenzia soprattutto negli esemplari figurati (*tavv. 53-54*), già nella fase più antica del suo sviluppo.

Un'ultima variante della nostra tipologia 23 la si può infine individuare nella serie di piatti e scodelle che presentano una cerchiatura cromatica (di solito in verde) sovradipinta alla "ghirlanda" (*tav. 56*, sottogruppo 23.4.4).

Fig. 10 - Boccale con decoro "a reticolo puntinato" (Genere 24), 1495-1510 circa. Marcato sul retro, all'attacco dell'ansa, "S". Da scavo "pozzo dei lavatoi", inedito. Montelupo, Museo Archeologico e della Ceramica

Genere 24. Reticolo puntinato

In questo raggruppamento tipologico presenteremo un genere decorativo montelupino che si caratterizza per l'impiego di un motivo geometrico assai semplice ed essenziale, incentrato sulla realizzazione di un settore di natura reticolare (un incrocio in senso normale tra linee tracciate in bleu cobalto, che vengono così ad individuare minuscoli spazi quadrangolari), minutamente puntinato — di solito in bruno di manganese — al suo interno (*fig. 10*).

Come molte delle tipologie sviluppate sul finire del XV secolo, anche quella che identifica il nostro genere 24 era stata evidenziata da G. Cora, che le attribuì il numero XIIIB della sua classificazione, e descrittivamente la definì come "reticolo puntinato".

Le ricerche archeologiche condotte negli scarichi delle fornaci di Montelupo hanno dimostrato come in effetti tale tipologia abbia un'origine quattrocentesca, ma anche come essa si caratterizzi per una genesi un po' più complessa rispetto a quella indicata dallo studioso piemontese, qualificandosi in particolare come la versione "specializzata", in quanto destinata alle sole forme chiuse, di un genere decorativo già elaborato per l'intera produzione vascolare da mensa, che abbiamo già presentato come genere 19 della nostra classificazione.

Gruppo 24.1

Come si può notare dal boccale riprodotto alla *tav. 59*, rinvenuto all'interno del deposito archeologico del tardo XV secolo posto in luce nelle adiacenze dell'edificio del Museo di Montelupo, questo genere decorativo assume all'origine una fisionomia di tipo invadente, che si presenta come una struttura "a settori", scompartita da ampie pennellate in bleu cobalto. Oltre alle porzioni "a reticolo", che perdureranno nel repertorio decorativo delle botteghe montelupine nel corso del XVI secolo, in questa fase più antica compaiono settori puntinati d'arancio posti in fasce trasversali (e non reticolari): un evidente accenno tematico all'imitazione del lustro metallico che verrà a perdersi nella successiva fase di standardizzazione del decoro.

Gruppo 24.2

Già nei materiali cronologicamente collocabili tra Quattro e Cinquecento del "pozzo dei lavatoi", quali il boccale qui riprodotto alle *tavv. 57-58*, notiamo infatti l'accantonamento della versione invasiva, e l'impiego ormai esclusivo della puntinatura in manganese, la quale è destinata a rivestire i soli settori laterali dei boccali.

Si può affermare senza tema di smentita che questo genere, nel secondo gruppo della sua evoluzione, abbia rappresentato una delle tipologie decorative di più ampia produzione tra quelle elaborate nella Montelupo degli anni a cavallo tra XV e XVI secolo, come eloquentemente mostra non soltanto la quantità dei boccali "a reticolo" rinvenuti negli scarichi delle fornaci locali, ma altrettanto chiaramente attestano i ritrovamenti archeologici di maiolica montelupina effettuati al di fuori del centro di produzione, ove la presenza di questo genere assume una rilevanza assai accentuata, tanto da divenire maggioritaria, almeno all'interno delle forme chiuse.

La ricetta decorativa del classico boccale "a reticolo" primo-rinascimentale di Montelupo è del resto assai semplice a realizzarsi: ad una fascia laterale, nella quale si distende il motivo di contorno, dall'esecuzione assai facile ed immediata, corrisponde una parte centrale, la quale occupa il lato a vista dei boccali medesimi; in essa si racchiude, all'interno di una cerchiatura realizzata quasi sempre mediante la stilizzazione dell'"anello diamantato", una figurazione incentrata su soggetti di varia natura, ma normalmente di tipo poco elaborato e talvolta quasi "popolaresco".

Tra questi soggetti assumono infatti un particolare rilievo figurazioni di natura zoomorfa che sembrano alludere a valori simbolici diffusi, siano essi di natura pseudoaraldica, come nel caso del leone rampante della *tav. 57*, o di evidente valenza morale, come la chiocciola della *tav. 60*. Non poca di questa produzione "a reticolo" si presenta poi con insegne il cui valore è tutt'altro che certo, e che, anzi, possono ben essere interpretate piuttosto come precoci testimonianze di quell'uso meramente decorativo dello stemma (in particolare di quello mediceo, come si può notare nella *tav. 61*), che trova, ad esempio, successive esemplificazioni tra le ingobbiate.

Gruppo 24.3

Nonostante non venga a variarsi la costruzione sintattica del decoro, riteniamo sia utile formare ora un ulteriore raggruppamento all'interno del genere per comprendere in esso i boccali che presentano nel loro lato a vista non motivi figurati od insegne dal più o meno effettivo significato araldico, ma piuttosto scritte di carattere cortese ed amatorio. In essi, infatti, come può notarsi dall'esemplare riprodotto alle *tavv. 62-63* con dedica ad una "Benedet[*t*]a B[*e*]lla", nonostante appartengano già ai primi anni del Cinquecento, si ritrovano inserti dal sapore ancora quattrocentesco, che bene si evidenziano nelle spighe stilizzate, le quali ne contornano il cartiglio epigrafato, e che ancora denotano l'attrazione profonda, nutrita dai ceramisti di Montelupo verso l'imitazione del lustro metallico ispanico.

Genere 25. Nastri

Tra le decorazioni della prima fase rinascimentale sviluppata nei più importanti centri di fabbrica italiani il motivo del "nastro" assume, com'è noto, un ruolo di primo piano. Il termine "nastro" intende definire un'archeggiatura posta a contornare il centro delle forme aperte, composta da una serie di segmenti paralleli tra di loro che vengono a disegnare una linea spezzata; essendo parzialmente campiti nel loro sviluppo lineare, il motivo così definito sembra in effetti voler imitare l'aspetto di un nastro, che viene ad incorniciare con le sue volute appuntite i decori centrali.

I materiali di scavo di Montelupo mostrano,

del resto, con eccellente dovizia di particolari, il percorso formale di questo genere, ad iniziare da una versione più semplice, incentrata sulla rappresentazione di una sola corona nastriforme, corrente nel settore compreso tra il bordo e la cerchiatura del centro dei piatti, laddove si collocano i motivi "principali".

Sottogruppo 25.1.1
Si notino, nella loro qualità di documenti tipici di questo gruppo dalla composizione più elementare che sta alle origini dell'elaborazione del genere, gli esemplari riprodotti alle *tavv. 64-65*, tutti caratterizzati dal "nastro" singolo e tutti provenienti dal contesto tardo-quattrocentesco rinvenuto presso l'edificio del Museo.

Nel grande piatto della *tav. 64*, caratterizzato dalla scritta amatoria centrale ("Lionel[*l*]a Be[*lla*]"), oltre alla fisionomia piuttosto "primitiva" del motivo, emergono nella parte interna del decoro motivetti vegetali stilizzati in arancio "ad imitazione del lustro", mentre nella parte esterna della corona descritta dal "nastro" compaiono altri elementi di natura fitomorfa (la foglia tripartita, ampiamente diffusa in questo periodo), che si ritrovano anche sul genere coevo "ad ovali e rombi".

Ad una fase ancora più primordiale, se possibile, della costruzione di questo decoro sembra poi appartenere la versione del contorno "a nastro" evidenziata dal piatto della *tav. 65*, laddove lo sviluppo della fascia spezzata di contorno è suddiviso in maniera del tutto innaturale (in tal modo si rende improponibile ogni riferimento alle diverse lumeggiature di un nastro intrecciato) dalle campiture di colore, stese addirittura in senso verticale, non seguendo, cioè, lo sviluppo lineare del motivo medesimo.

Sottogruppo 25.1.2
Più complessa ed efficace sotto il profilo decorativo è invece la modalità di realizzazione del "nastro" che è documentata dall'esemplare riprodotto alla *tav. 66*. Essa trasforma infatti la generica archeggiatura per linee spezzate del sottogruppo precedente in una composizione ove effettivamente può emergere una più fondata allusione ad un nastro o, comunque, ad una fascia di contorno che, ripiegandosi su se stessa in un continuo succedersi di tratti ascendenti e discendenti, viene a nobilitare la cerchiatura posta nel centro delle forme aperte.

L'idea di una diversa lumeggiatura della faccia ventrale e dorsale del "nastro", in questo piattino che porta al centro uno dei tanti leoni rampanti, dipinti dai pittori montelupini tra Quattro e Cinquecento, è poi sottolineata dalla barratura arancio (nelle parti ascendenti) posta al centro del motivo medesimo.

Gruppo 25.2
Nonostante si sia potuto notare come sul finire del XV secolo si realizzino in Montelupo contorni " a nastro" in fascia singola, altri documenti provenienti dai medesimi contesti mostrano come in quella fase di elaborazione dei decori rinascimentali i pittori montelupini siano giunti alla contemporanea elaborazione del motivo "a doppio nastro intrecciato", che sarà realizzato in maniera esclusiva dagli *ateliers* valdarnesi durante il secolo successivo.

Si veda, ad esempio, il grande piatto frammentario con figura femminile della *tav. 67*, ove, oltre agli inserti vegetali esterni, che chiaramente si riferiscono ancora all'imitazione del lustro metallico, si può notare la fisionomia già "matura" del doppio "nastro", il quale, intrecciandosi, viene a sovrapporsi. Lo stesso metodo realizzativo dei decori si nota in altri esemplari di scavo tardo-quattrocenteschi che presentano motivi centrali di natura geometrica, come quello riprodotto alla *tav. 68*.

Di maggiore complessità, pur se afferente al medesimo orizzonte produttivo montelupino della fine del XV secolo (e, anzi, appartenente proprio alla fornace che ha prodotto lo scarico rinvenuto in adiacenza all'edificio del Museo di Montelupo), è poi il bellissimo piatto con figura di cervo del Victoria and Albert Museum (*tav. 69*). Piuttosto che segnalare ancora una volta il valore allusivo della sua parte figurata, che abbiamo già in altra occasione esplicitato, ci pare opportuno discutere la cronologia e l'attribuzione di questa maiolica, già in passato assegnata ad una fornace "fiorentina", o addirittura "faentina".

Concentrando la nostra attenzione sulla scena centrale, possiamo per il momento individuare nella parte interna della sua cerchiatura una fascia in arancio archeggiata che frequentemente si ritrova nella coeva pittura su smalto montelupina, la quale è stretta a sua volta da una teoria di "*acicates*" stilizzati, anch'essi ben noti ai vasai valdarnesi dell'epoca. È tuttavia nel modo assai caratteristico di realizzare la figuretta del cervide che ne campeggia il centro che affiorano i caratteri tipici di quel pittore montelupino la cui fornace venne ad originare lo scarico rinvenuto presso l'edificio museale. Suo, infatti, è lo stilema dell'albero posto in secondo piano, al cui tronco la figuretta principale si sovrappone, perseguendo quella ricerca d'effetto prospettico che sta alle radici stesse — come abbiamo avuto occasione di evidenziare nel primo volume di questa *Storia* — della fase "rinascimentale" della pittura su maiolica in Montelupo. Oltre alla struttura formale, è nella fisionomia della chioma dell'albero, così poco naturalmente ridotta in alto, a causa della ristretta cerchiatura che questo pittore viene spesso ad imporre alle forme aperte che dipinge, e viceversa, dilatata consistentemente in senso laterale, che il nostro artefice appone la sua cifra più caratteristica.

La grande espansione del contorno, unita a questi caratteri figurativi d'ascendenza tardomedievale, ci pare giustifichino la collocazione cronologica dell'esemplare in una fase piuttosto antica dello sviluppo dei decori rinascimentali, inserendola, in particolare, nel momento di passaggio tra gli anni '80 e gli anni '90 del XV secolo: poco prima, cioè, dell'accumulo di gran parte dello scarico di fornace che appartiene a questo ceramista, recuperato in Montelupo.

Alla stessa bottega, se non proprio allo stesso pittore, deve essere assegnata anche la maiolica riprodotta alla *tav. 70*, di pochi anni più recente di quella, la quale presenta un contorno "a nastro intrecciato" semplificato, secondo una fisionomia che verrà a generalizzarsi negli sviluppi cinquecenteschi del genere. La tendenza a saturare gli spazi, tipica di questa fase del tardo XV secolo, nella quale è ancora ben vivo l'*horror vacui* della seconda metà del secolo, non può ormai non tenere in debito conto le esigenze di standardizzazione dei prodotti realizzati nelle botteghe montelupine, ora indotte dal consistente sviluppo delle attività. Per quanto complicatosi attraverso l'intrecciarsi dei due nastri, il motivo si alleggerisce perciò delle sue parti superflue, ed i pittori si accontentano, per saturare gli spazi vuoti del contorno, di collocare all'esterno di esso un motivo vegetale stilizzato a tre lobi, ravvivato da tocchi in verde ed arancio, mentre le parti di risulta tra i due nastri sono parzialmente richiuse da semplici segmentature.

All'inizio del Cinquecento la tavolozza tende ad alleggerire assai sensibilmente i toni del bleu, e questa evoluzione si avverte particolarmente, assieme alla "palmetta" ed alla "floreale", proprio in questo genere decorativo, nel quale largamente si impiega l'ossido di cobalto. La tendenza a realizzare un contorno "a nastro" dalle lumeggiature meno cupe e, insieme, la volontà di ottenere un disegno dal contorno più accurato, ben si può notare nell'esemplare del "pozzo del lavatoi" riprodotto alla *tav. 71*, che è databile entro il primo decennio del XVI secolo. In esso, oltre al già citato schiarimento del "nastro", emerge anche l'evidente ricerca di una tavolozza cromatica dai toni più caldi, ottenuti sia attraverso l'inserimento di parti in rosso ed arancioferraccia, sia con l'impiego di un giallo denso e solare, posto all'interno del decoro geometrizzante del centro. Nonostante l'esemplare si collochi nel momento di più accentuato sviluppo della produzione a smalto montelupina, esso non denota alcun cedimento verso modalità di esecuzione affrettate e corsive: siamo, dunque, con ogni probabilità di fronte alla testimonianza di una di quelle maioliche di più alto pregio che l'atto notarile con il quale fu fermato il cosiddetto "trust Antinori" definiva "vantaggino", intendendo così individuare i prodotti caratterizzati dal massimo impiego della policromia e da particolare accuratezza di esecuzione.

L'evoluzione cromatica del genere "a nastro" nel corso del Cinquecento è poi ben esemplificabile dal confronto tra il piatto del "pozzo dei lavatoi" della *tav. 71* ed il disco di censo con stemma della successiva *tav. 72*. I due documenti presentano, infatti, la medesima versione strutturale del "nastro", ma la seconda, probabilmente più recente di almeno cinquant'anni, risulta notevolmente impoverita non soltanto nella tavolozza, ma anche nell'efficacia rappresentativa del "nastro", che la tendenza a risparmiare il bleu di cobalto (qui anche di una scadente tonalità grigiastra) consiglia di limitare alle campiture del contorno, con il risultato di renderne assai meno incisivo lo sviluppo. Come avremo modo di osservare, trattando della fase di "estenuazione" dei decori rinascimentali nella seconda metà del XVI secolo, questo processo di semplificazione, che riduce lo spessore del "nastro" e ne comprime le campiture, rappresenterà una delle vie principali attraverso le quali verrà ad attuarsi il progressivo cedimento di que-

Fig. 11 - Piatto con decoro "a ovali e rombi" (Gruppo 26.2), 1510-1520 circa. Da scavo "pozzo dei lavatoi" (F. Berti, La maiolica di Montelupo... *cit., p. 102 n. 50). Montelupo, Museo Archeologico e della Ceramica*

sto decoro, e ad affermarsi la sua stanca riproposizione in versioni scialbe e prive di quel dinamismo che aveva caratterizzato la tipologia durante la prima fase rinascimentale.

Gruppo 25.3

Rara, ma significativa delle molteplici opportunità formali esplorate dai pittori montelupini nella fase iniziale di sviluppo del decoro "a nastro" è poi la versione del medesimo su fondo colorato (in questo caso campito d'arancio), qui documentato dall'esemplare della *tav. 73*.

Genere 26. Fascia con "ovali e rombi"

Abbiamo già incontrato nel primo volume di questa *Storia*, trattando del genere "a imitazione del lustro metallico", una variante di quella tipologia decorativa incentrata sulla realizzazione di una losanga con gli apici espansi a formare una sorta di cerchietto — il tutto dipinto in arancio brillante — mimetica dell'aspetto delle maioliche spagnole a terzo fuoco.

Così, come avverrà per altri decori (ad esempio, nelle "spirali arancio"), il motivo viene sviluppato in maniera tale da trasformarlo in un'inedita decorazione, che talvolta, come in questo caso, finisce per incontrare un successo assai rilevante, come si può dedurre dal fatto che le maioliche dipinte secondo i canoni di questo genere rappresentano una porzione tanto rilevante negli scarichi di fornace montelupini della prima metà del Cinquecento, da far ritenere che il decoro "ad ovali e rombi" sia stato quello relativamente più diffuso nelle botteghe locali.

Gruppo 26.1

Nella fase ancora sperimentale di costruzione della tipologia "a ovali e rombi" il motivo principale che la costituisce non appare ancor ben definito e standardizzato secondo un modulo canonico. Il piatto riprodotto alla *tav. 74*, ad esempio, ben esemplifica questa fase tardo-quattrocentesca in cui i pittori montelupini non hanno ancora elaborato la figurazione della losanga dipinta in arancio, che in effetti appare qui sempre simile ai motivi vegetali stilizzati in forma ellittica dell'"imitazione del lustro metallico", dai quali con ogni probabilità essa deriva.

La mancata definizione formale del motivo non impedisce però agli artefici valdarnesi di metterne a punto la struttura della decorazione attraverso l'approntamento di quella teoria di ovali, posti in concatenazione tra di loro, ed arricchiti da minuscoli inserti vegetali trilobati, che d'ora in avanti ne accompagnerà gli sviluppi.

Gruppo 26.2

Nel corso dell'ultimo decennio del XV secolo il nostro genere 26 viene però ad assumere quella fisionomia che improntera di sé tanta parte della pittura su smalto (tanto su forma chiusa che aperta) delle fornaci montelupine.

Nei materiali appartenenti ai primi anni del Cinquecento, all'interno delle cerchiature ovali verrà infatti definitivamente a stabilirsi una figura geometrica di tipo romboidale, particolarmente espansa nei punti di congiunzione orizzontale dei segmenti, laddove si collocheranno anche due coppie di caratteristici "cerchietti", puntinati al loro interno in verde od in bleu. Al centro di queste parti romboidali troveranno posto altre cerchiature, di solito campite in arancio, che tenderanno ad assumere una fisionomia vegetale, quasi fossero corolle floreali stilizzate, come sembrerebbe suggerire la minuscola corona puntinata che li attornia, quasi a suggerire l'esistenza di petali (*fig. 11*).

Altri motivi vegetali stilizzati — li abbiamo già incontrati nel gruppo precedente — si porranno poi tra gli anelli che circondano i motivi romboidali in arancio, ma in questa produzione ormai standardizzata essi sono parzialmente campiti in bleu, e non più in verde, come avveniva durante la prima fase di sviluppo della tipologia. Con questo contorno "a fascia di ovali e rombi" incontriamo ogni genere di decorazioni principali, siano esse di tipo figurato (*tav. 75*), geometrico (*tavv. 76* e *78*), od anche araldico (*tavv. 79* e *81*).

È notabile nelle forme aperte il frequente accoppiarsi di questa fascia ad un settore circolare più interno, che viene direttamente a cerchiare i motivi centrali, formato da una composizione fitomorfa, la quale sembra alludere a due gruppi foliati sovrapposti (*tavv. 76* e *78*). In essa si nota una prima espansione radiale dai contorni sfrangiati — quasi si volesse indicare il perimetro delle foglie — priva di campitura, ma sottolineata alla base solo da una cerchiatura in bleu, sotto la quale, occupando gli intervalli tra una "foglia" e l'altra, spuntano ulteriori appendici triangolari, dipinte in verde ed in rosso (*tav. 78*), o campite a metà dei due colori (*tav. 76*). Non è poi infrequente che questa prima fascia di contorno sia potenziata anche da "perle" stilizzate: un motivo assai diffuso nella pittura su smalto durante il primo periodo rinascimentale.

Tra i motivi centrali che più diffusamente si accoppiano con la fascia di contorno "ad ovali e rombi" occorre segnalare soprattutto la scacchiera in verde e rosso (*tav. 78*), con parti intercalari "a risparmio", che incontrò grande fortuna nella produzione montelupina della prima metà del XVI secolo, e finì, con le imitazioni che ne furono tratte, per fornire le basi formali ad un genere decorativo altrettanto importante e numeroso, sviluppato dai ceramisti olandesi.

Nonostante la morfologia del decoro non ne renda agevole la trasposizione su forma chiusa, si è già affermato che il nostro genere 26 ebbe una particolare diffusione anche sui boccali e sulle morfologie vascolari cupe in generale. In esse il contorno "a ovali e rombi" non fu riprodotto secondo versioni variate in maniera significativa rispetto alle sue applicazioni sulle aperte, unendosi anche agli elementi di separazione tra decori principali e secondari che si ritrovano su altri generi, quali l'anello diamantato (*tav. 79*) o l'altrettanto nota "ghirlanda" stilizzata.

Gruppo 26.3

Possiamo collocare in un ulteriore raggruppamento, separandoli dal secondo (ed assai più numeroso) insieme che forma il nostro genere, gli esemplari con contorno "ad ovali e rombi" che, pur appartenendo ad una fase produttiva già cinquecentesca, conservano il ricordo del momento iniziale di standardizzazione del motivo in una molteplicità di cerchiature poste attorno alla figura romboidale e, soprattutto, nell'assenza all'interno di quest'ultima del classico "cerchietto" (*tav. 77*), allusivo ad un motivo floreale, che invece più ampiamente caratterizza la produzione coeva del genere 26.

Genere 27. Fascia con "ovali"

Si tratta di un decoro pertinente alle sole forme chiuse, che si presenta strutturalmente simile al genere precedente, in quanto concepito come una fascia formata da cerchiature ovali, ma che risulta assai diverso da quello per quanto attiene il contenuto delle medesime cerchiature, qui risolto con semplici barrature orizzontali di riempimento.

Il genere 27 può essere a sua volta suddiviso in due gruppi, il primo dei quali (gruppo 27.1) è certamente il più importante sotto il profilo numerico. Esso si distingue per incentrarsi su di un riempimento degli ovali scompartito a metà da una pennellata in bleu, che di solito è sottolineata all'esterno da un segmento (in bleu od anche in rosso).

Sottogruppo 27.1.1

In un piccolo boccale appartenente alla bottega "Lo", restituito dal "pozzo dei lavatoi" (*tav. 82*), si può notare la presenza di un ulteriore elemento compositivo dell'"ovale", il quale forse viene a riprodurre la fisionomia che originariamente ne caratterizzò l'introduzione nel repertorio delle fornaci montelupine. In esso, infatti, le segmentature orizzontali e parallele che riempiono la cerchiatura ovale risultano attraversate da una sottile barratura in senso normale, che sembra celare un lontano riferimento ad una composizione vegetale o, ancor più probabilmente, una dipendenza di questo motivo da quello della cosiddetta "penna di pavone". Che questa versione sia da considerarsi fondamentale nello sviluppo formale del genere lo suggerisce, del resto, l'esistenza della barratura centrale di colore diverso, che abbiamo già avuto occasione di notare, la quale assume in questo sottogruppo, a differenza del successivo, una precisa funzione strutturale.

Sottogruppo 27.1.2

Questo più numeroso raggruppamento, caratterizzato dall'assenza di segmentature verticali nei riempitivi dell'ovale, è ben rappresentato da un boccale (*tav. 83*) con il decoro principale figurato di tipo zoomorfo (l'usuale leprotto, o coniglio che dir si voglia) proveniente dal medesimo deposito archeologico del "pozzo dei lavatoi", ed arricchito nella fascia laterale di contorno da rapidi inserti in rosso.

Gruppo 27.2

L'ulteriore differenziazione strutturale del nostro genere 27, evidenziata da un riempimento barrato privo di soluzione di continuità, è documentato invece da un altro boccale, prodotto (come dimostrano le quote di appartenenza dei frammenti che lo compongono) sul finire del XV secolo dalla solita fornace che adottò per sigla il bigramma "Lo" (*tavv. 84* e *85*).

L'esemplare, che mostra di appartenere, per l'ampia figura femminile a mezzo busto dipinta sulla parte a vista, a quel filone "figurativo" tardo-quattrocentesco che trova riscontro anche nella coeva attività di altri *ateliers* montelupini, lascia intuire quanto complessa dovette essere l'opera di standardizzazione dei decori rinascimentali. Si veda, ad esempio, come in questo caso lo sviluppo degli "ovali" tenda ad allargarsi in fasce sovrapposte anche in senso orizzontale (cosa che sarà accuratamente evitata in seguito), e come gli spazi triangolari di risulta, individuati dalla catena degli "ovali", non presentino riempitivi diversi, in grado di farne risaltare la fisionomia. Quanto questa bottega fosse attratta dal motivo dell'"ovale" lo si può del resto notare anche nei motivi dipinti sul rovescio del grande piatto "a grottesche", già appartenente alla collezione Rothschild, datato "1509" (cfr. *tav. 107*).

Genere 28. Stemmi e cimieri

La grande diffusione delle insegne araldiche sulla maiolica spinse i pittori che operavano in Montelupo tra il 1490 ed il 1520 circa ad elaborare un apposito decoro, in grado di ben evidenziare ed esaltare la presenza dello stemma.

In quell'epoca non era del tutto tramontato l'uso quattrocentesco di sovrapporre allo scudo l'elmo sovrastato dal cimiero, dal quale venivano poi a svilupparsi piumaggi ed altre appendici nobilitanti. I vasai montelupini, riproducendo una simile, complessa raffigurazione, vennero a sfruttarla a fini decorativi, ottenendo così un genere che ben si prestava ad accompagnarsi, sulla faccia a vista dei boccali, a quei soggetti araldici particolarmente richiesti dalla committenza. Ciò fu attuato mediante una sensibile espansione laterale del piumaggio, che di fatto veniva allungato sino a giungere in prossimità della cartella tergale, separata dalla decorazione dalle fasce di colore correnti lungo l'ansa.

In tal modo tutto il corpo del boccale era percorso da questi elementi accessori del cimiero sovrastante lo scudo, tanto che restavano solo piccole porzioni da riempire con motivi secondari, risolti suggerendo la presenza di parti "a corolla floreale" stilizzata. Per separare lo sviluppo del piumaggio da questi ultimi, si veniva così occasionalmente a recuperare una struttura "a spazio contornato", simile a quella che aveva improntato di sé la produzione montelupina dei venti-trent'anni precedenti.

Di questo genere — del quale non indicheremo qui varianti — costituiscono ottima esemplificazione i due boccali riprodotti alle *tavv. 86-87*. Il primo di questi proviene dal contesto di scarico del "pozzo dei lavatoi" e presenta lo stemma Pandolfini dipinto sulla faccia a vista; il secondo, passato dalla collezione von Beckerhadt a quella Lehman, ha lo stemma Ambrogi di Firenze ed è datato "1506". Oltre ai medesimi motivi di riempimento "a corolla" degli spazi di risulta tra i piumaggi, si può notare come in entrambi lo scudo — del tipo quattrocentesco "a testa di cavallo" — risulti fissato ad un tronco d'albero confitto nel terreno, così come incontreremo in altre tipologie contraddistinte dall'enfatizzazione delle insegne araldiche (cfr. al proposito la *tav. 134*).

Genere 29. Armi e scudi

Gruppo 29.1

Tra Quattro e Cinquecento i vasai di Montelupo vennero ad elaborare un decoro "ad armi e trofei" di un tipo assai stilizzato, che ben si distacca dai generi simili, presenti negli altri centri di fabbrica italiana, per una ricercata, squillante policromia. Tralasciando il rigore grafico della rappresentazione, gli artefici montelupini sembrano infatti soprattutto interessati alla possibilità di trasformare una composizione variamente formata da scudi, elmi, corazze e spade, in una fascia di contorno dall'accentuata policromia. Ecco quindi che, non curandosi della riconoscibilità dei particolari, essi realizzano grandi macchie di colore (gli scudi), sottolineati ai bordi da pennellate di rosso, alle quali si alternano parti altrettanto estese, che sembrano voler rappresentare solo lo sfondo cromatico per grandi elmi stilizzati. In tal modo si forma una larga fascia policroma, che viene impiegata sia per contornare scene figurate, come nel piatto con San Giorgio che rivolge la lancia verso il drago della *tav. 88*, o semplicemente geometrica, come nell'esemplare riprodotto alla *tav. 89*.

Gruppo 29.2

Una versione più manierata (come si può notare dalla fisionomia degli scudi gialli, qui ridotta a semplici cerchietti) — e probabilmente più recente — del medesimo genere, è poi documentata dalla maiolica già nella collezione Cora che ha al suo centro un drago, qui riprodotta alla *tav. 90*.

Genere 30. Armi e tamburi

Nonostante numerosi particolari avvicinino questa tipologia alla precedente, abbiamo ritenuto necessario separare le due decorazioni — entrambe destinate alle forme aperte — per le evidenti difformità che le contraddistinguono. Se, infatti, l'effetto cromatico che i pittori ricercano è assai simile (come si può notare nell'identico alternarsi di parti in giallo ed arancio), la struttura del decoro viene in questo caso a variare notevolmente per l'impiego di soggetti diversi — in particolare i tamburi — e in ragione delle più ridotte dimensioni degli scudi, qui visti anche nella più classica composizione sovrapposta, dalla quale spuntano coppie di spade incrociate. Le minori dimensioni dei soggetti lasciano poi spazi aperti che vengono riempiti con motivi fitomorfi, sconosciuti al genere con "trofei".

Di questa produzione (che risulta più abbondante di quella della tipologia precedente, venuta a cessare nel corso del secondo decennio del XVI secolo) costituiscono un'ottima esemplificazione i piatti riprodotti alle *tavv. 91-93*, nei quali si può notare come questo genere di contorno si possa indifferentemente unire tanto a motivi centrali di tipo araldico, a composizioni che richiamano lo stesso significato "militare" sviluppato nelle parti accessorie, o financo a raffigurazioni antropomorfe di tipo amatorio (*tav. 93*), che all'apparenza sembrerebbero poco consone ad unirsi con una fascia di tal fatta.

Genere 31. Figurato

Ci è più volte occorso di citare in queste pagine la presenza di un figurato che si sviluppa precocemente in Montelupo come tipologia autonoma, priva di riferimento a qualsivoglia decoro di contorno. Di questa produzione, documentata solo sulle forme aperte — che fu certo minoritaria, ma non troppo inusuale nella Montelupo del primo periodo rinascimentale — presentiamo alcuni esempi che ci sembrano significativi di un percorso storico da meglio definire in futuro sulla scorta della più consistente documentazione che (ne siamo certi) il sottosuolo montelupino verrà ancora a fornirci.

La nostra esposizione può intanto prendere le mosse da un piatto restituito dall'ormai ben noto scarico tardo-quattrocentesco venuto alla luce nelle adiacenze dell'edificio museale (*tav. 94*). L'esemplare in questione presenta una figura femminile a mezzo busto, così come diverse altre maioliche che già ci è capitato di esaminare. Qui, però, la pittura mostra una cura inusuale (si vedano, ad esempio, i ripassi tonali del collo per conferire volume a questa parte anatomica, che altrimenti risulterebbe troppo piatta) e, inoltre, si può notare come il suo contorno si riduca soltanto ai motivi di cerchiatura (una fascia arancio, un giro di "*acicates*" derivati dalle maioliche spagnole).

La volontà di sviluppare fortemente l'aspetto figurativo risalta quindi con una certa evidenza in questa maiolica databile all'ultimo decennio del XV secolo, anche se il suo artefice non ha saputo resistere alla tentazione d'inquadrare l'immagine femminile tra due cespugli vegetali stilizzati, che ne limitano un poco lo sviluppo, ma che tuttavia contribuiscono ad inserire un qualche valore prospettico nella rappresentazione.

Pur impiegando il medesimo canone, incentrato sull'immagine a mezzo busto, si può notare quanto assai più impegnativa e complessa sotto il profilo formale sia la ricetta pittorica che denota un grande piatto proveniente dal "pozzo dei lavatoi" sul quale è dipinta una figura femminile su un'ampia campitura bleu, ove è incisa la scritta "Lucrethia bella" (*tav. 95*). Se tale particolarità giustifica per questo esemplare la definizione di "piatto amatorio", molti altri aspetti connessi con la sua realizzazione vengono in realtà piuttosto a distaccarlo dalla coeva produzione degli anni '20 del Cinquecento. Inusuale è la rappresentazione frontale del busto femminile, che di solito i ceramisti pongono in vista laterale, ed ancor più rara è l'attitudine manifestata da questo pittore all'espressione libera, sciolta dai vincoli dell'inquadramento sul manufatto ceramico, che qui egli intende alla stregua di semplice superficie, con una noncuranza per le limitazioni oggettive del supporto davvero notevole, e forse anche maggiore di quella che caratterizzerà l'opera futura degli "istoriatori": anomala l'estesissima campitura turchina dello sfondo, del tutto priva, ad eccezione della scritta e di due figure "a rombo tagliato", incise a punta, di decorazione.

Oltre a testimoniare un'attitudine nuova, particolarmente avanzata verso una nuova tendenza figurativa che ricerca con inusitata coerenza il realismo della rappresentazione, eliminando drasticamente tutti gli orpelli e le restrizioni che derivavano dall'abitudine alla decorazione, questo piatto costituisce uno dei documenti più interessanti della fase più precoce di scambio delle nuove tendenze formali che vanno affermandosi nei diversi centri di fabbrica della maiolica italiana.

Come non vedere, infatti, nell'incarnato della Lucrezia, delicatamente ripassato ai margini in arancio chiaro, ma soprattutto nel colore rosso-rame dei suoi capelli e nella cuffia gialla, lumeggiata di verde, la quale ne raccoglie le chiome sulla nuca, un'attitudine formale che non di poco si avvicina al famoso "piatto Leverton", un'altra delle espressioni "anomale" — se vogliamo — di questa tendenza ad esprimersi su temi dichiaratamente figurativi di questo periodo che precede l'introduzione dell'"istoriato" nella pittura su maiolica?

La datazione agli anni '20 dell'esemplare non offre comunque la possibilità di vedere in esso un documento precoce di quegli scambi tecnico-tematici tra centri di fabbrica extraregionali che, invece, possono essere rilevati nel decennio successivo, coagulandosi, nel caso specifico, in un rapporto privilegiato tra Faenza e Montelupo, sostanziato dall'immigrazione di vasai romagnoli nel centro toscano. Il piatto con la "Lucrezia bella", del resto, pur mostrando affinità con altre espressioni figurate della pittura su maiolica appartenenti al primo ventennio del XVI secolo (le quali sembrano avere tutte in comune — come ad esempio alcuni notissimi esemplari della fornace di Cafaggiolo — sfondi in bleu cobalto dalle profonde tonalità turchine), mostra di appartenere ad un filone locale che ha lasciato nello scarico del "pozzo dei lavatoi" ed in altri contesti produttivi coevi della cittadina valdarnese un'apprezzabile, importantissima documentazione.

Anche in ragione di ciò, riteniamo non vi siano motivi sufficientemente validi per negare l'attribuzione ad una bottega di Montelupo del grande piatto nel quale è dipinto l'ingresso trionfale in Firenze di Leone X, che si conserva al Victoria and Albert Museum (*tav. 96*). Tale attribuzione, oltre che sulla marca del rovescio (una "P" maiuscola che trova non pochi riscontri negli scarichi di fornace montelupini), può infatti fondarsi sulla forma del piatto medesimo, ben documentata nel centro valdarnese, e su di un cromatismo usuale ai nostri vasai, come emerge in particolare dall'impiego del pigmento rosso[12].

L'avvenimento del 1516, che visibilmente consacrava in patria la preminenza fiorentina sul potere temporale della Chiesa — si veda con quale enfasi questo artefice ha accostato nella sua maiolica la lunga teoria dei prelati del seguito papale alle soldatesche che inalberano le insegne medicee — ci pare possa ben giustificare l'uscita dagli schemi tradizionali della pittura su smalto che in essa si nota[13].

Genere 32. Girali fioriti

Le forme di linguaggio figurativo che abbiamo discusso nel presentare il genere precedente non assursero però mai al rango di tipologie in grado di improntare di sé una parte quantitativamente significativa delle lavorazioni locali. I vasai montelupini, così come i loro colleghi degli altri centri di produzione della maiolica, mostrano infatti in questo lasso di tempo una sensibilità ancora orientata verso composizioni che ricercano forme di collegamento tra decorazioni di contorno e parti figurative, difficilmente spingendosi a sopprimere le prime per dare libero corso alle seconde, ma, semmai, operando per ricercare nuovi motivi di contorno da adattare agli impieghi più vari e particolari.

Di questa categoria di decori costruiti (così come si è rilevato nel caso degli "stemmi e cimieri") per accostarli alle insegne araldiche, fa parte anche una complessa morfologia di girali di tipo vegetale stilizzato, che incontriamo una prima volta in un boccale del Victoria and Albert (*tav. 97*) ove è dipinto lo stemma mediceo con gli attributi papali di Leone X (si veda la testa leonina che sormonta l'apice dello scudo).

L'attribuzione ad una fornace di Montelupo è qui sottolineata dalla marca — una "P" maiuscola ripetuta — la cui caratteristica fisionomia "aperta" (prima è segnata l'asta e poi, partendo dal basso, viene tracciata la parte ricurva della lettera, la quale non è poi perfettamente conchiusa), trova riscontri evidenti nei reperti di scavo del nostro centro ceramico, ma è altresì suggerita anche da particolari significativi, come la fascia in bleu "a ghirlanda" stilizzata posta sotto il bordo trilobato del boccale medesimo.

L'esuberante composizione vegetale che attornia lo stemma mostra poi curiosamente di recuperare, pur se in un'inedita versione bleu-arancio, il motivo del "garofano", già introdotto nel centro valdarnese oltre trent'anni prima. Va però osservato anche che la marca di cui si fregia il boccale consente di assegnare il medesimo ad un esercizio da molto tempo attivo nel centro valdarnese; esso, quindi, poteva a buon diritto non aver del tutto dismesso l'impiego del vecchio repertorio quattrocentesco. Una certa desuetudine formale è qui del resto testimoniata anche dal fogliame che accompagna i girali, ove in effetti si riecheggia la tarda produzione "in azzurro prevalente", comprensiva dello stesso motivo del "garofano", e trova una sottolineatura particolare nella rappresentazione della mano che sostiene il rigoglioso tralcio fiorito (*tav. 98*), posta lateralmente, al vertice inferiore della cartella dipinta.

È poi nell'insegna o, meglio, nel complesso inquadramento della medesima, che questo boccale denota altrettanta singolarità. Il tema che il pittore vi sviluppa è infatti quello del "broncone", il tronco tagliato che genera nuove foglie (e, quindi, nuova vita), ma la nota divisa medicea viene qui a descrivere una sorta di formella lobata (ancora un riferimento al passato!), comprensiva ai suoi apici di simboli e di imprese, le quali sembrano voler così suggerire l'idea di una perfetta consonanza tra il potere politico e religioso dei Medici e l'appartenenza di questa famiglia alla città di Firenze. Così, mentre lo Spirito Santo si colloca al di sopra dell'insegna papale, nella parte opposta il "broncone" racchiude il motto che incita alla gloria terrena ("Glovis", cioè *vis gloriam*); se lateralmente sta il simbolo della città di Firenze (l'iris), ad esso si oppone la croce rossa in campo bianco, che è l'emblema del suo Popolo.

Ci sembra di non andar troppo lontani dal vero individuando in questo boccale un'ulteriore testimonianza di quella propensione sviluppata dai vasai di Montelupo ad introdurre nelle maioliche dipinte durante i primi anni del pontificato del figlio di Lorenzo il Magnifico quelle simbologie di esaltazione della gloria raggiunta dalla casata dei Medici che erano in grado di mostrare quanto essa contribuisse ad accrescere la potenza di Firenze e dei fiorentini, sottolineando nel contempo elementi — peraltro di tipo schiettamente ideologico — di continuità storica, piuttosto che manifestare timori per l'evidente tendenza al predominio principesco di quella famiglia, la quale avrebbe di lì a poco definitivamente affossato la vecchia repubblica cittadina.

Lo straordinario boccale con stemma partito Altoviti e Ridolfi di Borgo del Museo di Berlino (*tavv. 99-100*) testimonia poi dell'"aggiornamento" operato da alcune botteghe di Montelupo nel corso dei primi lustri del XVI secolo di questo genere incentrato sull'impiego a fini decorativi di una serie continua di girali floreali policromi. In questo caso, a differenza di quanto avviene nel boccale mediceo del Victoria and Albert, lo sviluppo della parte vegetale non è sorretto da particolari artifici formali, e lo stemma è isolato dai motivi di contorno da due cornucopie ricolme di frutti, le quali sono legate nella parte alta da un'aquila che dispiega le ali.

La frequente attribuzione dell'esemplare a Cafaggiolo, dovuta agli antichi pregiudizi "estetici" che per tanto tempo hanno sfavorito la produzione montelupina, va corretta in ragione della presenza della marca: un calligrafico, ma ben evidente bigramma "Lo" posto al di sotto dell'attacco dell'ansa.

La cronologia di questo esemplare — che forse puntuali ricerche sull'imparentamento tra le due famiglie fiorentine potrebbe meglio precisare — ci sembra abbastanza sicuramente collocabile tra il 1510 ed il 1520 circa.

L'artificio dei girali vegetali che fiancheggiano lo scudo araldico nobilitato dalla coppia di cornucopie trova poi un'esemplificazione più tarda (e più corsiva nei motivi accessori che l'accompagnano) nel grande boccale del Victoria and Albert datato "1544", con stemma della famiglia Brandi di Firenze (*tav. 101*)[14], la cui appartenenza alla produzione montelupina, oltre che nei particolari della decorazione, è ben sottolineata dalla marca "La", dipinta sotto l'attacco dell'ansa.

Possiamo inserire in questo genere decorativo anche una coppia di mezzine smaltate con stemma già al Museo di Limoges (*tav. 102*). In esse, infatti, si ritrovano ancora, pur se inserite in un fondale riccamente campito di bleu, i girali vegetali che caratterizzano la nostra tipologia, i quali in una di esse si uniscono anche ad una coppia di cornucopie. L'appartenenza ad una bottega di Montelupo dei due esemplari, per quanto sinora non sia stata riconosciuta dagli studiosi[15], è ampiamente suggerita, oltre che da diversi particolari della decorazione, dalla stessa forma dei due recipienti destinati al trasporto dell'acqua, i quali sono anche muniti di un'ansa a torciglione che risulta ben diffusa tra i tipi vascolari del centro valdarnese già ad iniziare dagli anni '20-'30 del XVI secolo. Se poi ci soffermiamo rapidamente a notare la figuretta alata, dipinta in bleu all'interno di una targa campita di giallo che si evidenzia in una di esse, allora ci possiamo accorgere come quest'ultima ripeta letteralmente uno dei minuscoli fregi posti sulla cornucopia del boccale londinese della *tav. 101*, ciò che, oltre a ribadire l'attribuzione montelupina di questi esemplari, li inserisce anche con buona probabilità tra le maioliche fabbricate negli anni '40 del Cinquecento dalla bottega che marcava i suoi manufatti con la sigla "La".

Genere 33. Grottesche

Ben sappiamo come ad iniziare dagli ultimi anni del XV secolo sia venuta a diffondersi in Italia la moda di elaborare — prima nelle parti periferiche ed accessorie delle opere d'arte, e poi in porzioni sempre più vaste della decorazione — suggestioni pittoriche tratte dall'osservazione degli affreschi di epoca romana che allora venivano riportati alla luce nell'Urbe e che, copiati nei taccuini di artisti d'ogni genere (pittori, scultori, orafi, architetti), finirono per determinare la nascita di una vera e propria moda, all'osservanza della quale ben pochi si sottrassero. Abbiamo del resto già avuto occasione di notare come in Montelupo suggestioni formali derivate da mosaici o altre forme d'arte classica fossero entrate nelle botteghe dei ceramisti locali ad iniziare almeno dagli anni '70 del Quattrocento[16], e adesso possiamo aggiungere come nella chiesa di San Giovanni Evangelista, officiata dai domenicani di Santa Maria Novella di Firenze, fosse collocata sin dagli anni '90 del medesimo secolo una pala d'altare su tavola dipinta nella bottega di Sandro Botticelli, la quale sfoggia una fascia "a grottesche" di tutto rilievo, e che non dovette certo passare inosservata da parte dei vasai montelupini.

Nella prima fase della sua apprezzabile diffusione è poi evidente come questo genere decorativo appaia sulle maioliche di Montelupo in relazione alle suggestioni formali sviluppate anche in altri centri di fabbrica, che ci sembrano soprattutto rappresentati da Siena, Faenza, Gubbio e Casteldurante, ma anche come le prime "grottesche" montelupine denotino caratteri propri e sufficientemente riconoscibili.

Nonostante si tratti di un'imposizione che attiene più agli aspetti tecnici che ai contenuti della tipologia decorativa, riteniamo utile suddividere il genere 33 in alcuni raggruppamenti che ne identificano sostanzialmente il modo di eseguire lo sfondo, sul quale vengono a campeggiare i decori. In tal modo, evitando di aprire più minute classificazioni di sottogruppo, individueremo una "grottesca" su fondo bleu (gruppo 33.1), una su fondo rosso, giallo e bleu (gruppo 33.2), una priva di sfondo (33.3), e un'altra con campitura in arancio (33.4).

Gruppo 33.1

In questo gruppo, come si è poc'anzi affermato, inseriremo le maioliche montelupine con decori "a grottesca" su fondo bleu, le quali appaiono costituire un filone di particolare rilievo nello sviluppo locale del genere.

Si veda ad esempio il piatto con stemma mediceo riprodotto alla *tav. 103*: in esso si compendiano una serie di stilemi che trovano riscontro nella produzione di altri centri di fabbrica italiana, come ad esempio i delfini stilizzati, ben noti alle maioliche faentine, i motivi intercalari, nei quali si congiungono le code dei delfini medesimi, affini alle "palmette" eugubine[17], a quelle senesi attribuite alla bottega di maestro Benedetto, o ai mascheroni che sostengono cesti di frutta, riscontrabili anche nel durantino Zoan Maria; è l'insieme, tuttavia, che denota una non confondibile fisionomia valdarnese.

Ma la grande capacità di assimilazione formale dei nostri vasai rinascimentali — che gli studiosi dovrebbero rilevare, e non piuttosto nascondere, come spesso avviene, per una malintesa esaltazione dell'"individualità"— è ben presente in questa maiolica, come si ricava dalle stesse sue caratteristiche strutturali. Se, infatti, rapportiamo il contorno della scodella con il putto che cavalcava il delfino del Victoria and Albert, prodotta attorno al 1515 nell'*atelier* del già citato Zoan Maria[18], alla fascia periferica di questo piatto di Montelupo con stemma mediceo, possiamo notare come i loro autori siano portati a seguire la medesima sintassi decorativa. Ciò avviene perché essi sono consapevoli del fatto che una collocazione simmetrica dei decori "a grottesca" introdurrebbe un'eccessiva rigidità nello sviluppo del contorno, e perciò evitano di inquartarne i motivi, riducendoli a tre; entrambi, poi, collocano il mascherone nel vertice superiore, e lo ripetono ai lati della composizione. Viene così a formarsi una sorta di triangolo visivo principale, che è replicato in maniera inversa (partendo cioè dal vertice inferiore) dall'unione formale degli altri motivi (figure umane, delfini), ed all'interno di questi rapporti viene a celarsi l'armonia strutturale della composizione.

Il periodo di maggior sviluppo della "grottesca", tanto di questo come degli altri gruppi, fu indubbiamente compreso nel primo ventennio del XVI secolo, ma ciò non toglie che dagli scarichi di fornace di Montelupo non siano emersi importanti documenti in grado di attestare come la ricerca formale su questo genere si sia esercitata sino all'ultima fase della sua produzione effettuata secondo i criteri più antichi.

Di questa tendenza costantemente innovativa costituisce un'importante testimonianza il versatore su piede (una forma che viene a svilupparsi tra il secondo ed il terzo decennio del Cinquecento) riprodotto alle *tavv. 104-105*. Sulla sua superficie smaltata il pittore ha dispiegato un ricco repertorio decorativo, nel quale le parti "a grottesca" — composte da targhe, uccelli ed altri animali fantastici, tendaggi e volute vegetali — si riferiscono ad una figurazione centrale, formata da una figura alata, la cui testa sostiene un grande vaso in forma di anfora dalle anse piuttosto accentuate. L'intensità davvero straordinaria dell'insieme è dovuta, più che ai luminosi inserti in rosso e giallo, alla tecnica pittorica impiegata nelle campiture delle parti figurate, la quale procede per sottili velature di colore, utilizzando lo stesso ossido di cobalto dello sfondo — e non l'arancio, sia pure nei toni carnicini ottenuti dalla sua mescolanza con il bleu, come spesso avviene in questa produzione — in maniera tale da ottenere un particolare effetto notturno, che sembra quasi suggerire una visione al chiaro della luce lunare della scena dipinta su di esso.

Questo esemplare, databile in ragione degli strati di colmatura del "pozzo dei lavatoi" dal quale proviene al secondo decennio del XVI secolo (1510-20 circa), è assegnabile alla bottega che marca i suoi prodotti con la sigla "Lo", oltre che per la decorazione del piede (un "nodo" graffito, ben attestato nell'attività di questa fornace), per il fatto che la figurazione principale, come vedremo tra breve, è riprodotta nella maiolica già nella collezione Rothschild datata "1509": si noti, del resto, al di sotto della targa in giallo dipinta sui fianchi del versatore (cfr. *tav. 105*) la presenza di una sigla che, per quanto incompleta, si richiama espressamente alla cifra di fabbrica di questo importante *atelier* montelupino.

Gruppo 33.2

Ciò che ci permettere di distinguere questo secondo raggruppamento è, come si è già accennato, il cromatismo dello sfondo, in questo caso risolto con la tricromia bleu, giallo e rosso, e non in monocromia bleu, come nel caso precedente. Il valore puramente formale di questa partizione è però ben deducibile da un semplice confronto tra la figurazione principale del versatore riprodotto alle *tavv. 105-106* con quella dello scodelliforme frammentario della *tav. 108*, laddove risulta evidente un rapporto di dipendenza tutt'altro che occasionale (anche perché si mostra su manufatti dipinti all'interno della medesima bottega).

Il cromatismo giallo-rosso degli sfondi di questa produzione è assai suggestivo e non trova confronti diretti a noi noti, anche se molti aspetti della figurazione di contorno sembrano avvicinare queste maioliche dipinte nella bottega montelupina del "Lo" ad un pittore che il Rackham accostò al senese maestro Benedetto, identificandolo come il "pittore di Nesso", per essere il medesimo autore di una scodella nel cui centro è dipinto il centauro Nesso nell'atto di rapire Deianira[19].

Vi sono, in effetti, palesi legami tra i due artefici, come, più ancora che nell'esemplare di sopra richiamato, può notarsi tra il contorno della maiolica senese con San Girolamo e quello dell'esemplare frammentato della *tav. 108*. Ma su questi aspetti avremo modo di ritornare tra breve.

Il gruppo montelupino caratterizzato dal contorno su fondale in tricromia trova un prezioso documento nello scodelliforme a larga tesa e basso ricasco (anch'esso molto simile alle forme senesi) già appartenente alla collezione Rothschild, e mai riprodotto fotograficamente — a quanto ci risulta — in studi di storia della ceramica (*tavv. 106-107*). L'esuberante decorazione che si distende sul suo lato a vista è tutta risolta in figurette "a grottesca", ad iniziare dalla minuscola cerchiatura "a ghirlanda" del centro che, come una sorta di cammeo, racchiude una testa di putto tra due cornucopie stilizzate, sormontata da un cesto di frutta che un grande uccello viene a beccare. Altre testine — questa volta munite di alucce — si compongono in una teoria continua, intervallata da coppie di cornucopie fiammeggianti e volute vegetali in alternanza, poste in uno spazio campito di rosso, che viene a stringere il disco centrale, occupando la restante porzione del fondo. Sul breve ricasco si diffonde poi una fascia con armi e trofei su sfondo arancio (un cromatismo che è assai vicino a quello della consimile produzione senese), intervallata di targhe con la scritta "SPQR".

Ma è sull'ala dello scodelliforme che l'artefice a cui si deve questo esemplare fornisce il saggio di una rappresentazione davvero inusitata nella pittura su smalto montelupina. La composizione che realizza si fonda infatti su due gruppi figurati, formati da una coppia di putti che sembrano sostenere con una mano un filo di perle, mentre con l'altra impugnano una sorta di bastone, il cui apice ha la forma della testa di un delfino. Lo spazio racchiuso nella parte inferiore è campito di rosso e circonda la figuretta di un granchio, il quale sostiene con le sue chele una targa, ove in due casi sta scritto "SPQR", ed in altri due "SPQF" (il riferimento al "popolo fiorentino" è trasparente), mentre la parte superiore, dipinta di giallo, ha al centro un vaso stilizzato. Più ampia e complessa è poi l'altra scena figurata, nel cui centro si presenta una tipica "grottesca", formata da una testa perlinata alle chiome, la quale sembra colta nell'atto di emettere un grido, e si pone sopra una minuscola targa datata "1509"; essa è sovrastata dalle solite cornucopie fiammeggianti, nobilitate da un tendaggio disteso in senso orizzontale. Ai lati della "grottesca" si pongono altre due coppie di figure, che nella parte inferiore sembrano uscire dalla bocca di due volute dalla testa di drago (o delfino che dir si voglia). Poggiando su di esse, altrettante figurette di geni si piegano lateralmente, tenendo in una mano una tartaruga con la testa orientata verso il basso, e sembrano mostrarla ai due putti che gli stanno a fianco, mentre questi ultimi sembrano rispondere a tale richiamo voltandosi all'indietro. Negli spazi riempiti di giallo delimitati dalle schiene dei geni, sono infine dipinti, in proporzioni quasi miniaturistiche, versatoi, armi e trofei guerreschi.

È sicuramente da attribuire alla medesima mano che dipinse questo esemplare un altro piatto "a grottesche", parimenti della collezione Rothschild, anch'esso datato al 1509, che il Ballardini pubblicò nel suo *Corpus della maiolica italiana*[20], del quale non ci è dato sfortunatamente di possedere alcuna riproduzione a colori. Sembra comunque di capire, dalla fotografia a suo tempo pubblicata, che questa maiolica — la quale ha evidentissimi punti di contatto con la precedente, sia nell'iconografia (vi sono persino le "tartarughe" appese a testa in giù!), che nei particolari strutturali (identica è la sottolineatura "a perle" del cerchio centrale) — presenti una fascia di contorno in rosso, giallo e bleu, del tutto simile a quella del piatto marcato "Lo", del quale si è precedentemente trattato.

Il richiamo di questa maiolica alla produzione senese, attribuita dal Rackham al cosiddetto "pittore di Nesso", ma soprattutto la vicinanza dei suoi temi decorativi con quelli sviluppati nel pavimento maiolicato del Palazzo Petrucci in Siena — datato, come si sa, al medesimo anno 1509 — è talmente palmare da non richiedere alcuna dimostrazione in proposito; vedremo, del resto, come altri particolari di questa produzione sviluppata dalla bottega del "Lo" collimino con l'opera di chi dipinse le famose piastrelle senesi.

Nell'esemplare frammentato riprodotto alla *tav. 108*, rinvenuto proprio nello scarico primorinascimentale di quella fornace, collocata nei pressi della *piazzetta dei gelsi*, in una terrazza collinare che si trova quasi in aggetto sul "pozzo dei lavatoi", compare un'ulteriore versione su fondo tricromo (bleu, rosso e giallo) delle elaborate composizioni sviluppate per il Palazzo del Magnifico senese, tra cui quell'erma "a grottesca" con le alucce da libellula, posta a sostegno dei cesti di frutta che i soliti uccelli vengono a beccare, la quale trova non pochi confronti in quel pavimento. Ma sono anche i motivi posti sul bordo, ripetendo pedissequamente lo stilema dell'ovale alternato al dardo — che è il motivo di contorno di quelle piastrelle — e, persino, le minute archeggiature della cerchiatura, identiche al cavetto eponimo del "pittore di Nesso"[21], a condurci senza possibilità d'errore verso questo orizzonte culturale senese, indicandoci nel contempo una datazione compresa tra il 1509 ed il 1510-12 per questi esemplari, la cui pertinenza alla produzione del "Lo" è indiscutibilmente attestata dalla marca posta al rovescio del grande piatto francese.

Ecco quindi che siamo di fronte ad un documento estremamente prezioso di quei rapporti tra pittori senesi e ceramisti di Montelupo che le fonti scritte, ben evidenziando la presenza dei secondi in Siena[23], non avevano mancato di segnalare, ma che non era ancora possibile sin qui porre in luce con altrettanta precisione nelle maioliche valdarnesi.

Gruppo 33.3

Meno impegnativa, e certamente avvicinabile solo con qualche cautela al genere "a grottesche", è poi la versione con decori d'ispirazione vegetale su fondo bianco esemplificata dalla scodella riprodotta alla *tav. 109*, che è marcata al rovescio con una lettera "B" maiuscola, sormontata da un segno arcuato d'abbreviazione.

Per quanto l'accostamento dell'esemplare al genere 33 non sia del tutto scontato, si veda però come nel contorno di questa maiolica il suo pittore abbia introdotto all'interno del tralcio vegetale un richiamo araldico che è nello spirito creativo di questa tipologia; egli, infatti, ne ha piegato gli apici sino a formare tre anelli intrecciati, echeggiando così la troncatura inferiore dello stemma Del Troscia, che si trova nel fondo della scodella in questione.

Gruppo 33.4

Anche questo ulteriore raggruppamento deve essere accostato con cautela alle prime due suddivisioni del genere, in quanto in esso si sviluppano motivi derivati con ogni probabilità dalla prima fase di diffusione della "grottesca", ma ora talmente variati e stilizzati nella loro fisionomia da cancellare ogni riferimento diretto alla medesima.

A differenza del precedente, siamo infatti qui di fronte ad una produzione dalle caratteristiche seriali, che indubbiamente si ispira alle fasce campite in arancio più o meno intenso, presenti anche nella produzione senese, ma da questa se ne discosta non di poco per seguire un proprio andamento, più spigliato e corsiveggiante.

In questo raggruppamento poniamo la scodella della *tav. 110*, che presenta al centro un

Fig. 12 - Piatto con contorno "a fascia con bleu graffito" (Gruppo 34.2), 1510-20 circa. Da scavo "pozzo dei lavatoi" (F. Berti, La maiolica di Montelupo... cit., p. 96 n. 44). Montelupo, Museo Archeologico e della Ceramica

emblema dall'incerto valore araldico, ed un'alzata campaniforme già nella collezione Cora (*tav. 111*) ove è dipinta la simbologia della pace (le due mani che si stringono sopra il cartiglio con la scritta "fede"), ben nota ai pittori montelupini sino almeno dal primo quarto della seconda metà del XV secolo[24]. L'attribuzione dell'esemplare in questione a Montelupo può essere avanzata sia in ragione della forma, sia dei particolari decorativi che in esso si rilevano (in particolare nelle rosette puntinate, nei rombi apicati in rosso dell'ingiro, nei tralci foliati che si dipartono dal centro), che trovano corrispondenza in quelli dipinti in "bianco su bianco" della maiolica qui riprodotta alla *tav. 51*[25].

L'ultimo documento del nostro raggruppamento è poi un piccolo piatto con un busto maschile al centro (*tav. 112*), ove il classico repertorio della "grottesca" su fondo arancio di derivazione senese si fa invece assai più evidente e precisa.

Genere 34. Fascia con "bleu graffito"

Non pochi sono i motivi sviluppati dai ceramisti di Montelupo per cerchiare le parti figurate (ma anche destinate a nobilitare le insegne araldiche dipinte nel centro delle forme aperte), facendo sì che la fascia di contorno in tal modo realizzata permetta una notevole espansione della parte centrale, tra Quattro e Cinquecento. A questo criterio di "discrezione" decorativa risponde infatti la ricerca che portò alla messa a punto di tipologie quali la "ghirlanda", gli "ovali e rombi" e, più limitatamente, i "nastri", ma che condusse anche al conseguente restringimento, entro uno sviluppo di fascia sempre più limitato, tipologie "esuberanti", quali quella "ad armi e trofei", a "tamburi", etc. Niente di tutto questo è però paragonabile a ciò che incontreremo nel genere 34, che perciò si qualifica come quello destinato a sviluppare più di ogni altro, nel corso del secondo decennio del XVI secolo, un'ampia produzione "figurata".

Chiameremo questa tipologia fascia "con bleu graffito" poiché essa si incentra sulla realizzazione di una parte pienamente campita in bleu cobalto, la quale viene lumeggiata al suo interno da una serie di minute incisioni, praticate sullo smalto mediante una punta sottile (*fig. 12*).

Gruppo 34.1

La stragrande maggioranza delle maioliche del genere 34 risponde alle caratteristiche di sopra accennate, ma esiste un esemplare rapportabile a tale tipologia che denota diverse particolarità realizzative, e che perciò inseriremo in un primo raggruppamento "atipico". Si tratta di uno scodelliforme a breve tesa appartenente alle collezioni del Louvre, normalmente avvicinato alla produzione di Cafaggiolo (*tav. 113*), il quale, invece, ci sembra per diversi aspetti accostabile alle maioliche montelupine del primo decennio del Cinquecento, ed in particolare a quelle testé esaminate con decoro "a grottesche". Nella porzione centrale della scodella si distende infatti una scena piuttosto complessa, disposta su tre registri, ove compaiono animali fantastici, cornucopie, faci ardenti e genietti alati (si noti la corona posta sulla testa della figura che versa del liquido nel becco di un uccello): in altre parole, tutto il repertorio della "grottesca" di questo periodo, che però trova nel leone assiso, posto al di sotto del tendaggio in alto, un riferimento concreto ed esplicito — e non un soggetto di fantasia — ad uno dei simboli più noti di Firenze: il Marzocco.

In tutta la composizione si intravedono tracce di un rosso purpureo che ben si potrebbe accostare a quello di Montelupo, così come un modo spigliato di dipingere (la rappresentazione manca totalmente di simmetria), non lontano dalle realizzazioni montelupine dell'epoca.

La fascia che corre sulla breve tesa presenta poi un particolare interesse per il fatto di essere campita in rosso, ed avere sopra di sé dipinta in giallo una teoria di "nodi" variamente intrecciati, del cui significato nella produzione valdarnese avremo successivamente ed ampiamente modo di trattare. La sintassi decorativa dell'esemplare diviene pertanto del tutto simile a quella del nostro genere 34, anche se qui la fascia è rossa e non bleu, e la decorazione è dipinta e non piuttosto graffita. Come interpretare queste anomalie? Si tratta forse di una prima versione di questo decoro, magari sviluppata nella solita bottega del "Lo" — che sembra quella più attiva in questo periodo e, soprattutto, l'*atelier* maggiormente impegnato ad elaborare in Montelupo i motivi "a grottesca", introdotti in Siena negli ultimi anni del primo decennio del XVI secolo? La documentazione in nostro possesso non ci consente di rispondere in maniera sufficientemente fondata a questi legittimi interrogativi, ma certo è che questa maiolica del Louvre potrebbe effettivamente porsi come uno dei prototipi dai quali venne sviluppata in maniera "tipica" la fascia "con bleu graffito", ampiamente documentata nelle fornaci montelupine pochi anni dopo.

Gruppo 34.2

La ricetta ormai "canonica" di questa tipologia decorativa la incontriamo invece negli esemplari riprodotti alle *tavv. 114-126*, e può essere descritta come una fascia in bleu, graffita all'interno, circondata da una o due strette bande laterali, campite in giallo od arancio, e spesso puntinate di rosso.

Nel secondo gruppo del nostro genere notiamo in primo luogo una serie di piatti con emblemi conventuali appartenenti a due cenobi fiorentini, San Donato in Polverosa (*tav. 114*) e la Certosa benedettina del Galluzzo[26] (*tav. 115*), che sembrano prediligere per i loro servizi da mensa maioliche con questo decoro di contorno, dall'elegante ed allo stesso tempo austera fisionomia. Non mancano neppure applicazioni particolari, come quella dallo sviluppo assai esteso della campitura turchina che si nota sulla parete interna di una coppa a pareti sottili, siglata dalla bottega del "Lo", nel cui centro è raffigurato un santo (forse San Girolamo), su di un fondale rosso (*tav. 116*).

Piuttosto interessante, poi, per i rapporti che evidenzia rispetto alle coeve realizzazioni (in particolare faentine) caratterizzate dalla rappresentazione delle figure a mezzo busto, dipinte su uno sfondo rettangolare in bleu, è poi una serie di piatti restituiti dal "pozzo dei lavatoi" (*tavv. 117* e *118*), ben databili, per la loro stretta associazione nel deposito archeologico d'appartenenza con l'esemplare datato riprodotto alla *tav. 120*, nell'arco del secondo decennio del XVI secolo. In questa produzione si nota un uso piuttosto esteso del rosso, che vi è impiegato per arricchire gli abiti e gli altri particolari dell'abbigliamento dei personaggi rappresentati, e si può apprezzare (si veda in particolare il documento della *tav. 118*) il livello allora raggiunto dalla ricerca cromatica, che in effetti può dirsi abbia in quel momento toccato il suo apice in Montelupo.

Non mancano, ovviamente, nel secondo gruppo del "bleu graffito" decori di tipo araldico, tra i quali è ben rappresentato lo stemma mediceo, sia nella versione priva di attributi (*tav. 120*), che con le insegne papali allusive al pontificato di Leone X (*tav. 121*). Sono anche diffuse in questo genere le raffigurazioni simboliche, nelle quali si celano imprese personali, come quella del falco che becca i virgulti nati dal "broncone" (con evidente riferimento all'inimicizia del rapace nei confronti di quest'altra impresa, legata, come sappiamo, ai Medici), adottata dagli Strozzi per sottolineare i loro fieri sentimenti antimedicei (*tav. 122*), o del pesce che sovrasta il sacchetto delle sue interiora (*tav. 123*), allusivo alla storia biblica, ricca di importanti implicazioni culturali, di Tobia e l'angelo[27]. La fascia "con bleu graffito" si unisce, inoltre, a vari motivi figurati, con animali (*tavv. 124 e 126*), o con soggetti, allora in gran voga, derivati dalle "grottesche" (*tav. 125*).

Da quanto si è visto sin qui, risalta con particolare evidenza la similarità del motivo di contorno che caratterizza il nostro genere con le parti accessorie dipinte su alcune tipologie decorative faentine[28], tra cui quelle del "maestro del primo istoriato", identificato anche come "monogrammista C.I" (o forse "G.I"), al quale è attribuito il piatto con *Perseo ed Andromeda* del Victoria and Albert[29]. Tipica di questa produzione del centro romagnolo, da ritenere coeva a quella montelupina, è infatti una sorta di ghirlanda formata da una banda continua di nodi trilobi, dipinti in una tonalità di bleu scuro sulla fascia campita d'azzurro del contorno, ai quali si affiancano due serie di intrecci similari, intervallati però da uno spazio vuoto.

Lo stesso motivo si ritrova, secondo minime variazioni formali, in gran parte del secondo gruppo del "bleu graffito" di Montelupo, come può rilevare dagli esemplari qui riprodotti alle *tavv. 114, 117, 125, 126* e, pur con qualche variazione, alla *tav. 116*; nella produzione valdarnese si nota però come il disegno dei "nodi" sia ottenuto mediante l'incisione della campitura di fascia, e come in questa tipologia siano presenti anche altre numerose suggestioni formali.

Gruppo 34.3

In un terzo ed ultimo raggruppamento possiamo infine inserire l'esemplare riprodotto alla *tav. 119*, che pure evidenzia probabili rapporti tematici con le maioliche figurate del gruppo precedente, per avere nel suo centro dipinta un'immagine maschile (questa soluzione sembra la più probabile, anche se non è da escludere del tutto che si tratti di una donna); essa è rappresentata mentre, stando seduta, osserva una coppa che tiene sollevata con la mano destra, nella quale è possibile scorgere un'allusione ai simboli dell'amore (la coppa, appunto, ed il cuore, che si intravede al di sotto di essa). In questo caso, però, la fascia di contorno in bleu non si accompagna alle bande laterali in giallo ed arancio, essendo del tutto priva di simili sottolineature, mentre all'interno dei motivi graffiti compaiono anche minuscole lumeggiature in arancio.

Genere 35. Decori atipici con stemmi

L'interesse manifestato dalla committenza per le maioliche munite di insegne araldiche spinge i ceramisti di Montelupo a realizzare, tra la fine del Quattrocento ed i primi lustri del secolo successivo, prodotti nei quali queste figurazioni centrali vengono a sopravanzare di molto, sino a cancellarlo del tutto, il decoro di contorno.

Tale tendenza è ben esemplificata dal piatto con stemma Fieravanti proveniente dal "pozzo dei lavatoi" (*tav. 127*), databile al primo ventennio del Cinquecento, ove l'elegante tralcio foliato che stringe lo scudo centrale svolge un ruolo di palese esaltazione dell'arme familiare e, anzi, è sapientemente costruito per indirizzare la visione verso di esso (gruppo 35.1). In altri casi, come nella maiolica riprodotta alla *tav. 128* che si fregia al centro dello stemma Guidetti di Firenze, lo stesso risultato viene raggiunto eliminando del tutto ogni tipo di contorno (gruppo 35.2).

Genere 36. Corone di foglie

Tra i generi decorativi del primo periodo rinascimentale che non hanno avuto particolari sviluppi produttivi, e che forse sono legati a particolari ordinativi e committenze, segnaliamo una tipologia contraddistinta da una decorazione limitata, composta da un duplice tralcio foliato, che viene posto a cerchiare un centro (inusualmente privo di altri decori), e a riempire così l'ala piuttosto ristretta degli scodelliformi, i quali

Fig. 13 - Rovescio della scodella a lustro metallico, qui riprodotta alla tav. 133, con la marca di bottega "La", 1540-1560 circa (J. Rasmussen, The Robert Lehman Collection… *cit., p. 30 n. 17 back). New York, Metropolitan Museum of Art*

rappresentano l'unica morfa sulla quale questa tipologia è documentata (*tav. 129*). Si tratta probabilmente di maioliche destinate ad un uso conventuale, come sembra indicare, oltre alla limitazione del decoro ed alla singolarità della forma, il fatto che esse siano fabbricate con argille ferrose, poco rappresentate (se non, appunto, nella produzione conventuale) in questo periodo in Montelupo.

Genere 37. Emblemi conventuali

Dei più riconoscibili manufatti smaltati destinati ad istituzioni conventuali presentiamo qui alla *tav. 130*, anche per la singolarità della forma, un bicchiere ansato (la minuscola ansa, della quale si intravede l'attacco al di sopra della marca, è purtroppo perduta) con la simbologia della Passione, che abbiamo già visto (cfr. la precedente *tav. 115*) essere in questa forma nient'altro che l'emblema della Certosa di Firenze.

Genere 38. Piatti baccellati

Tra le produzioni "minori" che si collocano nel primo periodo rinascimentale, le crespine a basso piede rappresentano un genere di non poco interesse, che, tra l'altro, si evidenzia negli scarichi di fornace valdarnesi con una presenza quantitativamente non trascurabile.

Esse imitano i piatti sbalzati in metallo (soprattutto in stagno), ampiamente diffusi in questo periodo, mediante una forma baccellata, ottenuta attraverso una rapida plasticazione del manufatto: il vasaio, infatti, realizzava le parti in rilievo del piatto, dopo averlo capovolto, comprimendolo in una forma quando ancora si trovava allo stato fresco.

La decorazione che successivamente su di esso si realizzava dipendeva comprensibilmente dalla particolare forma del supporto, la cui baccellatura era esaltata mediante una duplice campitura, di solito dipinta in verde ed arancio. Fatto questo, non restava che scompartire le diverse porzioni del manufatto con tocchi di colore o elementi decorativi elementari, oltre a sottolinearne in vario modo la bordatura. Le cerchiature centrali potevano così ospitare le solite "scacchiere" (*tav. 131*) o altri decori, magari allusivi a qualche soggetto araldico, come si può notare nell'esemplare riprodotto alla *tav. 132*, il cui centro è occupato da una serie di "palle" su fondo arancio, che denotano un chiaro riferimento all'arme medicea.

Genere 39. Lustro metallico

Abbiamo visto nel primo volume di questa *Storia* come in Montelupo siano state prodotte maioliche "a lustro metallico" ad iniziare dagli anni '70 del Quattrocento, e come questa tecnica, pur documentata in maniera ancor insufficiente, possa ritenersi praticata all'interno delle botteghe montelupine sino all'ultimo decennio di quel secolo. Non mancano poi successive attestazioni della presenza del lustro negli *ateliers* ceramici montelupini nel corso del Cinquecento, come si può desumere dai frammenti rinvenuti all'interno di vari depositi archeologici locali, tutti attribuibili a fornaci in attività sin verso la metà di quel secolo.

Di questa produzione cinquecentesca la testimonianza più leggibile ed importante è però rappresentata dalla scodella della collezione Lehman, completamente decorata in lustro dorato (*tav. 133*), che la marca del rovescio (il bigramma "La", cfr. *fig. 13*) e lo stesso soggetto del lato a vista indicano appartenere senza alcun dubbio ad una bottega valdarnese. La datazione dell'esemplare va riportata al periodo 1540-60, allorquando si diffuse in Montelupo la "compendiarizzazione" del decoro "alla porcellana", unita ai motivi centrali "a paesi", che la nostra maiolica mostra di riprodurre con assoluta fedeltà di particolari: non resta, perciò, che rinviare alla successiva discussione di questa tipologia, nella quale, come vedremo, si ritrovano quelle palesi influenze veneziane (e, più in generale, venete) colte anche dal Rasmussen nell'analisi di questo esemplare.

Della marca "La", che già abbiamo avuto modo di incontrare, occorre qui dire che essa, come meglio vedremo nella parte relativa all'istoriato montelupino, è forse da attribuire ai Tenducci faentini, che operano in Montelupo sin dall'inizio degli anni '40 del Cinquecento; essa risulta in effetti unita anche alla data "1544" nel boccale qui pubblicato alla *tav. 101*, e questo particolare ci pare giustifichi da par suo, avvalorando la cronologia del genere decorativo in essa riprodotto, la datazione che abbiamo attribuito alla nostra scodella lustrata.

Non sappiamo se oltre gli anni '60-'70 del Cinquecento si sia continuato a produrre in Montelupo il lustro metallico. La documentazione di scavo sembrerebbe escluderlo, ma, vista la relativa rarità di questa produzione, ci pare che l'argomento debba essere trattato con molta prudenza. Pur comprendendo le ragioni che hanno da tempo fatto attribuire a Deruta una serie di scodelle con decoro vegetale stilizzato, la cui forma appare molto simile a quella "a cavetto" di questa maiolica lustrata, non ci sembra infatti del tutto improbabile che tra queste (ed in specie in alcune contraddistinte dallo stemma mediceo) compaiano anche esemplari prodotti in Montelupo.

"Famiglia bleu"

Da molto tempo è invalso negli studi ceramologici l'uso del termine "alla porcellana" per indicare un genere di maiolica caratterizzata da un decoro d'ispirazione floreale in prevalente cromatismo bleu (anche se non sono rare le sue versioni arancio-bleu e giallo-bleu) che, contrastando efficacemente sul fondo bianco della superficie smaltata, talvolta resa ancor più candida dell'usuale dall'impiego di una coperta piombica particolarmente brillante, sembra voler ottenere un effetto mimetico della porcellana orientale, della quale verrebbe ad imitare l'aspetto translucido e compatto.

Il termine, già diffuso in Italia dal Genolini[30], trovò nell'opera del Guasti-Milanesi su Cafaggiolo ed i centri ceramici della Toscana un riferimento non tanto alla nota classe dei manufatti orientali (la porcellana), quanto al decoro floreale che la caratterizza, poiché i fiori turchini propri a questa tipologia decorativa troverebbero riscontro nell'aspetto delle foglie della pianta che i botanici chiamano per l'appunto porcellana (*Portulaca oleracea*)[31]. Con la parola "alla porcellana" si volle quindi indicare soprattutto un ornato che presenta un tal riferimento vegetale.

Analizzando questa produzione, la cui complessità può meglio risaltare oggi, grazie alla scoperta delle differenti tradizioni sviluppate dai centri di fabbrica italiani, è però facile accorgersi come essa sia nella realtà comprensiva di svariati filoni decorativi che, pur potendosi in vario grado rapportare ad un'idea imitativa di tipo naturalistico, presentano al loro interno un'articolazione di motivi ispiratori talmente variegata da necessitare di un più raffinato approccio storico-tipologico al loro inquadramento.

Già Gaetano Ballardini, trattando dell'influenza orientale sulle ceramiche faentine del Cinquecento, aveva potuto notare, del resto, oltre all'enorme diffusione di questi generi — è qui quanto mai opportuno utilizzare il plurale — nel corso del XVI secolo, il loro probabile ispirarsi all'aspetto delle decorazioni fittili di area asiatica[32].

Nell'attività delle botteghe valdarnesi troviamo comunque disegni di natura vegetale nei contorni, i quali, più che dal repertorio dei decori vascolari orientali, sembrano anche derivare dai ricami delle stoffe di pregio italiane, ispirandosi in particolare ai rilievi floreali del broccato[33]. Assieme a questa interpretazione dei decori vegetali in bleu troviamo poi una versione degli stessi più vicina al motivo "a corolla intera", che fu proprio non soltanto della porcellana cinese, ma anche di una vastissima produzione fittile, che dall'Estremo Oriente, attraverso le cosiddette "imitazioni iraniane", giungeva sino alla Siria[34].

A fianco di questi grandi filoni decorativi, che furono i più consistenti e certamente i più diffusi nell'intera tradizione ceramistica italiana, ne appaiono però almeno altri quattro di non trascurabile importanza per le fornaci di Montelupo. Essi si incentrano su una decorazione derivata da elaborazioni geometrizzanti di motivi vegetali di incerta origine (ancora da particolari tratti dalle ceramiche iraniano-anatoliche o, assai più probabilmente, da incisioni destinate ad orafi e decoratori, diffuse attraverso opere a stampa)[35], in un motivo "a intrecci", ottenuto dall'elaborazione ed iterazione di un'antica figura geometrica, che potremo definire "nodo orientale buddhista", ben noto agli artisti rinascimentali italiani[36], in un'imitazione diretta e riconoscibile del fiore del papavero, che ci riporta anch'esso genericamente ad ambiente orientale (senza che possiamo al momento documentarlo con precisione sulla porcellana cinese). Troviamo infine ancora una mescolanza di questi ultimi, laddove l'"intreccio" assume normalmente nella composizione un posto centrale, mentre il "fiore del papavero" e "della porcellana" si sviluppa nella fascia di contorno.

Nonostante questi generi derivino con ogni probabilità da un comune apprezzamento delle qualità estetiche della porcellana, indubbiamente rafforzato dal fitto mistero che avvolgeva il segreto della sua fabbricazione, e che tanto avrebbe affascinato qualche decennio più tardi la fertile mente di Francesco I de' Medici, non per questo appare opportuno inserire una tale complessità tipologica, che si arricchisce anche di tentativi di riportare sulla ceramica suggestioni decorative tratte da altri settori delle arti applicate, quali i tessili, la bronzistica e l'oreficeria, all'interno di un unico raggruppamento, poiché in tal modo si finirebbe per cancellarne per buon tratto la sua specificità, attribuendo oltre tutto nella nostra classificazione a ciascuno dei singoli gruppi che lo compongono il valore di una semplice variante. Occorre inoltre valutare con attenzione il fatto, al quale si accennava poc'anzi, che anche le imitazioni eventualmente tratte in maniera diretta dai generi fittili non sembrano derivare sempre da prototipi di porcellana, o, meno che mai, dall'imitazione naturalistica delle foglie della *Portulaca*, ma estendersi alle ceramiche di diversa tecnologia (smalto, ingobbio, etc.) che circolavano nel vasto mondo dell'Oriente euro-asiatico.

Per approdare ad una migliore capacità distintiva — e non certo per amore di inutili complicazioni — pensiamo dunque di poter raggruppare questo insieme di tipologie sotto il termine collettivo di "famiglia bleu", per segnalare in tal modo l'ideale legame "tematico" che sussiste tra di loro, e che macroscopicamente si incentra sull'uso prevalente del bleu di cobalto. Di questo raggruppamento di generi diversi faranno così parte le seguenti tipologie:

a) decori floreali naturalistici del primo tipo (dalle stoffe italiane e dalla ceramica orientale);
b) decori floreali geometrici (da stampe o dalla ceramica orientale);
c) decoro geometrico "orientale" (dalle elaborazioni grafiche del "nodo orientale");
d) decori floreali naturalistici del secondo tipo (dal "fiore di papavero"), e sua mescolanza con la *tipologia c*;
e) decori vegetali "destrutturati".

È naturalmente del tutto lecito utilizzare il termine di "decoro alla porcellana" per indicare soprattutto il *tipo a* della nostra classificazione, che (problematicamente) può essere accostato alle foglie della *Portulaca*.

Non disdegneremo, infine, di inserire in questa grande famiglia anche i (peraltro assai rari) contorni con gruppi di "armi e trofei", qualora essi dimostrino di rispettare il cromatismo bleu tipico di questo insieme di generi. Si tratta infatti di una probabile, precoce introduzione di una tematica che poi verrà ad unirsi ai decori vegetali nella prima fase della "compendiarizzazione" di questa famiglia, che tuttavia appare più giusto — anche perché avvenuta in epoca successiva — trattare assieme all'altro grande raggruppamento risolto in prevalente cromatismo bleu, cioè a quello del "compendiario".

Cronologia della "famiglia bleu"

I dati di scavo indicano nell'ultimo decennio del XV secolo l'avvio della produzione della nostra *tipologia a*, in particolare della versione che sembra derivare dall'imitazione dei decori tessili, definita anche da Galeazzo Cora, in ragione del suo particolare aspetto, "a mezzaluna dentata". Esemplari con decorazione già sviluppata di questo tipo provengono infatti dallo stesso contesto di scavo della centrale termica del Museo che, come si è visto, contiene uno scarico di fornace databile agli anni '90 del Quattrocento. La restituzione di gran lunga minoritaria di reperti contraddistinti da tale decoro in questo scarico di fornace ne indica poi, in maniera assai eloquente, l'appartenenza ad una tipologia già apprezzabilmente sviluppata sotto il profilo formale, ma tuttora in via di affermazione, e perciò ancora non contraddistinta da un apprezzabile livello produttivo, la quale restava assai lontana sotto il profilo quantitativo dalla diffusione dei decori policromi, caratteristici della prima fase del Rinascimento, quali la "penna di pavone", la "palmetta", etc.

Dal cosiddetto "pozzo dei lavatoi", in connessione con le quote HA-IA, contraddistinte anche dal ritrovamento di un esemplare di maiolica "con bleu graffito" datato "1514", provengono invece abbondanti restituzioni di "famiglia bleu" nelle *tipologie a-b* — il che lascia ragionevolmente supporre un forte incremento di queste produzioni all'inizio del XVI secolo, alimentate nella fattispecie da alcune botteghe di spicco — e la comparsa della *tipologia c*, la quale si caratterizza però per una presenza quantitativamente assai più limitata.

Nelle quote successive — ma cronologicamente databili anch'esse entro il secondo decennio del Cinquecento — è la *tipologia c* ad assumere un sensibile incremento, mentre si assiste alla contemporanea comparsa della *d*; entrambe si mantengono comunque costantemente su livelli minoritari rispetto alle altre.

L'evidenza archeologica conferma perciò in Montelupo le datazioni tradizionalmente proposte per il genere definito "alla porcellana", anche se la quantità dei ritrovamenti montelupini è in grado di meglio precisarne la datazione "alta", e di indicare per la prima volta la cronologia interna dei diversi filoni che compongono il vasto raggruppamento tipologico, sinora indiscriminatamente compreso entro questa denominazione.

Questi stessi ritrovamenti archeologici mostrano — come meglio vedremo in seguito — una scomparsa della *tipologia d*, già minoritaria, e della *b*, a partire almeno dagli anni '40 del XVI secolo, ed una trasformazione assai accentuata delle restanti *tipologie a* e *c*, secondo quel processo di "estenuazione" dei motivi rinascimentali del quale si è già avuto modo di trattare nelle pagine precedenti, ma anche l'apparizione di un nuovo genere dalla morfologia "destrutturata" (*tipologia e*).

Oltre gli anni '80 del Cinquecento incontriamo poi versioni molto attardate e semplificate della *tipologia a*, spesso unite ad inserti derivati dalla *versione c*, ed affiancate da una più modesta produzione in *tipologia e*.

Dell'"estenuazione" cinquecentesca del raggruppamento che abbiamo definito "famiglia bleu" non fa parte la sua trasformazione "compendiaria", impiegata nel compendiario monocromo, la quale, come si diceva, riteniamo più corretto valutare nella sua specificità di versione appositamente elaborata per questo nuovo filone decorativo che viene ad affermarsi nel corso del quarto decennio del Cinquecento.

Genere 40. Motivi vegetali della "famiglia bleu"

Alla prima fase produttiva della "famiglia bleu" appartiene dunque il decoro già definito da Galeazzo Cora "a forma di mezzaluna dentata", incentrato, cioè su di una sorta di veduta in sezione di una corolla floreale, nella quale si può fantasiosamente riconoscere la fisionomia di un

Fig. 14 - Piatto con "motivi vegetali della famiglia bleu" (Sottogruppo 40.1.1; il centro figurato è allusivo alla favola di Esopo Il lupo e la gru*), 1510-1520 circa. Da scavo "pozzo dei lavatoi", inedito. Montelupo, Museo Archeologico e della Ceramica*

Fig. 15 - Piatto scodelliforme con "motivi vegetali della famiglia bleu" (Sottogruppo 40.1.2), 1510-20 circa. Da scavo "pozzo dei lavatoi", inedito. Montelupo, Museo Archeologico e della Ceramica

garofano, ma che, come si è detto, appare assai vicina al disegno tipico di certe stoffe di pregio italiane. La visione in prospettiva laterale ottiene l'effetto di distaccare il fiore in due o tre parti distinte, separate tra di loro da settori circolari "a risparmio", che marcano in particolare le partizioni della corolla, contraddistinta da un numero di petali variabile tra le sette e le dieci unità, e del calice.

Di questa versione di tipo floreale-naturalistico, sempre eseguita in monocromia bleu, sono finora documentate in Montelupo tre varianti, le quali possono essere distinte tra di loro per il diverso modo di collegare i motivi vegetali nella composizione.

La prima (gruppo 40.1) si caratterizza per la collocazione del fiore "sezionato" sia in continuo che su registri sovrapposti (come avviene, di norma, nelle forme chiuse), entro ampie cerchiature, sui limiti interni dei quali vengono a ripiegarsi una sorta di lunghi stami, ricurvi agli apici, che talora si dipartono dal fiore, talaltra vengono attratti verso di esso dall'esterno.

Questa variante del genere 40, numericamente consistente nelle restituzioni di scavo riferibili al primo periodo della "famiglia bleu", ben si presta per sua natura ad individuare una cerchiatura centrale nel mezzo delle forme aperte, facilmente identificata dai punti di tangenza (di solito quattro o sei) con i tratti circolari che racchiudono il motivo fitomorfo di contorno (*tavv. 136-137*).

Appartengono a questa tipologia una bottiglia maiolicata proveniente dal "pozzo dei lavatoi"[37], il boccale marcato "Nc" con stemma Ridolfi già nella collezione Cora (*tavv. 140-141*) e l'altro con la sigla "Lo" del Museo di Berlino (*tavv. 134-135*). Quest'ultimo esemplare, che si fregia dello stemma Lamberti, si segnala per l'inserimento del contorno "alla famiglia bleu" della *tipologia a* in un boccale stemmato del genere "a cimieri", in questo caso riccamente sottolineati da inserti in rosso.

Nelle forme aperte incontriamo questa ver-

sione del decoro floreale "a mezzaluna dentata" di tipo invasivo in una maiolica piana, anch'essa dal "pozzo dei lavatoi", con cerchiature in giallo lumeggiate da minuscoli inserti a "v" coricato in rosso (*tav. 138*), e nel noto piattino con stemma Strozzi del Museo di Faenza[38]. Tra le versioni monocrome, segnaliamo il bel piatto conservato al Kunstgewerbemuseum di Berlino (*tav. 137*), che presenta nella cerchiatura centrale, secondo un metodo decorativo che già abbiamo avuto modo di incontrare negli esemplari appartenenti a questa tipologia, un'ulteriore corolla floreale, talvolta elaborata, nei documenti di scavo montelupini, sino a formare una vera composizione fitomorfa inquartata.

Questa maiolica può essere avvicinata, soprattutto nel modo di eseguire lo stelo del fiore ed il suo caratteristico calice tripartito, alla bottega che ha eseguito la tazza da impagliata con coperchio rinvenuta nello scarico di fornace dell'ormai famoso pozzo montelupino (*tav. 139*). L'"impagliata" mostra anche, per la rotazione in senso normale del motivo principale che ne costituisce il decoro, l'evidente ricerca di una più efficace collocazione del fiore, necessaria ad adattarlo alle diverse superfici che deve riempire, come già si può notare nei boccali Ridolfi e Lamberti, e che anticipa la versione successiva.

Nell'ulteriore versione (sottogruppi 40.1.1. e 40.2.1) le corolle floreali "a mezzaluna" sono collegate tra di loro mediante vilucchi stilizzati ad andamento trasverso, il cui sviluppo in senso lineare determina una più rarefatta presenza del fiore sul supporto. Grazie a questa modifica, che probabilmente segue di qualche anno l'introduzione del decoro "a famiglia bleu", viene superato l'eccessivo schematismo compositivo della variante precedente; in quest'ultima, infatti, la collocazione verticale e la distribuzione metopale del motivo "a corolla" irrigidivano eccessivamente l'aspetto della composizione floreale, non rendendo in maniera adeguata il contenuto naturalistico della medesima. Non a caso, ci pare, da tale variante dipenderanno le versioni "evolute" del motivo, databili ad iniziare dalla fine degli anni '20 del Cinquecento, le quali giungeranno sino alla fase di "estenuazione" della *tipologia a*, già in atto verso la metà del secolo.

Esemplificativo di tale evoluzione è un grande piatto con stemma cardinalizio dei Pucci (*tav. 142*), databile agli anni 1513-20, in quanto riferibile al primo periodo di questa produzione[39], ove i fiori sezionati "a mezzaluna" sono ruotati in senso antiorario (sottogruppo 40.1.1). Si noti anche in questo esemplare di scavo proveniente dal "pozzo dei lavatoi" la presenza di una cerchiatura simile ad una ghirlanda stilizzata, campita da una fascia in giallo, la quale trova un evidente riscontro in un noto piatto già attribuito dal Liverani a Cafaggiolo[40].

Un'accentuata semplificazione del nostro contorno appare poi su un ulteriore piatto di scavo montelupino, nella cui porzione centrale, con palese riferimento alla favola esopica, è dipinto un lupo che tiene un lungo osso serrato tra le sue fauci, suggerendoci così di averlo da poco estratto dalla gola della gru (*fig. 14*). In questo documento si nota l'impiego di un tralcio floreale ridotto soltanto a quattro steli foliati dall'andamento lineare, che non presenta più, dunque, il rigoroso rapporto con le altre parti vegetali della composizione, originariamente trattate anche come stami che si sviluppano dai fiori medesimi.

L'ulteriore schematizzazione del motivo si attuerà poi attraverso la riduzione delle dimensioni del fiore e tramite la sensibile stilizzazione della sua fisionomia. In queste successive versioni la corolla floreale è resa infatti sempre più simile ad una macchia bleu, caratterizzata da una minuscola sfrangiatura periferica, la quale vuol indicare la presenza della corona di petali, sovrapposta ad una semplice puntinatura, che a sua volta intende rappresentarne il calice.

Una fase "intermedia" di questo processo che conduce alla miniaturizzazione della "mezzaluna dentata", derivata ancora dal genere 40.1, contraddistinta dal posizionamento verticale della corolla (sottogruppo 40.1.2), la troviamo esemplificata in un piatto del tipo sbalzato "a crespina", proveniente dalle quote superiori del "pozzo dei lavatoi", nel cui centro campeggia un volatile dalle lunghe zampe (*tav. 143*). Nella maiolica, databile negli anni '20 del XVI secolo (probabilmente alla loro seconda metà), si nota come il contorno vegetale si incentri appunto sulla rappresentazione maggiormente stilizzata del fiore visto in sezione, tanto che in esso risulta già difficile, in ragione della corsività della pittura, cogliere il nesso strutturale tra gambo e calice: in tal modo le corolle floreali sembrano muoversi in maniera autonoma tra i vilucchi della composizione, che si fa assai più rarefatta e disorganica rispetto alla severa impostazione delle versioni precedenti, sviluppate tra la fine del Quattrocento ed i primi due-tre lustri del secolo successivo.

La stessa rarefazione, pur non priva di eleganza, si nota infatti nei numerosi esemplari coevi di forma aperta provenienti dal medesimo contesto archeologico (*fig. 15*), nei quali ancor più radicalmente che nella "crespina" precedentemente descritta, le corolle "a mezzaluna dentata", contraddistinte ormai da un profilo miniaturizzato, sono poste ad una sensibile distanza le une dalle altre; in tal modo i sottili fogliami e gli steli, dai quali spuntano calici assai stilizzati, possono distendersi nei larghi spazi intermedi del contorno.

Già all'inizio del quarto decennio del Cinquecento, un ulteriore processo di semplificazione trasformerà l'antico motivo vegetale in una sorta di tralcio ondulante, all'interno del quale la fisionomia del fiore sezionato finirà per assumere un ruolo ben più marginale (sottogruppo 40.1.3).

Questa evoluzione si attua attraverso varianti di dettaglio, ben esemplificate dal piatto della *tav. 152*, nel quale le foglie e gli steli dimostrano un'accentuata corsivazione della pittura, e nel vassoio della *tav. 153*, che invece denota in questi particolari una maggior cura realizzativa. La cronologia di questi manufatti è anche sottolineata dai motivi posti al centro e dalla particolare corona geometrica della cerchiatura. È anche interessante notare in quest'ultimo documento la presenza di uno stilema che caratterizza molta di questa produzione "evoluta" alla "famiglia bleu" con decoro vegetale di tipo naturalistico: intendiamo riferirci al modo caratteristico di rappresentare i calici dei fiori, riducendoli ad una sorta di "t", inverse e sovrapposte.

Sulle forme chiuse l'evoluzione della "mezzaluna dentata" (sottogruppo 40.1.4) è ancor più lineare che nelle aperte, in quanto essa avviene attraverso la sostituzione di un fiore più piccolo, che all'interno dei girali tondeggianti, prende il posto di quello dai grandi petali, tipico della

Fig. 16 - Piatto con "motivi vegetali della famiglia bleu" (Sottogruppo 40.2.1) nel cui centro è dipinto lo stemma dei Nerli di Firenze, 1530-1540 circa. Da scavo "tridente", inedito. Montelupo, Museo Archeologico e della Ceramica

versione precedente. Nelle maioliche che si fregiano di questo contorno si può spesso notare come i calici siano realizzati con i tratti a doppia "t" presenti anche sulle forme aperte. Di questo sottogruppo costituisce interessante testimonianza il piccolo boccale con la marca del "crescente lunare", già nella collezione Fanfani, con San Pietro martire, che con ogni probabilità faceva parte del "fornimento" da mensa del monastero di Santa Maria Novella in Firenze[41].

Gruppo 40.2

Un'ulteriore versione dei decori "a famiglia bleu" si caratterizza invece per l'impiego di un motivo fitomorfo di tipo floreale dalle dimensioni pressoché miniaturistiche, composto da due minuscole corolle con forma a calice, le quali, come sbocciando da un medesimo stelo, si piegano con grande uniformità strutturale sino a formare un semicerchio, chiuso dagli stessi stami che da essi si originano. Il nucleo fondante del decoro si caratterizza poi quasi sempre (salvo un solo caso al momento noto) per la disposizione in senso inverso dei due piccoli fiori che lo compongono.

Collegando tra di loro le cerchiature vegetali così ottenute, si ottiene in tal modo una sorta di "catenella", che ben si presta, in ragione del suo andamento lineare, a riempire con continuità gli spazi posti in prossimità del bordo dei piatti piani o le ali degli scodelliformi: questo decoro, infatti, fatta salva una forma speciale, della quale tratteremo nel terzo volume di quest'opera[42], non è al momento documentato sulle forme cupe. Nei punti di tangenza dei diversi "anelli" che compongono tale "catena" si prolungano infine, in forma di "paragrafo", gli stami stilizzati dei due piccoli fiori.

Questo genere di decoro — che talvolta ci è anche capitato di definire "alla porcellana incatenata", per la morfologia particolare che la contraddistingue[43] — si caratterizza per il tentativo di rispettare, nonostante le sue ridotte dimensioni, la partizione strutturale del fiore sulla quale esso si fonda attraverso la minuziosa sottolineatura delle parti che lo compongono, lasciando ridottissimi spazi "a risparmio" tra il boccio e la corolla, o tentando talora di sottolineare questa divisione formale mediante l'inserimento di puntinature (talvolta in bruno di manganese) in minuscoli cerchietti "risparmiati", posti alla base del boccio. In tal modo il colore aggiunto, sovrapponendosi al bleu di cobalto, viene spesso a bruciarsi, assumendo così un tono nerastro.

Il motivo dei bocci fioriti racchiusi ad anello si può rintracciare nelle incisioni riprodotte a stampa dell'inizio del Cinquecento, che ampiamente circolavano tra orafi e decoratori[44].

Si è detto che la comparsa di questa versione "naturalistica" della "famiglia bleu" può essere datata in Montelupo tra la fine del primo e l'inizio del secondo decennio del XVI secolo. All'orizzonte del "pozzo dei lavatoi", marcato cronologicamente dalla presenza di una maiolica datata al 1514, appartiene infatti il nucleo più significativo delle restituzioni caratterizzate da questo decoro, ma occorre dire che esso si ritrova anche nel medesimo contesto archeologico in esemplari provenienti da quote un poco più profonde, lievemente più antiche.

All'interno di questo nucleo spiccano in particolare tre grandi piatti (meglio definibili, forse, come vassoi, *tavv. 144-146*), che debbono con tutta probabilità esser fatti risalire all'attività di una medesima bottega, identificabile — per ragioni che meglio esporremo in seguito — con quella che marcava i suoi prodotti con la sigla "Lo". Tutti gli esemplari, oltre a dimensioni non comuni, denotano una ricerca formale assai sviluppata, in grado di rendere con grande efficacia, in rigorosa monocromia bleu, la severità geometrica della composizione che li caratterizza, alleggerita e lumeggiata, soprattutto nelle fasce di contorno, soltanto da minuscole graffiture del colore.

Nonostante questa sorta di ghirlanda "incatenata" venga anche ad accoppiarsi con decori principali di natura fitomorfa, semplicemente composti nella cerchiatura centrale, si nota come l'inserimento dei medesimi nella decorazione sia spesso affidata ad un motivo geometrico, realizzato mediante la sovrapposizione di un quadrato e di una losanga (o, se vogliamo, di due quadrati che insistono sullo stesso centro, uno dei quali è ruotato della metà di un angolo retto). Mentre le restanti porzioni della figura divengono una sorta di apici raggiati, composti da otto triangoli equilateri — di solito solo parzialmente campiti di bleu — all'interno dello spazio ottagonale, individuato così come spazio comune alle due figure sovrapposte, è dipinta una nuova composizione vegetale, spesso formata dalla corolla di un fiore attorniata da minuscole foglie (*tav. 146*).

Questo motivo centrale che, identificando otto punti equidistanti da un centro, ben si presta ad essere inscritto in una circonferenza, si manterrà piuttosto a lungo nel repertorio dei ceramisti di Montelupo, caratterizzandone la produzione in bleu ("famiglia bleu" e "compendiario" monocromo), sino agli ultimi lustri del XVI secolo.

Oltre a decorazioni di tipo vegetale e geometrico-vegetale, incontriamo con il contorno del nostro gruppo 40.2 emblemi di varia natura, probabilmente afferenti a compagnie religiose (*tav. 145*), od anche insegne araldiche. Questi ultimi documenti — ed in particolare quello già nella collezione Cora, caratterizzato da un'evidente stilizzazione del motivo principale del contorno, con la cerchiatura ridotta ad un solo boccio — debbono essere considerati di epoca lievemente successiva, e perciò databili nell'arco cronologico degli anni '30 del Cinquecento.

L'unica variante (40.2.1) che attualmente ci è dato di conoscere per il nostro gruppo 40.2 si qualifica per disporre in maniera strutturalmente diversa la cellula costitutiva della più nota versione "incatenata". In questo caso, infatti, invece di ottenere una "catenella" continua, le cerchiature fitomorfe vengono raggruppate tra di loro a formare gruppi di quattro elementi, quasi fossero le espansioni di un unico fiore quadripetalo (*fig. 16*). Le indicazioni cronologiche relative all'esemplare in questione ne indicano l'appartenenza ad un contesto cronologico (1530-1538 al massimo)[45] compatibile con la fase già matura della versione precedente e, quindi, sembrano qualificarla come una possibile evoluzione della medesima.

Gruppo 40.3

Questo ulteriore genere della versione "naturalistica" dei decori fitomorfi appartenenti alla "famiglia bleu" (da considerare parte della *tipologia c* della medesima) si caratterizza per avere come motivo fondante della decorazione un boccio floreale piuttosto allungato, simile a quello del garofano, dal quale spunta un numero assai

Fig. 17 - Boccale con "motivi vegetali della famiglia bleu" (Sottogruppo 40.4.1) e stemma mediceo. Marcato sul retro, all'attacco dell'ansa "P", 1510-20 circa. Da scavo "pozzo dei lavatoi", inedito. Montelupo, Museo Archeologico e della Ceramica

limitato di petali. Posto all'apice di un lungo stelo che si ripiega su se stesso in volute circolari, esso viene ad occupare nella composizione il posto della corolla "a mezzaluna dentata", accompagnandosi anche ai tipici vilucchi foliati centrifughi che caratterizzano quel decoro, e che si dipartono dagli stessi petali del fiore.

Per le modalità della sua costruzione, è dunque possibile considerare questo genere alla stregua di un'importante trasformazione formale — che al momento non ci è possibile definire nelle sue eventuali imitazioni — essenzialmente (se non unicamente) sviluppata dalla bottega che marcava i suoi manufatti con la sigla "Lo"[46]. A queste conclusioni è indispensabile pervenire in ragione del fatto che tutte le forme chiuse ove si incontra questo genere di decoro si accoppiano a tale sigla, mentre nelle aperte, che nella maggior parte dei casi sono prive di marca, non è poi difficile riconoscere la mano dei pittori principali che lavoravano in questo importante *atelier*, visto che essi manifestano una propensione assai spiccata ad impiegare l'artificio tecnico della graffitura delle superfici dipinte, ottenendo in tal modo le partizioni interne dell'elemento floreale mediante una leggerissima incisione, praticata nella pennellata in bleu cobalto mediante una punta sottile. Se ritorniamo per un attimo al grande piatto della *tav. 146*, possiamo ad esempio notare come la corona che stringe da vicino la composizione geometrico-vegetale del centro si componga proprio di questi bocci graffiti, qui

Fig. 18 - Rovescio del vassoio scodelliforme con "motivi vegetali della famiglia bleu", qui riprodotto alla tav. 147, con marca di bottega "La", 1540-1560 circa, inedito. Già a Parigi, collezioni del Museo di Cluny (ora a Ecouen, Musée de la Rénaissance)

Fig. 19 - Boccale frammentario con "motivi vegetali della famiglia bleu" e medaglione figurato (Sottogruppo 40.1.4), 1510-1520 circa. Da scavo "pozzo dei lavatoi", inedito. Montelupo, Museo Archeologico e della Ceramica

ovviamente semplificati in ragione della funzionalità lineare del motivo.

Tra gli esemplari appartenenti a questo genere segnaliamo il boccale con stemma Medici del "pozzo dei lavatoi" (*tav. 148*), simile a quello partito con l'arme Salviati del Bargello e munito di decoro "alla palmetta", che presenta la stessa marca (*tav. 39*), ove l'insegna, nobilitata dall'impresa dell'anello con pietra preziosa, sembra stagliarsi sull'azzurro profondo del cielo, lumeggiato da una serie continua di rosette graffite.

Gruppo 40.4

Una quarta tipologia della medesima versione "naturalistica" si incentra poi sulla rappresentazione di un fiore che però, a differenza dei casi trattati in precedenza, non è rappresentato secondo una prospettiva longitudinale, bensì in visione sommitale, quasi fosse percepito dall'alto. In tal modo l'elemento fondante della decorazione viene a ridursi in una forma ellittica o circolare, munita di tratti radiali che vogliono sommariamente suggerire la corona dei petali che costituisce la corolla.

Nella variante (sottogruppo 40.4.1) realizzata in monocromia bleu, probabilmente la più antica, il motivo floreale, che è di solito collocato nelle forme aperte in quattro punti, posti in posizione simmetrica (*tav. 149*), e su tre differenti livelli nelle chiuse (*fig. 17*), si identifica con un segmento circoscritto da un ellissoide. I motivi così realizzati sono poi uniti tra di loro mediante sottili pennellate curvilinee, puntinate agli apici, che rafforzano il significato fitomorfo della composizione, e che talvolta sono simili a quelli del tipo "a mezzaluna dentata" ed a fiore intero, tipica della produzione della bottega "Lo".

Talvolta il segmento mediano, dal quale trae origine la corolla, diviene una vera e propria ellisse campita in ossido di cobalto, che solo una piccolissima cerchiatura "a risparmio" rende percepibile rispetto alla corona dei petali (sotto-

gruppo 40.4.2).

Una simile ricetta compositiva la troviamo anche nella nota scodella del Museo di Sèvres con stemma partito Medici-Girolami Del Vescovo, spesso attribuito a Cafaggiolo[47]. Il perfetto bilanciamento dei cinque steli fioriti componenti la decorazione ha infatti un'eleganza così rarefatta e rigorosa che sembra non trovare corrispondenza nella produzione di Montelupo, anche se non bisogna dimenticare a questo proposito come quest'ultima ci sia nota soprattutto attraverso i materiali rinvenuti negli scarichi delle fornaci, i quali non possono riflettere tutti gli aspetti della produzione, ed in particolare quelli legati alle "punte" qualitative più elevate.

Non è del resto difficile notare la similitudine che questo esemplare presenta rispetto a certi stilemi della migliore produzione di quella bottega, da noi più volte citata, che marcava i suoi manufatti con la sigla "Lo": si veda, ad esempio, il modo di rappresentare le foglie od i piccoli bocci che si dipartono dalle stesse corolle dei fiori (come in parte avviene nello stesso genere "a mezzaluna dentata"), o le minuscole lumeggiature che ci fanno distinguere le parti vegetali, per non parlare della fascia "zigrinata" che cerchia lo stemma.

La terza variante del genere (sottogruppo 40.4.3) utilizza invece entrambe le soluzioni, affiancando alla forma circolare quella ellittica. Nell'unico esemplare che sinora la testimonia, caratterizzato dalla presenza dello stemma mediceo tra cornucopie (*tav. 150*), si nota come i motivi sui quali si articola la composizione non siano posti in relazione tra di loro da vilucchi vegetali stilizzati che li congiungono, bensì isolati, in quanto le foglioline che da essi si dipartono si piegano in apici ricurvi che non vanno a connetterli tra di loro.

Un'ulteriore differenziazione (sottogruppo 40.4.4) prevede invece unicamente l'impiego di un fiore a corolla circolare, dipinta a partire da un cerchietto (e non da un tratto ellittico) centrale. Questa versione del decoro naturalistico della "famiglia bleu" compare probabilmente in Montelupo tra gli anni '20 e gli anni '30 del Cinquecento. La sua morfologia, ben prestandosi ad essere accoppiata ad altri elementi decorativi, costituirà una base ideale per la trasformazione di questo genere nel più complesso apparato di contorno della prima fase del "compendiario".

È interessante notare adesso come il tralcio fiorito dal quale spuntano le corolle dei fiori si arricchisca anche di apici muniti di tre foglie stilizzate a forma di losanga, una particolarità che si ritrova anche nell'esemplare del Museo di Lione datato 1523[48], ma soprattutto come al tralcio vegetale dipinto sull'ala si unisca nel fondo del grande scodelliforme una fascia di cerchiatura realizzata attraverso un serto di foglie dagli apici ricurvi, che del pari ritroveremo in alcune tipologie "compendiarie" del cosiddetto decoro "alla porcellana".

La versione più antica del sottogruppo 40.4.4 è ben rappresentata dal vassoio scodelliforme del Museo di Cluny (*tav. 147*), contraddistinto dalla nota simbologia delle mani che si stringono in segno di pace e dalla scritta "*sola fides*", che abbiamo già incontrato nella produzione quattrocentesca del nostro centro di fabbrica[49].

L'attribuzione di questo esemplare ad una bottega di Montelupo, pur se suggerita dalla morfologia del contorno, sarebbe invero problematica se esso non portasse al rovescio la marca "La" (*fig. 18*), ben documentata negli scarti di fornace del centro valdarnese, in quanto la sua figurazione centrale sfoggia il cromatismo e l'incisività del tratto tipici della maiolica faentina dell'inizio del Cinquecento. Scartando decisamente — soprattutto in ragione dell'esemplare corrispondenza ai parametri decorativi antichi del genere 40 che lo contraddistingue — l'ipotesi che si tratti di un falso, realizzando il quale l'imitatore abbia mischiato diversi tipi di decoro, non resta che riconoscere in esso il frutto della collaborazione tra un ceramista faentino ed un montelupino, avvenuta probabilmente nella bottega di quest'ultimo.

Non sarà questo, del resto, l'unico documento che possiamo mettere in relazione alla presenza di vasai immigrati da Faenza a Montelupo, ampiamente testimoniata, come vedremo, dalla documentazione scritta, e che risulta essere iniziata già nel 1523 con Girolamo Mengari, per poi essere proseguita con i Tenducci e con quell'Alessandro di Tommaso di Giorgio che siglerà un grande piatto istoriato in Montelupo tra il 1593 ed il 1594[50].

Una versione più recente, databile tra gli anni '30 e gli anni '50 del XVI secolo di questo sottogruppo[51] è poi documentata dalla maiolica riprodotta alla *tav. 151*. In essa troviamo il fiore "a corolla intera" posizionato in gruppi separati come nel vassoio scodelliforme con il segno della pace, dal cui stelo si dipartono tenere foglie, le quali sembrano ripiegarsi su se stesse con andamento spiralato.

Il decoro, assai più rarefatto e corsivo, stringe qui un centro nel quale è dipinta una composizione cruciforme, realizzata mediante il congiungimento di cinque motivi "a nodo". Come meglio vedremo nei successivi sottogruppi derivati dal genere "a mezzaluna dentata", l'accostamento tra fascia con decoro floreale e decori geometrici lontanamente derivati dal "nodo orientale" fu molto in voga nella produzione in monocromia bleu delle botteghe di Montelupo ad iniziare dal terzo decennio del Cinquecento, e si sviluppò ampiamente con questi canoni sino al finire del secolo. Di questa cronologia sono poi indicative anche le fasce di cerchiatura poste al centro ed al bordo, ove l'alternanza di semplici cerchietti con barrature ad "x" — che pare quasi tenuta assieme, come in una collana, da una sottile filettatura — si incontra in varie altre tipologie (anche policrome) di epoca ormai tardo-rinascimentale.

Una precoce evoluzione trasforma poi sulle forme chiuse il motivo "a mezzaluna dentata" in un genere di decoro floreale nel quale la corolla è sommariamente rappresentata da un puntino cerchiato, attorniato da un numero di petali che di solito è variabile tra i sei e gli otto (sottogruppo 40.1.3). La composizione vegetale si sviluppa, come nel caso più antico, a partire da un tralcio che sale dai fianchi delle maioliche chiuse, per poi piegarsi in ampi girali rotondi, al centro dei quali — e, talvolta, anche senza una visibile connessione con lo stelo — si aprono i fiori.

Nella fase più antica, databile probabilmente all'inizio del secondo decennio del XVI secolo, la morfologia delle corolle aperte è più rigorosa e, in particolare, l'espansione dei petali risulta assai contenuta, come si può notare nel boccale con busto di fanciulla proveniente dal "pozzo dei lavatoi" della *fig. 19*. Di lì a poco, però, si nota una decisa stilizzazione del motivo, che si fa di

Fig. 20 - Piatto con "motivi vegetali della famiglia bleu" (Gruppo 40.5), 1530-1550. Da scavo casa Sinibaldi, inedito. Montelupo, Museo Archeologico e della Ceramica

esecuzione assai più corsiva, come si può apprezzare dall'ampolla olearia della *tav. 153*. Questa versione è quella maggiormente nota nella produzione cinquecentesca di Montelupo, e ben rappresentata tanto negli scarichi di fornace valdarnesi, quanto nei documenti ad essa relativi conservati in vari musei[52].

Gruppo 40.5

L'evoluzione del decoro naturalistico-vegetale della famiglia bleu comprende anche versioni del motivo floreale che si raggruppano tra di loro senza dare origine ad un tralcio continuo. In tal modo vengono a crearsi negli spazi di contorno dei piatti e delle tese degli scodelliformi una sorta di "isole" dall'andamento tondeggiante — di solito in numero di cinque, per evitare il rigido aspetto dell'inquartatura — all'interno delle quali lo stelo fiorito può assumere uno sviluppo più o meno disteso e riconoscibile.

La versione che si caratterizza per una più moderata stilizzazione del motivo è ben esemplificata da un piattino, già nella collezione Cora (*tav. 155*), con al centro lo stemma Del Benino di Firenze, databile agli anni '30-'40 del XVI secolo. Essendo collegate da un tratto sottilissimo, le parti che compongono il fiore, quasi fossero scomposte nei loro diversi nuclei costitutivi, sembrano qui assumere una sorta di indipendenza formale, che induce alla vista un forte senso di rarefazione del contorno.

Di questo gruppo si incontrano in Montelupo anche varianti minime, che si caratterizzano per il distacco della corolla dallo stelo (*fig. 20*), ormai ridotto ad un insieme di segni, dei quali è assai arduo riconoscere il valore strutturale.

La completa stilizzazione del gruppo 40.5 è poi mostrata dal piatto di scavo riprodotto alla *tav. 156*, nel cui contorno il raggrupparsi delle parti vegetali è suggerito — ma, a dire il vero, in maniera assai sommaria — da una sorta di isole ellittiche, formate da minuscole foglie stilizzate, attorno alle quali si agglutinano dense nebulose di puntinature (sottogruppo 40.5.1). Anche in questo caso la cronologia delle restituzioni di scavo (un esemplare di questo sottogruppo proviene anche dalle prime quote del "pozzo dei lavatoi"), ne colloca l'origine negli anni attorno al 1540.

Gruppo 40.6

La destrutturazione del contorno vegetale della "famiglia bleu" si evidenzia anche in una composizione facente parte del gruppo naturalistico, ma priva però delle parti floreali, la quale compare anch'essa negli scarichi delle fornaci di Montelupo nel corso del quarto decennio del Cinquecento, anche se sembra incontrare una fortuna più consistente nella seconda metà di quel secolo; è infatti possibile documentarne versioni attardate e, per di più, realizzate in verderamina, anziché in bleu, ancora nel pieno del XVII secolo.

Si tratta di un semplice tralcio munito di molteplici e minuscole foglie stilizzate, che non mostra, dai documenti sinora noti, di caratterizzarsi per un percorso genetico montelupino, in quanto appare negli scarichi di fornace della cittadina valdarnese in una versione già ben strutturata. In ragione di ciò, e dell'evidente minorità del decoro nelle medesime restituzioni, saremmo propensi a considerarlo uno dei tanti imprestiti che i vasai montelupini realizzano in questi anni cruciali della metà circa del Cinquecento, sulla spinta delle difficoltà economiche di quel periodo, le quali impongono un relativo rinnovamento della produzione, facilitata anche dalla presenza di vasai immigrati (soprattutto faentini), che lavorano in quelle botteghe.

Nel boccale qui riprodotto alla *tav. 157* si può infatti notare la presenza di un soggetto che trova larga diffusione in Montelupo, quale la casa dai tetti ad ampie falde (qui nella versione "turrita", la quale, tra l'altro, sembra ispirarsi alla fisionomia dell'imponente torre dei Frescobaldi, che svetta lungo il corso dell'Arno, nei pressi dell'Ambrogiana)[53], che avremo modo di incontrare anche nelle diverse tipologie del "compendiario" monocromo, sul caratteristico sfondo giallo intenso di tanta produzione montelupina del Cinque e Seicento. L'elemento "a scaletta" che definisce la cerchiatura della faccia a vista, entro la quale si sviluppa il tema figurato, non è però di origine locale, trovando invece una larga diffusione tanto nelle officine emiliano-romagnole, quanto in quelle laziali, e compare nella produzione valdarnese solo alla fine degli anni '30 del Cinquecento, per poi svilupparvisi sino agli anni della piena decadenza della seconda metà del Settecento.

L'unione di questo genere di cerchiatura ad un particolare contorno di tipo naturalistico-vegetale, anch'esso, a quanto sembra, non elaborato localmente, rafforza l'idea che si tratti di un motivo d'importazione, o comunque in qualche modo imitativo di produzioni esterne all'ambiente montelupino. La datazione dell'esemplare della *tav. 157* al quindicennio 1535-1550, oltre che dal contesto di scavo, si ricava anche dall'uso del rosso, qui impiegato con apprezzabile dovizia per suggerire la colorazione dei tetti, che si farà assai più marginale durante la seconda metà del XVI secolo.

Gruppo 40.7. "Fiore di papavero"

Questa versione del decoro naturalistico-vegetale della "famiglia bleu", incentrata sulla rappresentazione di un fiore visto in sezione, nel quale può forse riconoscersi la stilizzazione del papavero, ci conduce nettamente a quell'ambiente estremo-orientale, che è da ritenere ispiratore, se non dei generi, almeno dell'idea-base sulla quale essa si fonda, e che si incentra sull'impiego di una decorazione vegetale o geometrica in bleu sulla superficie bianco-brillante dei manufatti smaltati. Nonostante sia tutt'altro che semplice rintracciare nella porcellana cinese il prototipo di questa decorazione (tanto che è persino possibile — anche se non molto probabile — ritenere che i nostri vasai l'abbiano riprodotta da modelli non ceramici), la presenza di questa tipologia all'interno delle botteghe montelupine rafforza considerevolmente l'idea che con il termine "alla porcellana" non si sia inteso operare un riferimento tra un decoro di tipo vegetale ed il suo modello botanico, quanto indicare una produzione fittile di gran pregio, che i ceramisti nostrani s'ingegnavano a sommariamente imitare nell'aspetto. Con il Ballardini, però, sarà opportuno individuare nel vasto mondo orientale, ed in particolare nella solita, grandissima tradizione dell'Iran (non a caso si parla di "imitazioni iraniane della ceramica cinese") uno dei probabili tramiti di tale influenza.

È unicamente dalle restituzioni del "pozzo dei lavatoi", ove lo troviamo da solo (genere 40) od anche unito al "nodo orientale" (genere 42), che si ricava l'evidenza archeologica relativa al

Fig. 21 - Piatto frammentario con "nodo orientale della famiglia bleu" (Sottogruppo 43.1.2), 1510-1520 circa. Da scavo "pozzo dei lavatoi" (F. Berti, La maiolica di Montelupo... *cit., p. 88 n. 36). Montelupo, Museo Archeologico e della Ceramica*

"fiore di papavero". Caratterizzato da estrema rarità, esso si colloca negli anni '20 del XVI, comparendo e scomparendo nelle produzioni montelupine sinora note nell'arco di questo decennio.

Nell'unica tipologia formale che conosciamo (*tav. 159*), il "fiore di papavero" si presenta entro girali rotondi, quasi perfettamente richiusi a cerchiatura in se stessi, ed è strutturato come una sorta di "sole nascente", la cui corona è composta da dieci petali perfettamente schiusi, e da stami e pistilli in figura semicircolare, resi sempre nella pittura tramite un caratteristico riempimento "a graticcio".

La composizione è di tipo invasivo, e prevede un girale centrale posto in cerchiatura, attorniato in prossimità del bordo da una disposizione inquartata del medesimo motivo.

Genere 41. Armi e trofei della "famiglia bleu"

Appare necessario inserire ora all'interno della nostra "famiglia bleu" anche un genere di decoro che, nel soggetto rappresentato, richiama alla mente le diverse realizzazioni con armi e trofei (nel nostro caso, scudi e tamburi), già incontrate nella pittura su maiolica del primo periodo rinascimentale.

Nonostante esso ci sia al momento noto solo grazie a pochissimi documenti di scavo, quali il piatto piano della *tav. 165*, è facile notare però come il cromatismo che lo contraddistingue intenda collocare questa produzione nel solco di questo vasto raggruppamento di generi decorativi, all'interno del quale spiccano le tipologie vegetali-naturalistiche dette anche "alla porcellana".

L'esemplare, proveniente dal già citato contesto dello "scavo tridente" relativo alla distruzione di una fornace, avvenuta con ogni probabilità sul finire degli anni '30 del Cinquecento, si presenta infatti a gruppi monocromi bleu, inquartati sulla sua superficie. La decorazione è formata dal sovrapporsi di armi diverse (sono riconoscibili spade, scudi, picche, tamburi e faretre), strumenti musicali (trombe, violoncello, mandola) e forse anche elementi simbolici (cornucopia?). L'accostamento "nobilitante" tra oggetti dissimili non è infrequente, ad iniziare da questa fase del XVI secolo, in quelle tipologie decorative che possiamo definire genericamente ad "armi e trofei". Nel caso in questione, nonostante le lacune di smalto di cui soffre il documento, si può anche notare (si veda in particolare l'insieme posto sulla destra di chi osserva) come gli scudi rappresentati siano ancora quelli "a testa di cavallo" della fine del Quattrocento, introdotti nella produzione montelupina con il genere policromo "a scudi".

È tuttavia rimarchevole in questo caso l'incipiente "compendiarizzazione" dei motivi principali, che si attua attraverso l'accentuazione grafica del valore puramente formale della composizione e degli oggetti che in essa sono rappresentati: non a caso, infatti, qui si abbandona la policromia tipica delle versioni precedenti. Tale processo appare tuttavia allo stato nascente, sia perché risulta ancorato ad un criterio di rappresentazione ancora realistico, che non si abbandona del tutto alle rapidità "impressionistiche" del "compendiario", sia perché i gruppi delle "armi" e dei "trofei" non sono inseriti, come invece avverrà in seguito, nei potenti tralci vegetali della "porcellana", "abitati" anche da figure di animali e da cose.

Genere 42. Motivi vegetali della "famiglia bleu" e "nodo orientale"

Abbiamo già accennato più volte, sia introducendo la nostra "famiglia bleu", sia trattando dell'evoluzione cinquecentesca dei generi a contorno vegetale-naturalistico, all'impiego a fini decorativi del motivo "a nodo", nel quale crediamo si possa riconoscere l'elaborazione, già nota nell'arte italiana dell'inizio del Cinquecento, di una simbologia di origine orientale, che probabilmente vuol rappresentare l'idea dell'infinito trascorrere delle anime e, quindi, dell'eternità del tempo dello spirito. Il motivo sembra esser percepito dai pittori montelupini come composto da una losanga munita di apici rotonde (una sorta di "occhielli") ai vertici; la losanga è poi tagliata per due lati da altrettanti segmenti, che talora si piegano in una doppia curva, assumendo così l'aspetto tipico del segno di paragrafo, per connettersi a due degli "occhielli". Le parti che danno origine alla composizione (e che possono essere ancora più complesse) si connettono normalmente a quattro di questi elementi per formare così una sorta di disegno cruciforme.

La versione più antica del "nodo", che definiamo "orientale" in ragione della sua origine formale, è assai diversa da quella corsiva e semplificata che si diffonde in Montelupo verso la metà del XVI secolo; essa infatti presenta non soltanto una costruzione più fitta e strutturalmente complessa, ma risulta anche lumeggiata al suo interno mediante l'artificio della graffitura dei tratti che si intrecciano a formare il nodo. Quest'ultimo, mentre nella più recente produzione, pur occupando la cerchiatura centrale delle forme aperte, dimostra di costituire parte sostanziale dei generi "evoluti" della "famiglia bleu", viene palesemente ad assumere negli esemplari più antichi un valore formale assai più rilevante. Nonostante sia possibile additare gli esemplari del nostro genere 42 come i prototipi dai quali i vasai montelupini vennero sviluppando un'intensa produzione "alla porcellana" (che fu particolarmente importante, in parallelo alle prime fasi del "compendiario", tra il 1540 ed il 1580), ci sembra perciò più opportuno considerare i medesimi alla stregua di un genere, e non di un gruppo della grande partizione "vegetale-naturalistica": in essi, infatti, la presenza del "nodo" risalta in maniera del tutto particolare, per non dire che esso assume una vera e propria preminenza nella decorazione.

Sottogruppo 42.1.1

In questo sottogruppo possiamo così inserire gli esemplari con "nodo" graffito al centro che hanno come fascia di contorno una composizione vegetale formata da un tralcio foliato, nel quale si intravedono appena alcuni fiori stilizzati (*tav. 158*). Siamo qui di fronte a maioliche databili nel secondo decennio del Cinquecento, dalle quali sono venute sviluppandosi le tipologie più recenti, contraddistinte da maggiore significato "naturalistico", alle quali poc'anzi si accennava.

Sottogruppo 42.1.2

Anche se rara, non manca neppure la combinazione del motivo "a nodo" con il "fiore di papavero" che caratterizza il gruppo 40.7 (*tav. 160*). La datazione di questi esemplari, nei quali risalta un evidente richiamo alle decorazioni orientali, è anche in questo caso compresa nell'arco degli anni 1520-30.

Genere 43. "Nodo orientale" della "famiglia bleu"

Identificandosi completamente con il "nodo orientale", privo di contorniture di altra specie, è questo l'altro genere della "famiglia bleu" nel quale si nota, assieme alla tipologia con "armi e trofei", la mancanza di qualsiasi riferimento pittorico al mondo vegetale (*fig. 21*). Esso può articolarsi in quattro sottogruppi che, ad eccezione dell'ultimo, possiamo considerare coevi, datandoli tra la seconda metà del primo e l'intero secondo ventennio del Cinquecento.

Sottogruppo 43.1.1

In questo sottogruppo inseriremo la versione invadente del "nodo", ben rappresentata dalla straordinaria ciotola marcata "Lo" del "pozzo dei lavatoi", riprodotta alla *tav. 161*. Qui è davvero ammirevole l'abilità del pittore e l'estrema sicurezza del suo tratto pittorico, privo di riprese o debordamenti dal perfetto equilibrio spaziale della composizione, che pure si distribuisce in uno spazio tanto angusto e ricurvo, tale da non offrire al pennello una facile superficie d'appoggio.

In questo, come in altre maioliche di ardua e raffinata concezione, uscite dall'*atelier* collocato proprio al di sopra del "pozzo dei lavatoi", ben si dimostra come almeno alcuni pittori che ivi lavoravano possedessero, oltre ad eccezionali doti tecniche, anche un senso estetico altrettanto rilevante e rigoroso.

Sottogruppo 43.1.2

Si tratta della versione del "nodo" caratterizzata da una distribuzione che potremmo definire "normale", incentrata, cioè, su di una parte centrale circondata da una fascia corrente verso il bordo. In questo raggruppamento, esemplificato dalla scodella priva di tesa con bordo introflesso della *tav. 162*, così come nel sottogruppo successivo, la composizione geometrica centrale è priva di cerchiatura, allo scopo evidente di renderne più libero lo sviluppo spaziale.

Sottogruppo 43.1.3

In questo caso incontriamo un piatto piano con una distribuzione inquartata di gruppi assai simili di "nodi" (*tav. 163*). Si può notare, attraverso l'esame dell'esemplare in questione, come il pittore abbia iniziato a dipingere il piatto da una minuscola circonferenza segnata nel centro, sulla quale ha impostato il gruppo centrale. L'inquartatura degli altri gruppi è stata poi effettuata seguendo i bracci di una sorta di croce che tale composizione viene a suggerire. Gli spazi di risulta sono stati infine riempiti con "nodi" di tipo singolo, e non raggruppato.

Gruppo 43.2

Si inserisce in un gruppo a parte l'unico esemplare sinora noto della serie geometrica con decoro realizzato in arancio brillante (*tav. 164*). Se non si tratta di un mero errore del ceramista (cosa invero possibile, ma che non trova conferma nelle filettature in bleu di questa scodella), siamo di fronte ad un tentativo, avvenuto tra il 1530 ed il 1550, di inserire il "nodo", pensato come parte integrante della "famiglia bleu", in un filone tardivo dell'imitazione del lustro metallico (il più antico, nostro genere 14).

Parte seconda - Capitolo terzo

Ceramiche ingobbiate

Le conoscenze storiche sui centri di produzione della ceramica nell'Italia centrale e settentrionale non sono così approfondite — lo abbiamo più volte ripetuto — da consentirci di delineare con sicurezza le linee generali di sviluppo delle attività che in essi si svolgevano in epoca preindustriale. Ciò nondimeno, emergono dal panorama attuale degli studi alcune linee di tendenza, le quali sembrano marcare con buona approssimazione alcune caratteristiche generali del divenire di questi *ateliers*, e tra queste si segnala in particolar modo l'articolazione tecnologica della produzione, intesa come la tendenza di fondo che emerge in questi centri di fabbrica ad impiegare nella produzione fittile la tecnica della smaltatura o dell'ingobbio sotto vetrina.

Non vi è dubbio, infatti, che nell'area centrale e centro-settentrionale dell'Italia, sino almeno al limite degli Appennini, le prime ceramiche dotate di rivestimento che furono oggetto di apprezzabili scambi commerciali, ad iniziare dalla seconda metà del XIII secolo, appartennero alla classe delle smaltate[54]. Ma anche nella vasta area padana, diverse tradizioni produttive, che poi trovarono un forte sviluppo nelle ceramiche ingobbiate, sembrano aver avuto avvio dalla lavorazione della "maiolica arcaica".

Per quanto riguarda Montelupo, possiamo affermare che tale tendenza, in perfetta correlazione con quanto avvenuto in Toscana[55], risulta marcata con particolare evidenza. Solo verso gli anni '70 del XV secolo, infatti, è dato di notare negli scarichi di fornace del centro valdarnese la presenza di ceramiche con ingobbio sotto vetrina. Se non fosse per la presenza di alcuni biscotti ingobbiati, scartati durante la prima cottura, sarebbe lecito persino dubitare dell'appartenenza di questi manufatti alla produzione delle fornaci locali, tanto modesta ne appare la restituzione rispetto alla quantità — talvolta persino ridondante — che invece caratterizza le maioliche.

Visto che ancora nelle restituzioni del "pozzo dei lavatoi" databili agli anni '20-'30 del Cinquecento questa classe si colloca su di un piano quantitativo ben al di sotto dell'1% rispetto alle smaltate, non ci sembrano sussistere ragionevoli dubbi sul fatto che questa tecnica abbia trovato un impiego "marginale" (pur se storicamente significativo) nell'attività delle botteghe montelupine durante il periodo compreso tra il tardo Medioevo ed i primi decenni dell'Età Moderna.

Un evidente riscontro di questa "marginalità" dell'ingobbio nella Montelupo degli anni 1470-1530 circa si nota, del resto, sia nella tecnica, sia nella decorazione della quale si fregiano queste ceramiche ingobbiate. Le maioliche montelupine presentano infatti nella stragrande maggioranza dei casi un supporto privo delle rifiniture eseguite allo stato semi-fresco, che, invece, interessano di norma i rovesci delle ingobbiate, le quali ne determinano l'assottigliamento delle pareti e, talvolta, anche l'escavazione del piede, secondo modalità realizzative che appaiono totalmente difformi rispetto alle coeve smaltate. Molte tra le decorazioni di contorno di questo periodo, ad eccezione, forse, di una sorta di "nastro", non trovano poi apprezzabili confronti nei documenti appartenenti alle due classi e, se ciò può essere comprensibile in ragione della peculiarità della tecnica, che si affida quasi sempre all'artificio della graffitura per la realizzazione dei decori (ed è perciò sottoposta in queste porzioni dei manufatti a vincoli oggettivi), non così avviene per i motivi centrali (o "decorazioni principali", come vogliamo denominarle). In questo caso, infatti, la produzione ad ingobbio, unendosi a quella smaltata all'interno degli stessi esercizi di vasaio, viene inevitabilmente a riproporre — come in seguito avremo occasione di osservare — molte tipologie di decoro tratte dal repertorio della maiolica.

Ma tutto ciò non avviene durante questa fase che possiamo definire "iniziale" della lavorazione delle ingobbiate in Montelupo, registrandosi in effetti solo in epoca successiva (ad iniziare, cioè, dagli anni '40 del Cinquecento); tale fenomeno può quindi ragionevolmente significare che questi manufatti fossero fabbricati nelle botteghe valdarnesi soprattutto da vasai provenienti da altri centri di produzione, i quali portavano in Montelupo, diffondendole così lentamente in ambito locale, le loro conoscenze tecnico-formali. Si tratta probabilmente di ceramisti provenienti dai territori ultrappenninici, documentati in Montelupo sin dall'inizio del XV secolo, come quel Benedetto di Venturino di Randelli da Mantova[56]. Non è poi meno plausibile che, specie nei primi lustri del XVI secolo, anche i ceramisti provenienti da altri centri toscani, ed in particolare da Castelfiorentino e Bacchereto, ove è attestata una lavorazione ad ingobbio, abbiano da par loro contribuito alla progressiva diffusione di questa tecnica all'interno delle fornaci montelupine, anche perché con la tradizione produttiva di alcuni di questi centri queste stesse ceramiche valdarnesi mostrano evidenti riscontri formali[57].

L'orizzonte cambia però totalmente verso la metà del Cinquecento. Ad iniziare dagli anni '40 di quel secolo, infatti, la quantità di ceramiche ingobbiate che si trovano negli scarichi delle fornaci s'innalza di colpo, anche a seguito della diversificazione tecnologica, dovuta all'introduzione della tecnica della "marmorizzazione". L'incremento delle ingobbiate è ora tanto vistoso e rilevante da attingere, in alcuni scarichi databili alla seconda metà del secolo, a livelli quasi paritari rispetto a quelli della maiolica.

Come abbiamo già osservato nelle parti introduttive di quest'opera, il fenomeno, che viene a modificare radicalmente i precedenti equilibri, coincide con la prima fase di difficoltà incontrata dalla produzione montelupina, ora spinta a ricercare, attraverso il decremento dei costi di produzione, la riduzione del prezzo dei suoi manufatti ceramici. Il progressivo restringersi degli sbocchi mercantili, dovuto alla forte inflazione di quegli anni, spinge infatti i vasai di Montelupo a produrre ceramiche sempre più a buon mercato, nel tentativo — peraltro vano su una scala cronologica di medio periodo — di riuscire comunque a collocare questi prodotti nelle porzioni sempre più "marginali" di mercato, consentite dalle residue capacità d'acquisto degli abitanti della Toscana.

Nonostante la loro "povertà", tali generi, per rappresentare in maniera più diretta dei precedenti l'elaborazione formale dei ceramisti valdarnesi, vengono quindi a rivestire per noi una particolare importanza.

Genere 1b. Banda alternata in verde e manganese

Per dar conto in termini strettamente analitici della varietà delle decorazioni di contorno presenti in Montelupo nella prima fase produttiva delle ceramiche ingobbiate occorrerebbe moltiplicare a dismisura i nostri riferimenti tipologici, ma da questa operazione, stante la modesta rappresentatività numerica dei manufatti, non si ricaverebbe alcun ausilio pratico ai fini classificatori. Per tale motivo è sembrato utile tentare piuttosto un accorpamento dei generi, assegnando ai gruppi che ne risultano un valore rappresentativo che probabilmente è più ampio rispetto a quello che caratterizza i consimili raggruppamenti delle maioliche.

Tutto ciò riguarda soprattutto le tipologie più antiche, come quella che qui definiamo "a banda alternata" (in verde e manganese), caratterizzata, appunto, dalla presenza di fasce, sovrapposte alle incisioni, di un tale aspetto cromatico.

Gruppo 1b.1

Di questo primo gruppo delle ingobbiate (il cui numero ordinale è seguito dalla lettera "b", per distinguerlo da quello delle maioliche) possediamo un solo documento in un piattino frammentato (*tav. 166*), proveniente da un contesto del quale abbiamo già trattato nel primo volume di questa *Storia*, e cioè dallo scarico recuperato nel corridoio dell'ex manifattura Bellucci in Montelupo. Il contesto di appartenenza indica quindi per questa ceramica una datazione compresa tra gli anni '60 e gli anni '70 del XV secolo, qualificandolo perciò al tempo stesso come uno dei più antichi (se non il più antico in assoluto) tra gli esemplari ingobbiati, graffiti e dipinti prodotti nelle fornaci valdarnesi. Che si tratti di uno scarto di lavorazione, oltre all'andamento curvilineo della spaccatura — testimonianza di una classica "avventatura" in fornace — lo indica anche la presenza di scarti di prima lavorazione ingobbiati e graffiti restituiti dal medesimo deposito archeologico.

Il motivo di contorno del piatto è realizzato mediante la graffitura di una teoria continua di motivi "a foglie" dal profilo sfrangiato, in alternanza alle quali compaiono parti lanceolate, che probabilmente vogliono alludere, così come nella "floreale" dipinta sulla maiolica, ad un fiore. Caratteristica è poi, come si diceva, l'alternanza cromatica di verde e manganese, apposti sulla superficie ingobbiata del supporto in maniera particolarmente rapida e corsiva, lasciando anche che la vetrina di copertura spanda poi liberamente all'intorno queste parti colorate.

Nel centro, marcato da una cerchiatura sottolineata di bruno, compare uno dei tanti conigli (o leprotti che dir si voglia) che si incontrano nella ceramica italiana del tardo Medioevo e del Rinascimento: in esso, più che un riferimento a certe decorazioni dipinte sulla maiolica, pare più giusto e corretto vedere una vera e propria citazione del più classico repertorio della graffita padana (tanto di area emiliano-romagnola che lombardo-veneta), ben sottolineato anche dalla rosetta stilizzata che qui compare nello spazio superiore della cerchiatura, fiancheggiando le lunghe orecchie dell'animale.

Gruppo 1b.2

Una versione strettamente geometrica del medesimo cromatismo di contorno, impiegato però su semplici barrature graffite, la si incontra nello scodellino della *tav. 167*, la cui arcaicità (nonostante si tratti di un esemplare dei primi anni del Cinquecento) ben si evidenzia nella sua composizione centrale, la quale riproduce, sia pure in maniera estremamente sintetica, la fisionomia dei motivi vegetali inquartati, già presenti in Montelupo sin dalla metà del XIV secolo, ed ampiamente diffusi nella "maiolica arcaica" evoluta e tarda, nonché nel genere "tricolore" della medesima.

Genere 2b. Contorno "a ovali"

Assai più diffuso è poi un genere, graffito e dipinto nella solita bicromia verde-bruno, che si caratterizza per una fascia "a ovali", realizzati mediante una graffitura assai sottile e quasi impercettibile. Si tratta di un genere ben documentato nei centri ceramici dell'area fiorentina, ed in particolare nella produzione ad ingobbio di Bacchereto e Pontorme; esso è di assai difficile definizione sotto il profilo cronologico, in quanto sembra distinguersi (come gran parte di queste lavorazioni graffite dai non rilevanti contenuti estetici) per una presenza negli *ateliers* ceramici fiorentini probabilmente estesa dagli ultimi lustri del XV secolo sino almeno all'inizio del Seicento, allorquando darà origine ad un genere consimile (cfr. *tav. 176*): l'esemplare qui riprodotto alla *tav. 168* appartiene, infatti, agli anni attorno alla metà del Cinquecento, e documenta la forma della ciotola emisferica, sulla quale la tipologia è particolarmente diffusa.

La sintassi decorativa che il genere sviluppa si articola su di una semplice partizione graffita in sei settori della cerchiatura centrale, poi puntinati al loro interno di verde; sulla parete della ciotola si realizzano una serie di motivi ovali, parzialmente sovrapposti tra di loro, e parzialmente riempiti da gruppi alternati, formati da rapide tratteggiature in arancio e verde.

Genere 3b. Nastro

Questa tipologia è ben definita dalla presenza di una fascia di contorno nella quale si distende un "nastro" che, con sviluppo ondulante, mostra alternativamente la sua faccia ventrale e dorsale, così come si evidenzia nell'esemplare riprodotto alla *tav. 169*. La colorazione alternata in verde ed arancio e la presenza di piccoli inserti graffiti di forma tondeggiante, posti nei punti ove il "nastro" si piega, sembrano echeggiare l'omologo motivo dipinto sulla maiolica, ma i riferimenti immediati di questa produzione montelupina sono comunque ben presenti nelle coeve ceramiche graffite pisane, senesi e di Castelfiorentino (delle quali, purtroppo, niente è stato al momento pubblicato).

La datazione di questo grande scodelliforme, che presenta nella sua larga vasca un decoro vegetale inquartato, ove si notano riferimenti palesi alla "floreale", è riferibile all'inizio del secondo decennio del XVI secolo, in ragione della cronologia degli strati del "pozzo dei lavatoi" dal quale esso proviene.

Genere 4b. Ghirlanda con nodi

Tra le decorazioni di contorno tipiche della fase primo-rinascimentale delle lavorazioni a ingobbio di Montelupo ne compare anche una incentrata su di un motivo "a ghirlanda", composta da un numero variabile di parti annodate (quattro o cinque, a seconda della dimensione del supporto), normalmente dipinte in verde, che si alternano a parti campite d'arancio, e sono sottolineate in maniera assai corsiva da semplici ondulazioni di graffitura.

Tra i documenti riferibili a questo genere presentiamo alla *tav. 170* un vassoio a breve tesa nel cui centro è raffigurato un cane, ed una scodella di più piccole dimensioni che ha nella vasca un motivo "a nodo" inquartato, con inserti vegetali stilizzati negli occhielli (*tav. 171*). La cronologia di questa produzione trova una buona esemplificazione in questi documenti, poiché il primo è riferibile alla fase più recente della medesima (anni '30-'40 del Cinquecento), mentre il secondo è assegnabile al secondo ventennio dello stesso secolo. Anche questa tipologia, come si è già affermato, trova esempi diretti nella coeva produzione graffita senese.

Genere 5b. Ghirlanda

Tra Quattro e Cinquecento il motivo della "ghirlanda" ha una massiccia utilizzazione in tutte le forme d'arte applicata, diffondendosi in particolar modo sulla ceramica, ove è ampiamente usato per la "nobilitazione" degli stemmi, ma anche con altri soggetti di natura figurativa. In Montelupo abbiamo visto come la stilizzazione della "ghirlanda" formata dalle foglie del lauro si sia trasformata in un genere di contorno "tipico" della pittura su smalto, ed ora (*tav. 172*) possiamo osservare come lo stesso motivo sia stato trasferito sulla lavorazione a ingobbio; la specificità del repertorio proprio alle graffite toscane emerge tuttavia in questo esemplare, databile ai primi anni del XVI secolo, nell'adozione come motivo centrale del noto "nodo" quadrilobato, simile a quello che abbiamo già incontrato nella scodella riprodotta alla tavola precedente.

Genere 6b. Settori piramidali

Lo sviluppo della produzione di ingobbiate registratosi nel centro valdarnese ad iniziare dagli anni '40 del Cinquecento determina la nascita di tipologie decorative dalle caratteristiche formali assai corsive e spesso risolte in una serie di semplici graffiture, sommariamente sottolineate da pennellate in verde ed arancio. Di questa tendenza costituisce un'efficace testimonianza lo scodelliforme della *tav. 173* nel cui centro campeggia l'iris fiorentino: sulla tesa di questa ceramica, incisa da rapidi svolazzi "a onda", vengono realizzati settori piramidali barrati in arancio, ai quali se ne alternano altri in verde, collocati negli spazi di risulta.

Il contesto di appartenenza consente di datare il nostro esemplare al periodo 1540-70.

Genere 7b. Foglia cardiforme evoluta

Abbiamo già incontrato al numero 2 della nostra classificazione della ceramica a ingobbio un motivo composto da una teoria di "ovali", nei quali possiamo riconoscere la stilizzazione della foglia cardiforme, introdotta nella decorazione ceramica dei centri toscani sin dalle prime produzioni della "maiolica arcaica".

A differenza di quanto avveniva nel precedente raggruppamento, i documenti che presentano tale decoro in forma "evoluta", così come si nota nella scodella della *tav. 174*, databile anch'essa tra gli anni '40 e gli anni '70 del XVI secolo, sottopongono lo sviluppo formale della "foglia" stilizzata alla sovrapposizione di settori piramidali, dipinti nella classica bicromia verde-arancio, così come accade anche nel genere precedente.

Genere 8b. Fascia di petali

La diffusione massiccia dell'ingobbio sollecita i ceramisti di Montelupo ad elaborare nuove tipologie di contorno, sviluppandole all'interno delle loro fornaci o esemplandole sulla produzione di altri centri di fabbrica.

Uno dei più caratterizzati tra questi motivi è quello che possiamo definire come "fascia di petali", documentato dal piatto della *tav. 175*, che intende palesemente suggerire l'idea di una corolla floreale, posta a coronare un centro variamente figurato. È poi notabile nel nostro esemplare la presenza di uno di quei frutti con le foglie, tipici dei generi "compendiari" a smalto sui quali avremo agio di diffonderci più avanti, e che furono introdotti nel centro valdarnese a seguito della grande diffusione della "foglia" e della decorazione con sfondo "bleu graffito" di origine veneziana. Il piatto della *tav. 175*, infatti, ben si colloca negli anni (1540-70) in cui fu più intensa l'assimilazione da parte dei vasai montelupini degli esempi "compendiari" della pittura su smalto.

Genere 9b. Settori "a metope"

All'interno del filone attrattivo delle modalità pittoriche del "compendiario" bene si inserisce anche la scodella della *tav. 176*, per il contorno con parti "a metopa", ove palesemente risalta il modello formale dei generi "a settori" di quella famiglia di decori.

L'esemplare in questione è databile nell'arco dell'ultimo trentennio del Cinquecento.

Genere 10b. Settori calligrafici

Un'ulteriore testimonianza dell'interessante fenomeno di trasposizione delle suggestioni decorative del "compendiario" sulle ceramiche ingobbiate di Montelupo la si ricava anche dalla *tav. 177*, ove si riproduce un cavetto che ha al centro una figura (forse femminile) graffita e dipinta secondo le più usuali modalità rappresentative della pittura su maiolica della seconda metà del XVI secolo. La scodella, databile agli anni 1570-1600, presenta sulla tesa un motivo di contorno "a settori" strutturalmente simile a quello che caratterizza il genere precedente, ma che tuttavia è risolto in maniera assai corsiva come un succedersi di graffiture bipartite (una sorta di "ancora" stilizzata) a tre semplici segmenti verticali.

Genere 11b. Archeggiature "a petalo" puntinate e sovrapposte

Non tutti i contorni elaborati in questa fase di rapido incremento produttivo della graffita assumono una fisionomia accentuatamente corsiva, come avviene nel genere precedente. Talora infatti, come può ricavarsi dal vassoio scodelliforme frammentato riprodotto alla *tav. 178*, i vasai montelupini s'ingegnano a sviluppare, nelle parti che attorniano le decorazioni principali, motivi che meglio si prestano ad esaltare le potenzialità tecniche della graffitura dell'ingobbio, la quale può seguire più rigorose modalità geometriche di costruzione.

In questo caso notiamo come il contorno, riprendendo parzialmente l'idea del "petalo", già incontrato nel precedente genere 8b, venga a costruirsi come una serie di tre archeggiature parabolari, parzialmente sovrapposte, che in tal modo individuano sette parti, quattro delle quali (quelle poste alla base) vengono poi incise con una segmentatura "a sgraffio", mentre le restanti tre sono solo puntinate, così come gli spazi di risulta posti lungo la fascia esterna, vicina al bordo.

Questa produzione è cronologicamente collocabile nell'ultimo trentennio del Cinquecento.

Genere 12b. Piumaggio scalfito

Abbiamo visto come molte delle decorazioni di contorno riprodotte sulla ceramica graffita montelupina del XVI secolo ripetano motivi e struttura propri alle produzioni similari di altri centri toscani; esse sembrano particolarmente vicine, nella prima fase di sviluppo di questa classe, soprattutto a quelle di Bacchereto, Siena e Castelfiorentino. Nel momento di sviluppo produttivo delle ingobbiate, avviatosi nel quinto decennio di quel secolo, i vasai montelupini tentano poi di riprodurre sull'ingobbio decori già sviluppati nella pittura su smalto, che in questo periodo è particolarmente attratta dai modi "compendiari", assimilati dallo studio delle ceramiche faentine e, soprattutto, veneziane.

Contemporaneamente a questa tendenza "compendiaria", che appare singolarmente diffusa nella graffita montelupina, i ceramisti valdarnesi sfornano grandi quantità di ceramiche ingobbiate sotto vetrina, le quali presentano un contorno realizzato non tanto per graffitura, quanto per scalfitura della superficie bianca del supporto, ottenuta per asportazione del materiale terroso dell'ingobbio mediante una stecca o, più probabilmente, una piccola "forcina": un attrezzo ancor oggi di fondamentale importanza nell'*atelier* di ogni vasaio.

Il decoro di contorno realizzato con tale tecnica perviene ad un notevole effetto visivo col suggerire una sorta di piumaggio, che, quasi si trattasse d'un "nastro", viene a distendere le sue parti costitutive (simili, appunto, a piume) in un alternarsi oscillante di alti e di bassi, i quali conferiscono alla composizione un'impressione di movimento, sia pure in forma rappresa e contenuta (*fig. 22*). L'introduzione della tecnica di scalfitura — talvolta detta anche dagli studiosi, specie se si concreta in un'ampia asportazione della pellicola d'ingobbio, "a fondo ribassato" — permette così di introdurre un'apprezzabile consistenza volumetrica nella fascia di contorno, e migliora considerevolmente la qualità estetica, già troppo dipendente dagli effetti, eccessivamente piatti e calligrafici, della decorazione graffita. Un tale risultato offre anche ai nostri vasai la possibilità di ridurre l'estensione della pittura, precedentemente necessaria a conferire una qualche vitalità alle fasce graffite dei contorni, che infatti viene ora riservata ai soli motivi centrali, e lascia il nostro "piumaggio" del tutto privo di sottolineatura cromatica.

In questa fase sembra essere Pisa ad influenzare massicciamente i vasai montelupini che si dedicano alle lavorazioni ingobbiate, ma è opportuno osservare in proposito che il decoro caratteristico del nostro genere 12b appare talmente ben documentato anche nei centri del Valdarno fiorentino (Fucecchio, Pontorme) da non consentire al momento la formulazione di ipotesi seriamente fondate in merito alle modalità di diffusione del medesimo.

La cronologia della sua produzione si presenta, inoltre, particolarmente estesa — è un genere di successo sotto tutti i punti di vista — ed ancora non sufficientemente precisata in tutti i luoghi ove esso fu introdotto nella produzione locale ad ingobbio. In Montelupo possiamo dire che il contorno "a piumaggio scalfito" compare negli anni attorno alla metà del Cinquecento (purtroppo le restituzioni archeologiche non consentono al momento maggior precisione), perdurando sino almeno agli anni '20-'30 del secolo successivo.

Di questo genere presentiamo la versione più diffusa (gruppo 12b.1) nelle scodelle riprodotte alle *tavv. 179* e *181*, e nei piatti delle *tavv. 182* e *183*: quest'ultimo esemplare documenta poi la versione più numerosa dei motivi centra-

Fig. 22 - Piatto scodelliforme ingobbiato in biscotto con decoro "a piumaggio scalfito" (Gruppo 12b. 1), 1550-1580 circa. Da scavo "tridente", inedito. Montelupo, Museo Archeologico e della Ceramica

li ai quali il "piumaggio" si unisce, e cioè la girandola (parimenti scalfita), circondata dalla "ghirlanda".

Una variante (gruppo 12b.2) del medesimo motivo di contorno, che però si caratterizza per una più larga asportazione della copertura ingobbiata del supporto (alcuni direbbero appunto, ma, ci pare con terminologia non del tutto chiara, "a fondo ribassato"), si evidenzia poi nel cavetto della *tav. 180*. Esso documenta la tendenza, che fu assai importante nella Toscana del tardo Cinquecento e del Seicento, a realizzare ceramiche ingobbiate prive di ogni sottolineatura pittorica, nelle quali l'effetto decorativo viene completamente affidato alla particolare volumetria che l'estesa scalfitura del fondo riesce a conferire ai soggetti da essa rappresentati.

Il nostro esemplare proviene purtroppo da un contesto databile con difficoltà, ma probabilmente inseribile nell'ultimo trentennio del XVI secolo.

Genere 13b. "Monticelli"

Nonostante i ceramisti valdarnesi avessero cercato in esse un rimedio alla progressiva restrizione dei mercati, la crisi sempre più accentuata che interessò l'attività delle fornaci montelupine ad iniziare dai primi anni del Seicento, non mancò di riverberare i suoi effetti negativi anche sulle ingobbiate. Si cercò di contrastare questo momento di grave difficoltà attraverso un ulteriore scadimento del prodotto, nel quale il decoro di contorno venne progressivamente a perdere ogni funzione.

La fase iniziale di questa tendenza, alla cui affermazione probabilmente concorse anche il gusto dell'epoca, sempre più portato all'esaltazione dei decori centrali, realizzati anche con modalità accentuatamente "compendiarie", è ben percepibile in questo genere della produzione a ingobbio, nella quale i motivi di contorno sono semplicemente suggeriti da una serie di scalfiture praticate in senso decrescente, simili, appunto all'icastica rappresentazione di un "monticello". È assai probabile che il contenuto formale del nostro genere 13b dipenda dalla diffusione della consimile tipologia pisana, già da tempo introdotta nell'attività delle fornaci della Città crociata.

Della versione montelupina del contorno "a monticello" scalfito sull'ingobbio costituisce buona testimonianza lo scodelliforme della *tav. 184*, che il motivo centrale, palesemente dipendente dal tardo figurato locale, indica appartenere al primo ventennio del XVII secolo.

Genere 14b. Bordo filettato

Affermavamo poc'anzi che nel corso della prima metà del Seicento le graffite montelupine (così come la produzione valdarnese ad ingobbio) vennero a perdere la fascia di contorno che, invece, le caratterizzava ancora sul finire del secolo precedente.

Di questa produzione, nella quale finiscono progressivamente per annullarsi tutti i valori formali della decorazione, tanto che le ceramiche che ad essa appartengono si caratterizzano ormai solo per un più modesto valore d'uso, proprio dell'ordinario stovigliame, è dato di reperire ampia documentazione negli scarichi di fornace di Montelupo. L'articolazione in gruppi della medesima vuol pertanto rendere "discreto" e leggibile questo percorso, protrattosi per quasi un secolo, senza per questo volgersi a sottolineare valori formali ormai inesistenti.

Gruppo 14b.1

È quello che porta alle estreme conseguenze la tendenza ad abolire il decoro di contorno. Nelle ceramiche che ad esso appartengono, come la scodella riprodotta alla *tav. 185* ed il piatto della *187*, si ritrova infatti soltanto una filettatura graffita lungo il bordo, talvolta sommariamente sottolineata da una pennellatura in verde ramina.

Anche i motivi centrali, in questo genere databile dal 1630 al 1680 circa, sono ridotti al minimo: si veda, ad esempio, il richiamo appena percepibile all'antichissima figurazione fitomorfa inquartata dell'esemplare della *tav. 185*, o l'astratta fisionomia dello stemma centrale dipinto nel centro del piatto della *tav. 187*.

Gruppo 14b.2

In questo raggruppamento inseriremo una tipologia di graffita che è ben nota agli archeologi post-classici che studiano i contesti mediterranei, in quanto è ampiamente presente nei depositi archeologici del pieno XVII secolo appartenenti a diverse località rivierasche, dall'Egitto (Fostat) alla Provenza[58]. Tutto ciò non deve certo stupire, poiché è ben noto come, nonostante la crisi economica italiana, i commerci marittimi capillarmente diffusi nel Mediterraneo non mancavano anche allora di trasportare merci di ogni tipo, comprese ovviamente le ceramiche, da sempre legate ad una duttile funzione di carico secondario, che ben rispondeva alle esigenze del commercio di piccolo e medio cabotaggio; esse potevano così introdursi, sia pure marginalmente, ancora nelle pieghe del grande commercio internazionale, esercitato a più lunga distanza.

La diffusione del decoro tipico di questo gruppo in diversi centri ceramici toscani — almeno in Pisa, Pontorme e Montelupo — ne favorì certamente la diffusione extraregionale, e ciò impone una qualche cautela (che ci pare non tutti manifestino trattando di questa classe, la quale occorrerebbe assai meglio conoscere nel suo sviluppo storico, prima di addentrarsi in pericolose generalizzazioni) nell'assegnare a questo o a quel luogo gli esemplari rinvenuti in scavi o ritrovamenti marini effettuati al di fuori della Toscana.

Sotto il profilo strutturale il secondo raggruppamento del nostro genere 14 si presenta come una "ghirlanda", graffita in maniera assai corsiva (cfr. *tav. 188*), che stringe una piccola cerchiatura centrale, occupata da un fiore posto su di un lungo stelo foliato, sottolineato con pennellature in verde ed arancio. Sia l'esterno della cerchiatura che quello della "ghirlanda" sono muniti di una serie di filettature parimenti graffite, due delle quali minutamente barrate da segmentature trasverse.

La datazione delle ceramiche facenti parte di questo gruppo è parallela a quella degli altri tipi privi di contorno, e probabilmente si estende propriamente dal 1630 al 1680 circa, prevedendo anche una fase di più tarda "estenuazione".

Gruppo 14b.3

In quest'ultimo raggruppamento delle ingobbiate presentiamo una scodella (*tav. 188*) contraddistinta da un decoro graffito talmente sottile da risultare quasi impercettibile alla vista, il quale si risolve semplicemente in una serie di incisioni ondeggianti e corsive, sottolineate da rapide pennellate verdi ed arancio in alternanza. Al centro della scodella troviamo ancora l'estenuazione del motivo fitomorfo inquartato, che già altre volte abbiamo avuto l'occasione di incontrare nella classe delle ingobbiate montelupine.

Si tratta di una tipologia diffusa su questa produzione "povera", ove si incontrano solo ciotole troncoconiche a pareti raddrizzate e (come in questo caso) scodelle, caratterizzate dalla riduzione della pittura ai minimi termini, la quale può datarsi nell'arco dell'intera seconda metà del XVII secolo, ma che ebbe probabilmente qualche esito finale ancora nei primi venti-trent'anni del successivo.

Genere 1c. Marmorizzata

Abbiamo già avuto modo di affermare nelle pagine precedenti che l'introduzione della tecnica del decoro ottenuto dalla mescolanza di vari ingobbi colorati, determinando la nascita di una nuova classe, detta per il suo aspetto "marmorizzata", venne rapidamente a ridimensionare il ruolo largamente egemone che la maiolica aveva esercitato sin dal Medioevo nelle botteghe ceramiche di Montelupo.

Questa produzione, peraltro assai meno banale di quanto possa apparire, non fosse altro perché essa fu probabilmente suggerita (se non addirittura esemplata) ai ceramisti nostrani dall'osservazione di prototipi orientali, non appare però sufficientemente studiata sotto il profilo della sua diffusione produttiva nei centri ceramici italiani, in non poca parte dei quali, a quanto sembra, essa — sia pure in quantità e con caratteristiche le più varie e differenziate — fu prodotta. Una tale carenza d'indagine si riflette in maniera pesante nella conoscenza della specifica cronologia della "marmorizzata", per lungo tempo ritenuta un genere tardivo, uscito specialmente dalle fornaci toscane nell'ultima fase della loro attività.

Le indagini archeologiche condotte in Montelupo hanno però evidenziato la presenza del medesimo in contesti caratterizzati dallo scarico di maioliche "compendiarie" del primo periodo, appartenenti cioè agli anni compresi tra il 1540 circa ed il 1570. Risulta perciò evidente come, almeno nel centro valdarnese, si possa parlare di una produzione di "marmorizzata" già verso la metà del Cinquecento, anche se appare chiaro come sia ad iniziare dalla seconda parte di quel secolo — ed ancora durante tutto il Seicento — che essa viene ampiamente a diffondersi.

La decorazione ad ingobbio colorato interessa morfe vascolari legate alla classe delle ingobbiate, come scodelle e piatti dal profilo assottigliato al rovescio mediante rifinitura, e con il piede alleggerito dall'escavazione "a ferro". In essa si incontrano però anche forme particolari, quali la tazzina ansata, e può notarsi un'ampia diffusione della catinella a corpo emisferico, con l'ampia bordatura ripiegata verso il basso.

Nonostante questa classe non presenti ovviamente differenziazioni decorative, gli esemplari che ad essa appartengono possono essere suddivisi in due gruppi distinti. Nel primo di essi (gruppo 1c.1) inseriremo la versione policroma della marmorizzata, che prevede l'impiego di ingobbi colorati in verde, bruno, arancio e azzurro (*tavv. 189 e 190*), e che ci pare raggiungere in Montelupo — almeno in questi esempi cinquecenteschi — un apprezzabile livello qualitativo, mentre del secondo (gruppo 1c.2) faranno parte quei manufatti ingobbiati in monocromia (*tav. 191*), nei quali si impiega soltanto l'ingobbio biancastro, ottenendo così un aspetto che tende ad esaltare il fondo rosso-carneo del biscotto invetriato.

Genere 1d. Schizzata ad ingobbio colorato sotto vetrina

Le applicazioni dell'ingobbio colorato non si fermano però alla marmorizzata. Negli scarichi di fornace di Montelupo si nota infatti, ad iniziare dalla seconda metà del XVI secolo, la presenza di ceramiche decorate con l'artificio della colorazione ingobbiata, la quale non viene però spanta sul manufatto a pennello, oppure attraverso rapide rotazioni dell'oggetto da decorare, bensì schizzandola da una qualche distanza sulla sua superficie.

Il pigmento argilloso è probabilmente ottenuto attraverso una mescolanza di colori — verde, arancio, bleu, in particolare, che immaginiamo essere stati null'altro che i rimasugli dei ciotolini dei pittori — e portato ad uno stato assai liquido; caricandolo con un largo pennello si poteva poi trasferirlo "a schizzo" per macchie minute sulla superficie dei vasi. La successiva invetriatura del supporto fissava questo effetto "schizzato" — che poteva essere più o meno coprente, in ragione dell'intensità di questa operazione — qualora fosse effettuata sul biscotto nudo, oppure presentarsi come "maculazione" nel caso in cui il manufatto presentasse una superficie preventivamente ingobbiata di bianco.

Con questa tecnica furono realizzate in Montelupo ciotole e scodelle come quella qui riprodotta alla *tav. 192*, con forme identiche a quelle della "marmorizzata", oppure altre tipologie di manufatti, più vicini all'uso del pentolame da cucina (si tratta sicuramente di particolari scaldavivande), come si nota anche dal tipo di impasto; di essi è perciò opportuno trattare nel terzo volume di quest'opera assieme alla classe delle invetriate.

La cronologia di questa produzione, oltre la data della sua comparsa in Montelupo, che abbiamo visto potersi collocare nella seconda metà del XVI secolo, è ancora difficile da precisare, anche se la medesima sembra non proseguire oltre il 1630 circa.

Genere 2d. Schizzata e pennellata

Una mescolanza tra la tecnica della decorazione su ingobbio "a schizzo" e quella ottenuta attraverso la pennellatura della superficie si nota invece nei frammenti riprodotti alla *tav. 193*, appartenenti a grandi bacili baccellati su piede, pur se pertinenti a due esemplari diversi. Questa tecnica, assai poco nota, sembra in effetti esser stata impiegata soprattutto su un tal genere di morfe derivate dalla metallotecnica, le quali si caratterizzano per un'ampia vasca "a conchiglia" sorretta da appoggi plastici (con fisionomia a "zampa di leone", "a delfini", etc.), e da prese con mascheroni ed altre parti applicate.

I ceramisti, volendo avvicinare l'aspetto cromatico dei loro manufatti a quello dei prototipi metallici, ricercano qui una diffusa macchiatura dell'ingobbio, ottenendola mediante schizzature in ramina, le quali vengono poi meglio diffuse e ripartite sulla superficie — specie nelle parti plastiche e baccellate delle vasche — attraverso l'uso di un largo pennello; un'invetriatura piombica piuttosto corposa favorisce poi lo stendersi del pigmento in lunghe colature, cancellando così le tracce della diversità delle due tecniche decorative.

La cronologia di questa produzione, sinora documentata unicamente nel deposito archeologico venuto alla luce nei pressi della cosiddetta "casa dei Sinibaldi", si può al momento inserire negli anni 1540-80 circa, vista l'associazione della medesima con le maioliche "compendiarie" appartenenti a questa fase.

Parte seconda - Capitolo quarto

La maiolica del tardo Rinascimento

Genere 44. Maiolica schizzata. La tecnica decorativa "a schizzo" trovò applicazione in Montelupo anche sulla maiolica, come è testimoniato da alcuni scarti di fornace, i più significativi dei quali sono riprodotti alla *tav. 194*, tutti cronologicamente inseribili nella seconda metà del XVI secolo. A differenza della classe delle ingobbiate i pigmenti non vengono in questo caso mai mischiati all'ingobbio, e la colorazione è ottenuta spruzzando direttamente il colore col pennello sulla superficie smaltata.
Le forme che sono documentate appartengono tanto alla produzione farmaceutica (a sinistra, nella *tav. 194*) e, soprattutto, a quella destinata alla mensa, come si nota nella grande alzata campaniforme frammentaria riprodotta sul lato destro della *tav. 194*. Questo documento presenta un'interessante possibilità di confronto con due noti esemplari del medesimo tipo morfologico conservati in musei fiorentini: la prima, appartenente alle collezioni del Museo Nazionale, è marcata all'interno del piede con la sigla della fornace di Cafaggiolo, mentre la

Fig. 23 - Mescirobe frammentario con decoro "compendiario della famiglia bleu" (Gruppo 45.1) datato sotto l'attacco dell'ansa "1549". Sul lato a vista stemma non identificato.
Da scavo casa Sinibaldi, inedito. Montelupo, Museo Archeologico e della Ceramica

seconda, nella raccolta ceramica di Palazzo Davanzati, è siglata con una sola "P".

Entrambe sono state in passato attribuite alla fornace del Mugello, ma adesso converrà indicare nella seconda, in virtù della marca montelupina e del confronto con questo esemplare di scavo, piuttosto un prodotto delle nostre fornaci valdarnesi. La differenza di dettaglio, dovuta all'effetto evidente di scolatura del colore, che il documento di Palazzo Davanzati mostra rispetto all'esemplare di scavo di Montelupo, è infatti dovuto allo spessore della "coperta" piombica, posta sulla superficie smaltata prima della seconda cottura, la quale, fondendo, ha fatto scivolare verso il basso (le alzate mostrano di esser state poste in fornace in senso capovolto) le schizzature cromatiche, spandendole maggiormente sulla superficie.

Compendiarizzazione della "famiglia bleu"

Il termine "compendiario" — il cui uso sempre sottintende la parola "stile" — fu introdotto da Gaetano Ballardini allo scopo di sottolineare certe particolarità delle maioliche faentine della seconda metà del Cinquecento, da lui ritenute innovative rispetto alla tradizione figurativa che aveva trovato nelle botteghe urbinati — che si ritennero in ciò favorite da Guidobaldo II della Rovere[59] — e metaurensi in genere, il punto di maggior forza, in grado di suscitare in Italia ed all'estero una vera e propria moda, che sfociò in una diffusa imitazione del genere "istoriato" (basti pensare a Lione e Nevers in Francia).

Particolarmente nella lezione tenuta nell'estate del 1929 al *I° Corso di storia della ceramica italiana medioevale e moderna*, il cui testo venne pubblicato sulla rivista "Faenza" in quello stesso anno[60], il direttore del Museo faentino cercò di affinare questo concetto, sino a trasformarlo in un importante criterio interpretativo. "Che cos'è questo stile compendiario della maiolica nostra del secondo Cinquecento?", egli si domandava, fornendo poi questa articolata risposta al suo quesito: "Avviene sempre nei momenti di sazietà che imprimono nell'animo le grandi forme, troppo piene di pompa e lentamente svuotantesi di contenuto delle civiltà avviate al tramonto... una reazione. Ne abbiamo esempio in qualche aspetto dell'arte ellenistica; ne abbiamo esempio a Roma stessa nelle pitture cimiteriali [?], i cui ornati e figure, che spiccano sugli sfondi bianchi o molto chiari delle pareti, sono condotti in maniera rapida e sprezzante, che evita ogni minuzia, ogni modellatura precisa... che vuol incidere un movimento, un segno, un elemento dinamico di vita in una sommaria impressione, che intuitivamente immetta il sentimento che le cose suscitano nello spirito di chi le contempla. Ecco dunque che questo modo fu detto altresì impressionistico e conduce l'artista a rendere gli aspetti del suo mondo con rapidissima efficienza...

È una reazione violenta... contro la convenzione, contro lo 'stile', il canone... è una rivoluzione della tecnica pittorica che più non idolatra il colore, è un'espressione di modernità...". E poi lo studioso faentino così proseguiva: "...vi è sempre un primitivo che rinnova un mondo spirituale, allorché una maniera logora e stanca ne ha fiaccato i valori di rappresentazione. Così è della maiolica, sazia di seguire Raffaello e i suoi divulgatori: e il merito è nuovamente dei faentini"[61].

Dopo aver messo in luce le motivazioni e gli scopi che i pittori del "compendiario" si prefissero con i loro lavori, Ballardini si volgeva poi a descriverne l'attitudine operativa: "...codesti spiriti bizzarri di 'compendiatori' sono pronti a schizzare rapidamente una figuretta in un grande fondo bianco ...con un semplice contorno di alcuni sapienti tocchi in velatura; a costruire con tre, quattro segni un putto o uno svolazzo, armoniosi e delicati; a trarre effetti, con brevi tratteggi di chiaroscuro... il tutto con mezzi minimi, con due toni di cobalto, uno o due di giallo e null'altro..."[62]. In questa evoluzione egli trovava "...insieme, segno d'intelligenza e di comprensione pratica", poiché "Se la mano è abile e il gusto del maestro è buono, quanto lavoro si può anche compiere, quale concorrenza si può vincere con la novità e col prezzo, nient'altro che con un breve segno sopra uno smalto di velluto"[63]. Ovviamente Gaetano Ballardini aveva qui in mente i noti "bianchi" faentini, dei quali, dunque, intravedeva anche il significato innovativo sotto il profilo economico.

Quest'idea del "compendiario", inteso come reazione nei confronti di un classicismo ormai retorico, svuotato di quell'energia rappresentativa delle idee e delle passioni "contemporanee", indispensabile ad ogni forma d'arte, fu proprio anche di Giuseppe Liverani[64], ed è poi rimasta negli studi come concetto generale di riferimento per queste produzioni, in cui, anche a spese della pienezza della pittura — ridotta quasi in termini grafici — si tende più ad "impressionare" che a "rappresentare". Per l'indubbia concomitanza tra un tale modo di concepire le parti figurate ed il ritrarsi della decorazione entro spazi relativamente esigui, in maniera tale che i manufatti smaltati mostrano adesso larghe zone bianche (ragione per cui la qualità dello smalto si fa ancor più importante), si è poi finito quasi per assimilare le due cose, in maniera tale che sovente il "decoro limitato" o, addirittura, il genere dei "bianchi", diviene quasi sinonimo di "compendiario".

Nell'affrontare le problematiche connesse con la produzione montelupina del pieno XVI secolo, la quale presenta questi caratteri di "compendiarità" (modalità "grafica" delle rappresentazioni figurate, monocromia e limitazione del decoro), è sembrato però opportuno riprendere tale concetto dalla purezza della sua formulazione, per verificarne — ed eventualmente precisarne — il contenuto in rapporto ai documenti relativi al nostro centro di fabbrica.

Nei reperti ceramici emersi dagli scavi sin qui condotti in Montelupo si nota un fenomeno di trasformazione del filone decorativo "naturalistico" della "famiglia bleu" che assume una particolare consistenza negli anni '40 del Cinquecento, per poi proseguire nella seconda metà di quel secolo. Il contorno vegetale "alla porcellana" viene infatti a modificarsi, complicandosi nel suo sviluppo — sino a divenire particolarmente invasivo delle superfici — ed a trasformarsi in una composizione "popolata"[65], all'interno della quale campeggiano piccoli uccelli, trofei, etc.

Il fenomeno, pur riguardando anche le forme chiuse, non sembra estendersi ai normali boccali, che continuano a sfoggiare sui loro fianchi i contorni "alla porcellana" nelle versioni vegetali del primo raggruppamento (quello identificato con la lettera "*a*" della nostra classificazione)[66]. È però sulle aperte che si evidenzia appieno questa trasformazione del contorno, che ora si accompagna anche con un repertorio figurativo assai ampio, formato da stemmi, figure, etc., tutte caratterizzate da una modalità "grafica" e, per usare il termine felicemente coniato dal Ballardini, "compendiaria" di rappresentazione.

Di cosa si tratta? Evidentemente di un processo di "compendiarizzazione" della nostra "famiglia bleu", che viene a trasformare il senso pittorico di questo raggruppamento di generi decorativi, sino a fargli assumere quei connotati "impressionistici" sui quali ci siamo ampiamente diffusi attraverso le parole del fondatore del Museo di Faenza.

Si può dunque dire che a Montelupo è stato inventato lo "stile compendiario"? Neppure per idea. I vasai montelupini mostrano in questo lasso di tempo di guardare infatti con particolare attenzione all'esterno, probabilmente perseguendo un tentativo di rinnovamento della tradizione locale. Tra i generi che si cerca di aggiornare c'è anche l'antico contorno "alla porcellana", e un tale aggiornamento viene attuato ispirandosi non tanto alle fornaci faentine, quanto alle straordinarie maioliche veneziane che la critica contemporanea attribuisce alla bottega di maestro Lodovico. Se confrontiamo infatti alcune versioni di questi contorni, quali quello del piatto qui riprodotto alla *tav. 199*, ci possiamo accorgere come il modo di eseguire i girali fogliati sia assai simile alla composizione posta sull'ala del noto cavetto dell'Ashmolean di Oxford con la sirena, datato al 16 ottobre del 1540, opera del medesimo *atelier* veneziano[67]. La ristretta fascia che corre sul bordo dell'esemplare montelupino costituisce poi una vera e propria citazione del contorno "alla porcellana" proprio di questa bottega[68] (poi probabilmente diffuso anche in altri centri di fabbrica veneti, quali, ad esempio, Padova), ed esso verrà replicato con straordinaria fortuna in Montelupo. È d'altra parte evidente come l'attenzione riservata dai vasai valdarnesi al lavoro dei loro colleghi di Venezia non si fermi a questo genere, ma riguardi anche altre tipologie decorative, quali quella da noi definita "a fondale bleu graffito" (genere 57), ove è sin troppo chiaro il riferimento all'ampia produzione attribuita ad un'altra, famosa bottega veneziana, quella di maestro Domenico; la nostra lista può poi ampliarsi con la "foglia" (genere 58), nella cui variante locale non è facile stabilire se abbia pesato di più l'esempio veneto o quello ligure, ma i cui sviluppi policromi si avvicinano senz'altro al primo.

Ci sembra perciò non peregrina l'idea che i rigogliosi contorni "alla porcellana" della bottega di maestro Lodovico stiano anche a fondamento delle versioni montelupine "popolate" da uccelli e da figurette di varia natura, così come non improbabile l'ipotesi che in quelle casette stilizzate, che sembrano lambite dalle acque, tipiche del "compendiario" montelupino, si celino riferimenti non troppo lontani ai melanconici paesaggi lagunari, cari ad almeno uno dei grandi pittori che lavorano in quella fornace veneziana[69].

Ecco quindi che in Montelupo viene a svilupparsi, ad iniziare dalla "famiglia bleu", un processo di "compendiarizzazione", inteso come una più rapida ed incisiva costruzione delle figure e dell'ornato che le accompagna.

Che questo processo sia avvenuto nel corso degli anni '40 del Cinquecento, in sintonia con la migliore produzione veneziana, lo dimostra poi un esemplare datato al 1549 (*fig. 23*), il cui contorno "alla porcellana" si presenta già in una fase evoluta della sua "compendiarizzazione".

La costruzione del "compendiario" ci appare, quindi, aver seguito — almeno in Montelupo — un percorso più complesso rispetto a quello descritto da Ballardini e Liverani. Questa maggiore complessità riguarda in particolare i rapporti con questa particolare evoluzione della "famiglia bleu", che risulta difficile sganciare dai contenuti dello "stile compendiario".

Se nel "compendiario" si vuol vedere una sorta di incipiente reazione alle prime "stanchezze" dell'istoriato (ma occorre dire che negli anni '40 le grandi maioliche figurate che si indicano con questo termine erano ancora abbastanza lontane dalla fase di "esaurimento" del genere, che ci parrebbe più opportuno collocare nel decennio successivo), allora si deve riconoscere che una tale reazione attraversò anche altri centri di fabbrica, prendendo in alcuni di questi, come appunto Venezia, strade inusitate. Qui, in effetti, più che alla rappresentazione di tipo "impressionistico", sulla quale poneva l'accento il Ballardini, siamo di fronte alla rarefazione della figura, che spesse volte diviene addirittura singola, ed alla cancellazione della policromia, che privilegia i toni del bleu sul fondo grigio-azzurro del "berettino", nonché alla ricerca di un raffinato effetto "grafico", molto distante, in effetti, dalla fastosa policromia dell'istoriato.

D'altro canto sappiamo che in questi stessi "fatidici" anni '40 del Cinquecento (per citare la Ravanelli Guidotti)[70] il "compendiario" assumeva in Faenza la versione dei "bianchi", che, come affermarono gli studiosi faentini, reagiva agli "sbandamenti pittorici" o alla "maniera stanca" dell'istoriato, introducendo quel carattere "impressionistico" che così bene la caratterizza, e che con altrettanta sagacia critica fu rilevato dal Ballardini[71].

Se quindi parliamo di stile (e non di questioni tecniche), dovremmo in qualche misura dar conto del fatto che una certa maniera di dipingere la maiolica, la quale sembra quasi riportare in auge — pur rivestendosi ovviamente dei robusti contenuti formali del pieno Rinascimento — la rappresentazione figurativa icastica e "grafica" che fu propria del secolo precedente, abbandonando così l'idea che la superficie smaltata della maiolica potesse quasi identificarsi con la tela di un quadro, e conseguentemente ammettere che essa riguarda, sia pure con modalità differenti, diversi centri di fabbrica.

Per non ingarbugliare ulteriormente la questione, dovremmo però distinguere, all'interno di questa tradizione decorativa che viene affermandosi ad iniziare dal quinto decennio del Cinquecento, un filone che sembra assumere un particolare rilievo a Venezia (senza dimenticare i fondamentali apporti pesaresi e durantini dei quali essa si alimentò), ed un altro che ha in Faenza il suo punto di origine e l'epicentro della sua propagazione. Ciò che accomuna entrambe le esperienze — lo abbiamo detto — è la riduzione del cromatismo (in Venezia addirittura una monocromia, ravvivata solo da raffinatissimi tocchi di bianco), ed una tendenza — pur se non generalizzata — alla rappresentazione di figure isolate, talora anche contraddistinte dalla minuzia delle proporzioni; ciò che le differenzia — e grandemente — è il modo di eseguire la pittura: così come è animata da una tensione estrema verso il chiaroscuro, quasi fosse ossessivamente imitativa della stampa, la maniera della bottega di maestro Lodovico, così è rapida ed "impressionista" quella degli *ateliers* faentini. Il fatto, poi, che l'ornato riduca grandemente la sua presenza, che certo è fattore particolarmente rilevante nelle produzione di Faenza, non può dirsi estraneo neppure alla tradizione veneta, come già si può osservare nei generi con contorno "alla porcellana", anch'essi attribuiti alla famosa fornace aperta "in contrada Santo Polo"[72].

Dovendo dar conto della duplice influenza "compendiaria" esercitata da questi due centri di fabbrica sulle botteghe di Montelupo, ci pare pertanto giustificato parlare di "compendiario", e di "compendiarizzazione", intendendo con questo termine l'assimilazione e lo sviluppo di un nuovo linguaggio decorativo, che risponde alle caratteristiche generali già notate e discusse dalla storiografia ceramologica sin dai tempi del Ballardini. Mentre, però, tratteremo di "compendiarizzazione", sottintendendo con ciò l'assimilazione di una maniera di dipingere con sensibilità "grafica", e che rifugge dalla policromia, riferendosi soprattutto al rinnovamento della "famiglia bleu", intenderemo più propriamente con "compendiario" l'assimilazione di un metodo pittorico che predilige la costruzione delle figure mediante rapidi abbozzi "impressionistici", accostando talora, sul modello faentino, i toni freddi del bleu cobalto (sia pure nelle varianti azzurre della sua diluizione) a quelli caldi dell'arancio-ferraccia e del giallo brillante.

In ordine a queste notazioni, esporremo quindi le maioliche montelupine che hanno riferimento al "compendiario" inserendole in queste grandi partizioni (famiglie):

a) "compendiarizzazione" della famiglia bleu;
b) "compendiario" a settori (monocromo e policromo);

c) "compendiario" a decoro limitato.

La prima fase, come si è più volte accennato, si svolge sotto l'influenza della produzione veneta attribuita alla bottega di maestro Lodovico, e deve essere in gran parte datata dai primi anni '40 agli anni '60 del XVI secolo, anche se incontreremo nella nostra esposizione un esemplare datato "1570" appartenente ad uno dei generi ad essa riconducibili.

Ad iniziare dagli anni '60, infatti, le cose si complicano, poiché si assiste in Montelupo sia alla comparsa del decoro limitato (esemplari già evoluti datati agli anni '70), che si caratterizza per una fascia di contorno "veneta", sia allo sviluppo delle modalità "impressionistiche" (o, se vogliamo, propriamente "compendiarie") della pittura su nuovi generi, che sono tanto di tipo monocromo (compendiario a settori), quanto policromo (crespine a quartieri). In questi ultimi casi siamo di fronte ad una lampante corrispondenza con i generi faentini.

Sul finire del secolo compariranno poi produzioni "a decoro limitato" identiche ai classici "bianchi", come il vassoio abborchiato firmato da Bandino Bandini e datato "1597" (*tavv. 305-306*), e altre crespine dello stesso genere (*tav. 307*).

Genere 45. Compendiario della "famiglia bleu"

Questo processo riguarda in misura assai più rilevante sotto il profilo numerico le forme aperte rispetto alle chiuse, e si esplica attraverso una riduzione delle parti figurate poste al centro dei piatti o delle scodelle, le quali, oltre ad assumere dimensioni relativamente ristrette, sono spesso dipinte — ad eccezione ovviamente degli stemmi, ove il cromatismo riveste un ruolo fondamentale nel riconoscimento dell'insegna — in monocromia bleu. Come si è visto poc'anzi, il fenomeno della "compendiarizzazione" riguarda soprattutto i generi incentrati sulla decorazione di contorno di tipo naturalistico-vegetale, che possiamo anche suddividere in gruppi diversi.

Gruppo 45.1

Nonostante all'interno di questo raggruppamento emerga una qualche differenziazione di dettaglio, specie qualora ci si riferisca al tipo di elemento vegetale impiegato come motivo accessorio nella decorazione, non riteniamo utile allo stato attuale delle ricerche ripartirlo in una molteplicità di sottogruppi, anche perché queste varianti sembrano più di dettaglio — dipendenti cioè dalla scelta momentanea dei pittori — che di sostanza — legate cioè ad una vera e propria tipologia produttiva, soggetta ad un'apprezzabile iterazione.

Possiamo quindi affermare che il gruppo 45.1 si caratterizza soprattutto per una decorazione di contorno del tipo "a doppia fascia", articolata su una duplice corona circolare, la quale viene a circondare il decoro principale posto nel centro, senza per questo stringerlo da vicino, ma anzi — rispettando uno dei canoni formali dello stile "compendiario" — lasciando un ulteriore spazio bianco nella sua prossimità.

La fascia più esterna, che si limita a coprire uno spazio poco più esteso del labbro dei piatti e delle scodelle, presenta una teoria di minuscole foglie stilizzate, di forma oblunga, che si pongono in posizione alternata rispetto alle spire sinuose di un tralcio ondulante. È qui che incontriamo il richiamo più evidente e riconoscibile tra queste maioliche di Montelupo e quelle uscite dalla bottega veneziana di maestro Lodovico: oltre ad essere pressoché identiche nella forma, tali fasce presentano infatti un identico valore strutturale nelle composizioni che caratterizzano entrambe le produzioni.

Mentre questa più piccola corona resta eguale in tutti i documenti che possiamo ricondurre al nostro gruppo 45.1, l'altra — e più estesa — fascia circolare, presenta le varianti di dettaglio delle quali si è poc'anzi trattato.

Nell'esemplare con stemma Bini di Firenze riprodotto alla *tav. 195* (uno dei pochi marcati sul retro, in questo caso con la sigla "La" — *tav. 196*), ad esempio, incontriamo nella composizione vegetale un fiore "a corolla intera", racchiuso da vilucchi circolari, che si alterna ad una duplice foglia contrapposta. Nel cavetto già della collezione Cora con la figura di un piccolo uccello posato al centro (*tav. 197*), la fascia interna assume invece uno sviluppo meno schematico, e la corolla floreale ha una fisionomia "a campanula", simile a quella del mughetto. In un piatto di scavo di Montelupo con la "casetta" al centro (*tav. 198*) ritroviamo i girali contrapposti, che però hanno nel mezzo solo foglie allungate, mentre un delicato accostamento di foglie e fiori compare in una scodella a larga tesa, anch'essa appartenente alla raccolta di Galeazzo Cora (*tav. 199*).

L'assimilazione del modello, dunque, pur determinando identiche risultanze sotto il profilo strutturale, non si concreta in una vera e propria imitazione formale, poiché in questa parte della composizione si preferisce impiegare i soggetti di carattere naturalistico-vegetale derivati dall'ormai lunga tradizione montelupina del decoro "alla porcellana", che fortemente avevano inciso sulla manualità dei pittori ceramisti del centro valdarnese. Nonostante non sempre si cerchi di operare una "traduzione" in lingua toscana di quelle larghe fasce di contorno, riproducendone direttamente anche i motivi, non è però detto — come avremmo modo di notare trattando anche di altri generi decorativi — che alcuni particolari che compongono le esuberanti volute delle maioliche veneziane non siano passate direttamente nelle botteghe di Montelupo.

Ma prima di addentrarci nell'esame di queste tipologie, ci conviene fermare per un attimo la nostra attenzione anche sulle parti figurate che così spesso è dato di incontrare nel nostro genere 45. Intendiamo con ciò riferirci a quei caratteristici scorci di paesaggio, formati da una o più casette, talvolta riunite assieme come a formare un piccolo borgo, nel quale si notano anche chiese o parti di fortificazioni.

Il soggetto in sé, anche in ragione della banalità del riferimento che lo sostanzia, è assai comune nella produzione ceramica, e presenta senza dubbio origini diverse, legate anche all'immediatezza dell'ispirazione[73]. Questo genere di paesaggio, però, mostra caratteristiche peculiari, che non sembrano tanto derivare da una prosaica attitudine alla rappresentazione estemporanea, ma sottendere piuttosto un'origine ed un riferimento "culturale". In esso, infatti, si è spesso notato un'inconsueta fluidità di toni, che sembra volerci intenzionalmente trasmettere una sensazione di liquidità, quasi che questi edifici s'innalzino sul limitare di specchi d'acqua, ampi e tranquilli, che ne riflettono il profilo, mischiandolo all'azzurro incombente del cielo.

Questi sfondi "liquidi" — nei quali lo scodelliforme della *tav. 199*, per la ruota di mulino che si intravede tra gli edifici, rivela palesemente voler in effetti alludere a superfici acquee — sono assai simili ai melanconici paesaggi che incontriamo nelle stesse maioliche veneziane, dalle quali i pittori montelupini mostrano aver tratto ispirazione per eseguire i loro contorni. Ecco, quindi, che questi generi in monocromia bleu vengono a sostanziarsi non soltanto di una volontà d'aggiornamento del classico ornato "alla porcellana"[74], ma anche di nuovi soggetti, estratti dal ricco repertorio dei pittori operanti nella bottega di maestro Lodovico.

Tra le molteplici suggestioni possibili, i vasai di Montelupo ritagliano dagli sfondi delle maioliche veneziane quei motivi paesaggistici stilizzati che ben si prestano ad essere introdotti nella produzione seriale, i quali affiancano a soggetti di più probabile ascendenza locale, come l'uccellino dalla lunga piuma arricciata sulla testa — una figura che spesso è dato di incontrare nella produzione valdarnese della seconda metà del Cinquecento — o a composizioni di carattere vegetale.

Le forme chiuse, come già si è avuto occasione di accennare, compaiono invece in misura piuttosto limitata con la "compendiarizzazione" della "porcellana", in quanto la versione "tradizionale" di quel decoro continua ad essere riprodotta non soltanto sulle aperte, ma ad interessare la stragrande maggioranza della produzione ordinaria di morfologia cupa, che è composta soprattutto da boccali. Fanno eccezione a questa regola alcune morfe di nuova introduzione, che consistono soprattutto in versatoi (mescirobe), caratterizzati da un collo assai allungato, impostato su di un corpo globulare, e una variante del medesimo, con una più modesta espansione della parte superiore del vaso, ripiegata però all'interno in un'ampia trilobatura del colletto.

Sui fianchi di un esemplare del primo tipo morfologico (*tav. 201*) troviamo uno sviluppo del decoro vegetale "alla porcellana" condotto secondo gli usuali criteri compositivi; il collo del mesciroba, però, si fregia al bordo di una piccola fascia composta da una filettatura ondulante, le cui spire sono alternativamente riempite da una sorta di boccioli fioriti o di minuscole foglie stilizzate. Il motivo, che sembra addirittura riecheggiare una nota tipologia di contorno della "maiolica arcaica tricolore", avrà una straordinaria diffusione nel "compendiario" montelupino, e può in questo caso essere ricondotto ad una funzione di "fascia di completamento" o di chiusura del contorno, simile a quella che incontriamo nelle forme aperte del nostro gruppo 45.1.

La rappresentazione del veliero alla fonda,

dipinta sul suo lato a vista, offre qualche possibilità di confronto con i temi simbolico-didascalici diffusi nella produzione di molti centri ceramici (ci pare soprattutto in area riminese) in questo scorcio del XVI secolo; nel profilo austero della nave che, con le vele richiuse, si nega alla *ibris* del vento e, trovandosi in acque malferme, salda si afferra alle ancore, si contiene infatti un appello appena celato alla nobile tranquillità dalle passioni.

Come si è già accennato in precedenza, il gruppo 45.1, come gran parte del genere al quale appartiene, è databile entro l'arco cronologico 1540-1560, anche se non è ovviamente da escludere la possibilità che alcune botteghe ne abbiano protratto la fabbricazione ancora per due o tre lustri.

Gruppo 45.2

Ad iniziare dagli anni '40 del Cinquecento i contorni "alla porcellana" mostrano in Montelupo un'evidente tendenza ad abbandonare il rigore del passato per aprirsi a nuove soluzioni dal più accentuato sapore decorativo, che ne complicano il contenuto "naturalistico", sino a trasformarli in composizioni complesse, le quali aprono i loro esuberanti tralci foliati per animarsi delle figurette di animali (soprattutto uccelli), o per mostrare trofei ed immagini d'un qualche contenuto simbolico (vasi, strumenti musicali, etc.).

I nuovi soggetti che vengono a far parte della decorazione (quali, ad esempio, il volatile con la piuma arricciata sulla testa, una variante del quale abbiamo già notato come decoro centrale dell'esemplare riprodotto alla *tav. 200*) trovano riscontri evidenti nella tradizione montelupina, ma quelli inseriti nei tralci "alla porcellana" presentano una rimarchevole specificità, che non ha confronti con le versioni dei medesimi impiegate in qualità di decoro principale. Nel caso degli uccelli, è notabile il fatto che essi mostrino sempre le ali aperte, quasi fossero in procinto di spiccare il volo (cfr. *tav. 205*), mentre quando sono dipinti nel centro dei piatti o sul lato a vista dei boccali essi sono colti in posizione stante, con le ali ripiegate lungo il corpo. Anche in questo caso, un rapido esame alle maioliche veneziane (sia a quelle attribuite alla bottega di maestro Lodovico, che alla produzione di poco più recente della fornace di "maestro Jacomo" [*id est* Giacomo]), evidenzia all'interno delle volute del contorno uccelli e insetti con le ali aperte, che in esse esercitano una funzione strutturale assai simile a quella che si trova in questa versione del decoro "alla porcellana" sviluppato dalle fornaci di Montelupo. Nel già citato mesciroba della *tav. 200* si può apprezzare questo sostanziale arricchimento del tralcio vegetale in bleu, il quale ora si presenta piuttosto come un insieme di figurette in bleu (in questo caso uccelli e trofei alternati), uniti tra di loro dalle volute vegetali "alla porcellana".

A questa produzione, che solo scavi recenti sono venuti a documentare nel centro ceramico valdarnese, si può accostare anche il grande vassoio conservato al Museo del Louvre che porta nell'ampia vasca centrale una scena policroma con San Giorgio che uccide il drago (*tav. 203*). L'importante documento presenta una serie di caratteristiche anomale che ne rendevano davvero difficile l'attribuzione, la quale ha così a lungo oscillato tra Faenza, Siena e Cafaggiolo. In effetti, se dovessimo giudicare dalla forma che lo contraddistingue, ci potremmo orientare verso la produzione veneziana, della quale abbiamo sin qui avuto occasione — sia pure in via del tutto indiretta ed accessoria — di discutere. Bisogna inoltre notare come lo sviluppo della decorazione vegetale "alla porcellana" dipinta sul retro del nostro esemplare assuma uno sviluppo comparabile a quello che caratterizza le maioliche venete alle quali abbiamo fatto riferimento, ma non una fisionomia ad esse assimilabile. Nel vassoio del Louvre abbiamo infatti una serie di girali che si ripiegano su se stessi e che presentano al loro interno una foglia polilobata, ma mentre nella produzione di maestro Lodovico si notano delle inconfondibili coppie di cerchietti, in questo caso all'apice del tralcio vegetale si colloca una minuscola foglia stilizzata dal sapore antico, che, in effetti, riproduce quella ben più antica del "prezzemolo", particolarmente diffuso negli *ateliers* ceramici della Toscana (almeno in Montelupo e San Gimignano) ad iniziare dagli anni '80 del secolo precedente[75]. Questo genere di girali "destrutturati" è del resto assai simile ad una versione del decoro "alla porcellana" di Montelupo che già abbiamo avuto occasione di incontrare[76].

Volgendo la nostra attenzione al lato a vista di questo vassoio, notiamo nel suo ingiro lo svilupparsi di una "catenella" composta da girali vegetali in stilizzazione, richiusi su se stessi,

secondo una modalità strutturale che ci è anch'essa familiare, poiché ripete l'andamento del nostro gruppo 40.2. Qui, però, possiamo trovare un riscontro con una famosa tipologia di decoro "alla porcellana" che non di poco si avvicina a quella della famosa maiolica con il San Girolamo "fata in Siena da m[*aestr*]o Benedetto" del Victoria and Albert[77]. Sulla sua tesa, però, ecco una serie di lepri ed uccelli colti in movimento, che sembrano avanzare in una folta vegetazione fiorita, nella quale spiccano due diversi tipi di fiore: uno visto in sezione — che pare echeggiare la "mezzaluna dentata" del nostro gruppo 40.1 — l'altro "a corolla intera", anch'esso ben documentato nella produzione montelupina del XVI secolo. Se, inoltre, esaminiamo la distribuzione delle figurette nel contorno, ci possiamo accorgere come esse denotino una collocazione speculare, la quale suggerisce l'ausilio dello spolvero per tracciarne i confini, ma notiamo altresì come alla simmetria degli animali non corrisponda la ribattuta sulla superficie smaltata dei fiorami "alla porcellana". Il pittore che ha realizzato il vassoio del Louvre dimostra perciò di aver seguito una tecnica mista (spolvero e mano libera) per la pittura del contorno: una modalità esecutiva che trova molti riscontri nella pratica dei pittori montelupini, i quali dimostrano di aver sempre utilizzato in maniera "parziale" lo spolvero o, comunque, di averlo fatto senza lasciarsi guidare completamente da questo ausilio[78].

Un più modesto sviluppo decorativo caratterizza però comprensibilmente la gran parte di questa produzione montelupina con il contorno "alla porcellana" nella versione "popolata" dalle figure di piccoli animali o da oggetti simbolici, come si può osservare in un piatto scodelliforme munito di una piccola vasca centrale, dal ricasco appena pronunciato (*tav. 204*), il quale presenta lungo il bordo un sottile tralcio vegetale, animato da uccelli (questa volta con le ali richiuse lungo il corpo), e da versatori stilizzati, la cui presenza vuol forse alludere alla funzione pratica, alla quale il manufatto era destinato[79]. L'animale marino che è dipinto al centro trova numerosi riscontri negli scarichi di fornace di Montelupo degli anni compresi tra il 1540 ed il 1570 circa, periodo al quale appartiene anche questa maiolica, siglata al rovescio col bigramma "Go".

Per il recente reperimento della marca dipinta sul retro in scarti di fornace montelupini, può essere ora attribuita ad una bottega del centro valdarnese anche la scodella, già nella collezione Cora, marcata "sb" e datata "1570" (*tavv. 205-206*), che spesso è stata avvicinata — sia per similitudine decorativa, che per l'assonanza grafica della sigla di fornace con la marca di quell'*atelier* — alla tardiva produzione di Cafaggiolo. L'esemplare porta nel fondo del cavetto lo stemma Salviati, mentre sulla sua tesa si sviluppa una composizione formata da un "trofeo" assai stilizzato (uno scudo sovrapposto a due spade incrociate), che, in posizione inquartata, si alterna a due uccelli e a due targhe con data; gli spazi di risulta sono colmati da un elemento vegetale, il quale viene ad assumere un andamento radiale rispetto al centro. Anche in questo caso, dunque, all'interno del contorno troviamo i piccoli volatili che caratterizzano questa fase di "compendiarizzazione" della "famiglia bleu", sebbene qui essi non siano dipinti in monocromia, ma contornati in ossido di cobalto e leggermente campiti d'arancio, allo scopo evidente di ottenere così un cromatismo, il quale accorda con grande maestria i toni bleu prevalenti nel contorno alla ferraccia del cartiglio stilizzato, posto a nobilitare lo scudo araldico.

Gruppo 45.3

Tra i molteplici filoni che compongono il nostro genere 45, si può però facilmente notare come sia venuto a svilupparsi in misura largamente maggioritaria in Montelupo un gruppo di decori incentrati sulla realizzazione di fasce di contorno dallo spessore limitato, che vennero addirittura a ridursi in una composizione vegetale formata da un semplice tralcio lineare con minuscole foglie stilizzate.

Questo gruppo, che assumerà una decisiva prevalenza nell'attività delle botteghe valdarnesi durante il terzo quarto del XVI secolo, denota tuttavia un'apprezzabile articolazione interna, che occorre puntualmente seguire nel suo cammino tipologico.

Sottogruppo 45.3.1

Delle caratteristiche di questo sottogruppo costituisce l'unica testimonianza sinora rinvenuta negli scarichi di fornace un bellissimo piatto — purtroppo rinvenuto soltanto in un grosso frammento, che è l'esatta metà dell'esemplare originario — con uno stemma partito, nel cui campo di sinistra è riconoscibile l'emblema della fami-

Fig. 24 - Porzione centrale di un piatto con decoro "compendiario della famiglia bleu" (probabilmente Gruppo 45.3) destinato al convento di San Francesco di Prato, datato 1573. Da scavo casa Sinibaldi, inedito. Montelupo, Museo Archeologico e della Ceramica

glia dei Pazzi (*tav. 207*).

Similmente a quanto si può notare nell'esemplare della precedente *tav. 205*, qui la decorazione del contorno si riduce ad una semplice fascia dalle modeste proporzioni che, non accompagnandosi ad ulteriori motivi di contorno, lascia un'ampia zona priva di decoro a circoscrivere con il suo candido aspetto la cerchiatura del centro. A differenza di quello, però, la composizione del contorno assume qui uno sviluppo ben definito, incentrato sulla rigorosa alternanza di gruppi composti da due volute vegetali affrontate, separate da una corolla floreale stilizzata, che non lasciano spazio al loro interno a quegli elementi accessori (uccelli, etc.), come invece avveniva nella sottocoppa. Per quanto si possa considerare di genuina elaborazione locale, non va taciuto il fatto che in queste volute si può ben riconoscere il profilo classico della "palmetta" antica, che troviamo anch'essa (e sappiamo, per quanto siamo andati sin qui affermando, che non si tratta di un caso) nella più volte citata produzione della bottega veneziana di maestro Lodovico, come, ad esempio, nei fregi "a bianco su bianco" posti nel ricasco dello scodelliforme del Victoria and Albert con il putto che sorregge una fruttiera[80].

Il documento in questione appartiene ancora ad una fase "antica" della "compendiarizzazione" del decoro "alla porcellana", essendo databile, in ragione del contesto di scavo dal quale proviene, entro la prima metà del XVI secolo (1540-1550 circa).

Sottogruppo 45.3.2

Il gusto della limitazione del decoro si diffonde notevolmente verso la metà del Cinquecento ed assume nel nostro centro di fabbrica una direzione prevalente, all'interno della quale trova un consenso sempre maggiore l'idea di utilizzare non tutta la composizione — assai complessa e, quindi, lunga e difficile da realizzare — che caratterizza la produzione veneziana con prevalente cromatismo bleu, bensì il solo tralcio vegetale, che nella medesima serve a serrare, in qualità di fascia esterna, l'esuberante sviluppo dei motivi che si distendono sull'ala delle scodelle o nell'ingiro dei piatti.

Nella fase più antica, ben esemplata dallo scodelliforme a tesa larga con stemma Peruzzi riprodotto alla *tav. 208*, si nota come i vasai montelupini vengano ispirandosi al genere di contorno più "naturalistico" — in quanto al suo interno sono ancora percepibili elementi di chiara ascendenza fitomorfa — ben documentato nelle maioliche della solita bottega di maestro Lodovico (ad esempio nel già citato scodelliforme londinese)[81].

Sottogruppo 45.3.3

Nella seconda metà del XVI secolo il processo di "compendiarizzazione" del decoro "alla porcel-

lana" è ormai dominato in senso assoluto dalle maioliche con decorazione limitata alla sola cerchiatura centrale e ad una ristretta fascia di contorno corrente lungo il bordo. La stilizzazione assai accentuata che questo motivo denota, ci riporta ancora in ambito veneziano (e veneto in genere), ma non riguarda soltanto, ci sembra, le produzioni più antiche, normalmente attribuite a maestro Lodovico, bensì anche generi più recenti, che forse non sono tutti pertinenti all'attività di quella fornace[82].

In Montelupo il contorno "veneto" viene riprodotto in maniera assai corsiva, privilegiando la rapidità di esecuzione, in maniera tale che esso viene talvolta a perdere il riconoscibile alternarsi delle volute, per ridursi semplicemente a due linee ondulanti, arricchite da qualche sottolineatura in bleu cobalto a mo' di elemento vegetale, che s'intrecciano, oscillando in maniera contrapposta, per fornire l'impressione visiva del tralcio vegetale (*tav. 209*).

Siamo qui di fronte a produzioni che stanno ben addentro alla seconda metà del Cinquecento (sono infatti databili agli anni 1560-80) (*fig. 24*), e che seguono di qualche lustro le versioni più curate e "filologicamente corrette" rispetto ai prototipi veneti ai quali s'ispirano, in cui la fisionomia della composizione vegetale risalta invece con abbondanza di particolari.

Nei motivi principali si nota quell'intromissione degli spunti paesaggistici, anch'essi derivanti dalle maioliche venete, che si è avuto modo di notare discutendo della versione "a doppia fascia di contorno" (cfr. *tavv. 210-211*), alle quali si accoppiano anche motivi fitomorfi derivati dalla produzione montelupina "alla porcellana" (*tav. 209*), ed altri soggetti di varia natura, in particolare quelli tratti dal mondo animale (soprattutto leprotti ed uccelli), che rappresentano tanta parte dell'ispirazione "naturalistica" dei pittori montelupini di questo periodo.

Si tratta di una produzione relativamente "povera", nella quale la decorazione viene ridotta ai minimi termini; essa si adatta bene ad un periodo di sensibile crescita dell'inflazione e di conseguente, probabile restrizione degli sbocchi mercantili: un fenomeno che, come si è avuto modo di discutere nella parte introduttiva di questo volume, i vasai valdarnesi cercarono verosimilmente di affrontare attraverso un abbassamento dei prezzi delle loro maioliche e, quindi, tramite una riduzione dei loro costi di produzione (poca decorazione, stilizzazione accentuata, monocromia, pigmento diluito, sottile smaltatura del rovescio).

Tutto ciò non significa che la totalità degli esemplari montelupini appartenenti a questo sottogruppo si qualifichi per quella sorta di "minimalismo" decorativo che appare su alcuni di essi. La diffusione della variante "compendiaria" del decoro "alla porcellana" che si esplica attraverso la realizzazione di ristrette fasce di contorno determinò, infatti, con tutta evidenza, anche l'insorgere di un gusto che favoriva l'impiego di tale tipologia decorativa su supporti più impegnativi rispetto all'ordinaria piatteria, prodotta in grande quantità dalle fornaci di Montelupo. Ecco dunque che un tal modo di eseguire la decorazione la si può incontrare anche su alcuni manufatti caratteristici di questo periodo, quali l'alzata campaniforme su alto piede (la sua funzione era probabilmente quella di una fruttiera)[83], le cui dimensioni necessitavano almeno della ripetizione delle fasce di cerchiatura "alla veneta", e l'importanza del pezzo suggeriva da par suo di non sottoporre l'ornato ad un'eccessiva riduzione.

Negli esemplari che rispondono a tali caratteristiche, quali quello riprodotto alle *tavv. 212-213*, si nota infatti il persistere di stilemi di genere, già sviluppati nei decori "alla porcellana" di origine locale, quali la losanga che si sovrappone al quadrato per definire lo spazio decorativo centrale, ed il tralcio vegetale che, sia pure ridotto ad un valore formale pressoché grafico, viene a collocarsi sulla larga fascia risparmiata del profondo ricasco. Il resto, però, riecheggia appieno l'esempio "moderno" dei decori veneziani, ad iniziare da quel fantasioso animale marino, che ci riconduce al clima delle figurette monocrome, oltre le quali si stendono i liquidi fondali delle lagune.

Gruppo 45.4

L'ambivalenza dello sviluppo decorativo che può ancora percepirsi in alcune delle maioliche che abbiamo ritenuto opportuno inserire nel precedente sottogruppo non riguarda invece una variante tipologica del genere 45, la quale si caratterizza per una definitiva scelta in favore della limitazione del decoro. Essa, infatti, denota la presenza di una modesta cerchiatura di contorno, ravvivata solo da una rapida archeggiatura calligrafica in bleu cobalto, la quale si accoppia a motivi tratti dal repertorio sviluppato nei gruppi precedenti, quali le casette ed i "paesaggi" (sottogruppo 45.4.1, cfr. *tav. 214*), i soggetti fitomorfi (sottogruppo 45.4.2) o zoomorfi (45.4.3). In questa produzione che affianca nel corso della seconda metà del Cinquecento (1550-80) le altre tipologie derivate dalla "compendiarizzazione" del decoro "alla porcellana", e che sembra costituirne una variante dalle minori pretese estetiche, non mancano neppure esemplari con al centro sigle, monogrammi e scritte (45.4.4), talora allusive al possibile contenuto delle scodelle medesime (ad es. "frutta", "ceci", etc.), una particolarità questa che si ritrova anche in altri centri di fabbrica[84].

Genere 46. Istoriato

Il problema della presenza dell'"istoriato", inteso come il genere in cui la decorazione è non soltanto di tipo completamente figurato, ma deriva dalla riproposizione sulla maiolica di scene mitologiche, bibliche o di storia antica, tratte da xilografie a stampa, ha non di poco assillato in passato gli studiosi di storia della ceramica toscana. In questa regione, infatti, un tale fenomeno, che ampiamente improntò della sua presenza i centri di fabbrica dell'area romagnola ed umbro-marchigiana, sembrava non avesse lasciato tracce apprezzabili, tanto da risultare che solo a Cafaggiolo si fosse prodotta qualche maiolica "istoriata" nel corso del Cinquecento, mentre le botteghe di Siena e Montelupo sembravano non aver partecipato a questa grande stagione della pittura su smalto[85]. È quindi comprensibile come sia sembrata anomala l'attribuzione al centro valdarnese del grande piatto con il *"ratto d'Elena"* del Museo di Cluny, che pure si dichiarava al rovescio "fatto in Monte": dopo l'iniziale consenso attributivo a Montelupo, l'esemplare era stato infatti assegnato a Faenza, o ad un generico "Montefeltro", sino ad alimentare in epoche a noi più vicine l'ipotesi di altre provenienze toscane, in grado di ricondurre questo esemplare nell'orbita di Cafaggiolo[86].

Negli ultimi dieci anni i parametri di giudizio sull'"istoriato" montelupino sono però venuti radicalmente a modificarsi. Nel 1986, trattando del tardo figurato valdarnese, avemmo infatti modo di indicare in una crespina già nella collezione Bak con *Cesare che passa il Rubicone* il punto di partenza cronologico del noto filone figurativo montelupino del XVII secolo, dimostrando perciò come alla sua base non vi fosse tanto un movimento di pittura spontanea e "popolaresca", ma piuttosto la tardiva evoluzione dell'"istoriato" che, quindi, doveva aver avuto una qualche precedente diffusione nel nostro centro ceramico[87]. L'anno successivo E. Biavati precisava, in una comunicazione tenuta durante il VIII Convegno della Ceramica di Pennabilli,

zione, in quanto la lacuna di smalto è tale da cancellare parte della scena rappresentata, occorre rilevare che la marca dipinta al suo rovescio — una notissima sigla di bottega, la cui pertinenza ad un importante centro di fabbrica (si è detto, in particolare, Faenza e Cafaggiolo[97]) è stata da tempo notata — trova ora molteplici riscontri in altre maioliche rinvenute in Montelupo, anche se di qualità assai meno raffinata rispetto a quella in questione (*figg. 25a-25b*), cosicché appare assai difficile negare che essa sia appartenuta, se non ad una bottega, almeno ad un artefice che per qualche tempo ha lavorato in ambito locale.

Che si tratti di un pittore intriso di cultura ceramistica faentina lo dimostra a sazietà sia la decorazione del rovescio, nella quale compaiono — anche se in una versione non filologicamente esatta rispetto ai numerosi esempi romagnoli — i fiorami contraddistinti da un grande sviluppo circolare della corolla (e per questo talvolta definiti "crisantemi"), ben noti anche nelle maioliche prodotte in Faenza[98], sia la presenza di questa marca sul genere "a smalto colorato" che, pur essendo tutt'altro che ignoto in Montelupo, viene ad assumere ora, anche per i decori dei quali si fregia, stringenti similitudini con quelle ultrappenniniche, come si può notare, ad esempio, nell'esemplare riprodotto alle *tavv. 231-232*.

E tutto ciò, del resto, non sorprende affatto. Già da tempo, infatti, ci era nota la presenza in Montelupo di diversi vasai provenienti proprio da Faenza[99], che qui vivono e a lungo lavorano, il cui più precoce rappresentante fu — per quanto ci dice la documentazione a tutt'oggi nota — quel Girolamo di Giovanni Mengari, che si trova nei documenti del centro valdarnese (ovviamente spesso con il soprannome di "il faentino") sin dal 1523[100] e, forse, quel misterioso Tommaso "Raguse", fugacemente comparso nella documentazione locale in data ancora anteriore[101].

Dopo il Mengari, personaggio senza dubbio autorevole, visto che il suo nome si accompagna spesso nei documenti montelupini alla qualifica di "maestro", troviamo un accenno nei debitori dei Cinque del Contado ad un Giuliano di Giovanni "Maceri", parimenti faentino, che però potrebbe essere uno dei lavoranti di Girolamo[102], ed altri ceramisti nati nella città del Lamone, quali i Tenducci (Girolamo di Lattanzio, documentato dal 1543[103], Alessandro di Tommaso di Giorgio[104] e, più tardi ancora, i Ferruzzi[105].

L'autore dell'alzatina con il "*ratto di Proserpina*", posta come assai plausibile la sua ascendenza faentina e la datazione dell'esemplare attorno al 1538 (estendiamo prudenzialmente la cronologia della medesima al periodo 1530-40), dovrebbe pertanto ragionevolmente identificarsi con Girolamo Mengari. Girolamo, che vive nel vicino borgo di Samminiatello, dopo aver abitato, a quanto sembra, anche a Empoli[106], non pare avere bottega propria, ed esercita probabilmente la sua attività nelle fornaci di altri vasai montelupini, anche se, forse, insieme ad altri

Fig. 26 - Rovescio del vassoio "istoriato" (Genere 46) con il "ratto d'Elena" *qui riprodotto alla tav. 217, 1530-1540 circa (J. Giacomotti,* Les majoliques des Musées Nationaux... *cit., p. 294 n. 915). Già a Parigi, collezioni del Museo di Cluny (ora a Ecouen, Musée de la Rénaissance)*

faentini[107], ed a questo stadio del problema conviene ora fermarsi, rinviando una possibile, più raffinata definizione della questione rappresentata dall'attività di questo ceramista faentino in Montelupo ad un'altra, più consona occasione.

Questo esemplare di scavo si colloca all'interno di un consistente gruppo di "istoriati", contraddistinti dalla medesima scena mitologica, variamente attribuiti a botteghe urbinati e, soprattutto, pesaresi[108], che, però, ci sembrano caratterizzarsi quasi tutti per una qualità pittorica sensibilmente inferiore a questo: tale particolarità, assieme ad apprezzabili differenze compositive, ci pare giustifichi una collocazione cronologicamente seriore della maiolica montelupina all'interno del suo gruppo di riferimento iconografico[109].

Il soggetto che in esso si riproduce è probabilmente tratto dall'illustrazione di un'edizione delle *Metamorfosi* di Ovidio stampata tra gli anni '30 e gli anni '40 del Cinquecento, che non ci è al momento nota, la quale probabilmente dipendeva a sua volta da uno dei tanti sarcofagi romani che portano scolpita in fronte la scena del "*ratto*". Nell'incisione che ne fu tratta, si eliminarono evidentemente alcune parti che, a causa del loro eccessivo sviluppo lineare, ostacolavano il raggiungimento di un'unità formale più serrata, indispensabile a conferire la necessaria drammaticità alla composizione. Per questo motivo l'incisore trascurò la lunga teoria delle divinità che nei sarcofagi cercano di trattenere il dio, ritenendo tuttavia indispensabile, per la fedeltà alla pagina illustrata, sottolineare la presenza della ninfa Cyane che invano, prima di liquefarsi nella sua fonte, cerca di frenare la corsa turbinosa del cocchio di Plutone verso gli Inferi con la disperata giovinetta stretta tra le braccia. L'incertezza tra la rappresentazione nuda o vestita dei protagonisti (quest'ultima caratterizza la maiolica montelupina), deriva dal fatto che nei sarcofagi essi sono effettivamente privi di vesti e, quindi, lo stesso si deve supporre per l'incisione, probabilmente in ciò variata — anche se potrebbe esservi una doppia tradizione grafica — dal ceramista faentino che dipinse questa maiolica in Montelupo.

Cronologicamente vicino all'alzatina con il "*ratto di Proserpina*" è dunque anche il famoso "*ratto d'Elena fatto in Monte*", già al Museo delle Terme di Cluny (*tav. 217*).

Abbiamo poc'anzi accennato ai problemi attributivi di questo esemplare a Montelupo, in ragione dell'assenza di altri riferimenti ad una locale produzione "primo-istoriata" o, meglio, ad un "istoriato" *tout court*. A complicare la questione c'era poi la marca "del tridente", non ancora rinvenuta nel centro valdarnese, ma più volte ripetuta al rovescio di questo vassoio (*fig. 26*). È del resto notabile nell'esemplare l'aspetto inconsueto di tale sigla (priva della "s" e della "o", ma con l'asta lateralmente prolungata nella sua parte finale), ed il fatto che essa venga qui ad assumere una sorta di fisionomia "a raggiera", quasi a coronamento del cartiglio epigrafico, nel quale si esplicita il contenuto del soggetto rappresentato, dando però luogo ad una composizione goffa e trasandata, che non di poco contrasta con l'eccellente qualità pittorica del verso. Anche il testo piuttosto sgrammaticato che il medesimo cartiglio contiene ("*Vrate dElena fatto in Monte*"), pur in una sinteticità che non è estranea alla specifica traduzione in maiolica di questo soggetto[110], non corona davvero in maniera degna l'eccellente lavoro d'"istoriatore" dell'artefice che lo eseguì.

Va quindi osservato che ciò che sembra costituire una variante "semplificata" degli altri due tipi di sigle "a tridente" rinvenute in Montelupo (quelle, per intendersi, qui riprodotte alle *tavv. 216* e *232*), soprattutto per l'assenza di quella sorta di "occhiello" rotondo, in cui ci pare plausibile riconoscere una lettera "o", trova ancor più riscontri nell'ordinaria produzione montelupina, il che sembra togliere ogni possibile dubbio circa l'attribuzione del "*ratto d'Elena*" ad una fornace valdarnese o, per meglio dire, ad un pittore che ha lavorato in un *atelier* montelupino. Ferma restando, dunque, la pertinenza della marca ad un vasaio faentino operante nel centro valdarnese, l'incongruenza formale tra i due lati del vassoio può essere spiegata solo con il ricorso all'ipotesi che la siglatura del medesimo sia stata effettuata da un altro vasaio, forse per procedere, in assenza di chi lo dipinse, alla sua cottura: l'imbarazzo di quest'ultimo, non abituato a marcare manufatti di tale importanza, può ben trasparire dalla scrittura scorretta della prima parola ("*Vrate*"), ma il fatto che alcune lettere che seguivano sembrano essere state cancellate prima della cottura, anche grazie all'eccessiva dilatazione del cartiglio, la cui esuberanza contrasta con la sinteticità della scritta, può anche celare qualche altra circostanza inconsueta[111].

Non molto si può aggiungere da parte nostra su questa maiolica, tratta da un'incisione di Marcantonio Raimondi — che a sua volta la ricavò da Raffaello — nota da così lungo tempo alla storiografia ceramologica. Essa trova i più antichi confronti in esemplari dipinti da Francesco Xanto Avelli nel 1530, 1532 e nel 1537, ma il soggetto è successivamente trattato anche in maioliche urbinati pertinenti alla bottega dei Fontana, una delle quali, conservata al Museo di Montpellier, porta la sigla di Orazio, ed è datata al 1543[112].

Questa fase dell'"istoriato" montelupino, della quale non è a tutt'oggi possibile stabilire la consistenza per la scarsezza della documentazione relativa, si può dunque comprendere tra il 1538 ed il 1545 circa, ed è perciò da ascrivere — in ragione della sua cronologia — a quel Girolamo Mengari faentino, che trascorse non pochi anni della sua vita (morì tra il 1560 ed il 1570), lavorando nelle botteghe del centro valdarnese[113].

Nella seconda metà del secolo si continuano a dipingere in Montelupo maioliche "istoriate" e, anzi, questo stile sembra prendere piede nelle attività locali, sino a coinvolgere artefici ed *ateliers* diversi. Come si è avuto occasione di osservare introducendo il genere, lo stato del tutto embrionale delle ricerche è dovuto anche al fatto che le restituzioni di scavo, a parte casi fortunati come quello che ci ha permesso di recuperare il "*ratto di Proserpina*", sono comprensibilmente avare di questa tipologia, di certo numericamente assai inferiore rispetto alla produzione usuale: ciò non ci preclude però del tutto la possibilità di connettere gli esemplari superstiti a questa o a quella bottega. La presenza di almeno due delle marche di fabbrica più importanti tra quelle documentate nella seconda metà del XVI, il "crescente lunare"[114] e quella formata dal bigramma "La", indica già con sufficiente chiarezza che in più fornaci di Montelupo venne allora fabbricato l'"istoriato", ma è l'analisi stilistica quella che ci consente di distinguere i relativamente pochi documenti del genere noti a tutt'oggi, permettendoci anche di raggrupparli attorno alla personalità di alcuni pittori.

Alcune delle testimonianze che ci sembrano più sicure, alle quali ci atterremo in questa sede, mostrano un'evidente propensione a ridurre il numero dei personaggi da raffigurare, che in compenso si cerca di rappresentare secondo dimensioni apprezzabili e, talvolta, persino generose. Ciò è in parte dovuto alle fonti iconografiche dalle quali questi pittori dipendono, ma anche alle caratteristiche di questa fase dell'"istoriato", che ricerca con maggiore insistenza i valori plastici della figura. La tavolozza vira decisamente verso i toni caldi, tanto che la pittura utilizza largamente un pigmento giallo luminoso per campire gli sfondi ed i suoli, ombreggiando questi ultimi con decisi tratti di arancio-ferraccia. Poche sono le parti in verde che suggeriscono la vegetazione, pochissime le zone risparmiate dal pennello, dalle quali spuntano le isole candide dello smalto. La necessità di cancellare i tratti di campitura, impone la creazione di un giallo denso e materico, che tuttavia non sia ostile alla sua coperta piombica, in grado di rendere brillante la superficie dei vasi, e di distendersi in maniera perfettamente omogenea nella fase di cottura, assorbendo in sé ogni segno di ripresa. Come vedremo successivamente, questo pigmento, ottenuto con l'aggiunta del "bianchetto" dello smalto, rappresenterà un segno distintivo della produzione figurata di Montelupo sin verso agli anni '60 del secolo seguente.

Il "pittore di Cesare"

Questi caratteri non sono dissimili da quelli del tardo "istoriato" italiano della seconda metà del Cinquecento, e ci pare dimostrino come la sensibilità pittorica dei ceramisti di Montelupo sia piuttosto vicina a quella dei loro colleghi pesaresi ed urbinati, che ancora tendono ad esprimersi secondo i canoni generali del genere figurato; ciò che sembra peculiare alla tradizione montelupina è semmai un'attrazione ben evidente a realizzare la lumeggiatura delle parti dipinte non tanto attraverso il ripasso, quanto mediante il risparmio (lo si vede soprattutto negli incarnati delle figure), ed è poi notabile la predilezione di uno di questi pittori per una tecnica che preferisce eseguire il riempimento delle parti cromatiche con un minuto "rigatino", piuttosto che attraverso la piena campitura. Sembra, anzi, che questo artefice si affidi a tale tecnica nei punti che ritiene bisognevoli di lumeggiatura, in maniera tale da suggerirne il volume (soprattutto negli abiti dei personaggi che dipinge) o il complesso frangersi della luce (soprattutto nelle parti architettoniche). In questo, se vogliamo, può vedersi un'interpretazione "compendiaria" della produzione di questo (ma solo di questo) "istoriatore", e ciò non tanto nel senso che Ballardini e Liverani indicavano per gli sviluppi del figurato in Montelupo[115], quanto per l'evidente suggestione che esercita su questo pittore il modello dell'incisione, della quale tenta di riprodurre sulla maiolica le modalità grafiche.

A questo artefice, che provvisoriamente indichiamo come il "pittore di Cesare", è da attribuire l'alzata "a crespina" del Victoria and Albert con scena di *Natività* (*tav. 218*)[116]. Questa maiolica presenta infatti in maniera assai spiccata gli stilemi propri del pittore che dipinse anche l'altra crespina, già nella collezione Bak, con *Cesare che passa il Rubicone*[117], soprattutto nel largo impiego del tratteggio "grafico", sia nelle vesti — come si può notare nell'abito di Giuseppe — che nelle architetture dello sfondo, ove tale tecnica pittorica emerge con particolare evidenza.

L'"istoriatore della Bibbia"

È cronologicamente vicino alla *Natività* del Victoria and Albert (ma un poco anteriore alla crespina della collezione Bak) un gruppo di "istoriati", tutti tratti dalle illustrazioni di varie edizioni lionesi della Bibbia, da quella di Damiano Maraffi, *Figure del Vecchio Testamento con versi toscani*, illustrata da Bernard Salomon e stampata nel 1554, alla *Biblia Sacra* di Guglielmo Rovillio del 1566[118]. Molti particolari mostrano come le maioliche che lo formano siano dovute alla mano di un solo pittore montelupino, che per questo chiameremo l'"istoriatore della Bibbia", e che forse perseguì — non sappiamo fino a qual punto di completezza — il progetto di riportare tutte le illustrazioni di queste opere sulla maiolica, ragione per la quale confidiamo che altri esemplari appartenenti a questo gruppo possano essere rintracciati da altri studiosi in varie raccolte pubbliche e private.

Il gruppo può essere costruito attorno all'esemplare con *Mosè sul monte Sinai* (*tav. 223*), già nella collezione Fanfani, la cui pertinenza alle fornaci di Montelupo, dimostrata dalla presenza al suo rovescio della marca "La", è stata da tempo resa nota, come si è visto, da C. Ravanelli Guidotti[119]. Formuliamo ora l'ipotesi — peraltro già avanzata dalla stessa studiosa faentina[120] — che la medesima provenienza montelupina attenga anche a due piatti del Museo di Berlino, già considerati dall'Hausmann di probabile produzione francese (Lione)[121]. In uno di questi è raffigurato *Gesù tentato dal demonio* (Matteo, IV) (*tav. 221*)[122], nell'altro, che qui riproduciamo alla *tav. 219, Le figlie di Loth che corrompono il padre* (Genesi, XIX). Pur caratterizzandosi per un cromatismo assai meno incisivo rispetto a quello del piatto già appartenente alla collezione Fanfani, è molto simile nei due esemplari la realizzazione di molti particolari dello sfondo, quali le montagne, che risultano incise da profondi tratti di manganese scuro, le chiome degli alberi e la vegetazione in genere.

Ciò che avvicina particolarmente i piatti berlinesi a quello col *Mosè*, al di là di questi possibili elementi "di maniera", è tuttavia il modo di rendere l'anatomia dei personaggi mediante la campitura parziale dell'incarnato, sottolineato dal ripasso in arancio dei contorni allo scopo di suggerirne con la lumeggiatura il volume (si veda il seno scoperto e le spalle della figlia che si avvicina al vecchio Loth) e, soprattutto, il posizionamento delle figure sul terreno, che deve essere considerato tipico di questo artefice. Il nostro "istoriatore" tenta infatti di far assumere ai suoi personaggi — ed in specie a quelli che pone in primo piano — una postura dinamica, ed è particolarmente attratto dall'effetto di movimento suggerito dal flettersi delle ginocchia, allorquando essi accennano a muovere il passo; in tal modo egli viene spesso a rappresentare uno dei piedi parzialmente rialzato dal terreno, nel gesto di spingere la gamba in avanti, come si nota nella figlia che porge la coppa del vino a Loth. Ed è infine da segnalare quello che sembra essere un vero e proprio stilema di questo pittore montelupino: il modo di eseguire le dita delle mani. Mentre non ha difficoltà a renderla nel gesto di chiudersi, afferrare, o indicare, notiamo invece come egli manifesti un qualche imbarazzo nel dipingere la mano aperta, sia che essa riposi su una parte del corpo o si appoggi a qualche oggetto. In questo caso gli viene spontaneo ridurre il numero delle dita, sino a trasformare la fisionomia della mano in una sorta di appendice a tre punte, che talvolta, come nel caso del *Mosè*, fa assumere al personaggio rappresentato un aspetto impacciato e poco naturale.

Allo stesso pittore, ci pare di poter avvicinare anche il piatto di Oxford con *Cristo che scaccia i mercanti dal Tempio*: una scena tratta anch'essa da una Bibbia lionese (*tav. 220*)[123]. Uno dei punti forti della possibile attribuzione montelupina di questo esemplare è il cromatismo dello sfondo, che fu ben notato dal Norman allorquando nel 1976 pubblicò l'esemplare nel catalogo della Wallace Collection, suggerendogli proprio l'accostamento della maiolica a Montelupo[124]: un giallo così denso e sfolgorante si può infatti ben avvicinare a quello del suolo del Monte Sinai nel piatto con Mosè. Ma molti altri particolari della pittura coincidono tra i due esemplari, ad iniziare dalla campitura parziale degli incarnati e dal modo di realizzare la figura di Gesù, animata da un passo che sembra quasi trattenuto, ma che impone al pittore di far sollevare al suo personaggio il piede posteriore, seguendo così la sua tipica propensione al movimento; si noti poi la lunga tunica che, come nella figura dell'Altissimo nel piatto di Faenza, fascia il Cristo, lasciando intravedere la massiccia volumetria dei fianchi, ma ricadendo in una lunga increspatura nel mezzo delle gambe. E qui si può anche osservare come l'arricciarsi del lembo inferiore della veste termini in entrambi i casi in una sorta di appuntita voluta. La difficoltà tipica di questo pittore ad esprimere il gesto della mano aperta suggerisce questa volta una soluzione un po' diversa nella prima figura del gruppo di destra, ma l'effetto che ottiene non è dissimile a quello delle "appendici puntute" degli altri documenti.

Un ulteriore esemplare di questo gruppo si cela poi nella scodella della collezione Chigi-Saracini (*tav. 221*) di Siena con i genitori di Sansone, Manoeh e la moglie, ai quali, sacrificando il capretto, appare l'angelo che aveva annunziato loro la nascita di un figlio, in grado di salvare Israele dalla soggezione ai Filistei (Giudici, XIII), già pubblicata dalla Ravanelli Guidotti[125]. Si noti, in effetti, non solo come il supporto abbia la medesima forma di quello con *Cristo tentato dal demonio* di Berlino, ma anche come su di esso si ritrovino tutte le caratteristiche tipiche di questo pittore. Tra queste segnaliamo l'apposizione al di sopra delle finestre di una caratteristica archeggiatura puntinata, che non si ritrova nell'incisio-

Fig. 27 - Rovescio del piatto "figurato atipico" (Genere 67) qui riprodotto alla tav. 338, datato 1622 (T. Hausmann, Majolika... *cit., p. 340 n. 253). Berlino, Kunstgewerbemuseum*

Fig. 28 - Rovescio del piatto "istoriato" (Genere 46) qui riprodotto alla tav. 225, 1590-1620 circa. Da scavo casa Sinibaldi, inedito. Montelupo, Museo Archeologico e della Ceramica

ne, ma che ben si nota nelle maioliche "istoriate" di questo gruppo, quali l'esemplare della Wallace Collection e la crespina con *Cristo che guarisce il lebbroso* (Matteo, VIII) in collezione privata[126].

Propendiamo infine per un'attribuzione montelupina anche per la crespina con *Aronne che veste i paramenti sacri* (Esodo, XXXIX) del Fitzwilliam Museum, recentemente pubblicata da J.E. Poole[127]. Molti, infatti, sono i particolari pittorici che ci spingono ad inserire questa maiolica nel gruppo di opere dell'"istoriatore", e tra questi segnaliamo soprattutto l'ampio suolo sassoso, che è così caro a questo pittore, ma soprattutto l'impaccio che si evidenzia nelle sue maioliche — e che, a dire il vero, non fa che ripercorrere in maniera quasi filologica certi stilemi del Salomon, da lui evidentemente studiati con molta cura — allorquando viene a dipingere le mani dei suoi personaggi, come qui ben si evidenzia nella destra di Aronne, in apparenza quasi rattrappita.

L'utilizzazione per questa crespina di una fonte biblica antecedente a quella del Rovillio, già proposta dalla Ravanelli Guidotti per questo pittore, dilaterebbe in senso cronologico l'attività dell'"istoriatore della Bibbia", ponendone il termine *post quem* non più al 1566 (data di stampa della *Biblia Sacra* del Rovillio), ma piuttosto al 1554 (anno di pubblicazione delle *Figure del Vecchio Testamento* del Maraffi), opere parimenti illustrate dalle incisioni di Bernard Salomon.

Di questo artefice (o della bottega nella quale lavora) conosciamo la sigla, evidenziata dal bigramma "La" che sta al rovescio del piatto con *Mosè sul Sinai*, già appartenente alla collezione Fanfani (*tavv. 223-224*). Pur consapevoli delle difficoltà connesse con la corrispondenza, spesso illusoria e fallace, tra marca di fabbrica "letterata" e nome proprio del pittore, ci pare in questo caso inevitabile avanzare, almeno a titolo altamente probabilistico, l'ipotesi dell'identificazione del nostro "istoriatore della Bibbia" con un altro dei pittori faentini che lavorano a Montelupo, e cioè con Lattanzio di Girolamo Tenducci, o con

suo padre Girolamo di Lattanzio, entrambi attivi in Montelupo nella seconda metà del Cinquecento[128]. Anche se il rapporto tra sigla di appartenenza e nome del pittore sembrerebbe favorire Lattanzio, non ci sentiamo di escludere Girolamo, che avrebbe ben potuto ereditare tale marca dal padre, secondo una casistica evidente, ben attestata dalla lunga durata di queste cifre di bottega, che si estendono nel tempo assai più della vita di un singolo individuo.

La cultura classicheggiante di Girolamo, che ci riconduce al mondo degli "istoriatori", trova del resto un'interessante sottolineatura nella propensione che egli manifesta nell'assegnare ai suoi figli nomi tratti dalla storia antica o dalla mitologia: ad iniziare dal 1548, infatti, egli battezza quattro figli con i nomi di Livia (1548), Ascanio (1551), Chelidonio (1552) e Claudia (1564)[129].

Conduce poi a questa famiglia di vasai faentini, per lungo tempo operanti in Montelupo, anche l'esemplare di scavo della *tav. 225*, nel quale è rappresentata — ci pare in maniera piuttosto impacciata ed infantile — una scena di incerta derivazione letteraria, incentrata su una figura femminile armata di coltello che, pur trattenuta da un fanciullo, sembra intenzionata ad inseguire un'altra donna all'interno di un edificio. L'esemplare, che purtroppo è di difficile datazione, in quanto proviene da un contesto poco affidabile dal punto di vista stratigrafico, ha tuttavia un importante valore documentario, che non di poco trascende la sua modesta qualità formale. Per particolarità pittoriche, assai evidenti nel modo di eseguire le vesti, esso dimostra infatti di avvicinarsi di parecchio agli stilemi dell'"istoriatore della Bibbia", anche se la mano del pittore che lo ha eseguito tradisce un carattere approssimativo, direi quasi infantile (si veda, ad esempio, la testa innaturalmente ruotata all'indietro della donna che fugge all'interno della porta, mentre, tra l'altro, il suo corpo segue una direzione opposta).

Questa maiolica è segnata al rovescio da una marca che troviamo — in un esemplare di certo più tardo — accompagnarsi alla data "1622" in un grande piatto con scena di banchetto del Kunstgewerbemuseum di Berlino (cfr. *tav. 338*). La sigla è di tipo allusivo-simbolico, e consiste in un amo da pesca, il cui ardiglione è trasformato in un cerchietto a forma di "o" (*fig. 27*). In ragione della sua forma accentuatamente "letterata", assai simile ad una "G" maiuscola, non è difficile intuire come in essa si intenda celare la rappresentazione anagrammata del nome "Girolamo" (G[*ir*]o[*l*]amo) (*fig. 28*): il legame formale tra l'"istoriatore della Bibbia" (marca "La", probabilmente allusiva al nome di "Lattanzio") e questo piatto, ove si ritrova tale probabile indicazione a "Girolamo", ci pare giustifichi l'attribuzione di questo gruppo di "istoriati" all'opera dei Tenducci faentini, giunti a Montelupo all'inizio del quinto decennio del Cinquecento.

Il "pittore di Muzio Scevola"

Abbiamo visto come la Ravanelli Guidotti avvicini alla produzione montelupina un piatto "istoriato" con *Muzio Scevola di fronte a Porsenna*, datato al 1572 ed una targa ovale con *Cristo che sale al Calvario* del Museo di Sèvres datata "1579"[130].

L'attribuzione delle due maioliche ad una medesima mano — non dichiarata, ma, ci pare, suggerita dalla studiosa faentina — è in effetti evidente, e la si può dedurre dalle stringenti analogie pittoriche che in esse si ritrovano. La personalità del pittore che le dipinse è però nettamente separabile — ci pare — da quella dell'"istoriatore della Bibbia", del quale si è poc'anzi trattato, così come da quella del "pittore di Cesare". Si veda, ad esempio, l'importanza attribuita dal primo alle parti anatomiche, che è del tutto estranea agli altri protagonisti dell'"istoriato" montelupino. La propensione, assai evidente in questo artefice, a mettere in evidenza la muscolatura, spinge infatti il "pittore di Muzio Scevola" (così lo chiameremo d'ora in avanti) ad accrescere a dismisura il tronco dei personaggi che dipinge, anche a costo di farlo apparire sproporzionato in rapporto alla loro testa. L'esaltazione dei valori anatomici lo porta anche a marcare fortemente le ginocchia, ed a gonfiare e dilatare i polpacci delle figure, aprendone conseguentemente la parte superiore dei calzari (specie quelli dei soldati), tanto che essi sembrano sempre in procinto di scivolare loro giù sino al calcagno.

Sappiamo che una simile tendenza ad accrescere l'anatomia, esaltando oltre misura le proporzioni, è ben presente nella tradizione pesarese, ove trova un riscontro del tutto particolare nelle maioliche prodotte nella bottega di Girolamo Lanfranco dalle Gabicce, come si può notare in vari esemplari "istoriati" dipinti in questo *atelier*, a cominciare dalla coppa con *Cicerone e Giulio Cesare* del British Museum, datata al 1542 e firmata dallo stesso Girolamo[131].

L'unico, possibile legame tra gli stilemi di questa bottega e un "istoriatore" attivo in Montelupo nella seconda metà del Cinquecento si ritrova nella figura di Alessandro di Tommaso di Giorgio, un altro pittore di origine faentina. Sappiamo infatti che Alessandro, prima di recarsi a Roma e successivamente a Montelupo, lavorò in questa stessa fornace pesarese, come si ricava dal fatto che egli era presente, in qualità di lavorante di Girolamo, ad un atto notarile rogato nella medesima il 20 novembre del 1561[132]. Qui, dunque, Alessandro avrebbe ben potuto assimilare i canoni tipici di quell'"istoriato", conservandoli quando dopo pochi anni si trasferì a Roma[133], per poi successivamente svilupparli nella sua attività montelupina.

Tutto ciò non significa ancora che le due maioliche datate 1572 e 1579, come mostra di credere la Ravanelli Guidotti, siano state dipinte a Montelupo piuttosto che in Pesaro, visto anche che non ci è dato di conoscere con la necessaria dovizia di particolari la più tarda attività della bottega di Girolamo, il quale risulta ancora in vita, pur se vecchissimo, nel 1579, mentre, comunque, questo *atelier* proseguiva la sua attività oltre la data della sua morte, avvenuta nel 1581 o, forse, l'anno successivo[134].

La presenza di "istoriatori pesaresi" nei centri ceramici toscani potrebbe però rappresentare un filone di ricerca di non poco interesse, tanto più che esso servirebbe magari a condurci concretamente sulle tracce di quel pittore che sigla con le lettere "A f" i tardi "istoriati" di Cafaggiolo, nei quali i caratteri "pesaresi" ci sembrano trasparire in maniera sufficientemente apprezzabile[135].

Poiché la documentazione in nostro possesso è comunque ben lungi dal consentirci una definizione più puntuale e precisa del problema, che d'altra parte non può essere affrontato in questa sede con la necessaria ampiezza di analisi, ci pare doveroso sospendere qui l'attribuzione a

Montelupo delle due maioliche riferibili al "pittore di Muzio Scevola". Riteniamo, comunque, se la specificità montelupina di questi documenti fosse riconosciuta sulla scorta di altre testimonianze, che il loro artefice non possa che essere identificato — essenzialmente proprio in ragione degli evidenti caratteri "pesaresi" delle medesime — se non con il già citato Alessandro di Tommaso di Giorgio da Faenza.

Una delle difficoltà che sinora impedivano di connettere all'attività montelupina di Alessandro i due "istoriati" è peraltro superata, dal momento che dal libro della parrocchia di San Giovanni Evangelista di Montelupo si ricava come egli abbia battezzato in data 21 gennaio del 1571 (stile comune) un suo figlio di nome Tommaso, ragione per cui risulta evidente come, allorquando fu dipinto il piatto con Muzio Scevola, egli si trovasse già nel centro valdarnese da almeno un anno[136].

La soluzione che si è prefigurata (ma non ancora dimostrata) — e cioè quella di un'attività montelupina e "toscana" di "istoriatore" di Alessandro — è d'altronde evidenziabile, come meglio vedremo in seguito, in non pochi particolari del tardo figurato di Montelupo, il quale sembra trarre alimento tanto dalle soluzioni formali care al "pittore di Muzio Scevola", quanto da quelle dell'"istoriatore della Bibbia" e del "pittore di Cesare", in specie nei particolari dei paesaggi — quali soprattutto nelle architetture e nelle caratteristiche "strade sassose" — che i pittori del tardo figurato valdarnese verranno da par loro ad accentuare negli aspetti più corsiveggianti e "manierati"; se, quindi, queste maioliche non appartenessero alla produzione "istoriata" di Montelupo, sarebbe indubbiamente più difficile dar conto della genesi di tali caratteri.

Al di là delle differenziazioni formali, che abbiamo sin qui seguito allo scopo di mettere in rilievo gli aspetti precipui delle personalità dei singoli artefici, è poi giusto rilevare anche le interessanti similitudini che sussistono tra di loro, e che sono probabilmente spiegabili per la comprensibile comunanza tra questi artefici (si tratterebbe pur sempre di almeno due faentini che lavorano, secondo modalità comuni, nello stesso centro di fabbrica), le quali hanno forse impedito alla Ravanelli Guidotti di operare una scissione tra questi pittori — ma, ripetiamo, la studiosa faentina si è sin qui limitata a fornirci con grande sagacia una serie di documenti, senza entrare ancora nel merito delle attribuzioni.

L'unico esemplare "istoriato" (ma in questo caso il termine non è del tutto esatto) che al momento lega con certezza l'attività di Alessandro di Tommaso di Giorgio a Montelupo è il grande vassoio (oltre 73 centimetri di diametro) con scene di caccia pubblicato da A. Lane[137], che E. Biavati, sulla scorta dei documenti pubblicati da G. Cora ed A. Fanfani, ha potuto assegnare all'ultima fase di vita di questo ceramista faentino nel centro valdarnese. Della grande maiolica, dipinta con scene di caccia, che è firmata e datata al 1593 e 1594[138] non possediamo però riproduzioni fotografiche in grado di supportarne un'analisi sufficientemente approfondita. Ci risulta perciò impossibile confrontare questo esemplare con le maioliche del "pittore di Muzio Scevola", soprattutto per gli aspetti che appaiono meglio caratterizzare l'opera di questo artefice, e cioè l'anatomia delle figure. Data la distanza cronologica che separa questi manufatti, il loro confronto sarebbe comunque problematico: certi eccessi "anatomici" di gusto propriamente "pesarese" del piatto del 1572 sembrano infatti già notevolmente ridursi nella placca di Sèvres, dipinta a sette anni di distanza da quello: nulla di più facile che a vent'anni di distanza Alessandro abbia maturato in Montelupo uno stile diverso, la cui genesi non è al momento evidenziabile per mancanza di documenti.

Ed a questo stadio della discussione conviene pertanto fermarci, pur sottolineando ancora come una ricerca mirata a chiarire la personalità di questo pittore sia essenziale per comprendere gli sviluppi del tardo figurato di Montelupo (e, quindi, della produzione più importante — non fosse altro che per la sua straordinaria diffusione — dell'ultima fase genuinamente "creativa" del centro valdarnese); e ciò perché Alessandro, morto probabilmente proprio nel 1594[139], ben si colloca anche dal punto di vista cronologico nella fase di passaggio tra il vero "istoriato" montelupino e questi, più noti generi figurativi tardo-cinquecenteschi e seicenteschi del centro valdarnese.

Genere 47. Smalto colorato

Abbiamo già incontrato, nella prima tipologia presentata in questo volume, un genere di maiolica (genere 15) a smalto colorato in bleu, la cui cronologia produttiva, collocandosi tra Quattro e

Cinquecento, ci è sembrato plausibile avvicinare al grande sviluppo assunto in quegli anni dalla plastica robbiana, ove la colorazione a ossido di cobalto (con bianco di stagno) dello smalto è particolarmente diffusa.

Sappiamo, tuttavia, che una produzione contraddistinta dalla medesima modalità di colorazione del fondo stannifero si diffuse nel corso dei primi decenni del XVI secolo in diversi centri di fabbrica italiani, come quelli liguri (Savona, Albisola), romagnoli (Faenza) e veneti (Venezia). È anzi a questi ultimi che essa normalmente viene attribuita, designando come "berettine" — un termine che indica propriamente una tonalità di azzurro grigiastro — le rispettive famiglie di decori (figurato, calligrafico, "foglie", etc.), realizzate su di un simile sfondo colorato. Negli ultimi anni è stato poi meglio definito, attribuendolo giustamente a Castelli d'Abruzzo, un ulteriore genere, qualificato dagli studiosi — in quanto contraddistinto da un fondale in bleu intenso — come "turchino", sul quale si appongono preziose decorazioni dorate[140].

In questo panorama di sviluppo della produzione che impiega una smaltatura variamente contraddistinta dalla presenza dell'ossido di cobalto (tonalità "berettine" — o, se vogliamo, "robbiane" — "turchine", etc.), si collocano anche non poche maioliche fabbricate in Montelupo nel corso del Cinquecento, il cui rapporto con il precedente genere 15, pur non palesandosi con chiarezza, non può essere stato storicamente ininfluente: in queste botteghe, infatti, si usava lo smalto colorato in bleu almeno sin dagli anni '80 del XV secolo. Tralasciando le versioni del genere "a foglie" contraddistinte da un simile fondale azzurro, verremo qui a descrivere come "genere" le maioliche con decoro atipico caratterizzate dal medesimo artificio, consapevoli, però, che se future ricerche fossero in grado di ampliare e "tipizzare" i decori qui rappresentati, allora si renderebbe necessario qualificare questa produzione piuttosto come "famiglia", e non come "genere".

Gruppo 47.1

In questo primo gruppo comprenderemo le maioliche che mostrano nella colorazione dello sfondo una spiccata tonalità azzurrina, non poche delle quali si debbono attribuire alla bottega od all'artefice che adottava come marca il simbolo del tridente, di cui abbiamo avuto occasione di trattare precedentemente, affrontando la questione del primo "istoriato" rinvenuto in Montelupo.

Questa sigla (*tav. 227*) — che abbiamo detto appartenere ad un pittore faentino che lavora in Montelupo — la ritroviamo in una bella alzata del Museo di Sèvres (*tav. 226*), nella cui parte a vista si sviluppa una composizione "a grottesca" interamente dipinta in bleu, e lumeggiata con tratti in giallo, arancio e rosso, i quali contrastano singolarmente con la tonalità fredda dominante dello sfondo e dei decori principali. L'insieme assume uno sviluppo libero e sciolto, che non appare troppo distante da certe "grottesche" montelupine, come quelle eseguite nella bottega del "Lo" (si veda in particolare il mascherone che sorregge un cesto di frutta dipinto sulla tesa), o riprodotte nel centro di quella sorta di variante iniziale del genere "al bleu graffito" della *tav. 113*. Anche la puntinatura dello sfondo trova esempi nel centro valdarnese, come si può notare nelle strane "tartarughe" eseguite dal pittore del piatto datato "1509" già nella collezione Rothschild, pur essendo ancor più diffusa in certi esemplari attribuiti a Cafaggiolo, ma privi però della marca di quella fornace[141].

La medesima marca "del tridente" (*tav. 229*) si nota anche al rovescio di uno scodelliforme "a smalto colorato" del Museo di Berlino (*tav. 228*), nel cui *recto* si sviluppa un decoro a volute di carattere vegetale, dipinte in bianco di stagno e parzialmente campite, quasi si trattasse di una preziosa composizione "*à cloissonné*", in bleu intenso. Nello stemma centrale si nota l'arme medicea unita ad un'insegna araldica composta da tre spighe riunite in un mannello. L'Hausmann, che ha ultimamente pubblicato l'esemplare nel catalogo del Museo di Berlino[142] lo ha avvicinato alla produzione faentina e toscana (di Cafaggiolo) degli anni 1520-40, datandolo poi nell'intorno del 1520. A nostro avviso, sia per la cronologia con la quale la marca del "tridente" compare in Montelupo, sia per la forma dello scudo araldico che in esso si ritrova, appare assai più probabile una datazione del medesimo compresa nel decennio successivo.

La "faentinità" di questo artefice che sigla le sue maioliche con il "tridente" risalta poi in maniera evidentissima nella ciotola rinvenuta nel medesimo contesto archeologico dal quale è stata restituita l'alzatina con il "*ratto di Proserpina*" (*tavv. 231* e *232*). Si veda, infatti la "ghirlanda" che incornicia la composizione, notissima e documentatissima nella produzione faentina, così come le riprese in bianco che lumeggiano le parti vegetali, oltre alla minuta puntinatura dello sfondo, che sembra essere uno stilema piuttosto usuale al pittore del "tridente". Ma quel frutto centrale campito di giallo, con ripassi in rosso che ne vogliono sottolineare la rotondità, è un motivo che, forse per essere stato introdotto da questo stesso pittore, trova largo impiego nelle botteghe valdarnesi sin dagli anni trenta-quaranta del Cinquecento, come si può notare nei frutti che pendono dalle chiome dell'albero dipinto nella grande alzata "a fondo colorato" della *tav. 230*, con due neri leoni rampanti che si appoggiano al suo fusto. Qui, però, siamo forse dinanzi ad un prodotto che proviene dalla medesima bottega (non diciamo dalla stessa mano), come sembrerebbe indicare la peculiare tonalità verde-oliva del fogliame, assai simile a quello della ciotola vista in precedenza.

Gruppo 47.2

Non tutte le versioni con smalto colorato dall'aggiunta di ossido di cobalto si caratterizzano però per i toni azzurrini tipici del gruppo precedente. Tra questi si notano, infatti, alcuni esemplari con fondo in bleu intenso, che sembrano prendere spunto, per le sottolineature eseguite in un arancio brillante, che vuol imitare la doratura, proprio dalle "turchine" della più nota produzione castellana.

Di questo gruppo costituisce preziosa testimonianza l'alzata su alto piede (purtroppo perduto) delle *tavv. 233* e *234*, che si fregia al *recto* di una rapida decorazione vegetale stilizzata (con parti in giallo, rosso, bleu scuro e bianco), mentre denota al rovescio una pseudobaccellatura, dipinta nei medesimi toni, ma particolarmente sottolineata da filettature di quell'arancio imitativo dell'oro, al quale si faceva poc'anzi riferimento.

Un'ulteriore maiolica appartenente a questo raggruppamento è l'alzata con un putto che gioca a palla conservata al Musée des Antiquités de la Seine Inferieure di Rouen[143]. La marca che porta al rovescio — e che deve essere interpretata come un occhio stilizzato[144] — è infatti ben documentata negli scarti di fornaci di Montelupo.

La datazione di entrambi deve essere inserita, anche per il contesto dal quale proviene l'esemplare scavato in Montelupo, agli anni '30-'40 del XVI secolo.

Gruppo 47.3

Altrettanto rare — ma non per questo meno interessanti — di quelle del gruppo precedente, sono poi le maioliche con smalto colorato dai toni azzurro-grigiastri che sono più tipici del cosiddetto "berettino". Tra queste segnaliamo l'alzatina con la vasca lievemente baccellata della *tav. 235*, proveniente dal contesto di scarico cinquecentesco, scavato nell'area esterna alla casa dei Sinibaldi, e databile al 1530-50 circa. In essa si nota l'impiego del bianco di stagno — ben presente in questo genere — per l'esecuzione delle minute sottolineature del bordo e della cerchiatura centrale, della quale detta anche la doppia inquartatura, con due incroci sovrapposti, impreziositi da minuscoli fogliami alternati in bleu e giallo. Quest'ultimo pigmento mostra anche la ricerca della tonalità "dorata", che abbiamo già avuto occasione di osservare nelle maioliche appartenenti al secondo raggruppamento di questo genere.

Genere 48. Fascia in arancio con fregi in nero

Due maioliche databili nel ventennio a cavallo della metà del XVI secolo (1540-60) mostrano da par loro come le botteghe montelupine non abbandonino del tutto, pur essendo interessate dal grandissimo successo che arride alla "compendiarizzazione" della "famiglia bleu", un linguaggio le cui caratteristiche formali dipendono largamente dalle ricette "rinascimentali", ancora incentrate sul grande sviluppo della fascia di contorno, alla quale si unisce una cerchiatura figurata nella porzione centrale delle forme aperte.

La prima di queste è un'alzata frammentaria (*tavv. 236*), proveniente da uno scarico di fornace formato in gran parte proprio dai generi "compendiari" ai quali facevamo riferimento, ove si nota un ampio sviluppo del decoro secondario, realizzato mediante una larga fascia campita in arancio, che viene poi scompartita in settori dalla fisionomia ovoide, divisi da archeggiature dipinte con un pigmento nerastro, forse composto da una mescolanza di bruno di manganese e bleu cobalto. L'interno degli ovali è riempito da motivi che sembrano echeggiare una "grottesca" piuttosto corsiva e ridotta ad una grafica essenzialità, lumeggiati, per diminuire un po' la cupezza del loro aspetto, da sottili graffiture della superficie dipinta.

Il caldo cromatismo giallo-arancio della cerchiatura centrale si unisce poi ad uno sfondo interamente campito di bleu intenso, che circonda una figura di donna a mezzo busto dall'incarnato dipinto, secondo le più classiche modalità "rinascimentali", in arancio e cobalto.

Questo documento di scavo ha nel suo rovescio una marca dalla fisionomia incomprensibile, mentre una delle sigle di bottega più note, tra quelle documentate negli scarichi delle lavorazioni ceramiche valdarnesi ad iniziare dalla seconda metà del Cinquecento, quella del "crescente lunare", compare sul rovescio di un'altra alzata (*tavv. 237-238*), già nella raccolta Cora, il cui sviluppo decorativo è talmente vicino a quello della precedente da farla ritenere, se non eseguita dallo stesso artefice, almeno dipinta all'interno del medesimo *atelier*. Identici sono, infatti, nei due esemplari sia il contorno, sia la cerchiatura della porzione centrale, che però si fregia della figuretta di uno di quegli esseri marini, immaginati come un ibrido tra il delfino e lo scorpione (si noti l'aculeo della coda), che si diffonde ampiamente anche nelle coeve maioliche "compendiarie".

Genere 49. Fruttiere farcite

Sino a pochi anni fa era lecito ritenere che questa particolare produzione, destinata ad un impiego puramente decorativo, e nella quale curiosamente si uniscono elementi plastici per suggerire l'aspetto di alzate ripiene di frutta e verdura, fosse propria unicamente delle botteghe faentine. Il rinvenimento all'interno degli scarichi di fornace di Montelupo di parti in biscotto (limoni, noci, melagrane, etc.) da utilizzare nella guarnitura di queste "fruttiere", e, ancor di più, la scoperta di esemplari siglati con marche montelupine, consente oggi di attribuire alcune di queste alle botteghe valdarnesi.

La selezione degli esemplari che qui si contiene è tuttavia da considerare solo esemplificativa di un genere che probabilmente ebbe sviluppi ben più rilevanti di quelli che si possono al momento documentare.

Dalla nostra rassegna si può notare, infatti, come esistano tipologie di "fruttiere farcite" assai ricche di elementi plastici riportati (*tav. 239*), ma come sia più usuale ai ceramisti di Montelupo la fabbricazione di prodotti dotati di elementi vegetali in applicazione di maggiori proporzioni (*tavv. 242, 243, 245*). La loro datazione, che può anche essere supposta dai già citati frammenti di scavo, si colloca nel periodo compreso tra il 1540 ed il 1580 circa.

Genere 50. Piatti pseudobaccellati

Si tratta di un genere non molto rilevante sotto il profilo quantitativo, ma per noi interessante, in quanto mostra come, venendo a decadere la forma della "crespina" baccellata, sostituita dalle più complesse "alzate" cinquecentesche, il decoro che la caratterizzava sia ora utilizzato quale spunto per una tipologia decorativa, ove le baccellature sono suggerite da settori ovali nel contorno, poi parzialmente campiti in bicromia (*tavv. 247* e *248*). Le restituzioni di scavo indicano come questo genere sia databile tra il 1550 ed il 1580 circa.

Genere 51. "Tamburi" evoluti

Negli anni critici che stanno a cavallo della metà del Cinquecento i ceramisti di Montelupo — lo abbiamo notato ampiamente nelle pagine precedenti — s'ingegnano di rinnovare le loro tipologie decorative per rispondere nella maniera più adeguata alla sfida di una congiuntura che andava profilandosi in termini a loro non certo favorevoli, studiando con particolare interesse le produzioni di altri centri di fabbrica; l'immigrazione nel centro valdarnese di vasai forestieri (in particolare faentini) contribuirà da par suo a rafforzare l'eclettismo della pittura su maiolica di quegli anni.

Il cavetto di Sèvres con contorno "ad armi e trofei" (*tavv. 249-250*, gruppo 51.1) rappresenta bene tale tendenza, che qui si direbbe particolarmente attratta dai modi durantini (una tarda eco dell'opera di uno Zoan Maria, ad esempio), tanto che, anzi, esso sarebbe di difficile attribuzione a Montelupo, se non portasse ben scritto il nome di questa località — su di una targa posta in basso, alla sinistra di chi guarda — e non avesse dipinta al rovescio una marca diffusissima negli scarichi delle fornaci locali.

Si tratta quindi di un esempio atipico del permanere dell'interesse per il contorno "ad armi e trofei" ancora negli anni '50-'70 del XVI secolo (periodo nel quale deve essere datato il documento in questione), e che si concreta invece in una più ampia e documentabile produzione "a tamburi" (gruppo 51.2), che avevamo già notato avviarsi a soppiantare quella più complessa ed articolata "ad armi e trofei".

Questo genere, che spesso denota sviluppi invasivi del supporto, riducendosi alla sola rappresentazione del "tamburo", sovrapposto ad una corazza in estrema stilizzazione, e composto assieme a parti vegetali in una sorta di "ghirlanda", si trova sino agli anni '80 del Cinquecento, per poi scomparire definitivamente dall'attività delle fornaci montelupine. Del suo sviluppo formale costituisce un buon esempio la scodella di scavo riprodotta alla *tav. 251*.

Genere 52. Crespine "a quartieri"

Quanto abbiamo osservato a proposito delle "fruttiere farcite" può essere riportato anche a commento di questa tipologia, per lungo tempo ritenuta tipica della sola produzione faentina. In questo caso, oltre alla documentazione offerta dal sottosuolo del centro romagnolo, concorreva al mancato riconoscimento di una consimile produzione valdarnese l'aspetto dichiaratamente "compendiario" (nel senso lato del termine) delle figurazioni centrali di queste maioliche, che ben potevano sembrare patrimonio dei soli pittori di Faenza, in quanto qui documentate nell'attività dei più importanti *ateliers*.

Negli ultimi anni sono poi venute accreditandosi come montelupine alcune tarde versioni del genere, rigide e schematiche sia nella forma del supporto che nella loro composizione decorativa, e si è continuato a ritenere esclusive delle botteghe faentine quelle dal più robusto costrutto formale, che, tra l'altro, tutto fa ritenere esser state anche le più antiche.

Gruppo 52.1

La presenza, però, della marca del "crescente lunare" (*tav. 253*) sul rovescio di un esemplare già nella collezione Cora, il quale fa parte con ogni evidenza di questo raggruppamento "antico" e qualitativamente più interessante (*tav. 252*), viene ora a porre un serio dubbio sull'efficacia di questo modello interpretativo dello sviluppo del nostro genere 52. Si veda, ad esempio, come la fisionomia del supporto, suggerita da una serie continua di parti "a conchiglia", dia luogo a settori minutamente decorati da tralci vegetali in stilizzazione — quasi fossero altrettanti petali che compongono una corolla floreale — che non si caratterizzano per uno sviluppo lineare, bensì per il ripiegarsi in complesse volute, come in particolare si nota in quelli campiti in un bleu cobalto dalle profonde tonalità turchine. L'intera tavolozza, formata di verde, arancio, giallo e bleu, è assai vicina a quella dei prodotti da ritenere genuinamente faentini, e lo è particolarmente nelle già citate volute giallo-arancio poste nei settori bleu.

Altrettanto "faentina" è la figurazione centrale con un amorino che tiene nella mano destra un cuore, colto sullo sfondo di un lontano paesaggio. La matura sensibilità "compendiaria" — ma non "impressionistica" — che la piccola figura rivela nel suo accurato sviluppo "grafico" (si veda con quale minuzia il pittore viene qui a sottolineare le parti anatomiche), oltre allo sfondo giallo intenso che l'attornia, costituiscono altrettanti elementi utili a porre l'esemplare negli anni '60-'70 del Cinquecento.

Gruppo 52.2

Un gruppo più numeroso di crespine "a quartieri" può essere formato con documenti che mostrano un andamento più schematico dei decori, dovuto anche ad un'evoluzione semplificativa della forma. Tra questi segnaliamo la maiolica riprodotta alle *tavv. 254* e *255*, che porta al rovescio la marca "La", nella quale ben si evidenzia come i motivi vegetali posti nei settori campiti in bleu vengano adesso a perdere la fisionomia "a tralcio" del documento precedente, assumendo invece l'aspetto di una foglia polilobata, caratterizzata dallo sviluppo lineare. Lo sfondo della cerchiatura centrale, ove si nota la figura di una santa (forse Santa Brigida), resta in gran parte affidato al giallo intenso, che ha tanta parte nel contemporaneo sviluppo (siamo tra il 1570 ed il 1580) del maturo "istoriato" montelupino.

Lo schematismo decorativo della soluzione formale rappresentata dall'allungamento del tralcio vegetale in giallo arancio non manca di accentuarsi con il trascorrere del tempo, come bene è evidenziato dagli esemplari riprodotti alle *tavv. 256, 257* e *258*, databili nell'arco cronologico dell'ultimo trentennio del XVI secolo.

Fig. 29 - Piatto con decoro a "spirali arancio" e centro figurato (Gruppo 54.2), 1550-1580 circa. Inedito. Toscana, collezione privata

Tra questi si noti la "crespina" della Fondazione Bagatti Valsecchi (*tav. 257*) — probabilmente la più antica tra le tre — la quale, pur presentando un supporto abbastanza simile (anche se dovuto ad una matrice ormai "stanca") alla maiolica della *tav. 252*, mostra una decorazione incurante delle più complesse soluzioni formali di quest'ultima, limitandosi, semmai, a citare il motivo vegetale in giallo-arancio, il quale sta alla base delle soluzioni decorative del genere, nella cerchiatura centrale.

Al termine di un'evoluzione trentennale, verrà poi ad affermarsi un'ulteriore semplificazione della struttura decorativa delle "crespine", tanto che alle "foglie" allungate nei classici settori campiti in bleu si affiancheranno, su manufatti dalla struttura ormai elementare, altri motivi vegetali dall'andamento lineare (*tav. 258*).

Gruppo 52.3

Altre botteghe montelupine sembrano elaborare, però, un linguaggio che già in origine si mostra più schematico del precedente, in quanto sviluppa una composizione partita da una voluta semplificata, come si può notare nell'esemplare del Museo di Palazzo Venezia riprodotto alla *tav. 259*. Qui, infatti, tutta la decorazione è divisa in sei parti da una foglia giallo-aranciata che si arriccia all'estremità, ponendosi nella classica campitura bleu. Che si tratti di una maiolica databile tra gli anni '60 e gli anni '80 del Cinquecento ci pare lo mostri con sufficiente chiarezza la figuretta di genio alato che tiene una face accesa, dipinta nella cerchiatura centrale secondo la ricetta "compendiaria" già notata nella crespina della collezione Cora.

Questa ricetta formale incontrerà particolare fortuna nella Montelupo degli ultimi venti-trent'anni del XVI secolo, estendendosi anche alle produzioni finali del genere, databili entro il secondo ventennio del Seicento, sino ad incrociarsi, come possiamo notare nel documento della *tav. 258*, con le modalità tipiche allo sviluppo formale del gruppo precedente. Di questa vasta produzione sono testimonianza le maioliche riprodotte alle *tavv. 260, 261, 262, 263* e *264*. Nella "crespina" della Wallace Collection (*tav. 263*), databile alla prima fase produttiva di questo gruppo, si evidenzia chiaramente come l'origine della "foglia arricciata" dipenda strettamente dalla voluta vegetale che sta alla base della struttura decorativa del genere medesimo.

Genere 53. "Estenuazione" dei motivi rinascimentali

In queste pagine abbiamo più volte avuto occasione di accennare al progressivo venir meno, nel corso della seconda metà del XVI secolo, della capacità creativa dei vasai montelupini: un fenomeno del quale gli stessi artefici valdarnesi furo-

no probabilmente consapevoli, e che si sforzarono di contrastare introducendo anche nelle loro botteghe suggestioni derivate da altri centri di fabbrica. Abbiamo esplorato poi la possibilità che tali effetti siano stati indotti dall'impatto negativo che l'inflazione di quegli anni venne ad esercitare sulla produzione ceramica che, soprattutto in Montelupo — in ragione dell'alta concentrazione delle attività ceramistiche locali — largamente dipendeva dagli esiti mercantili dei manufatti e, per converso, dagli investimenti esterni che si indirizzavano prevalentemente (se non esclusivamente) nel settore della commercializzazione.

È giunto adesso il momento di mostrare come questo fenomeno abbia inciso sulla più "tipica" produzione locale, e come abbia potuto condurre la medesima ad esiti sempre più scadenti sotto il profilo quali-quantitativo tra gli anni '70 del Cinquecento ed il primo ventennio del secolo successivo.

La nostra rassegna della tarda evoluzione — o, come ci pare meglio definire, dell'"estenuazione" — dovuta ad un continuo ripetersi semplificato e stilizzato, dei generi rinascimentali, può prendere le mosse dal boccale della *tav. 265*, che documenta la versione tardo-cinquecentesca della "floreale". In essa il rigoglioso sviluppo formale del fiore è ridotto ormai ad un succedersi sempre più sgrammaticato di macchie di colore, tra le quali viene a prevalere il bruno di manganese, mentre il bleu profondo delle versioni primo-rinascimentali lascia il posto ad un cobalto diluito in toni azzurrini.

Lo stesso accade per la "palmetta persiana" (*tav. 266*), che si nota essere sempre più schiarita nel pigmento principale e contornata in bruno di manganese, ed altrettanto può dirsi dei "nastri"(*tav. 267*).

Anche l'antico genere "ad ovali" (*tav. 268*) perde il rigore ed il cromatismo di un tempo, mentre gli "ovali e rombi" denotano una fiacca iterazione — anch'essa assai peggiorata nell'aspetto cromatico — del modulo rinascimentale derivato dall'"imitazione del lustro" (*tav. 269*), e così può dirsi per i "tamburi" (*tav. 270*), per il "bleu graffito" (*tav. 271*), e per certe versioni del decoro "alla porcellana", ridotte nei primi lustri del Seicento ad una fisionomia pressoché irriconoscibile (*tav. 272*).

Genere 54. Spirali arancio

Poche sono le novità elaborate localmente negli anni '30-'40 del Cinquecento (nella fase cioè, dell'iniziale esaurirsi della vitalità creativa propria al primo periodo rinascimentale), le quali riescono ancora ad attingere ad un apprezzabile vigore formale. Tra queste spicca in particolar modo il genere che definiamo "a spirali arancio", destinato, per la peculiare struttura decorativa che lo caratterizza, alle sole forme aperte.

Derivato anch'esso dal grande ceppo dell'"imitazione del lustro metallico", dal quale eredita il prevalente cromatismo arancio-dorato, il modulo formale delle "spirali" appare assai semplice ed allo stesso tempo efficace, in quanto sostanzialmente formato da una serie continua di tratti arcuati, arricciati alle estremità in forma spiralata, che introducono un particolare dinamismo nella composizione, suggerendo un suo rapido avvolgersi verso il centro, che le barrature in bleu (e talvolta anche in verde), le quali accompagnano i motivi principali, vengono vigorosamente a sottolineare.

La prima produzione (gruppo 54.1) di questo genere è ben testimoniata dal piatto riprodotto della *tav. 273*, databile al 1540-50 circa, nel quale si nota il persistere di modalità decorative incentrate ancora largamente sul pigmento arancio, assai vicino alle tonalità fulve del lustro spagnolo, che qui viene steso anche nelle parti secondarie delle "spirali".

Ad iniziare dalla seconda metà del XVI secolo si generalizza però nella decorazione una nuova tipologia cromatica (gruppo 54.2), che offre largo spazio, invece, all'impiego del bleu di cobalto nelle sottolineature che affiancano i motivi principali (*fig. 29*). Questa produzione "a spirali arancio" in bicromia arancio-bleu, che caratterizza non poca parte delle maioliche montelupine su forma aperta degli anni 1550-1600, frequentemente presenta nella cerchiatura centrale una piena campitura in bleu, con elementi radiali graffiti sulla superficie smaltata (*tav. 274*). Non mancano, poi, esemplari con composizioni vegetali stilizzate, animali (il coniglio-leprotto, l'uccello con la piuma arricciata sulla testa, etc.), scritte (frequentemente di carattere religioso, come quella dell'esemplare della *tav. 275*), od anche figure umane a mezzo busto (*tav. 276*).

Nei primi anni del XVII secolo il genere sembra andare rapidamente in disuso, per scomparire poi dalla produzione delle fornaci montelupine verso il 1620 circa.

Genere 55. Strisce policrome

Siamo in questo caso di fronte ad una tipologia che, come quella precedente, mostra di affondare le proprie radici nell'"imitazione del lustro metallico", ma che, a differenza di quella, è destinata unicamente all'utilizzo sulle forme chiuse.

La struttura formale che la caratterizza è assai elementare, in quanto si presenta come una partizione in settori del lato a vista dei boccali, che sono sviluppati in senso verticale, dipingendoli semplicemente mediante barrature (semplici od "a graticcio"), così da trasformare la superficie dei vasi in un rapido succedersi di spicchi, sottolineati da "strisce" multicolori.

La versione più antica del decoro (gruppo 55.1), databile anch'essa all'ultimo decennio della prima metà del Cinquecento, la troviamo sul boccale proveniente dall'area esterna alla casa dei Sinibaldi riprodotto alla *tav. 279*; in esso si nota il permanere del canone tipico dell'"imitazione del lustro metallico", fondato sull'accostamento di parti reticolari in arancio brillante a settori barrati in bleu intenso (la classica bicromia lustro dorato-bleu delle maioliche valenzane), che già abbiamo incontrato sulle forme aperte tardo-quattrocentesche del nostro genere 13.

Nel corso della seconda metà del XVI secolo la struttura di questa decorazione viene a complicarsi (gruppo 55.2) per la presenza di strisce a piena campitura (in verde e giallo-arancio), che si affiancano alle parti "a graticcio", come si può notare dal boccale della *tav. 277*, per poi dare luogo, tra la fine del Cinquecento ed i primi anni del Seicento, a versioni più "manierate" (gruppo 55.3, *tav. 278*), nelle quali compaiono anche tratti in bruno di manganese, talora disposti a tagliare i settori campiti in senso orizzontale.

Genere 56. Nodo orientale evoluto

Tra le decorazioni maggiormente diffuse nella produzione montelupina degli anni 1540-1620 circa, il genere contraddistinto da una teoria di losanghe partite in prevalente cromatismo bleu viene ad assumere un ruolo di particolare interesse, e ciò non soltanto per la relativa abbondanza con la quale lo si ritrova — a dimostrazione di un buon livello produttivo — negli scarichi delle fornaci locali, ma anche per il fatto che esso, a differenza di quanto avviene nei casi precedentemente illustrati, non denota una destinazione "specializzata", ponendosi, infatti, tanto sulle forme chiuse come sulle aperte.

Quanto questa tipologia sia un'elaborazione locale o rappresenti piuttosto un'interpretazione di certi generi "forestieri", soprattutto di fabbricazione romagnola (Faenza, Rimini), non è facile stabilirlo, anche perché non ci è molto chiara la cronologia produttiva dei medesimi all'interno di quelle botteghe. Al proposito ci occorre solo osservare come la vicinanza di questo genere decorativo di Montelupo ai consimili decori extratoscani appaia assai più spiccata nelle forme chiuse rispetto a quelle aperte, ove, in effetti, Montelupo sviluppa variazioni sostanziali (cioè strutturali) della tipologia, che non ci sembrano aver riscontro in quelli di altri centri di fabbrica.

Gruppo 56.1

Un bellissimo esemplare di alzata campaniforme, conservata in collezione privata, con al centro la figura di un amorino o di un genietto alato dalla robusta anatomia (*tavv. 280-281*), documenta una delle versioni più interessanti di questo genere, la quale, a differenza di quelle che descriveremo successivamente, non viene ad introdurre attraverso la campitura (in bleu cobalto, giallo, verde od arancio) qualche elemento di tipo vegetale al suo interno. Qui, in effetti, possiamo notare come la costruzione del decoro sia puramente "grafica", incentrandosi sulla figura del rombo tagliato in croce, i cui vertici si espandono in apici ellittici, e danno luogo ad escrescenze circolari, le quali servono anche da elementi di collegamento tra tali motivi geometrici.

L'attribuzione a Montelupo, oltre che dai particolari della decorazione (si veda soprattutto la sottolineatura in bleu del piede dell'alzata), deriva anche dalla morfologia del supporto, che ben caratterizza la produzione montelupina della seconda metà del XVI secolo.

Gruppo 56.2

In questo raggruppamento inseriremo quella che probabilmente fu la variante più diffusa del genere 56, la quale si incontra esclusivamente sulle forme aperte, ed è caratterizzata dalla presenza di foglie ed "occhielli" policromi. Come si può notare nell'esemplare del Museo del Castello Sforzesco in Milano, riprodotto alla *tav. 282*, il decoro, che nasce strutturalmente attorno ad una composizione geometrica formata da una losanga centrale, iscritta poi in altra losanga, è circondato da quattro motivi ad essa identici, intervallati da fiori quadripetali. Una serie di archeggiature, segnate — come tutti i motivi lineari presenti in questa decorazione — in bleu cobalto, mette in collegamento tali figurazioni, conferendo all'insieme un aspetto arabescato, che trova una particolare accentuazione nel fitto fraseggio di minuti motivi vegetali, dipinti negli spazi di risulta. Ad una serie di "occhielli", ricavati agli apici delle losanghe e nei punti mediani delle archeggiature di collegamento, campiti in giallo (ma anche, in alcuni casi, in verde o arancio), è infine affidata la lumeggiatura cromatica dell'insieme.

Un esemplare di scavo contraddistinto dalle medesime modalità compositive, solo lievemente variate nel fiore stilizzato, per adattarle alla fisionomia di una ciotola emisferica, è poi riprodotto alla *tav. 284*: in esso si nota anche come nelle quadripartizioni delle losanghe venga posta una semplice segmentatura crociata, ripassata in giallo, invece dei cerchietti puntinati, come accade nella maiolica precedente.

Di non poco interesse, per la forma assai rara (una variante del più noto "disco di censo", da porre sul paramento murario di un edificio per indicarne la proprietà immobiliare o, piuttosto, una sorta di vassoio da tavola) della quale fornisce testimonianza, è poi il documento della *tav. 283*, ove le modalità decorative del gruppo 56.2 vengono a cerchiare un'insegna olivetana.

Gruppo 56.3

Le maioliche di questo raggruppamento si qualificano in primo luogo per la loro monocromia bleu, in quanto sia la campitura dei fiori stilizzati che il riempimento pittorico degli "occhielli" è in esse affidato ad un sottotono di ossido di cobalto. A ben guardare, tuttavia — come evidenzia il piatto di scavo della *tav. 285* — anche la morfologia di questa variante è modificata rispetto al gruppo precedente, dato che in essa compaiono alcune soluzioni (in particolare cerchiature) a quella del tutto sconosciute.

Gruppo 56.4

In esso possiamo comprendere la versione del genere 56 elaborata come decoro di contorno da porre sui fianchi delle forme chiuse, che strettamente si apparenta alle soluzioni formali documentate negli altri centri di fabbrica (in particolare dell'area marchigiano-romagnola) ai quali si faceva poc'anzi riferimento. Tale tipologia, incentrata sulla definizione formale di una grande losanga, lumeggiata da una pennellata verticale in giallo, ma soprattutto contraddistinta da una larga velatura in un bleu di sottotono, è ben

Fig. 30 - Piatto con decoro a "foglia con frutta policroma" (Gruppo 59.1), 1580-1620 circa (G.C. Bojani et alii, La donazione Galeazzo Cora... *cit., p. 251 n. 642). Faenza, Museo Internazionale delle Ceramiche*

esemplificata dai due boccali riprodotti alle *tavv. 286* e *287*, che portano nell'ovale centrale due figure maschili a mezzo busto.

Genere 57. Fondale in "bleu graffito"

Abbiamo già avuto occasione, trattando in particolare della "compendiarizzazione" della "famiglia bleu", di mettere in rilievo le suggestioni che i vasai montelupini traggono, ad iniziare dagli anni '40 del Cinquecento, dalla produzione delle più note botteghe ceramiche veneziane (e venete in genere). Con questa tipologia — ed ancor più con la successiva — veniamo a collocarci nel medesimo ambito di riferimento, anche se in questo caso si tratta di esempi derivati da manufatti un po' più recenti, che possono cronologicamente essere riferiti a poco oltre la metà del XVI secolo.

La ricetta formale che il nostro genere sviluppa è infatti quella di un fondale largamente campito in bleu intenso, decorato con motivi vegetali composti da tralci stilizzati in graffitura e corolle floreali dai petali lumeggiati in giallo ed arancio, apposti in sovrapposizione. Essa ci appare suggerita (anche se non dipendente, come invece appaiono le produzioni farmaceutiche di Montelupo collocabili nel medesimo orizzonte tipologico) dalla coeva, vasta attività attribuita all'*atelier* veneziano di maestro Domenico, che ha ancor più evidenti riscontri, ad iniziare dal medesimo periodo, anche nelle maioliche dei centri siciliani.

Essa è spesso destinata alle forme chiuse, in quanto ben si presta a chiudere con il suo fondale colorato gli spazi laterali dei boccali (*tavv. 288* e *289*), o a coprire il corpo sferico dei versatori (*tav. 290*), trovando però una particolare utilizzazione nelle fasce di contorno esterne e nelle pareti interne delle alzate campaniformi, come si può notare nel documento riprodotto alle *tavv. 291 e 292*, e nell'esemplare di scavo con testa di turco delle *tavv. 293 e 294*. Confrontando queste alzate con il versatore precedente, è anche possibile rilevare come spesso questa fascia in bleu decorata da graffiture preveda un accostamento cromatico ad una campitura altrettanto vasta, colorata però in arancio, che viene divisa dalla prima mediante un'ampia pennellata di giallo.

Per quanto attiene la sua cronologia, il genere 57 trova, come si diceva, origine negli anni '40 del Cinquecento, come è ben attestato dall'alzata campaniforme conservata nella raccolta del Courtald Institute di Londra, datata "1548"[145], per poi estendersi a buona parte della seconda metà di quel secolo, ma non giungendo, a quanto pare, sino ai primi anni del Seicento, come invece accade per quasi tutte le decorazioni introdotte nel medesimo periodo in Montelupo.

Genere 58. Foglia bleu

È però nella "foglia" che le botteghe valdarnesi mostrano di ricercare i contatti più diretti con le decorazioni elaborate dai loro colleghi veneti, ed in particolare con le solite botteghe veneziane che passano sotto il nome di maestro Lodovico e, forse, di maestro Giacomo. Che si tratti proprio della "foglia" veneziana, e non magari di quella ligure (che pure sarebbe di più prossimo riferimento, visto lo storico collegamento commerciale tra le due aree tirreniche), ci pare lo mostri con sufficiente chiarezza l'ampia presenza nel decoro montelupino di frutta, grappoli d'uva — ma anche frutti rotondi, simili alla mela ed alla pera, la cui turgidezza viene suggerita da sovradipinture — che più vicino degli altri ci sembrano corrispondere agli stilemi dei pittori della Serenissima. È anzi probabilmente a seguito del successo che arride in Montelupo a questo genere decorativo che verrà ad approfondirsi anche l'influenza di altri decori, di certo meno "impressionanti" di questo — quali il contorno estremamente stilizzato del genere veneto "alla porcellana" — sulla coeva produzione valdarnese.

La "foglia" conoscerà qui un successo davvero straordinario sin dalla metà circa del Cinquecento — la prima documentazione del suo impiego locale risale alla fine degli anni '40 di quel secolo — ma la sua vita si protrarrà assai a lungo nelle botteghe montelupine, forse anche per le suggestioni che nel corso del XVII secolo i ceramisti locali potranno derivare dalle versioni liguri, allora massicciamente introdotte in Toscana, tanto da giungere sino alle soglie del Settecento. Durante questo lungo percorso la "foglia" verrà a modificare le caratteristiche primordiali, sino a trasformare persino il suo cromatismo, ma ciò non le impedirà di svolgere la funzione di decoro più diffuso sulla maiolica "di pregio" (in specie su quella a destinazione farmaceutica), che ancora si produceva nel centro ceramico valdarnese.

Gruppo 58.1

La versione più nota e diffusa del contorno "a foglie" è strutturata secondo una fisionomia a grandi girali, i quali descrivono sulle pareti delle forme chiuse o sulla superficie dei piatti ampie cerchiature, da cui si dipartono quelli che sembrerebbero essere pampini di vite, partiti per metà da una campitura in bleu, e lumeggiati nell'altra da tocchi radiali in sottotoni azzurrini. Spesso, però, questo genere di foglia viene a stringere frutti tondeggianti, ai quali si faceva poc'anzi riferimento, che si mostrano come tali anche per avere l'estremità inferiore sottolineata da un cerchietto.

Nessuna incongruenza formale è però avvertita dai pittori, che ricercano in piena libertà l'efficacia visiva della decorazione (*tav. 297*), perseguendola con grande scioltezza, sino ad adattare il motivo a tutte le superfici vascolari prodotte nelle loro botteghe. Si veda, al proposito, la mezzina da acqua della *tav. 296*, che la cerchiatura centrale mostra appartenere ad una confraternita mariana femminile, od anche l'acetiera (come indica la lettera "A" dipinta al beccuccio) in forma di ampolla della *tav. 295*, che le volute vegetali ricoprono con grande naturalezza, nonostante le piccole dimensioni e la particolare morfologia tondeggiante del corpo.

Gruppo 58.2

Tra le varianti cinquecentesche del nostro genere 58 si segnala anche la presenza di versioni a smalto colorato dai toni "berettini", come si può indicare nel piatto riprodotto alla *tav. 298*. Se ce ne fosse ancora bisogno, si può notare come la citazione delle fonti d'ispirazione venete si faccia in questo esemplare ancor più palese rispetto ai documenti che lo precedono, in quanto esso si fregia di una sottolineatura al bordo realizzata con quel particolare motivo "alla porcellana", che più volte ci è occorso di accostare ai documenti di quelle botteghe.

Genere 59. Foglia con frutta policroma

Allo stesso orizzonte produttivo della "foglia bleu" è possibile ricondurre anche questo genere, che si caratterizza per una rappresentazione in vivace policromia di frutta e ortaggi (*fig. 30*), ma anche di semplici foglie, dipinte non più in monocromia bleu, bensì in verde, giallo ed arancio.

Possiamo anche notare in questo caso come la tipologia venga probabilmente a costituirsi per una sorta di sovrapposizione tra i generi veneziani "a frutta" e la locale evoluzione policroma della "foglia".

Più attratta verso la prima (gruppo 59.1) mostra di essere la crespina delle *tavv. 299-300*, del Museo del Vino di Torgiano, che porta al rovescio la marca del "crescente lunare" in arancio, mentre la seconda (gruppo 59.2) ci pare ben testimoniata dall'esemplare, conservato presso il medesimo Museo, qui riprodotto alla *tav. 301*.

Una combinazione particolare (gruppo 59.3), e non del tutto infrequente tra il contorno "alla porcellana" e la "foglia policroma", si nota poi nel grande boccale marcato "T" con stemma mediceo tra cornucopie, già nella collezione Cora (*tav. 303*).

I modi più tardi, che denotano un impiego accentuato del bruno di manganese nei contorni, della versione del primo gruppo, nel quale abbiamo suddiviso il nostro genere 59 si evidenziano, infine, nel curioso vassoio circolare (o piuttosto una sottocoppa priva di piede?), dipinto su entrambi i lati, già appartenente anch'esso alla raccolta di Galeazzo Cora e databile ai primi venti-trent'anni del XVII secolo (*tavv. 302* e *304*).

Genere 60. Bianchi

L'ampia circolazione di suggestioni decorative che i vasai di Montelupo traggono nel corso del Cinquecento dai più importanti centri di produzione della maiolica non poteva certamente trascurare Faenza, anche perché la cittadina valdarnese annoverava tra i suoi ceramisti non pochi artefici di origine faentina, o comunque discendenti della prima generazione dei ceramisti romagnoli venuti a risiedere tra le sue mura già sul finire della prima metà di quel secolo.

Non può stupire, perciò, il fatto che anche i "compendiari" (quelli intesi nell'originario senso "ballardiniano" del termine) che allora si diffondono dalla Città del Lamone trovino rispondenza nelle botteghe montelupine, come si nota in particolare dall'imitazione diretta del più classico ed inconfondibile tra questi generi — i cosiddetti "bianchi" — testimoniata dal grande frammento riprodotto alle *tavv. 305-306*.

Già la tipologia del vassoio "abborchiato" al centro, con scanalature laterali, richiama strettamente una delle morfe più diffuse tra i "bianchi" faentini, i quali rinnovarono considerevolmente il gusto dell'elaborazione dei supporti in senso imitativo della metallotecnica (come si può notare anche nelle forme chiuse), già presente sin dalle origini nella maiolica; ma è tuttavia nella ricerca di uno smalto denso, in grado di coprire la superficie del biscotto con una pellicola spessa, che ne smussa ed ammorbidisce gli angoli, conferendogli così una sorta di morbidezza cremosa, ben evidenziato da questo esemplare di scavo, che si ricava una precisa volontà imitativa di quella produzione. Che poi tale tentativo non sembri essere giunto a buon fine, in quanto la smaltatura mostra diversi punti di ritiro superficiali, forse dovuti all'eccessivo spessore della pellicola stannifera, può indicare (si tratta però di uno scarto e, quindi, ogni generalizzazione in merito non sarebbe corretta) la poca dimestichezza dei vasai valdarnesi nel trattare con smalti coprenti di questa dimensione.

È poi nella sintassi del decoro, nella tipologia, e nelle modalità pittoriche del medesimo, che si rivela ancor più direttamente, se possibile, tale volontà imitativa: si veda, ad esempio, il sottilissimo contorno in bruno di manganese con il quale è stata realizzata la figura di Muzio Scevola, colto nell'atto eroico di porre la mano armata di spada sul fuoco, il suo parziale ripasso in azzurro, ravvivato da semplici tocchi di giallo e, con vera e propria "citazione cromatica" dei prototipi faentini, di quel rosso-ferraccia che segna in maniera inconfondibile i "bianchi" romagnoli.

Se non fosse per la firma del vasaio apposta al retro (*tav. 306*), ove si legge "Bandin[*o*] [*B*]andini", unita all'indicazione del luogo (un monticello dipinto, a suggerire "Monte", seguito dalla parola "Lupo"), potremmo senz'altro ritenere di trovarci di fronte ad una maiolica prodotta da una bottega di Faenza, rinvenuta nel centro valdarnese come scarto d'uso. La data, nella quale ci pare corretto leggere "1597" (o, tutt'al più, "1593"), mostra come queste imitazioni siano avvenute ancora nel corso del XVI secolo.

Genere 61. Compendiario

Al medesimo orizzonte crono-tipologico si può far risalire anche l'esemplare con una figuretta di amorino al centro riprodotto alla *tav. 307*, che ci conduce verso un'altra produzione "compendiaria", questa volta però caratterizzata da una forma ed una smaltatura di tipo tradizionale; il "tralcio foliato" del quale si fregia, sembra dipendere per cromatismo dai contorni che si notano sui "bianchi"[146], ma mostra però di sviluppare una propria struttura decorativa, della quale non troviamo confronti nel centro romagnolo.

Genere 62. Compendiario "a settori"

Ci introdurremo adesso nell'analisi di una tipologia decorativa che non sempre appare di agevole definizione (specie quando è realizzata in monocromia bleu) quanto ad appartenenza nei materiali non provenienti da scavo. Essa, infatti, è ben presente nella tradizione faentina, ove è definita come genere "a ricamo", e si incontra probabilmente già subito dopo la metà del XVI secolo, per svilupparsi poi con particolare fortuna sui "bianchi" (in specie in quelli prodotti nella bottega di Enea di Baldassarre Utili)[147], nel corso dell'ultimo quarto del Cinquecento.

La presenza delle componenti essenziali del motivo — una sorta di disegno "a volute", che si sviluppa in senso longitudinale per strisce "dentellate" ai margini, le quali si alternano a parti a risparmio — in un piatto istoriato, firmato da Francesco Xanto e datato al 1535[148], lascia intendere da quanto tempo simili suggestioni fossero all'attenzione dei ceramisti italiani, anche perché, come sembra evidente nel documento citato (si veda il tendaggio che parzialmente copre il letto di Alcione), esse dovettero essere ampiamente diffuse sulle decorazioni tessili coeve.

Fu Galeazzo Cora ad individuare per primo, in un articolo pubblicato nel 1960[149] — e poi ancora con un nuovo contributo l'anno successivo[150] — questa produzione "compendiaria" montelupina, la quale, pur essendo vicina a quella di Faenza, può distinguersi da quest'ultima per una maggiore nitidezza del tratto, che difficilmente cede ai modi "impressionistici" di quella romagnola, e, soprattutto, perché si accompagna anche a piccole composizioni vegetali lumeggiate in giallo, arancio e verde, che non ci pare trovino confronti diretti nelle maioliche faentine.

Gruppo 62.1

Ad una fase "antica" di questa tipologia dovrebbe appartenere la scodella a larga tesa del Victoria and Albert, qui riprodotta alla *tav. 308*, nel cui centro è dipinto un monticello con tre fuochi — una probabile simbologia religiosa — stretto da una cerchiatura "a ghirlanda" formata da foglie e frutta, singolarmente simile a quella posta sul "fornimento" maiolicato più antico della farmacia di San Marco a Firenze, databile agli anni '60 -'70 del Cinquecento[151].

Dal punto di vista strutturale la decorazione, che sembra quasi voler imitare col suo sviluppo circolare l'aspetto di una tovaglia, di un fazzoletto, o di un grembiule ricamato, si incentra su una partizione per sei dello spazio, ottenuta proprio tramite queste strisce longitudinali "a ricamo", all'interno delle quali il profilo delle volute viene realizzato "a risparmio", mediante la campitura in bleu delle loro parti laterali. Negli spazi intercalari si ricava poi una porzione pentagonale, parzialmente sottolineata da una fascia di "ovuli" su sfondo arancio, ove è dipinta una piccola composizione vegetale, formata da un lungo stelo che porta alla sommità una singola foglia partita di giallo e di bleu. Nelle porzioni triangolari di risulta si stende poi un altro minuscolo motivo vegetale, sottolineato da tocchi di giallo e verde.

Gruppo 62.2

Sono attribuibili a Montelupo anche alcune versioni monocrome di questo genere (sottogruppo 62.2.1), caratterizzate sulle forme aperte — molte tra queste sono "crespine" a basso piede — da un contorno più lineare rispetto a quello dell'esemplare precedente, in quanto di norma risolto mediante la semplice giustapposizione di settori radiali, nei quali si alternano motivi dipinti su fondo bianco, ad altri ottenuti invece "a risparmio" sul fondale colorato in bleu.

Con questa decorazione di contorno si incontrano nella gran parte dei casi figurette centrali in bleu, dipinte secondo le modalità grafiche del "compendiario", come quella che si nota sul documento di scavo della *tav. 309* (appartenente al sottogruppo 62.2.1), o quello della successiva *tav. 310*, appartenente ad una raccolta privata, ove le caratteristiche di un nuovo sottogruppo (62.2.2) emergono dalla diversa partizione del contorno, qui sottolineata anche da una fascia doppiamente "dentellata".

La datazione di entrambi gli esemplari può essere compresa tra il 1560 ed il 1580 circa.

L'impostazione del decoro, pur semplificandosi notevolmente, sarà ancora mantenuta tra la fine del Cinquecento ed il primo ventennio del secolo successivo. In questo periodo, oltre ad un'evidente semplificazione del "ricamo", si nota anche una sostanziale modifica delle parti vegetali che ad esso si alternano nei diversi settori della composizione, in quanto queste ultime non si piegano più in eleganti volute, ma, come può notarsi nelle maioliche riprodotte alle *tavv. 312* e *314*, si allungano piuttosto in forma di stelo diritto, utilizzando sia un motivo "fiammeggiante" (sottogruppo 62.2.3; si confronti la *tav. 309* con la *312*), sia la composizione vegetale con foglia apicale (sottogruppo 62.2.4, come si nota nelle *tavv. 308* e *314*), già presenti nella prima produzione del genere 62.

Gruppo 62.3

Più affine, invece, ai modi tipici del "compendiario" faentino, ed in particolare alla versione del motivo "a ricamo" che si ritrova sui "bianchi" del centro romagnolo, mostra di essere la ciotolina emisferica della *tav. 311*, databile all'ultimo quarto del Cinquecento, sia per il suo stile pittorico "impressionistico", che per il cromatismo della minuta composizione vegetale, la quale si accompagna ai settori sottolineati in bleu.

Gruppo 62.4

Sulle forme chiuse appartenenti agli anni 1580-1620 è facile incontrare poi una versione del nostro "compendiario a settori" in cui il motivo del "ricamo" mostra di cedere spazio alle parti vegetali della composizione, le quali, come si può notare nella mezzina della *tav. 313*, vengono in tal modo a caratterizzarsi sempre più per questi motivi fitomorfi, collocati in settori triangolari. Tale versione, come vedremo, andrà sempre più accreditandosi durante il Seicento nella produzione locale, sino a dare origine al gruppo successivo, che porta alla sua estenuazione il genere sulle forme chiuse.

Gruppo 62.5

Quest'ultimo raggruppamento, databile al 1620-1660 circa, è ben rappresentato dal boccale riprodotto alle *tavv. 315* e *316*, ove, oltre ad un'attitudine pittorica sempre più sommaria e trasandata, si evidenzia anche la definitiva scomparsa della fascia "a ricamo", ora sostituita da un semplice decoro serpeggiante, nelle cui spire si alternano rapidi tocchi di pennello "a freccia".

Gruppo 62.6

In parallelo alla tarda evoluzione semplificatrice delle forme chiuse, anche le aperte vengono a perdere nel corso del Seicento il motivo che aveva caratterizzato all'origine il genere 62. Come si può notare dalla crespina della *tav. 317*, datata al 1642, nelle parti intercalari riservate alle composizioni fitomorfe si distendono ora varie "semplificazioni" dell'antico "ricamo", concepite sia come parti "a risparmio" su fondo bleu, sia come il motivo serpeggiante che abbiamo già incontrato nel gruppo precedente.

Genere 63. Figurato con fascia arancio

Il regredire nel corso della seconda metà del Cinquecento delle botteghe di Montelupo verso le espressioni tipiche di un decorativismo di maniera, più consone ad una popolare stoviglieria che all'espressione di una genuina forma d'artigianato artistico, lo si può notare con particolare evidenza in questo genere figurato, contraddistinto dalla cerchiatura entro una ristretta fascia campita di giallo e poi filettata d'arancio.

Nelle sue parti figurative, infatti, questo genere si accompagna ad un repertorio davvero "popolaresco", formato da semplici composizioni di tipo fitomorfo — che spesso si richiamano alla mensa (ortaggi, frutta) — o zoomorfo, attratte dalla rappresentazione degli animali domestici (cani, volatili, uccelli in gabbia, etc.). Talvolta questi pittori si rifanno ai soggetti del tardo "compendiario" montelupino, quali i tipici "paesi" (*tav. 318*) o alle raffigurazioni di personaggi a mezzo busto (*tav. 319*).

La tipologia, che pare non abbondantissima sotto il profilo quantitativo, ma di certo prodotta per un lungo periodo di tempo (probabilmente nell'arco degli anni 1570-1630 circa), ben si caratterizza per il cromatismo degli sfondi, normalmente lumeggiati da rapide pennellate sovrapposte in azzurro e giallo.

Genere 64. Settori contrapposti

Negli anni successivi al difficile periodo 1620-30 le fornaci montelupine andarono incontro ad una rapidissima crisi, che denota una profonda incapacità nell'elaborare nuove decorazioni. Fatti salvi i generi che rappresentavano la lenta evoluzione di una tradizione già da tempo introdotta e consolidata nel centro valdarnese (il decoro "a foglie", il figurato, il compendiario "a settori", l'"estenuazione" dei motivi rinascimentali), nessuna novità viene in pratica ora ad introdursi nel panorama locale.

Di questa drammatica evoluzione, che sottende, come meglio vedremo nel quarto volume di quest'opera, la scomparsa di non poche famiglie di vasai, costituisce un'eccellente (anche se triste) testimonianza il boccale riprodotto alla *tav. 320*. In esso si nota il tentativo di mettere a punto una nuova tipologia decorativa, ricercata attraverso un elementare e poco efficace sistema di partizione degli spazi (si noti la rozza sovrapposizione delle linee di divisione in verde, che un ceramista del Cinquecento avrebbe accuratamente evitato), nei quali vengono collocati motivi dal semplice sviluppo formale, estrapolati anche da altri generi decorativi di Montelupo (ad esempio dalle "strisce policrome").

Genere 65. Raffaellesca

L'eccezione più rilevante alla generale impressione di decadenza che si diffonde nella maiolica montelupina dei primi lustri del XVII secolo è rappresentata dal genere "a raffaellesca", la cui definizione come tipologia locale presenta qualche difficoltà d'inquadramento, sia per il fatto che una produzione consimile dovette caratterizzare anche la fabbrica di maioliche aperta in Pisa da Niccolò Sisti, sia perché essa si avvicina non di poco ai modi della tarda raffaellesca urbinate e derutese.

Fu ancora una volta Galeazzo Cora, con un suo contribuito pubblicato sulla rivista "Faenza" nel 1964, a segnalare questa produzione pisana del Sisti, testimoniata sia dalla documentazione scritta, che dalla presenza nella collezione Bak di un'anfora, sulla quale campeggia la scritta "Pisa"[152].

La cronologia produttiva della manifattura pisana e, soprattutto, il ruolo che in essa svolsero le lavorazioni fittili rispetto a quelle vetrarie, che nei documenti si mostrano di gran lunga prevalenti, attendono però tuttora una definizione più approfondita. Secondo Cora, il Sisti non avrebbe qui avviato un'attività ceramica prima della fine del 1593 o dei primi mesi dell'anno successivo, protraendola poi (anche in Firenze?) sino ad una data che purtroppo ci è ignota[153].

In ordine a tali difficoltà, e pur avvertendo che "una esatta delimitazione fra le produzioni delle due località permane assai delicata", anche perché essa si avvaleva probabilmente dei medesimi pittori ("è più che probabile che fra i maestri ceramisti chiamati a Pisa dal Sisti figurassero vasai di Montelupo")[154], sembrava giustificata allo stesso Cora l'attribuzione a fabbrica Montelupina della fiasca, già appartenente anch'essa alla collezione Bak, marcata "b" e datata "1591"[155]. La scoperta, poi, di un esemplare con scritta "Montelupo" appartenente al "fornimento" maiolicato "a raffaellesca" della farmacia di Santa Maria Novella in Firenze, ove compaiono vasi datati "1620", consente di ampliare sino a quegli anni la presenza di questo genere nelle botteghe valdarnesi[156], la cui cronologia seicentesca, era già sottolineata dai noti boccali con stemma Capponi e Salviati datati "1605" e "1606" della collezione Strozzi-Sacrati[157] e da altre produzioni tarde.

Questa produzione realizzata nel "1591", una data che a nostro avviso si avvicina significativamente al famoso donativo concesso da Ferdinando I ai vasai di Montelupo "ad effetto che gli impieghino in tanti vasellami di Montelupo per sostentamento di quelle famiglie", e ad essi liquidato *sub* 1592[158] — ma ricordo che nello stile fiorentino "*ab incarnatione*" la cifra dell'anno cambiava il 25 di marzo di quello che per noi è il successivo, e non il 31 di dicembre — si caratterizza per la presenza sul lato a vista dello stemma granducale, con l'arma partita Medici-Lorena. Di questa serie fanno parte non soltanto le fiasche già attribuite dal Cora a fornaci montelupine, ma anche l'anfora biansata del Victoria and Albert (*tav. 321*), che manifesta un'evidente similarità decorativa rispetto a queste, anche se probabilmente è dovuta ad un pittore dal tratto meno elegante — come si nota dal suo modo di ripassare i contorni con la ferraccia — e dalla tavolozza più greve. Se la nostra ipotesi, come tutto sembra confermare, fosse esatta, si tratterebbe perciò di una maiolica prodotta successivamente a quel generico ordinativo, "graziosamente" indirizzato dal Principe ai vasai di Montelupo nei mesi che seguirono la disastrosa carestia del 1590-91.

Visti i modi maturi che già mostra la fiasca datata "1591", vi è semmai da chiedersi quanto tempo sia occorso ai pittori montelupini per sviluppare questo decoro che, d'altronde, non appare del tutto rispondente ai modi usuali della più nota "raffaellesca" urbinate. Che questo genere di pittura abbia avuto grande successo in Firenze sin dagli anni '70 del XVI secolo lo mostra a sufficienza la documentazione archivistica, e lo ribadiscono con particolare eloquenza le forniture effettuate da Flaminio Fontana al granduca Francesco I[159]. È perciò ipotizzabile che forse già negli anni '80 i vasai di Montelupo siano venuti esercitandosi su questo genere, anche se di tale fase primordiale ci manca al momento qualsiasi documentazione.

È del resto in questo periodo che si diffondono le pitture parietali "a grottesca" su fondo bianco, le quali vengono singolarmente sviluppate in Firenze da artisti come l'Allori e poi il Poccetti. Se, quindi, è per un verso giusto classificare questa produzione come "raffaellesca", in quanto la sua fortuna in specie di decoro ceramico derivò soprattutto dal favore con il quale furono accolti i modi della "grottesca" diffusi dalle botteghe dei Fontana e dei Patanazzi, per l'altro non bisogna dimenticare come la versione montelupina della medesima, così come accadde in altri centri di fabbrica[160], non fu certo immune da contaminazioni diverse, che la resero formalmente non del tutto omologa alla più nota versione urbinate. Essa, in effetti, deriva palesemente dalla pittura parietale il gusto per la realizzazione di figure di ampie proporzioni, che risultano assai varie sotto il profilo tematico, nonché liberamente accostate a quelle più minute, tipiche del canone ceramistico. Dall'antico "compendiario" veneziano "a foglie" e "girali vegetali" questi ceramisti trassero poi con tutta probabilità l'idea di popolare lo sviluppo pseudofigurativo della "raffaellesca" di animaletti svolazzanti: una sorta di insetti dalle lunghe ali o dal caratteristico corpo scuro, che talora lascia intravedere — spesso stilizzato in una sorta di cerchietto — il profilo delle zampe[161].

Ciò non toglie che tutte le altre componenti delle decorazioni (le "arpie", le erme, i geni che sorreggono lunghe faci ardenti, i tendaggi, i "diamanti" penduli, le "gemme" campite in nero di manganese, etc.) appartengano alla più tipica espressione formale della "raffaellesca" urbinate, così come il cromatismo, nel quale si esaltano i toni gialli ed arancio, e la stessa struttura formale nella quale si inserisce la decorazione, con gli spazi scompartiti dalle classiche linee gialle, sovente segmentate di ferraccia.

Se prescindiamo da una versione la quale denota un impiego limitato delle classiche figurazioni derivate dalla "grottesca", non appare possibile, allo stato attuale delle ricerche, operare una suddivisione analitica sufficientemente approfondita del nostro genere 65, esaminando il quale sarà quindi necessario accontentarsi di alcune ripartizioni di larga massima.

Gruppo 65.1

In questo raggruppamento inseriremo i quattro esemplari noti di quella che per noi fu la "fornitura del 1591" (probabilmente realizzata, come si è visto tra l'autunno di quell'anno ed il febbraio-marzo del 1592), comprensiva di tre fiasche "da pellegrino" che furono a qualche anno di distanza (per una nuova commissione?) seguite dall'anfora biansata del Victoria and Albert (*tav. 321*). Su quest'ultima si noti, alla sinistra dello stemma, la figura di un leone linguato, il quale appoggia la zampa su di una sfera, che è assai simile a quello posto sul cartiglio del vaso farmaceutico delle Civiche Raccolte milanesi del Castello Sforzesco[162], appartenente (come meglio vedremo nel terzo volume di questa *Storia*) al "fornimento" di Santa Maria Novella, realizzato nel 1620 (l'esemplare in questione porta tale data) dalla fornace montelupina che marca con il bigramma "Ro". Questo particolare, pur sottolineando l'appartenenza dell'anfora alla produzione di Montelupo, non è comunque decisivo per la sua datazione.

Le fiasche (*tavv. 322-326*), a differenza dell'anfora, sono invece caratterizzate, oltre che dagli stemmi Medici ed Asburgo-Lorena, dalla presenza di medaglioni figurati su sfondo nero, che rappresentano veri e propri ritratti della famiglia principesca, all'interno dei quali si intende raffigurare Ferdinando e Maria Cristina, in allusione alle classiche "gemme" e ai "cammei" antichi della "raffaellesca", che assieme ad essi compaiono.

Gruppo 65.2

Le figure della "raffaellesca" montelupina che, come si diceva, si mostra sensibile ai decori "a grottesche" della pittura parietale, sviluppando così motivi dalle inusuali dimensioni, trovano impiego anche come parti accessorie degli stemmi in una produzione vascolare documentata tra la fine del primo ed il terzo decennio del XVII secolo. Di essa presentiamo alle *tavv. 327* e *328* un grande boccale con stemma Rinuccini, già appartenente alla collezione Cora, marcato con il "crescente lunare crucifero" e datato "1619". A questo gruppo, ove si nota una coppia di figure reggistemma, il cui busto emerge dalla voluta, appartengono anche i due esemplari della Strozzi-Sacrati datati "1605" e "1606", già citati in precedenza.

Gruppo 65.3

Più numerosi sono però i documenti che mostrano l'impiego del nostro genere 65 secondo modalità più vicine, anche se non eguali, a quelle che caratterizzano la produzione urbinate. Di questo gruppo costituisce un prezioso documento l'anforetta a prese bifide della Fondazione Bagatti Valsecchi, riprodotta alle *tavv. 329* e *330*, poiché è anch'essa marcata col "crescente lunare" nella versione "crucifera": una sigla di bottega che si unisce a datazioni comprese tra il 1613 ed il 1626[163].

Il repertorio decorativo che è sviluppato sulla superficie di questo vaso è assai vicino a quello del "fornimento" di Santa Maria Novella, ma qui possiamo meglio notare l'introduzione tra i motivi della "raffaellesca" montelupina di quegli insetti volanti (si veda alla *tav. 330*, in alto), ai quali in precedenza ci è occorso di accennare, e che, come vedremo, attirarono giustamente l'attenzione di uno studioso attento come Galeazzo Cora.

Ed anche negli scarichi di fornace del centro valdarnese iniziano adesso a comparire documenti inseribili in questo gruppo, come il piatto con stemma della *tav. 331*, che probabilmente era datato "1617", anche se delle targhe epigrafate del bordo è rimasto solo un lacerto.

Sempre alla raccolta milanese della Bagatti Valsecchi appartiene la maiolica riprodotta alle *tavv. 332* e *333*, nella quale è forse da riconoscere una "scodella da parto", dato che nel fondo si sviluppa (attorniata da due "monticelli" che richiamano il coevo, tardo figurato del centro valdarnese) una scena nella quale si rappresenta una donna che tiene in braccio un bambino. Si noti in questo esemplare — che ci pare databile anch'esso ai primi lustri del Seicento — il tentativo, a nostro avviso non riuscito, di adottare un cromatismo incentrato sulla bicromia giallo-nero, variata da inserti d'azzurro, che vorrebbe essere mimetico della tarda produzione urbinate. La tavolozza, però, mostra evidenti distonie e quasi una brutalità di accostamenti, da imputare soprattutto all'uso di un arancio-ferraccia piuttosto scuro, vicino ad una colorazione tipo "terra di Siena", poco adeguata a sposarsi con il giallo brillante dei sottofondi. Ma la scodella denota la sua appartenenza all'attività di una fornace di Montelupo soprattutto per la presenza di due grandi insetti stilizzati, dipinti in nero, che, assieme a lumache ed uccelli dalle inusitate proporzioni, si accoppiano ai motivi della "raffaellesca".

È questo lo stilema al quale il Cora attribuiva una sorta di sottolineatura d'appartenenza a fabbrica toscana, cioè o a Pisa o a Montelupo (avvertendo, comunque, che sempre di pittori montelupini si trattava)[164]. Di questa produzione, oltre all'esemplare datato "1596", riprodotto alla *tav. 335*, presentiamo anche una maiolica con stemma centrale, già appartenente alla collezione dello studioso fiorentino (*tav. 334*).

Parte seconda - Capitolo quinto

La maiolica del pieno XVII e del XVIII secolo

Genere 66. Vassoi baccellati. Nella produzione montelupina del pieno Seicento, ormai contraddistinta da gravi segni di decadenza, emergono rari sprazzi di luce, dovuti in gran parte all'efficace recepimento di stimoli formali provenienti dall'esterno, che talvolta i vasai locali riescono tuttora ad elaborare in maniera esteticamente valida e, persino, suggestiva.
Tra questi pochi prodotti di buon livello sono sicuramente da comprendere alcuni vassoi baccellati, nei quali non è difficile intravedere una forma derivata dal "compendiario" e, in particolare dalla maiolica "bianca", contraddistinta da larghi spazi privi di decoro, che però i ceramisti del centro valdarnese vengono in questo caso a dipingere in una spinta policromia, che talvolta assume anche toni accesi e squillanti.
Dei sei esemplari del genere a noi noti[165] presentiamo qui i due del Victoria and Albert, tra cui quello della *tav. 337*, che porta al rovescio la famosa scritta "Adì 16 di aprile 1663 Diacinto Monti di Montelupo" (*fig. 31*) e l'altro della *tav. 336* che invece è marcato al rovescio "Go M[*ontelupo*]" ed

è datato "1627" (*fig. 32*).

Come si può notare, la decorazione viene qui particolarmente attratta (e non poteva essere diversamente) dalla forma del supporto, che suggerisce agli artefici montelupini l'iterazione di una serie di motivetti (arpie "a raffaellesca", steli floreali), mentre nel centro campeggiano minuscoli riferimenti al tardo figurato coevo o ad emblemi locali. Mentre, infatti, è dubbio il riconoscimento come lupo dell'animale passante che sta nello scudo dell'esemplare datato al 1663 (*tav. 337*)[166], nel centro del vassoio datato 1627 (*tav. 336*) non è invece difficile riconoscere il castello turrito con porta centrale, il quale rappresenta davvero uno stemma montelupino (forse pertinente all'opera della pieve di San Giovanni Evangelista), riprodotto in varie targhe maiolicate apposte sulle mura delle case dell'antico centro urbano.

Genere 67. Figurato atipico

Assieme ad una produzione derivata dai classici schemi dell'istoriato, compaiono in Montelupo anche rari, ma significativi documenti, che si possono comprendere in un genere figurativo "atipico", in quanto in esso i pittori locali danno libero sfogo alla propria creatività, svincolandola dagli schemi tecnico-formali (l'inquadramento paesaggistico, il fondale giallo) che vedremo tra breve essere "tipici" del tardo figurato montelupino.

Di questo genere costituisce una straordinaria testimonianza il vassoio scodelliforme del Museo di Berlino (*tav. 338*) sul cui *recto* è dipinta la scena di un pranzo in villa, siglato al rovescio con la marca "dell'amo da pesca", la quale si accoppia alla data "1622" (cfr. *fig. 27*). In esso, infatti, emerge un'attitudine alla rappresentazione realistica, attratta più dalla ricerca — qui persino eccessiva — della varietà delle cose e delle figure, che dal rigore del loro inserimento

Fig. 31 - Rovescio del "vassoio baccellato" (Genere 66) qui riprodotto alla tav. 337, datato "adì 16 di Aprile 1663" e siglato "Diacinto Monti di Montelupo". Inedito. Londra, Victoria and Albert Museum

Fig. 32 - Rovescio del "vassoio baccellato" (Genere 66) qui riprodotto alla tav. 336, datato "1627" e siglato "Go M[ontelupo]". Inedito. Londra, Victoria and Albert Museum

in uno spazio definito, "costruito" per conferire ad essa la necessaria profondità e spessore. Una tale tendenza a trascurare i problemi spaziali, per approdare così ad una pittura spontanea, la si nota nella prospettiva falsata della scena, che innaturalmente viene ad allargarsi, come se s'inclinasse, sulla destra di chi osserva.

Genere 68. Figurato tardo

L'attenzione che abbiamo riservato all'"istoriato" montelupino si rivela ora particolarmente utile per porre in luce il suo più tardo sfociare in un "figurato", che per lungo tempo ha rappresentato il solo genere decorativo attribuito senza riserve a Montelupo. Va anzi detto che la notorietà di questa produzione è stata così ampia da trarre in inganno molti studiosi che, convinti di trovarsi dinanzi alle testimonianze di un linguaggio pittorico apparentemente inconfondibile e "tipico", sono venuti spesso a classificare come valdarnesi maioliche che con quelle del nostro centro di fabbrica hanno in comune solo alcuni aspetti formali, ma che in realtà appartengono ai centri ceramici dell'Alto Lazio o della Bassa Toscana[167].

L'equivoca definizione — in parte, come si è potuto evidenziare nel primo volume di questa *Storia*, costruita da chi intendeva "sistematizzare" in scuole e "stili" nettamente separabili il fenomeno storico della maiolica italiana — di questo genere "figurato" come derivazione popolaresca dalle "bambocciate" e dalla "pittura alla brava"[168], poi volgarizzata da una battente pubblicistica (nella quale poche volte si esprime qualche effettiva cognizione di causa della materia di cui si tratta), ha in effetti impedito di porre in luce tale legame, che pure è da intendere come fondamentale per lo sviluppo del nostro genere. Riconoscere una tale genesi non significa ovviamente precludersi la possibilità di porre in evidenza, specie all'interno di alcuni manufatti appartenenti agli anni 1630-60, gli influssi esercitati da quel clima sui pittori montelupini, ma un tale riconoscimento non deve generalizzarsi in maniera retroattiva mediante il ricorso a categorie che prescindono dall'analisi puntuale dei documenti superstiti, e li pongono su uno sfondo generico ed uniforme che, peraltro, non ha alcuna rispondenza con l'effettivo sviluppo storico della questione.

Ci occorre perciò ripetere qui, come già nel 1986 ci era occorso di segnalare, la dipendenza della "ricetta formale" che si dispiega nel tardo figurato montelupino dalla classica impostazione dell'"istoriato", ma, non avendo allora nessun esemplare di quest'ultimo genere da proporre come fabbricato in Montelupo, ad eccezione della crespina con *Giulio Cesare che passa il Rubicone* della collezione Bak, questo riferimento risultava in parte manchevole di un più ampio apporto documentario[169]. Fu, come sappiamo, Carmen Ravanelli Guidotti, pubblicando il catalogo della donazione Fanfani, a fornire, con l'attribuzione a Montelupo del piatto con *Mosè sul Sinai che chiede di vedere Jahvè*, l'ultimo supporto utile a questa interpretazione[170]. La studiosa faentina non mancò, del resto, in quella occasione di porre anche a confronto gli esempi più famosi di questo "tardo figurato" — quelli, per intendersi, incentrati sulla raffigurazione di soldati e sbandieratori — con incisioni a stampa pubblicate in Germania sul finire del Cinquecento, mettendo in tal modo in luce rassomiglianze così strette da porre senza dubbi soverchi queste fonti iconografiche nella loro indubbia qualità di riferimenti decisivi per lo sviluppo di tale produzione[171]. Che dire, quindi, dell'attitudine "alla brava" di questi artefici, visto che essi mostrano ancora nei loro più tardi prodotti (si tratta di maioliche che cronologicamente si collocano attorno alla metà del XVII secolo) un peculiare interessamento, così come facevano i precedenti "istoriatori", verso le incisioni a stampa?

La questione, ormai sgomberata dalla caligine delle interpretazioni occasionali e "di maniera", può dunque essere finalmente ripresa alla luce delle nuove conoscenze che nel frattempo siamo venuti acquisendo in merito al figurato di Montelupo, ma, prima di addentrarci nell'analisi degli esemplari che appartengono al nostro genere 68, è tuttavia necessario mettere in chiaro i limiti della ricostruzione alla quale ci apprestiamo.

La straordinaria abbondanza di documenti pone, infatti, in questo caso formidabili problemi di sintesi, che possiamo sperare di risolvere in questa sede unicamente attraverso una precisa scelta di campo. Pur essendo possibile seguire, infatti, attraverso l'esempio delle diverse centinaia di documenti noti, il percorso del "figurato tardo" nelle botteghe di Montelupo, nel senso di rilevare in esso la mano dei pittori che concorsero al suo sviluppo — i maggiori non sono più di cinque o sei — questa soluzione diviene per noi impraticabile. La ristrettezza dello spazio che qui ci è concesso impone infatti piuttosto la scelta di un asse cronologico-tematico, il quale possa sottolineare gli sviluppi formali della tipologia, senza per questo perdersi nei meandri di un'esposizione che non potrebbe ricevere a suo supporto quell'indispensabile abbondanza di riferimenti fotografici, in grado di mostrare gli stilemi propri a questo o quell'artefice. Uno studio di tal fatta dovrà perciò essere rinviato — come, del resto, la disamina di altre tematiche che abbiamo potuto soltanto enunciare in quest'opera — ad un volume specifico, che magari potrà beneficiare degli approfondimenti sul tardo "istoriato" attualmente in corso.

Gruppo 68.1

Inseriremo, perciò, nel primo raggruppamento della nostra tipologia quegli esemplari che mostrano di appartenere alla fase di passaggio tra il vero e proprio "istoriato" e il modo di dipingere che, per distinguerlo da quello rinascimentale, abbiamo definito "tardo figurato", formando in tal modo una serie che, seppure non vasta, bene mostra il trascorrere dall'una all'altra produzione. Essa può iniziare con il bacile del Victoria and Albert, qui riprodotto alla *tav. 339*, ove è raffigurato un guerriero antico che, armato di spada e scudo, brandisce una sorta di clava, come volgendosi alla battaglia.

L'appartenenza di questa maiolica alla tradizione montelupina, che lo stesso Rackham aveva notato[172], si poteva dedurre soprattutto dal cromatismo, ed in particolare dal caratteristico sfondo giallo intenso che la caratterizza, ma essa è ora ben sottolineata dalla scoperta di nuovi esemplari appartenenti allo stesso momento del "figurato" locale che presentano la medesima forma (cfr. *tav. 340*), la quale è poi documentata anche in reperti di scavo provenienti dal sottosuolo di Montelupo. Altrettanto evidenti sono poi i riferimenti contenuti nella maiolica alla tradizione "istoriata", come si può notare dall'armamento del guerriero medesimo e, soprattutto, dalla sua corazza, la quale lo definisce propriamente come un soldato romano. E che dire poi delle architetture dipinte sulla destra di chi osserva, nelle quali può addirittura intravedersi una citazione letterale dei modi pittorici tipici dell'"istoriato"?

Osservata, però, la sensibilità che i particolari della pittura derivano dall'orizzonte culturale di quel più antico genere figurato, dobbiamo notare con altrettanta evidenza come la struttura compositiva della medesima presenti poi caratteri del tutto originali ed un valore altrettanto autonomo rispetto a quello. In questa maiolica, infatti, la figura umana è singola, e viene perciò ad assumere proporzioni di tutto rilievo rispetto all'estensione del supporto. Una tale scelta rompe gli equilibri dell'"istoriato" per il fatto che le parti restanti della composizione debbono essere utilizzate per conferire volume e spessore alla figura medesima, e sono perciò interessate da artifici formali di varia natura. Si veda, ad esempio, nel bacile della *tav. 339* come le componenti del paesaggio in primo piano (un albero sulla sinistra, le architetture sulla destra) si pieghino sino ad assumere un'innaturale fisionomia arcuata, la quale non è certo casuale, ma serve piuttosto a conferire alla figura del guerriero in esso rappresentato un particolare dinamismo, col quale si cerca di ottenere l'effetto di "sospingerla" oltre la superficie smaltata, quasi a distaccarla visivamente da essa. Lo stesso avviene per il paesaggio di sfondo, dipinto nel classico cromatismo azzurro, proprio alle lontananze dell'"istoriato", che si dispone in picchi alpestri a seconda dei vuoti che attorniano la figura, in maniera tale da collegarsi ad essa attraverso linee prospettiche.

Ma chi sono i pittori che elaborano in Montelupo questo nuovo canone figurativo? Per quanto siamo andati affermando nelle pagine precedenti, almeno alcuni di essi dovrebbero coincidere con i protagonisti della stagione "istoriata", che in Montelupo sembra aver assunto particolare importanza tra gli anni '60 e gli anni '70 del XVI secolo. In effetti, se ci volgiamo ad analizzare più da vicino la figura del guerriero dipinta sul bacile del museo londinese, possiamo scoprire come i suoi particolari anatomici non differiscano di molto da quelli propri a quel "pittore di Muzio Scevola", al quale abbiamo attribuito due maioliche datate agli anni '70 del Cinquecento, e che abbiamo anche avvicinato a quell'Alessandro di Tommaso di Giorgio, presente in Montelupo dal 1570-71, e qui deceduto tra il 1593 ed il 1594[173]. Se accostiamo, in particolare, la targa del Museo di Sèvres con l'*Ascesa di Cristo al Calvario* del 1579 all'esemplare del Victoria and Albert, possiamo verificare come in entrambi i casi ci si trovi di fronte ad un pittore il quale attribuisce particolare importanza all'anatomia dei personaggi che realizza, sottolineandone anche fortemente l'articolazione delle ginocchia. Avremmo certo gradito poter confrontare il bacile della *tav. 339* con il piatto firmato da Alessandro e datato al 1593-94, ma la qualità della riproduzione che di quest'ultimo disponiamo non ce lo consente.

Che tuttavia nei protagonisti di questa fase di passaggio al "tardo figurato" montelupino si celino pittori che non sono immemori della tradizione faentina, come Alessandro Giorgi ed i Tenducci, lo mostra benissimo anche il successivo bacile, conservato in collezione privata, qui riprodotto alla *tav. 340*. Il personaggio che è dipinto su questa maiolica è davvero uno dei tanti soldati che si incontrano su questo genere, ed è stavolta privo degli attributi da antico guerriero che sono propri a quello dell'esemplare precedente. Qui, inoltre, lo sfondo paesaggistico si fa già piuttosto elementare, e, pur dividendosi in cinque porzioni dall'andamento orizzontale (una parte prevalentemente azzurra in primissimo piano, una sorta di prato verde, che definisce la parte inferiore della figura, una fascia giallo-aranciata, la quale suggerisce la media distanza, le montagne di sfondo, il giallo intenso del cielo), non manca però di citare, sia pure in maniera assai sgrammaticata, gli antichi stilemi dell'"istoriato" attraverso la rappresentazione in primo piano di due improbabilissimi picchi rocciosi, da cui spuntano alberelli contorti, come tante volte si incontra nei piatti "istoriati".

Ma è nell'elmo di questo soldato che il suo pittore ha nascosto un'altra citazione: quella del "compendiario" faentino nelle sue diverse versioni, visto che esso si caratterizza per una forma tanto espansa della cervelliera, da rendere la medesima simile ad un cappello cilindrico[174].

Quanto abbiamo notato sin qui ci pare non richieda ulteriori dimostrazioni in grado di sottolineare il fenomeno della trasformazione dell'"istoriato" montelupino in "figurato tardo", che, del resto, avevamo avuto l'occasione di indi-

Fig. 33 - Rovescio della crespina con decoro "figurato tardo" (Gruppo 68.2) qui riprodotta alla tav. 342, datata 1639 e siglata "Rafaello [di] Girolamo fecit M[on]te L[u]po". Inedito. Londra, Victoria and Albert Museum

care già in base alla testimonianza offerta dalla crespina della collezione Bak, rilevando come essa debba considerarsi il prodotto di un pittore che — in seguito od in parallelo — si è espresso nei modi tipici del nostro genere 68[175]. Vediamo adesso nella maiolica della *tav. 341* un ulteriore documento di quella tendenza a trasferire su smalto incisioni a stampa ove non si rappresentano più scene bibliche o tratte dalle storie antiche, quanto piuttosto figurine di soldati e sbandieratori — come si è accennato in precedenza sulla scorta delle indicazioni offerte dalla Ravanelli Guidotti — la quale dunque si pone, assieme alla diretta evoluzione da modi pittorici dell'"istoriato", alla stregua di uno dei filoni costitutivi della cultura del nuovo figurato di Montelupo.

Questa fase di passaggio deve probabilmente datarsi nell'arco cronologico compreso tra gli anni '80-'90 del Cinquecento ed i primi anni del secolo successivo, allorquando il nostro genere verrà ad assumere connotati produttivi di natura sempre più seriale, sino ad andare incontro, nella seconda metà del Seicento, ad un'evidente "estenuazione", che ne peggiora non di poco la qualità cromatica e le modalità formali.

Gruppo 68.2

Di questo genere, massicciamente presente nelle collezioni pubbliche e private di ogni parte del mondo, presentiamo qui una rapida rassegna della sua versione "matura".

Oltre ai piatti, notiamo intanto come questo decoro si estenda su forme "a crespina"[176], ben documentate dalla maiolica con tre personaggi armati, firmata da Raffaello di Girolamo e datata "1639" (*fig. 33, tav. 342*), alla quale possiamo unire un ulteriore, bell'esemplare, nel quale si raffigura una scena di danza ambientata in un luogo silvestre (*tav. 343*).

Alcuni dei pittori che si dedicano a questo genere mostrano di esser attratti da colori intensi, come nel caso del piatto riprodotto alla *tav. 344*, oppure di dedicarsi ad una pittura dai toni piuttosto diluiti, fuorché nei verdi, che tendono con il trascorrere del tempo ad assumere una colorazione cupa (*tav. 345*).

Molto diffuse sono le scene di battaglia o di duello, come il noto "assalto alla fortezza" del Victoria and Albert, datato "1632" (*tav. 346*), o simili al piatto della successiva *tav. 347*, nel quale due guerrieri si affrontano all'arma bianca. Ancor più numerose, però, sono le rappresentazioni di figure singole, tratte da un vasto repertorio "militare", comprendente alabardieri, archibugieri, tamburini, sbandieratori, etc., talvolta posti su di una focosa cavalcatura, come avviene nell'esemplare della *tav. 348*, attribuibile al pittore che abbiamo già avuto occasione di definire "dei cavalli", in quanto risulta il più abile nel dipingere la figura del nobile animale.

A questa vastissima galleria di birri e soldatesche fa riscontro una casistica meno ampia, ma certamente più varia, di raffigurazioni tratte dall'osservazione della vita quotidiana o da suggestioni storico-culturali di varia natura. In essa possiamo inserire il piatto con un'immagine fantasiosa (*tav. 349*), nella quale non si saprebbe discernere quanto ci si voglia riferire alla contemporanea minaccia militare dei turchi dell'impero Ottomano, o piuttosto s'intenda celare qualche riferimento letterario alle storie delle guerre medievali tra cristiani e saraceni, rese popolari dalla diffusione dei poemi dell'Ariosto e del Tasso. Non mancano poi ai pittori del tardo figurato montelupino soggetti di natura religiosa — come si rileva dal piatto della *tav. 350* con Sant'Agostino — anche se la maggior parte dei riferimenti iconografici che incontriamo in questo genere mostrano un'evidente natura laica.

Non pochi esemplari della tipologia sono anche caratterizzati dalla presenza di architetture, adesso svincolate da ogni riferimento al classicismo, ma tratte direttamente dall'ambiente urbano del centro valdarnese: esse sono talvolta viste in lontananza, come accade nel bellissimo piatto, già appartenente alla collezione Cora, ove si raffigura lo strano incontro tra due personaggi mascherati: un viandante che tiene uno strumento musicale sulle spalle (forse una chitarra o una mandola) ed un soldato armato di archibugio (*tav. 353*), talaltra vengono a definire più direttamente lo spazio figurativo. Tra case con portali bugnati è dipinta infatti una grande figura di filatrice (*tav. 352*), mentre ha alle spalle un alto casamento finestrato l'uomo che sembra addestrare il cane nel piatto della *tav. 351*.

Non mancano in questa casistica riferimenti figurati che sembrano addirittura rivolti ad immortalare personaggi reali, come avviene nella maiolica della *tav. 354*, che ha nel centro una figura di servitore (o forse di giovane cicisbeo), ed in quella della *tav. 355*, che probabilmente voleva essere grevemente satirica di qualche individuo, forse un povero contadino poco sano di mente che imperversava nelle campagne circostanti Montelupo, magari con l'ossessione di proteggere i suoi campi — è armato di bastone — dalle incursioni esterne (si veda l'espressione assente che questo pittore ha sapientemente fornito al personaggio, e il gustoso rivolgersi a lui, con aria interrogativa, della sua cavalcatura "fliacica").

La crisi e lo scadimento del repertorio decorativo

Oltre gli anni '40 del XVII secolo Montelupo verrà però a smarrire anche nel tardo figurato quella freschezza creativa che ne aveva a lungo sorretto le fortune e, in ragione di quanto siamo andati documentando nelle parti iniziali di questo volume, ciò non costituisce ormai per noi una sorpresa. Quella specie di "legge", che impone nei passaggi tra una generazione e l'altra una sorta di "caduta entropica" dell'efficacia formale delle decorazioni ricevute in eredità dai nuovi artefici, venne infatti allora a coincidere con gli effetti perniciosi della pandemia di peste del 1630-32, per la quale si spensero non poche dinastie di ceramisti[177]; il tutto, poi, si assommò anche all'inestricabile viluppo di problemi (restrizione del mercato, mancanza di investimenti, etc.), insorto a seguito della contemporanea crisi economica.

Un complesso di condizioni così sfavorevoli, che per i ceramisti di Montelupo era del tutto impossibile superare, impediva loro di innovare quel patrimonio che a lungo aveva supportato le attività locali, ma che ora si mostrava drammaticamente inadeguato a garantirne la sopravvivenza. Nessuno poté allora trovare le energie indispensabili a ripetere quella trasformazione quasi miracolosa che per secoli era stata alla base del continuo rinnovamento produttivo di Montelupo.

Che il clima sfavorevole di quegli anni abbia definitivamente fiaccato la bottega, la cellula costitutiva delle attività di questo centro di fabbrica, intaccandone il meccanismo di riproduzione, sino a fargli mostrare non soltanto segni di logoramento, ma vere, profonde lacerazioni, lo mostra del resto eloquentemente proprio la vicenda degli esercizi più prestigiosi, che già avevano esercitato una funzione trainante di grande rilievo — basti pensare a quella che siglava con la marca "Lo"[178] — nella fase di sviluppo rinascimentale della maiolica montelupina, e che invece erano da tempo relegate ad un ruolo marginale, ed ora giacevano del tutto abbandonate.

Ma un fenomeno del genere — per quanto, come si è già avuto precedentemente occasione di osservare, indagato in maniera del tutto insufficiente dai "ceramologi" italiani — lo si rileva, del resto, persino nei noti "bianchi" faentini, che pure avevano determinato la nascita di un nuovo gusto nella ceramica italiana ed europea, entrando a far parte dei "servizi" di Principi e personaggi di rango[179]. Di queste difficoltà manifestate dagli antichi centri di produzione toscani, dei quali Montelupo costituiva parte non secondaria, approfittarono sagacemente — come già sappiamo — i vasai di Savona ed Albisola per volgere in loro favore sin da questo periodo l'antico sistema di movimentazione delle ceramiche fondato sulla simbiosi tra la navigazione fluviale e quella marina che faceva capo al porto di Livorno. Di lì a qualche decennio, infatti, non rappresenterà più un avvenimento eccezionale la presenza nelle stesse case di Montelupo della cosiddetta "maiolica di Genova"[180].

Gli esiti riferibili agli anni 1640-70 del tardo figurato non mancano di riflettere lo stato di profonda crisi che aleggiava sulle superstiti attività ceramistiche montelupine. Pur non variando la ricetta propria al secondo raggruppamento del genere 68, e dipingendosi ancora maioliche con figure inserite nel classico sfondo paesaggistico, lontanamente derivato dall'"istoriato", gli esemplari appartenenti a questa fase, sostanziati da un'attitudine pittorica rapida e corsiva, evidenziano infatti davvero una stilizzazione di "maniera" (sottogruppo 68.2.1).

Tra i documenti relativi a questa fase sono soprattutto da sottolineare quelli appartenenti ad alcuni artefici portati a perseguire nel loro lavoro modalità geometriche di rappresentazione che spesso si concretano nelle pose "manierate" assunte dai loro personaggi — spesso dipinti in primissimo piano, con le gambe divaricate "a compasso" — e nel ridursi del paesaggio a semplici forme astratte, come si nota nel piatto con il giocatore di palla riprodotto alla *tav. 356*.

L'abbandono di più raffinati criteri compositivi ed il contemporaneo peggioramento della tavolozza cromatica si evidenzia anche nelle maioliche appartenenti ad un parallelo filone iconografico (che non manca di influenzare anche il precedente), il quale sembra particolarmente indirizzato alla rappresentazione di fatti curiosi, animati da personaggi che sembrano tratti non soltanto dalle vicende locali, ma da un vero e proprio "immaginario collettivo", degno di una sorta di *Speculum cerretanorum* dell'epoca (ladri e giocolieri, bracconieri, medici che visitano donne incinte, etc.). Tra queste testimonianze presentiamo (*tav. 357*) un piatto nel mezzo del quale si raffigura in grandi dimensioni un personaggio barbuto con la testa coperta da un cappellaccio, che un individuo alla sua destra tocca sulla schiena. Anche in questo caso, come abbiamo notato nell'esemplare della *tav. 355*, i pittori di Montelupo si lasciano sedurre dall'idea di lasciare traccia nel loro lavoro degli avvenimenti, a loro modo famosi, del piccolo mondo nel quale si trovano a vivere ed operare: in quel caso era il folle contadino che imperversava nelle campagne, qui il gobbo del paese, che non può sottrarsi al suo ruolo crudele di popolare portafortuna[181].

Ma se si guarda, al di là di ogni possibile accostamento tematico, alle modalità strutturali della composizione, allora ci si può accorgere di quanto siano regredite in questi anni successivi al 1630-40 le botteghe ceramiche di Montelupo. Mentre, infatti, nel piatto della *tav. 355* si sapeva inserire con grande libertà una scena complessa, la cui articolazione (la cavalcatura, il personaggio armato di bastone) non andava certo a scapito dell'unità formale, e le assegnava nel contempo un grande dinamismo, qui siamo invece di fronte ad una raffigurazione rigida, priva di proporzioni, costruita attorno ad una figura che si pone nell'esatta metà del supporto, e che in maniera artificiosa individua gli spazi all'interno dei quali vengono a campeggiare le figurette di contorno.

Gruppo 68.3

L'estremo limite della ricetta sviluppata dal tardo figurato montelupino prima della ripresa — del tutto anomala rispetto al canone introdotto nelle botteghe locali nell'ultimo quarto del Cinquecento — di questo genere nel corso del secolo successivo, lo si può ritrovare in un esem-

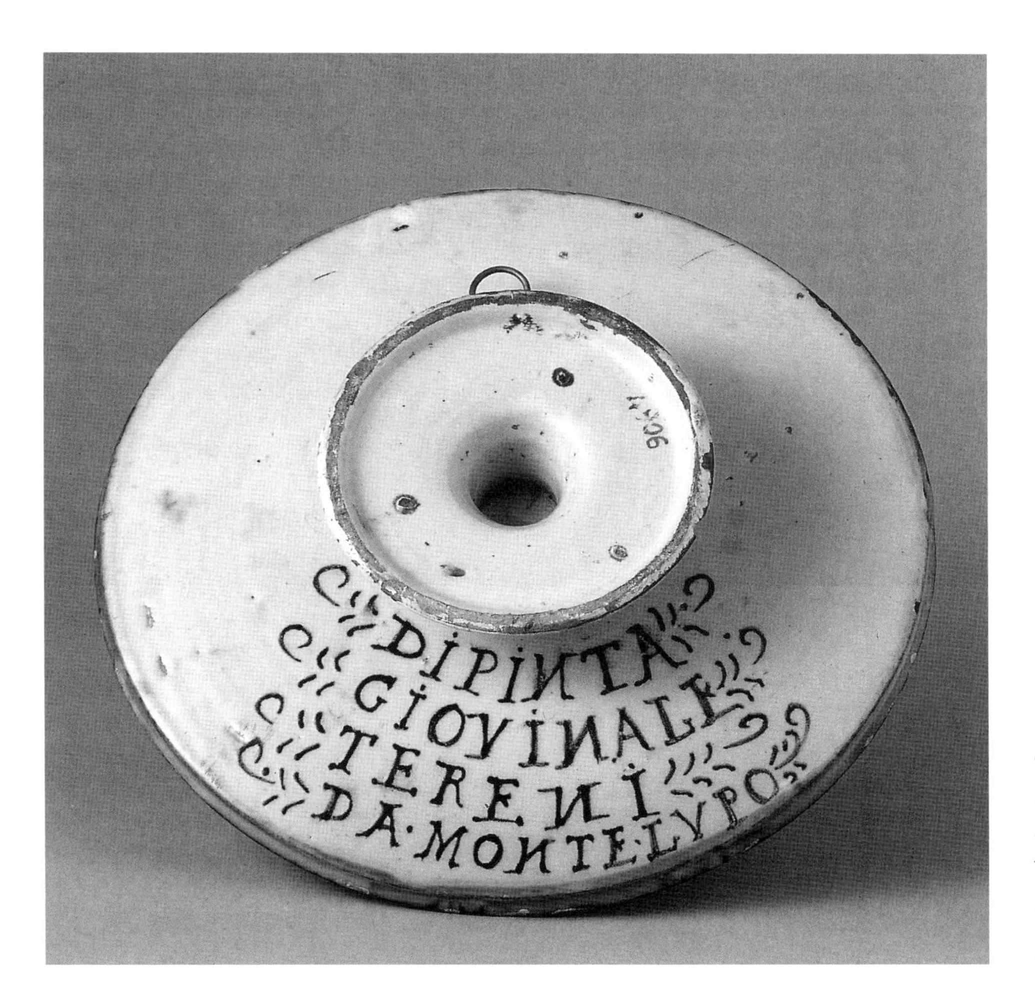

Fig. 34 - Rovescio del piatto "figurato atipico dell'ultima fase" (Genere 69), qui riprodotto alla tav. 358, siglato "Giovinale Tereni da Montelupo", 1640-1660 circa. Inedito. Sèvres, Musée National de Céramique

plare databile, in ragione della forma che lo contraddistingue[182], e dai modi pittorici ancora vicini agli artefici "geometrizzanti" della seconda metà del Seicento, al 1675-1700 circa (*tav. 358*). Nonostante la rarità di questo carattere, possiamo costruire attorno a tale documento un nuovo sottogruppo del nostro genere 68, in quanto esso si caratterizza per un inconsueto (anche se non inedito, come si può notare dall'esemplare della *tav. 354*) fondale bianco.

Ne possiamo dedurre che ad iniziare da questa fase tardo-seicentesca venne gradualmente a perdersi l'uso di campire largamente lo sfondo dei figurati mediante quella tecnica che aveva accompagnato la lunga parabola del figurato tardo, a partire dai suoi esordi come "transizione" dall'ultimo "istoriato", sino agli esiti più tipici del genere. D'ora in avanti questo particolare trattamento degli sfondi, ottenuto attraverso un pigmento giallo-antimonio mischiato al bianco-stagno o, addirittura — nei prodotti più poveri della seconda metà del Seicento — ad un finissimo "bianchetto" terroso, sarà riservato alle targhe devozionali, e abbandonerà l'usuale produzione vascolare.

Dal punto di vista pittorico la "catinella" della *tav. 358* indica anche come l'aspetto decisamente "manierato" della figura, la quale viene impostata a partire dalle sue gambe divaricate, poste in primissimo piano, rappresenti un valore ormai condiviso da questi ceramisti, i quali hanno decisamente abbandonato anche ogni velleità di "esemplare" rappresentazione figurativa, indirizzando le energie residue verso l'elaborazione di figurette standardizzate, la cui presenza si accresce sensibilmente nelle botteghe di Montelupo ad iniziare dalla seconda metà del XVII secolo.

Genere 69. Figurato atipico dell'ultima fase

Quello dei ceramisti che operano in Montelupo nella seconda metà del Seicento è un mondo ormai chiuso in se stesso, che ha drammaticamente perduto i contatti con l'esterno, anche se sembra muoversi, smarrito, alla ricerca di qualche nuovo soggetto, di qualche ispirazione che rinnovelli i fastigi di una storia che è irrimediabilmente terminata.

In questo piccolo mondo persino una modestissima maiolica figurata, come quella riprodotta alla *tav. 359*, poteva essere considerata di qualche importanza, e perciò pomposamente autografata dal suo autore: "dipinta Giovinale Tereni [*sic*] da Montelupo" (*fig. 34*). Se ci volgiamo ad analizzare il contenuto figurativo di questa sottocoppa, possiamo però notare l'attitudine ormai assolutamente *naïve* del suo pittore, a cominciare dal soggetto, che chiaramente vuol alludere alla storia biblica dei *Progenitori cacciati dal Paradiso terrestre* — luogo forse richiamato dal cervo posto in secondo piano — visto che sia l'uomo che la donna, impegnati nei lavori maschili (l'agricoltura) e femminili (la filatura), sono raffigurati seminudi; la scena, però, ben nota alla tradizione figurativa della maiolica rinascimentale, è qui costruita soltanto con l'ausilio della memoria, e non intende certo trasferire sullo smalto la complessità compositiva delle incisioni a stampa, come può notarsi dell'eccessivo sviluppo assunto dall'albero, che ne viene ad occupare la superficie per una buona metà.

L'impaccio di questo artefice nel realizzare la figura umana si palesa, del resto, con grande evidenza nella donna seduta, la quale ha non soltanto una schiena assai sommariamente definita da un semicerchio ripassato in bleu, ma mostra poi nei piedi, che escono lateralmente dal suo grembiule, una notevole incertezza di proporzioni. E che dire, inoltre, di quel tronco che incombe sulla scena, e che sembra davvero il corpo squamato (ma è privo di qualsiasi testa) di un grande serpente? Qui forse il pittore intendeva celare un riferimento al demone tentatore, ma non ha saputo risolvere i problemi connessi con la presenza di questo ulteriore elemento figurativo nella sua opera.

Il mondo di questi ceramisti — lo dicevamo poc'anzi — si è ormai ristretto attorno alla comunità di Montelupo, e ciò lo si può notare attraverso un rapido confronto tra questo ed un altro figurato atipico seicentesco: il grande piatto con scena di banchetto datato "1622" della *tav. 338*. Mentre in quel caso si sapeva ancora creare (non sappiamo se sulla scorta o meno di qualche fonte iconografica) una composizione di apprezzabile effetto, che riportava un'immagine della vita quotidiana senza cedere al gusto di rappresentare uno scorcio montelupino, in questa maiolica, databile tra il 1650 ed il 1670[183], il Terreni non si trattenne dal dipingere l'accesso che dal cassero del castello della cittadina valdarnese conduce alla prioria di San Lorenzo. L'introduzione di queste immagini non può quindi non farci pensare che alcune di tali maioliche (come più ampiamente avremo occasione di notare nella produzione devozionale) fossero destinate al mercato locale, ed in particolare alla piccola committenza rappresentata dalle compagnie religiose, dalle istituzioni benefiche ed assistenziali, e dal clero montelupino.

Ci possiamo ora rendere meglio conto, se riflettiamo per un attimo su come siano state proprio queste manifestazioni della decadenza produttiva del centro valdarnese — in quanto contrassegnate con il nome della località di fabbricazione — a suggerire per lungo tempo le più strampalate elucubrazioni circa il "carattere tipico" della maiolica di Montelupo, quale contributo la documentazione materiale reperita attraverso la ricerca archeologica abbia apportato all'effettiva conoscenza della storia di questo centro di fabbrica.

Il Settecento

Nonostante il progresso determinato dalla formazione presso il Museo Archeologico e della Ceramica di un vastissimo archivio di manufatti scartati durante le fasi di lavorazione, non può ancora dirsi che i periodi storici nei quali le fornaci valdarnesi furono in attività — lo abbiamo visto anche nel primo volume di questa *Storia* — siano tutti documentati con quell'abbondanza che sarebbe desiderabile, e che ci consentirebbe di delineare con grande precisione le vicende produttive del nostro centro di fabbrica. Tra questi periodi meno noti si colloca anche la delicata fase di passaggio tra Sei e Settecento, per la quale non è dato di possedere *in loco* un'adeguata documentazione (soprattutto di tipo materiale), alla quale si può solo in parte ovviare attraverso lo studio di alcuni generi — che però sono quasi esclusivamente rappresentati dal tardo figurato — conservati in raccolte pubbliche o private.

Una tale penuria di scarti di lavorazione,

però, non sembra del tutto casuale, ma derivare piuttosto proprio dal fortissimo declino della produzione ceramica locale. Pur non avendo mai rinvenuto uno scarico di fornace omogeneo, la cui cronologia fosse collocabile tra il 1680 ed il 1720, e si caratterizzasse altresì per un'apprezzabile abbondanza di restituzioni, occorre riflettere sul fatto che reperti datati a questo periodo sono apparsi sia all'interno di depositi archeologici formatisi in epoca posteriore, oppure nelle ultime fasi di colmatura di riempimenti caotici (drenaggi di aree ortive, etc.) venuti alla luce nel centro urbano di Montelupo. Vi è quindi da chiedersi le ragioni per le quali i livelli di vissuto collocabili entro tali estremi cronologici non abbiano sin qui mostrato di essere comprensivi di veri e propri scarichi di fornace, così come avviene per quelli riferibili ad altre epoche storiche, spesso assai più antiche di queste.

Tale lacuna, anche se non può in alcun modo gettare ombra sull'evidente tendenza al declino che già mostrano le ceramiche del periodo precedente, e che viene assai eloquentemente ribadita anche dalla documentazione archivistica[184], ci impedisce tuttavia per adesso di cogliere nel momento del suo verificarsi un fenomeno di particolare interesse: il trasformarsi delle forme vascolari e, almeno in parte, l'iniziale diffondersi di nuovi generi decorativi.

Le maioliche appartenenti ad epoca più recente, ben attestate dal grande scarico di fornace rinvenuto al piano interrato di un edificio posto in via XX Settembre[185], mostrano infatti un radicale cambiamento morfologico, che sembra essersi determinato qualche decennio prima, in quanto in esso si mostra una produzione già standardizzata, che perciò sembra seguire un filone produttivo già da tempo collaudato.

Tale cambiamento pare seguire sostanzialmente tre direttrici principali: *a*) introduzione di morfe derivate dal tardo "compendiario" (soprattutto nei boccali, che si abbassano di spalla, espandendo notevolmente il collo, ma anche nelle forme aperte, ove, nei generi "bianchi", privi di decorazione pittorica, si notano scodelliformi dalla tesa amplissima e dal piccolo cavetto); *b*) nascita di nuove forme "locali" (in particolare la "catinella" subemisferica con la tesa appena accennata); *c*) imitazione di contenitori liguri (quali soprattutto la ciotola a parete quasi raddrizzata, documentata in particolare nella versione priva di decoro dipinto).

Lo stesso può dirsi per il profilo decorativo, anche se sotto questo punto di vista può ritrovarsi una qualche continuità con il passato, in quanto alcune decorazioni sviluppate nel corso della prima metà del Seicento si evidenziano ancora nel pieno del secolo successivo.

In genere, quindi, dobbiamo dedurre da queste evidenze che tra Sei e Settecento i pochi ceramisti ancora in attività in Montelupo vennero operando un ultimo, supremo sforzo per rinnovare la loro produzione smaltata, e renderla in tal modo compatibile con il gusto dell'epoca; essi tuttavia — come meglio vedremo tra breve — non riuscirono in tal modo a spezzare quella spirale discendente che, lentamente ma inesorabilmente, stava sgretolando da almeno due generazioni i livelli di produttività delle botteghe locali, e che avrebbe condotto di lì a poco la storia plurisecolare della pittura montelupina su maiolica al suo momentaneo tramonto.

Una testimonianza indiretta, ma pure estremamente significativa, di questo irreversibile recedere verso bassi livelli di produzione, la si può ricavare anche dalla scomparsa, avvenuta tra Sei e Settecento, delle marche di bottega. Cessando la pratica della cottura nelle fornaci altrui da parte di due o più ceramisti, come avveniva nella convulsa attività d'un tempo, ed essendo i pochi esercizi superstiti muniti di forno, non era infatti probabilmente più necessario marcare con precisione i prodotti di ogni singolo *atelier*.

Immagine speculare di questa irreversibile crisi della maiolica è poi la crescita in senso relativo dell'importanza economica della lavorazione della terracotta, che aveva i suoi luoghi d'elezione nel borgo di Samminiatello e nelle aree rurali di Camaioni e San Vito e, soprattutto, l'introduzione della fabbricazione del pentolame invetriato. Prima degli anni '20-'30 del Settecento non è infatti dato di reperire all'interno degli scarichi delle fornaci di Montelupo pentolame da cucina scartato per incidenti o difetti di lavorazione, ma nello scarico di via XX Settembre questa classe ceramica è talmente presente da rivaleggiare sotto il profilo quantitativo con la maiolica.

Nello scenario produttivo del Settecento è proprio l'invetriata a mostrare quei segni di crescita che inutilmente cercheremmo nella maiolica; essi verranno particolarmente ad accentuarsi sul finire del secolo, determinando anche nei luoghi viciniori, ed in particolare nei borghi della sponda opposta dell'Arno, collocati ai piedi del castello di Capraia, una particolare fioritura economica, che non sembra essersi arrestata neppure durante l'Ottocento[186]. La compresenza delle due classi negli scarichi delle medesime fornaci mostra, del resto, come si cercasse di differenziare la produzione, in maniera tale da stemperare, con quanto si poteva realizzare attraverso la fabbricazione del pentolame, i problemi economici che ai ceramisti derivavano dalla lavorazione delle smaltate.

Genere 70. Foglia verde

Trattando in questo volume del precedente genere 58 abbiamo notato come esso costituisca una sorta di traduzione in linguaggio toscano della tipologia "a foglie" veneziana, e come la medesima sia andata diffondendosi in Montelupo ad iniziare dagli anni '40 del XVI secolo, dando luogo a diverse varianti. Si è in quell'occasione notato anche come i pittori veneti, pur assegnando un valore composito al loro genere fitomorfo, non manchino di sottolineare come esso si accompagni di preferenza a ciocche d'uva, tanto che nel principale motivo che in esso si rappresenta non è del tutto peregrino riconoscere dei pampini.

Dismessa ogni velleità imitativa della produzione veneziana, è pertanto comprensibile che i ceramisti montelupini siano venuti assegnando alle "foglie" che realizzavano un aspetto sempre più consono a quelle della vite, e ad accompagnarle perciò a grandi chicchi d'uva stilizzati. Seguendo un criterio di rappresentazione naturalistica, è poi anche comprensibile come non si sia avvertito imbarazzo nel cambiare la colorazione della "foglia", producendola indifferentemente in bleu e verde, o addirittura macchiandola di giallo e d'arancio, per avvicinarla all'aspetto che la medesima assume nei mesi autunnali. Ed è soprattutto la versione in verde quella che caratterizza la più tarda riproduzione del motivo in Montelupo.

La presenza della foglia di vite in verde nell'attività delle fornaci valdarnesi già durante il terzo decennio del Seicento ci è nota per la presenza di un esemplare datato "1625" rinvenuto in Pisa[187], ma la maggior parte delle maioliche di questo genere che conosciamo (compresi i reperti di scavo di Montelupo) si colloca tra gli anni '40 del XVII secolo e la seconda metà del successivo. Nel corso di questo lungo periodo la "foglia di vite" viene a perdere molta della sua eleganza e dell'accuratezza di esecuzione che ne accompagnava le origini, sino a trasformarsi in una sorta di macchia di colore verde, pesantemente contornata ai margini e rapidamente innervata al centro da tratti in bruno di manganese (*fig. 35*).

Questo processo lo possiamo seguire attraverso il boccale riprodotto alla *tav. 361* — una delle non moltissime forme chiuse che si fregiano di questo decoro rinvenute negli scavi di Montelupo — che possiamo datare al 1630-50 circa. In esso notiamo come il motivo della "foglia" si unisca a veloci pennellate d'azzurro grigiastro, disposte a chiudere gli spazi che attorniano il decoro principale, concepito come invasivo delle superfici.

La stessa sintassi invasiva la troviamo anche sul piatto della *tav. 360*, appartenente allo stesso periodo, che però, essendo una forma aperta, presenta una rigida disposizione inquartata delle foglie, che traggono origine da una piccola cerchiatura centrale, campita d'arancio.

Gli esiti settecenteschi del genere 70 sono poi deducibili da un ulteriore piatto, riprodotto alla successiva *tav. 362*. In questo caso, oltre al notevole scadimento qualitativo del verde-ramina usato come campitura delle "foglie", si nota come l'intera composizione risenta di un'accentuata stilizzazione (una semplice spirale sostituisce la cerchiatura, e le foglie che l'attorniano sono soltanto punti di colore tondeggianti), che l'allontana ormai quasi del tutto dai canoni di rappresentazione "naturalistica" che stanno alla base dello sviluppo del genere.

Genere 71. Decoro "a stemmi"

Nel corso del XVIII secolo la funzione degli stemmi nella decorazione ceramica diviene puramente decorativa ed è priva di qualsiasi significato araldico[188]. I ceramisti di Montelupo vengono perciò ad impiegare tre tipi d'emblema (uno, a fasce arancio e bleu alternate, è d'invenzione, gli altri due sono rispettivamente allusivi all'arma dei Salviati ed a quella dei Medici), destinandoli prevalentemente alle forme chiuse.

Gruppo 71.1

Nel primo raggruppamento di questa tipologia inseriremo gli stemmi sovrastati dalla corona, come si nota nel boccale della *tav. 364*, la quale

Fig. 35 - Vassoio con decoro alla "foglia verde" (Genere 70), 1740-1770 circa. Da scavo via XX Settembre, inedito. Montelupo, Museo Archeologico e della Ceramica

vuol così citare l'attributo principesco normalmente posto al di sopra dello stemma mediceo (la cosiddetta "arme del Granduca", che si poteva osservare sulle facciate dei palazzi ed in altri luoghi pubblici dello Stato). Lo scudo, ormai estremamente stilizzato, è risolto in un semplice ovale, munito di due volute arricciate nella sua parte superiore ed attorniato da un nastro "a serpentina" in verde, che si colloca sulla metà a vista dei fianchi dei boccali.

L'insegna dipinta sull'esemplare della *tav. 364* è molto vicina a quella dei Salviati, ma, come si accennava poc'anzi (e come si può agevolmente dedurre anche da un confronto con la maiolica della *tav. 365*), essa non presenta più il rigore formale necessario alla rappresentazione araldica, ed ha perciò mero valore decorativo.

A questo gruppo appartiene anche la fiasca già nella collezione Cora riprodotta alla *tav. 363*, che ha su di un lato lo stemma dei Medici, e dall'altro l'emblema d'invenzione "a fasce" che poc'anzi si richiamava.

Gruppo 71.2

Una serie successiva del nostro genere 71 presenta al di sopra dello stemma non una corona bensì una testa di cherubino (*tav. 365*), secondo un'usanza ben documentata sin dall'inizio del Settecento anche in altri centri di fabbrica toscani, quali, ad esempio, Siena[189]. Il restante modo di eseguire la decorazione, tuttavia, non muta, ad iniziare dalla sottolineatura in giallo ed arancio del bordo e dall'apposizione, al posto delle antiche sigle di bottega, di una sorta di raggiatura fitomorfa in verde ramina al di sotto dell'attacco dell'ansa.

Genere 72. Spirali verdi

La tipologia decorativa che sembra aver incontrato il maggior gradimento degli acquirenti in questo periodo consiste in una sorta di contorno "a spirali" realizzate in semicerchi concentrici verdi, ristretti da un più ampio segno spiralato arancio; gli spazi vuoti di risulta sono poi richiusi da una minuta trama di segmenti paralleli in bruno di manganese. Tale decorazione si accompagna a semplici "girandole" centrali, inquartate "a croce" e realizzate in bicromia verde-arancio, come nella maiolica riprodotta alla *tav. 366* (che mostra anche la forma della tipica "catinella" settecentesca di Montelupo), o a semplici cerchiature concentriche, ripassate nell'azzurro tenue dell'epoca.

Non occorre molta sagacia per riconoscere nel nostro genere 72 l'estrema evoluzione del più antico motivo della "spirale arancio", introdotto nella produzione montelupina nel quarto-quinto decennio del XVI secolo, benché esso risulti qui assai modificato nello sviluppo delle parti interne della "spirale", e appena echeggiato dal punto di vista cromatico nelle residue parti in arancio.

Dicevamo, però, del buon successo commerciale che sembra aver arriso a questa tipologia montelupina del XVIII secolo: di essa fanno fede i frequenti ritrovamenti effettuati lungo la costiera tirrenica: due esemplari del genere (che crediamo inediti) erano persino esposti nel piccolo museo della città greca di Mistras, con l'indicazione del loro rinvenimento nell'area urbana (dalla Patanassa) della medesima.

Genere 73. Compendiario finale

Tra i generi lontanamente derivati dalla produzione cinquecentesca deve essere inserito anche il piatto della *tav. 367*, in ragione del suo palese rifarsi ai modi del "compendiario" monocromo di Montelupo.

A riprova della crisi profonda che attraversava il sistema della bottega — evidentemente incapace, perché oberato da pesanti difficoltà economiche, a trasmettere quella manualità che un tempo aveva sorretto la lavorazione della maiolica — si noti il metodo con il quale il pittore ha realizzato il contorno di questo esemplare, che, certamente in maniera del tutto inconsapevole, intende rifarsi ai lontani modelli cinquecenteschi, già esemplati nel centro valdarnese dalla produzione veneziana. Questo artefice, infatti, non fidandosi della sua capacità di realizzare nel contorno una fascia di "ovali" contraddistinti da un medesimo sviluppo lineare, ha prima segnato, facendo girare il piatto sul tornietto, la prossimità del bordo mediante una filettatura, e poi ha marcato sulla medesima dei punti ad intervalli regolari, in modo da meglio localizzare gli estremi di tali motivi.

Il piatto era probabilmente destinato al mercato locale o, per meglio dire, a soddisfare la committenza della compagnia religiosa posta sotto il nome dello Spirito Santo di Montelupo: nel deposito del Museo si conserva infatti un frammento con la scritta "Spirito" al posto di "Spiro", ma la lunghezza di questa parola ha imposto al pittore di uscire dalla cerchiatura "compendiaria" del centro; tale versione, perciò, dovette essere abbandonata, anche in ragione del fatto che la barratura superiore poteva ben essere interpretata come un segno di abbreviazione.

Genere 74. Mazzetto fiorito bleu

Il prestigio della decorazione in bleu, ed il contemporaneo diffondersi del gusto "botanico" nella pittura su smalto, sembrano aver spinto anche i ceramisti di Montelupo a realizzare maioliche contraddistinte da motivi vegetali, colti con intenzione relativamente naturalistica, e dipinti in ossido di cobalto. Da molteplici punti di vista (l'impiego di un pigmento più costoso, la presenza di forme ricercate, la buona qualità degli smalti) questo genere sembra qualificarsi come quello che doveva rappresentare la migliore produzione montelupina dell'epoca.

Il motivo principale della tipologia consiste in una composizione fiorita e foliata, disposta "a mazzetto", della quale fanno parte tre singoli fiori, dalla fisionomia variabile, che sembrano però riunirsi in un unico gambo, ripiegato lateralmente alla radice.

Gruppo 74.1

In questo primo raggruppamento del "mazzetto bleu" inseriremo la versione del decoro (*tav. 368*) che impiega una sorta di "ghirlanda" di contorno munita di quattro corolle floreali collocate nei punti classici di riferimento degli attributi di questo motivo (alla sommità, in basso, alla metà). Si tratta probabilmente della versione lievemente più antica del nostro genere 74, realizzata per la decorazione delle forme chiuse, anche se databile nell'intero arco cronologico tipico di questa tipologia, e cioè al 1730-50 circa.

Gruppo 74.2
Un'ulteriore versione del genere si nota su forme aperte di una certa importanza, come il bacile della *tav. 369*, nelle quali si accompagna la composizione floreale del centro ad un tralcio vegetale di contorno, risolto in una serie continua di doppie volute, che alternativamente si piegano verso l'alto e verso il basso.

Gruppo 74.3
La versione più diffusa del "mazzetto" mitiga però la rigida monocromia dei gruppi precedenti mediante l'inserimento di sottili filettature in bruno, le quali vengono utilizzate sia per disegnarne gli steli vegetali, sia per definirne il contorno, ottenuto con una corona di minuscole foglie in bleu, che si riferiscono ad una piccola cerchiatura in manganese (*tav. 370*).

Genere 75. Mazzetto fiorito verde

Più usuale dovette essere la versione in verderamina del genere precedente, ove si impiega prevalentemente il segno calligrafico del bruno di manganese nel motivo principale. Al bordo può distendersi una corsiva archeggiatura continua (gruppo 75.1; *tav. 371*), oppure una corona vegetale in tutto simile a quella della terza variante del gruppo precedente (gruppo 75.2, cfr. *tav. 370*, oppure gruppo 75.3).

Genere 76. Cerchiatura segmentata

Nella decorazione delle forme chiuse, oltre alle tipologie ereditate dal passato, quali la "foglia verde", o le (relativamente) più raffinate elaborazioni settecentesche, come il "mazzetto fiorito" nelle versioni bleu e verde, si incontrano anche generi che denotano un "aggiornamento" della semplice ricetta compositiva del passato, nella quale, per circondare i motivi principali, si impiegava una cerchiatura segmentata[190].

Nella Montelupo del XVIII secolo questo artificio si unisce a decori assai sommari, di probabile ascendenza vegetale, ma talmente stilizzati da assumere ormai un valore di semplice suggestione formale; essi risultano inseriti in una "ghirlanda", della quale si accenna appena al profilo con rapidi tratti in bruno di manganese.

Due sono i gruppi che compongono il nostro genere: nel primo (gruppo 76.1) incontriamo una sorta di "pennacchio" inquartato (*tav. 372*), dipinto in senso trasverso in verde, e poi completato in arancio; nel secondo (gruppo 75.2) si nota una sorta di corolla floreale stilizzata in ramina, il cui aspetto è ridotto ad un semplice cerchietto segmentato (*tav. 373*).

Genere 77. Mazzetto policromo con corolle

La composizione vegetale formata da tre fiori che si uniscono a formare una sorta di mazzetto fiorito, la quale abbiamo visto dispiegarsi nelle versioni in bleu ed in verde dei precedenti generi 74 e 75, la ritroviamo in questa più complessa tipologia, che nel corso del Settecento fu anche oggetto di un qualche affinamento stilistico. Essa è destinata unicamente alle forme chiuse, e, a differenza dei generi in precedenza richiamati, intende sviluppare un'accentuata policromia, oltre che una rappresentazione realistica del soggetto vegetale.

Come si può notare dall'esemplare riprodotto alla *tav. 374*, il mazzetto fiorito è infatti realizzato con robuste linee in bruno di manganese, le quali, oltre allo stelo, vengono a disegnare tre grandi corolle nella tradizionale posizione tripartita; ciascuna di esse — si noti la sovrapposizione formale tra il modo di dipingere la "corolla" e la "ghirlanda" della *tav. 372* — è poi rapidamente campita in giallo ed arancio. Dopo aver suggerito lo sviluppo del fogliame mediante volute in verde, si viene infine a "potenziare" le corolle floreali mediante lunghe raggiature in arancio (riservate a quelle laterali) e in bleu (poste nell'intorno di quella in alto).

Genere 78. Figurato finale

L'eredità del tardo figurato seicentesco la si percepisce ancora nella produzione montelupina del XVIII secolo in alcune maioliche rinvenute nello scarico di via XX Settembre ove sono rappresentati personaggi legati alla vita locale (in una di queste troviamo, ad esempio "il signor Giovanni Ariani", debitamente identificato da una scritta), o santi particolarmente venerati in quel periodo, come Santa Margherita da Cortona.

Un documento di non poco interesse appartenente a questo genere, qui riprodotto alla *tav. 375*, presenta poi nel suo decoro la figura di un Arlecchino tratto direttamente dalla Commedia dell'Arte, come si nota sia dall'abbigliamento — si veda la maschera, il copricapo e l'abito a centone di stoffe multicolori — sia dalla posa nella quale si atteggia, visto che la figura sembra brandire un bastone, facendosi nel contempo lume con una lucerna. Non è da meravigliarsi, del resto, se i vasai di Montelupo si mostrano attratti da tali soggetti, dato che nella cittadina valdarnese esisteva da tempo un teatro, gestito dall'Accademia dei Risorti, ove si tenevano rappresentazioni popolari di ogni genere.

Sotto il profilo figurativo, si noti come la realizzazione di questa figuretta rispetti ancora i canoni propri dell'ultima fase del tardo figurato locale, che prevedevano il posizionamento a gambe divaricate e le braccia in posizione aperta; è anche rimarchevole la presenza di lettere (in questo caso una "L" ed una "B"), che personalizzano questi manufatti, e ne indicano nel contempo la probabile destinazione ad una committenza montelupina.

Genere 79. Monocromi bianchi

Trattando genericamente del XVIII secolo, abbiamo poc'anzi avuto l'occasione di accennare alla presenza di maioliche prive di decoro: un genere che assume particolare rilievo nelle superstiti attività ceramistiche di Montelupo, dando luogo ad una produzione che si caratterizza anche per un peculiare repertorio morfologico, all'interno del quale, come si è detto, si evidenziano morfe dall'inedita fisionomia, alcune delle quali sviluppate dal repertorio del più tardo "compendiario".

Tale riferimento ci appare particolarmente pertinente agli scodelliformi dalla tesa espansa, come l'esemplare riprodotto alla *tav. 376*, ma anche ai vassoi piani come quello della *tav. 377*. Queste maioliche, che mostrano di ricercare il loro valore formale nella pulizia delle linee e nella candida morbidezza della copertura stannifera — contrastando così non di poco con le tipologie più "popolari" dall'acceso cromatismo, elaborate dalle medesime fornaci — non mancano ovviamente di echeggiare anche l'aspetto "moderno" delle coeve porcellane (*tav. 378*).

Genere 80. Uccellino centrale

È questo forse il genere più "popolare" tra quelli sviluppati nella Montelupo della seconda metà del Settecento, e non solo perché esso mostra di restare ancorato ad una tavolozza ricca di colore, ma soprattutto perché è costruito attorno ad un motivo di facile riconoscibilità; esso infatti si caratterizza per la rappresentazione di un uccellino posato, il cui corpo, campito in arancio e bleu, mostra sotto di sé lunghe zampe in bruno di manganese, una delle quali talvolta si alza, come all'incedere di un passo. La figura del volatile è posta al centro di forme aperte (catinelle, piatti) e sul lato a vista delle chiuse, e si accompagna ad uno sfondo vegetale estremamente stilizzato.

Possiamo suddividere il nostro genere 80 in tre gruppi: nel primo di questi (gruppo 80.1) l'uccellino, dipinto sulle forme aperte, ristretto in una cerchiatura in verde ed arancio, si accompagna ad un contorno periferico, ottenuto con semplici pennellate in alternanza di verde ed arancio (*tav. 379*); nel secondo (gruppo 80.2), che contraddistingue le chiuse, si colloca in un settore delimitato dai soliti tratti in ramina e ferraccia, e successivamente "potenziato" da un'archeggiatura in bruno di manganese, arricchita da cerchietti colorati (*tav. 380*). Un ultimo raggruppamento (gruppo 80.3) è poi possibile individuarlo nel caso in cui, come avviene nella mezzina della *tav. 381*, la divisione del contorno si trasformi in una semplice "ghirlanda" foliata, del tipo che più volte ci è capitato di notare nella produzione del pieno Settecento (e in questo caso siamo nell'ultimo trentennio di questo secolo).

Genere 81. Monogrammi e date

Non poche maioliche rinvenute nello scarico di fornace di via XX Settembre in Montelupo si presentano prive di decorazione, ma evidenziano nella loro porzione centrale un accostamento di lettere in forma di monogrammi (di solito due o tre), le quali si uniscono a date.

Gran parte di questa produzione deve considerarsi di tipo conventuale, come si intuisce dalla limitazione del decoro e dalla possibile lettura della parte letterata: l'esemplare riprodotto alla *tav. 382*, infatti, potrebbe ben riferirsi ad un cenobio francescano ("S.C" dovrebbe infatti stare per "Santa Caterina").

Genere 82. Rametto fiorito

L'ultima produzione a smalto montelupina del Settecento evidenzia una drammatica caduta della qualità della materia ceramica, la quale lascia intuire la fine ormai prossima della lavorazione della maiolica nel centro valdarnese, avvenuta nel trapasso al nuovo secolo, verosimilmente per la crisi economica e politica che accompagnò la fine del principato di Pietro Leopoldo I (gli anni della grande carestia del 1790 e dell'insorgenza sanfedista del "Viva Maria", sviluppatasi fortemente anche nella comunità di Montelupo), e che avrebbe di lì a poco condotto la Toscana nell'orbita dell'impero napoleonico, facendo così subire a questa regione le pesanti conseguenze del blocco continentale inglese.

Gli esiti finali di una tradizione plurisecolare, ormai al tramonto, sono così emblematicamente riassunti dalla modestissima qualità di una tipologia decorativa nella quale non è difficile riconoscere l'ultima stilizzazione del "mazzetto fiorito" che abbiamo già descritto nelle sue varianti in bleu (genere 74) e verde (genere 75).

Il decoro floreale, dipinto in una tricromia verde-arancio-azzurro con lo stelo in manganese, è attorniato da una fascia munita di parti vegetali trilobe in stilizzazione (*tav. 383*): il tutto denota un forte decadere della capacità di realizzazione dei pigmenti, che assumono tonalità grezze ed assai poco luminose. È tuttavia nella superficie smaltata che si evidenzia l'impiego di materie prime le quali collocano questi prodotti ormai al limite di ciò che può chiamarsi "maiolica": il biscotto, infatti, è qui sicuramente ingobbiato e poi munito di una copertura all'interno della quale è ridotta ai minimi termini la componente stannifera.

È con questi esemplari (vi è anche una produzione consimile — genere 83 — con l'"uccellino centrale") che si chiude il primo grande capitolo della pittura su smalto in Montelupo: una vicenda protrattasi per ben cinque secoli, che aveva visto all'opera centinaia di vasai e che aveva originato vere e proprie dinastie di ceramisti, scendeva così, dopo una lunghissima fase di decadenza, nell'oblio della storia, dal quale gli epigoni che ne riavviarono le sorti all'inizio di questo secolo non seppero (o non vollero) trarla, tardando così a riappropriarsi di un patrimonio sterminato di forme, di decori e di suggestioni formali.

Note alla Parte Seconda

1 L'opinione del Ballardini in merito all'origine del decoro "a penna di pavone", già esposta in G. Ballardini, *Note di critica ceramica*, in "Romagna", 1910, è dallo stesso sunteggiata, mediante citazione dallo scritto precedente, in G. Strocchi, *La "Pavona" cristiana e la "Pavona" di Galeotto Manfredi* in "Faenza", I (1913), IV, p. 105 nota 1. In essa si afferma "*...che la decorazione 'dell'occhio di pavone' abbia origine faentina, non possiamo ammettere in nessun modo*; essa troppo evidentemente si riconnette ad un tipo decorativo di derivazione orientale e bizantina, di data assai anteriore a quella in cui ha vissuto l'amante di Galeotto Manfredi, perché se ne possa discutere". (Il corsivo è nostro).

2 Si veda l'ambigua chiusa dell'articolo celebrativo dell'acquisizione al Museo di Faenza di una seconda "coppa manfrediana" (G. Ballardini, *Una nuova coppa manfrediana al Museo di Faenza*, in "Faenza", XV (1927), VI, pp. 125-141), nel quale incontriamo un Ballardini impegnato, attraverso un vero e proprio *tour de force* letterario, che certo non è usuale ad un contributo di storia, a ripercorrere la tragica sorte del Manfredi e della sua amante ferrarese: " Suppongo: ma non è certo; perché *l'allusiva decorazione inconscia continua ancora ad allietare le maioliche faentine* e in questi anni prossimi ai casi di Galeotto *può esser stata dipinta intenzionalmente*, poiché eran ben noti i diversi rapporti del Principe con la donna del cuore...", *ivi* p. 137 (il corsivo è nostro). L'ambiguità di questo passo deriva dal fatto che lo studioso faentino, pur avendo già affermato che la decorazione "alla penna di pavone" è di origine precedente alla vicenda del Manfredi, sembra ora suggerire che la sua "fortuna ceramistica" sia dipesa da questa storia di gelosia e di morte, giocata tra Faenza e Roma, non senza l'intromissione di personaggi legati agli ambienti medicei fiorentini.
Della calda partecipazione alle vicende della sua città, maturata dal Ballardini in questi anni, che costituiva la premessa di questo articolo, scaturito dalla gioia di porre nel museo, accanto ad una coppa "manfrediana" già esistente, quest'altro cimelio, lo stesso autore non faceva certo mistero, descrivendo anzi in questa occasione il suo stato d'animo di cultore della storia patria con particolare ampiezza d'accenti. "Mi dia venia il lettore, se un innamorato della storia della città sua — piccola città, il cui nome, nullameno, suona squillante in ogni parte del mondo per la vaghezza dell'arte sua dalle ininterrotte gloriose secolari tradizioni — sono settecent'anni di arte leggiadra e di fama mai sminuita — se, dico, taluno sente la commozione che ancora vibra nella piccola coppa... Siam così fatti, noi, uomini di provincia, innamorati dei nostri ricordi, esaltatori delle nostre bellezze, custodi delle nostre tradizioni, che ci commoviamo alla voce che sale da una carta ingiallita, sfogliata con trepida ansia, vergata da una mano che seppe la gloria e il pugnale; che ci esaltiamo alla luce d'arte che riverbera da un frammento d'argilla, creato a intenzione d'amore, raccolto e custodito come una reliquia con un fervore che sa — ma che importa! — fors'anche di feticismo: fatti così, che l'animo non si stanca di fremere, il cuore di sentire, la mente di ricercare se fra i rottami della grande storia, sui margini delle ampie correnti che han formato con la civiltà del Rinascimento la gloria immortale della patria nostra bella, un lume di poesia, un grido di fierezza, un alito di bellezza, un ansito minaccioso di passione palpiti per noi ancora (e vorremmo quasi solo per noi, tanto è cupo e geloso e sottile l'amore nostro), dalle vecchie memorie per inserirsi ancora alitante nel maggior lume della vita, dell'arte, della civiltà d'Italia!", *ivi*, pp. 129-130.

3 "Il motivo 'a penna di pavone' in unione al quasi contemporaneo motivo vegetale gotico detto del 'cartoccio', ampiamente stilizzato, fu assegnato senz'altro dal Bode alle fabbriche fiorentine, e il Bode fu seguito da rinomati scrittori... La questione mi pare ancora aperta: perché se le officine di Firenze non potranno negarsi, a maggior ragione non potranno negarsi quelle faentine, *il cui moto di espansione col fenomeno migratorio dei loro artefici, è più che provato già coi primi decenni del sec. XV.*" G. Ballardini, *Una nuova coppa...* cit., p. 140 nota 5 (il corsivo è nostro). In questo caso il Ballardini dimostra di non sapersi ancora svincolare dal modello qui definito "diffusionistico", che fu proprio dell'Argnani. Il Bode, tra l'altro (W. Bode, *Die Anfänge der Majolikakunst in Toskana unter besonderer berucksichtigung der florentiner Majoliken von W.B.*, J. Bard, Berlin, 1911, pp. 29-33) non scrisse mai che il motivo della cosidetta "penna" nacque a Firenze.

4 G. Ballardini, *Una nuova coppa...* cit., pp. 139-140 nota 5 (il corsivo è nostro). Ballardini coglie qui con grande acume storico l'aspetto essenziale della questione, che risiede nel modo di impiegare questo motivo, e non nel mero imprestito formale del medesimo. In tal modo egli giunge ad un passo da quella distinzione tra lessico e linguaggio, da noi costantemente utilizzata quale fondamentale strumento di analisi di una tradizione storica. Va anche detto che il riferimento alle maioliche spagnole (e non a quelle orientali) veniva probabilmente spontaneo allo studioso faentino per la carenza di documentazione nella quale si dibatteva la conoscenza della storia della ceramica dell'Islam orientale, ancora oggi avvolta da grave oscurità.

5 Si veda J. Soustiel, *La céramique islamique*, Fribourg, 1985, p. 92, n. 83, esemplare riferito alla produzione iraniana di Kashan, datato al 1203 o 1211. In questi esemplari riferiti al XIV secolo risalta più chiaramente quella sovrapposizione formale tra la "penna di pavone" ed i famosi "cerchietti" nei quali abbiamo ritenuto probabile celarsi l'allusione all'"occhio di Allah", in quanto entrambi questi motivi crivellano le figure, aprendone la massa compatta. Anche nel caso della "penna di pavone" valgono ovviamente le osservazioni che abbiamo già avuto occasione di avanzare a proposito della "zaffera" e di altri particolari decorativi, passati dalla pittura su ceramica di questi paesi di cultura islamica alla tradizione nostrana. La datazione assai "alta" della quale comunemente si fregiano questi esemplari orientali che dovrebbero aver costituito il modello per i ceramisti italiani si dovrà perciò intendere o come non del tutto esauriente della vita delle tipologie in questione (nel senso che la loro produzione si è protratta per almeno un secolo oltre la cronologia che viene normalmente indicata), oppure questa barriera cronologica potè essere superata attraverso forme di tesaurizzazione, che ne permisero del pari l'imitazione a distanza di molto tempo.

6 H. Wallis, *The Godman Collection: Persian ceramic art*, London, 1894, tavv. 22, 36, 37; idem, *The Oriental influence on the ceramic art of the italian Renaissance with illustrations by Henry Wallis*, London, B. Quaritch, 1900. A p. XXII dell'introduzione si presentano le "palmette" come "... conventional flowers from the Veramin tiles dated A.H. 661 - A.D. 1262... they are painted only in lustre." Cfr. anche M. Lama, *Temi ornamentali del Quattrocento. II.- Il motivo del melograno o della palmetta persiana* in "Faenza", XXIX (1941), 2, pp. 27-29.

7 J. Soustiel, *La céramique islamique*, Fribourg, 1985, p. 218, n. 249.

8 Cfr. F. Berti, *Storia della ceramica di Montelupo...* cit., vol. I, tav. 161. Si coglie l'occasione per rettificare l'attribuzione di questo stemma, da leggere correttamente come "di rosso ai tre pugnali d'argento convergenti in punta" alla famiglia Mannelli (che ha tutt'altra insegna), già sostenuta del tutto erroneamente da chi scrive alla p. 197 del volume in questione.

9 Per i lustri mesopotamici vedi E.J. Grube, *Islamic pottery of the Eigth to the Fifteenth century in the Keir Collection*, London, 1976, in particolare alla p. 77 n. 38. Per la produzione spagnola rinviamo senz'altro a M. Gonzalez Marti, *Ceramica del Levante español. Siglos Medievales*, tomi 3, Barcelona-Madrid (Buenos Aires-Rio de Janeiro), 1944, in particolare al t. I, p. 278, fig. 359, oltre a quanto abbiamo già incontrato in F.

BERTI, *Storia della ceramica di Montelupo*... cit., vol. I, tav. 94.

[10] Lo stemma è di non facile identificazione; esso potrebbe essere accostato a quello della famiglia Alderotti ("d'azzurro al monte d'oro di sei cime accompagnato da tre stelle a otto punte male ordinate"), ma presenta una collocazione delle stelle difforme dagli esempi di quell'emblema familiare che conosciamo (il quale le ha tutte disposte nella metà superiore).

[11] Non siamo riusciti ad individuare lo stemma (d'argento alla fascia spaccata d'argento e di rosso), dipinto nel centro di questo piatto secondo la morfologia antica dello "scudo appeso".

[12] Il Rackham battezzò l'autore del piatto con il nomignolo di "pittore della processione papale" ed accostò quest'opera, formando così un gruppo di documenti riferiti al medesimo artefice, a quattro maioliche del Victoria and Albert e ad altre ancora conservate in vari musei e collezioni pubbliche e private. Una di queste è il piatto con il sacrificio di Abele del British Museum che porta al rovescio la scritta "In Chafagiuolo" (Cfr. VICTORIA AND ALBERT MUSEUM, *Departement of ceramics, Catalogue of italian majolica by Bernard Rackham, with emendations and additional bibliography by J.V.G. Mallet*, London, 1977, vol. 1, p. 111), ragione per cui altri studiosi che si sono occupati della fornace mugellana non hanno poi esitato a ripercorrere quanto autorevolmente suggerito dal Rackham, inserendo pertanto l'esemplare con l'entrata in Firenze di Leone X tra la produzione di Cafaggiolo, e ciò nonostante su di esso non compaia né la marca di quella fornace né tantomeno altra indicazione in tal senso (tra gli autori che si sono rifatti al Rackham si veda in particolare G. CORA, A. FANFANI, *La maiolica di Cafaggiolo, Firenze*, 1982, p. 29 — vassoio con la "fontana d'Amore" datato 1513; n. 54, piatto con trionfo, n. 119 crocifissione). L'appartenenza di questi esemplari all'opera di un medesimo artefice non ci sembra tuttavia riposare su un'analisi critica sufficientemente approfondita.

[13] Qualcosa di simile avvenne del resto anche in Cafaggiolo, come si può notare nell'inusuale attitudine "ritrattistica" del notissimo boccale con la figura a mezzo busto del papa, già facente parte della collezione Cora (cfr. G. CORA, A. FANFANI, *La maiolica di Cafaggiolo*... cit., pp. 34-35, n.14).

[14] Lo stemma Brandi è infatti d'azzurro al leone inquartato in croce di Sant'Andrea d'oro e d'argento, tenente uno stendardo d'argento manicato di legno, caricato del crescente di rosso. Sulla maiolica del Victoria and Albert lo scudo è bordato in oro.

[15] Sia la Giacomotti (J. GIACOMOTTI, *Catalogue des majoliques des Musées Nationaux. Musée du Louvre et de Cluny; Musée national de céramique à Sèvres, Musée Adrien Dubouché à Limoges*, Paris, 1974 p.125, nn. 444-45, sia G. CORA, A. FANFANI, *La maiolica di Cafaggiolo*... cit., pp. 110-111, nn. 95-96) assegnano infatti queste due mezzine smaltate alla fornace di Cafaggiolo.

[16] Cfr. F. BERTI, *Storia della ceramica di Montelupo*... cit., vol. I, p. 299, n. 184.

[17] Gran parte di questa produzione "a palmette", dovuta anche a mastro Giorgio, è tuttavia databile al 1525-28, ed è perciò probabilmente più recente d'una decina d'anni rispetto a questo esemplare di scavo montelupino.

[18] VICTORIA AND ALBERT MUSEUM, *Catalogue*... cit., vol. 2, plate 83 n. 532 e vol. 1, pp. 175-176.

[19] VICTORIA AND ALBERT MUSEUM, *Catalogue*... cit., vol. 2, plate 59 n. 379 e vol. 1, pp. 129-130.

[20] *Corpus della maiolica italiana. Le maioliche datate fino al 1530*, a cura di G. BALLARDINI, Roma, Libreria dello Stato, 1933, vol. I, n. 31.

[21] VICTORIA AND ALBERT MUSEUM, *Catalogue*... cit., plate 60 n. 380.

[22] Cfr. VICTORIA AND ALBERT MUSEUM, *Catalogue*... cit., plate 62 n. 386 (in alto alla sinistra).

[23] I montelupini lavorano in Siena dal 1478 (Luca di Francesco da Montelupo), cfr. A. MIGLIORI LUCCARELLI, *Orciolai a Siena. Parte seconda*... cit., p. 383.

[24] Un esemplare di scavo quattrocentesco è riprodotto in F. BERTI, *Storia della ceramica*... cit., vol. I, p. 269 n.115.

[25] Anche la scodella frammentaria pubblicata in VICTORIA AND ALBERT MUSEUM, *Catalogue*... cit., al plate 61 n. 418 che ripete lo stesso motivo corrente sotto il bordo di questa alzata sarà perciò da assegnare a Montelupo, e non a Siena — si veda, del resto, il motivo centrale del quale si fregia, benissimo documentato nella produzione montelupina.

[26] Il riferimento al cenobio benedettino fondato dagli Acciaiuoli nei pressi del borgo del Galluzzo è reso evidente dal fatto che la composizione con la simbologia della Passione di Cristo, posizionata su uno scudo "a testa di cavallo" (che, tra l'altro, questi pittori che operano nei primi lustri del Cinquecento mostrano di non saper più riprodurre con naturalezza), rappresenta l'emblema conventuale riprodotto su tutte le architravi, le porte etc., della Certosa medesima.

[27] *Tobia*, 6. Come giovane che si reca in terre incognite, protetto però dalla Provvidenza divina, Tobia rappresentava un'immagine cara ai mercanti fiorentini, che nella loro carriera mercantile erano spesso costretti ad abbandonare la patria e la casa paterna per lunghi anni. Ringrazio vivamente O. Piscini per avermi fornito questa preziosa indicazione.

[28] Già pubblicate nelle tavole dell'Argnani (Cfr. F. ARGNANI, *Il Rinascimento delle ceramiche maiolicate in Faenza. Con appendice di documenti inediti forniti dal prof. Carlo Malagola*, Faenza, G. Montanari, 1898, 2 volumi, vol. II, *tav.* XIX, fig. IX).

[29] VICTORIA AND ALBERT MUSEUM, *Catalogue*... cit., vol. 1, plate 41 n. 258 e vol. 2, p. 81.

[30] A. GENOLINI, *Maioliche italiane*, Milano 1881, p. 51.

[31] G. GUASTI, *Di Cafaggiolo e d'altre fabbriche di ceramica in Toscana*, Firenze 1902, p. 138. In Toscana con "porcellana" si intende designare invero un gruppo di piante piuttosto vasto, comprensivo di generi quali l'*Iberis* (con le specie *semperflorens* o *sempervirens*), l'*Andrachne* (specie *telephioides*) e, soprattutto, la *Portulaca* (*oleracea* e *afra*) (Cfr. O. PENZIG, *Flora popolare italiana. Raccolta dei nomi dialettali delle principali piante indigene e coltivate in Italia*, voll. 2, Genova, 1924, *ad nomen*). Come in altri casi, è però assai difficile — per non dire impossibile — risalire da questi eventuali modelli botanici (che sembrano francamente dissimili) alle loro rappresentazioni pittoriche sulle ceramiche.

[32] G. BALLARDINI, *Alcuni cenni sull'influenza mongolo-persiana nelle faenze del secolo decimosesto*, in "Faenza", V (1919), III-IV, pp. 49-59. Ed *ivi*, in particolare, alla p. 51 "Cos'è dunque questo motivo? da che proviene? Non esito a dichiarare che la sua derivazione è orientale: anzi dall'estremo Oriente, benché a noi sia giunto, io credo, pel tramite persiano". Nel corso di questo contributo, oltre a procedere ad una classificazione dei materiali frammentari rinvenuti negli sterri faentini, il Ballardini si soffermava anche sulla datazione del decoro "alla porcellana", rilevandone la presenza, anche se in funzione accessoria, nel pavimento della capella Vaselli in San Petronio di Bologna, che è datato al 1487, anche se si dice sia stato posto in opera dieci anni più tardi (Cfr. C. RAVANELLI GUIDOTTI, *Il pavimento della capella Vaselli in San Petronio a Bologna*, Bologna, 1988, pp. 34-35), e in due documenti datati rispettivamente al 1521 ed al 1591 (quest'ultima lettura non è però del tutto certa), ricavando anche l'impressione dalle restituzioni della sua città "...che questo genere di decorazione si intensifica dall'inizio del secondo decennio del secolo decimosesto e prosegue per tutto il secolo" (*ivi*, p. 50). Questa cronologia, come vedremo, è assolutamente parallela ai ritrovamenti montelupini, e certo dimostra la grande intelligenza critica con la quale sapeva operare il Ballardini in

quegli anni assai lontani. Lo studioso faentino cercava anche di spiegare i motivi della grande diffusione dell'ornato "alla porcellana", citando anche il costo assai contenuto (soldi 4 il centinaio, il più basso della lista) con il quale sono remunerati "gli scodellini a porcellana" nel documento del cosiddetto *trust faentino* del 1530 rogato dal notaio ser Nicola Torelli (*ivi*, p. 53).

33 Un simile riferimento tra decorazione "alla porcellana" montelupina e disegni su stoffe (in questo caso di Prato) è brillantemente operato da C. RAVANELLI GUIDOTTI, *La donazione Angiolo Fanfani. Ceramiche dal Medioevo al XX secolo*, Faenza, 1990, p. 69, 34d.

34 Un vasto repertorio di questa produzione (che tuttavia occorre utilizzare con cautela, non essendo immune da errori) è contenuto in J. SOUSTIEL, *La céramique islamique*... cit., in particolare p. 232, n. 264 (Siria), p. 248, n. 281 (Tabriz), p. 263, n. 294 (Asia Centrale).

35 Cfr. GABINETTO NAZIONALE DELLE STAMPE, *Grafica per orafi. Modelli del Cinque e Seicento. Mostra di incisioni da collezioni italiane*. Catalogo a cura di A. OMODEO, Bologna, 1975, particolarmente al n.19.

36 I riferimenti potrebbero infatti essere numerosissimi; in questa sede ci limitiamo ad affermare che esso fu forse impiegato in alcuni particolari dallo stesso Leonardo da Vinci (nel cosidetto *Redemptor Mundi* — opera però di controversa attribuzione), sino al cosiddetto "Maestro Esiguo", di cui è da vedere a questo proposito la *Visitazione* della Pinacoteca di Santa Verdiana in Castelfiorentino (cfr. F. BERTI, *Montelupo. La produzione ceramica dalle origini al XVII secolo*, in *Ceramica toscana dal Medioevo al XVIII secolo*, a cura di G.C. BOJANI, Città di Castello, s.d. (ma 1990), p. 98 fig. 6). Le origini del motivo sono però da ricercare nella figura geometrica, normalmente posta nel centro delle travi o sui bronzi sonanti dei templi buddhisti, che probabilmente simboleggia il continuo reincarnarsi delle anime prima del raggiungimento della beatitudine attraverso la pratica delle cinque virtù.

37 Pubblicata in F. BERTI, *La maiolica di Montelupo. Secoli XIV-XVIII*, Venezia, 1986, p. 83, n. 31.

38 Pubblicato in G. CORA, *Storia della maiolica di Firenze e del Contado*... cit., ed anche in MUSEO INTERNAZIONALE DELLE CERAMICHE IN FAENZA, *La donazione Galeazzo Cora. Ceramiche dal Medioevo al XIX secolo*, a cura di G.C. BOJANI, C. RAVANELLI GUIDOTTI, A. FANFANI, Milano, 1985, p. 162, n. 397.

39 Il riferimento è a Lorenzo Pucci, che fu cardinale dal 1513 al 1531 (altri due esponenti di questa famiglia, Antonio e Roberto, vestirono la porpora rispettivamente nel 1531-44 e nel 1542-47, ma avevano stemmi diversi). Ringrazio Marco Spallanzani, che sta preparando un articolo sull'argomento, per questa informazione.

40 G. LIVERANI, *Un piatto mediceo di Cafaggiolo*, in "Faenza", XXIV (1936), 3, pp. 51-52.

41 Pubblicato da C. RAVANELLI GUIDOTTI, *La donazione Angiolo Fanfani*... cit., p. 69, nn. 34a-c. L'attribuzione al cenobio fiorentino è dovuta al fatto che la figura di San Pietro martire, personaggio legato all'illustre convento domenicano, è anche rappresentato su una parte della dotazione in maiolica di Santa Maria Novella (Cfr. F. BERTI, *Il "fornimento" in maiolica della farmacia di Santa Maria Novella in Firenze*, Lastra a Signa, 1994, p. 7, n. 3).

42 Si tratta di una sfera in maiolica con foro passante, probabilmente usata come elemento decorativo da sospendere al soffitto, simile a quelle ben note nella produzione di Iznik.

43 F. BERTI, *La maiolica di Montelupo*... cit., pp. 79-81, nn. 27-29.

44 Cfr. la precedente nota 35.

45 L'esemplare di scavo montelupino proviene infatti dal livello intermedio del cosiddetto "scavo tridente", un formidabile riempimento attiguo ad una casa medievale posta nell'area del castello di Montelupo, proprio di fronte al noto "pozzo dei lavatoi". Questo contesto archeologico, scavato tra il 1994 ed il 1995, presenta tre fasi distinte: una più antica (ultimo trentennio del Quattrocento) in connessione con le fondazioni ed il primo livello di vissuto, una intermedia, e l'altra — assai più caotica e meno affidabile sotto il profilo stratigrafico, in quanto costituitasi per le successive colmature di un orto — formata dallo scarico di ceramiche cronologicamente estese dalla metà del Cinquecento a buona parte del secolo successivo. La fase intermedia è databile con buona approssimazione agli anni '30 del XVI secolo, sia perché ha restituito l'esemplare istoriato riprodotto in questo volume alla *tav. 215*, sia perché le ceramiche ivi rinvenute dimostrano di appartenere al magazzino di una fornace che venne distrutta da un incendio (sulle maioliche ivi rinvenute si notano infatti i segni di combustione delle travi). La mancanza di un'attività di recupero dei rottami della fornace, al cui interno sono stati inusualmente rinvenuti attrezzi metallici integri, quali lucerne, vanghe, spatole da ceramista, forchette e, persino, uno scaldaletto, ed il successivo abbandono dell'area per almeno un quindicennio, lascia ragionevolmente supporre che l'incendio sia avvenuto in seguito ad un fatto traumatico, nel corso del quale potrebbe essere perito lo stesso proprietario dell'immobile. Pur non scartando il fatto che questa triste circostanza sia stata determinata dall'incendio medesimo, ci pare non peregrina l'ipotesi che la distruzione di questa fornace prospicente il "pozzo dei lavatoi" possa esser stata causata dalle truppe spagnole sbandate che occuparono Montelupo nel 1537, determinando per qualche tempo l'abbandono stesso del castello da parte dei suoi abitanti.

46 Le prime notizie su questa bottega furono fornite da A. ALINARI, *Una bottega di maioliche di Montelupo agli inizi del XVI secolo* in *Atti del XVI Convegno Internazionale della Ceramica*, Albisola 28-30 maggio 1983, Albisola-Savona, 1985, pp. 199-206. Vedremo nel prosieguo di quest'opera come essa sia identificabile grazie alle forniture realizzate per Santa Maria Nova e per la Certosa di Firenze. Molteplici sono state le interpretazioni errate di questa sigla, dovute al fatto che non si è tenuto di conto della tipica grafia della "L" in minuscola corsiva che si incontra sulla ceramica, e che caratterizza anche altre marche montelupine, la più famosa delle quali è senza dubbio quella contraddistinta dalle lettere "La". Poiché l'argomento sarà ripreso nel quarto volume, ci limitiamo qui ad affermare che il particolare legame tra la "L" e la "o" che la sigla sembra talvolta celare è probabilmente dovuto alla volontà di sottendere la lettera "z" e, cioè, il nome "Lorenzo". Niente, quindi, autorizza a vedere in queste ceramiche la produzione per un Pietro Palazzo (o Palazzi) siciliano, a suo tempo ipotizzata da E. BIAVATI, *La marca di Andrea fu Palazzo ceramista del secolo XVI a Montelupo* in *Atti del XVII Convegno Internazionale della Ceramica*, Albisola 25-27 maggio 1984, Albisola, 1986, pp. 155-158, sulla scorta di un documento dell'Archivio di Stato di Palermo pubblicato in A. RAGONA, *Opera di Pisa di un ceramista italiano operante in Montelupo, spedita a Palermo nel 1556* in "Faenza", LXIX (1983), 5-6, pp. 354-357. Nei documenti montelupini, come vedremo, compare in effetti un Andrea Palazzi con la qualifica di *mercator Florentiae*, che però non ha nulla a che vedere con la professione del ceramista.
Negli anni passati è stata esplorata mediante due successive campagne di scavo una fornace collocata in una casa posta nell'area del castello di Montelupo, lungo il pendio collinare che si estende tra il "pozzo dei lavatoi" e la *piazzetta dei gelsi*. A questo scavo si è già fatto più volte riferimento. Gli scarichi ivi rinvenuti si caratterizzano per avere la sola marca "Lo" e per estendersi al vasto arco cronologico compreso tra l'ultimo decennio del XV secolo (all'esterno dell'edificio) e il 1632. Un pezzo con questa data, che segna l'anno dell'ultima recrudescenza della famosa pandemia di peste, proviene dal cinerario della fornace abbandonata, scoperta all'interno dell'abitazione.

47 Cfr. J. GIACOMOTTI, *Catalogue des*

majoliques des Musées Nationaux... cit., p. 123, n. 439; G. CORA, A. FANFANI, *La maiolica di Cafaggiolo*... cit., p. 133, n.123.

[48] Cfr. G. CORA, A. FANFANI, *La maiolica di Cafaggiolo*... cit., p. 45 n. 26.

[49] Cfr. F. BERTI, *Storia della ceramica*... cit, vol. I, p. 269, *tav.* 115, e p. 185, fig. 55, per il motivo vedi anche C. RAVANELLI GUIDOTTI, *La donazione Angiolo Fanfani*... cit., p. 151, fig. 84d.

[50] In attesa della più puntuale ricostruzione delle vicende relative a questi vasai che sarà contenuta nel quarto volume di quest'opera, è necessario rinviare alle serie dei documenti contenuti in G. CORA, A. FANFANI, *Vasai di Montelupo*, in "Faenza", 1983-1986, ed in particolare: per Girolamo Mengari in "Faenza", LXX (1984) 1-2, pp. 91-93; per Girolamo di Lattanzio Tenducci in "Faenza", LXX (1984) 5-6, pp. 535-536; per Lattanzio di Girolamo Tenducci in "Faenza", LXXI (1985), 1-3, pp. 163-164. Per quanto attiene le vicende relative ad Alessandro di Tommaso di Giorgio cfr. in questo volume alle pp. 184-185.

[51] Nonostante le diversità di dettaglio esistenti tra questo esemplare ed il grande scodelliforme di Sèvres riprodotto alla *tav. 150*, non riteniamo opportuno assegnare al vassoio della *tav. 151* una diversa numerazione di sottogruppo, in quanto la struttura del decoro, pur nella semplificazione dei dettagli, risulta essere la medesima.

[52] Tra quelli pubblicati citiamo, a solo titolo di esemplificazione di questo assai consistente raggruppamento, il boccale con simbologia dell'Ospedale degli Innocenti di Firenze siglato con il "crescente lunare" (in MUSEO INTERNAZIONALE DELLE CERAMICHE IN FAENZA, *La donazione Galeazzo Cora*... cit., n. 500) e quello con il leprotto corrente marcato "Go", già nella medesima collezione Cora (*ivi*, n. 501), nonché l'esemplare con scritta in banda trasversa "*Laus Deo*" della ex collezione Fanfani (C. RAVANELLI GUIDOTTI, *La donazione Angiolo Fanfani*... cit., p. 67, nn. 32a-c.) siglato "N". Tra i reperti di scavo di Montelupo, il boccalino "Lo" con uccello del "pozzo dei lavatoi" (In G. VANNINI, *La maiolica di Montelupo. Scavo di uno scarico di fornace*, Montelupo, 1977, tav. XVI), ma le citazioni potrebbero moltiplicarsi a dismisura.

[53] La presenza di questo edificio (detto localmente anche "torre lunga", poiché evidentemente non fu scapitozzato come le altre) ha imposto il suo nome ad un'attuale frazione del comune di Montelupo. La sua costruzione — o, almeno, la versione della medesima che ci è pervenuta — può essere datata ai primi lustri del XIV secolo, data la presenza di biscotti di maiolica arcaica della prima fase rinvenuti all'interno delle volte del "piano nobile". Il riferimento iconografico, peraltro assai labile e di certo manierato, a questa torre è reso plausibile dalla presenza della corona merlata alla sua sommità, sovrastata da un tetto oggi scomparso, ma un tempo esistente.

[54] Non fa eccezione, per la cronologia della sua produzione e diffusione, la cosiddetta "graffita arcaica tirrenica". Sull'argomento vedi ora C. VARALDO, *La graffita arcaica tirrenica* in *La céramique médiévale en Méditerranée. Actes du VIe Congrès de l'AIECM2*, Aix-en-Provence 13-18 novembre 1995, Aix-en-Provence, 1997, pp. 439-451. Per la cronologia della produzione ad ingobbio nell'area adriatica vedi A.L. ERMETI, *La graffita arcaica nelle Marche settentrionali: appunti per una tipologia* in *La céramique médiévale en Méditerranée. Actes du VIe Congrès de l'AIECM2* cit., pp. 453-457, e la bibliografia ivi citata.

[55] Il caso più eclatante per questa regione è Pisa, ove — oltre la fase della "graffita arcaica tirrenica", ancora poco nota, compresa negli anni 1180-1220 circa — solo dopo un lungo periodo di tempo nel quale le fornaci locali si dedicano massicciamente alla lavorazione della "maiolica arcaica", si diffonde la tecnica dell'ingobbio. Le datazioni proposte in merito alla comparsa (che, nel caso specifico, sarebbe meglio definire come "riconversione") nell'attività delle fornaci pisane della fabbricazione di ceramiche con ingobbio (il 1440 circa), collocherebbero la produzione ingobbiata pisana al primo posto per antichità in ambito regionale (per questi aspetti si veda G. BERTI, E. TONGIORGI, *Aspetti della produzione pisana di ceramica ingobbiata*... cit., particolarmente alle pp. 142-143, e la bibliografia relativa).

[56] Per i documenti relativi (anni 1415-16), cfr. G. CORA, *Storia della maiolica di Firenze e del Contado*, Firenze, 1973, vol. 1, p. 321.

[57] La similitudine tra le ceramiche graffite senesi e quelle montelupine è in effetti assai marcata; cfr. al proposito R. FRANCOVICH, *La ceramica medievale a Siena e nella Toscana meridionale* cit., particolarmente alle pp. 154-170 (si vedano i tipi "a ghirlanda", del tutto identici a quelli di Montelupo). È possibile che Castelfiorentino abbia svolto in questo una funzione "di mediazione" tra i due centri.

[58] Si veda G. FOWST, *Frammenti ceramici liguri del Cairo*, in *Atti del V Convegno internazionale della Ceramica*, Albisola, 31 maggio-4 giugno 1972, Albisola, s.d., p. 352 fig. 5 (attribuiti a Montelupo) e, più recentemente, AA.VV., *Un goût d'Italie. Céramiques et céramistes italiens en Provence du Moyen Âge au XXème siècle*, Aubagne, 1993, pp. 76-77, (attribuiti a Pisa).

[59] Il primo autore che sottolineò da par suo il ruolo svolto da Guidobaldo in favore dei ceramisti urbinati è, come è noto,Giovanbattista Passeri (*Istoria delle pitture in maiolica fatte in Pesaro e ne' luoghi circonvicini descritta da Giambattista Passeri pesarese*, Venezia, 1758).

[60] G. BALLARDINI, *Alcuni aspetti della maiolica faentina nella seconda metà del Cinquecento*, in "Faenza", VII (1929), III-IV, pp. 86-102. L'articolo aggiornava quanto il medesimo autore aveva esposto in un suo precedente contributo (G. BALLARDINI, *Note intorno ai pittori di faenze nella seconda metà del Cinquecento*, in "Rassegna d'Arte", Milano, 1916).

[61] G. BALLARDINI, *Alcuni aspetti*... cit., pp. 96-97 (il punto di domanda è nostro).

[62] G. BALLARDINI, *Alcuni aspetti*... cit., p. 99.

[63] G. BALLARDINI, *Alcuni aspetti*... cit., pp. 100-101.

[64] Si veda, ad esempio, quanto il Liverani ebbe a scrivere in merito al compendiario "Dopo gli sbandamenti pittorici ai quali l'istoriato aveva gradualmente condotto nel corso del secolo [il XVI, *n.d.t.*], la nuova maniera riporta ai valori essenziali ed un po' dimenticati... Qui sta la ragione del successo. La sobrietà, che fa netto contrasto con la tavolozza ordinaria, ricca a sazietà di colori e coloretti, affiancata al modo di pittura a cenni compendiari che, a differenza dell'istoriato classico, mantiene il vigore estroso, la freschezza e l'immediatezza dell'invenzione come in uno schizzo; la morbida, vellutata, candida superficie dello smalto lasciato in gran parte scoperto per farne appieno gustare la preziosità, incontrano un favore inusitato" (G. LIVERANI, *La maiolica italiana sino alla comparsa della porcellana europea*, Venezia, s.d., p. 45).

[65] Il termine vuole riferirsi a quello inglese (*peopled scrolls*), usato per definire le decorazioni vegetali "animate" dell'antichità e del Medioevo.

[66] In particolare, secondo la morfologia del nostro gruppo 40.4, esemplata dalla *tav. 154*.

[67] Notissimo alla storiografia ceramologica, l'esemplare è stato di recente ripubblicato a colori in un catalogo ridotto dell'Ashmolean Museum da T. WILSON, *Italian majolica*, Oxford, 1989, pp. 58-59. L'attribuzione del cavetto a questa bottega si avvale, com'è noto, del confronto con il grande scodelliforme conservato a Londra (Cfr. VICTORIA AND ALBERT MUSEUM, *Catalogue of italian majolica*... cit., n. 960). Su maestro Lodovico, vedi A. ALVERÀ BORTOLOTTO, *Storia della ceramica a Venezia dagli albori alla fine della Repubblica*, Firenze, 1981, pp. 66-69.

[68] Vedila anche negli esemplari del Kunstgewerbemuseum di Berlino, tra cui quello notissimo con stemma

Meuting (T. HAUSMANN, *Majolika. Spanische und italienische Keramik vom 14 bis zum 18 Jahrhundert*, Berlin, 1972, pp. 318-320) e l'altro al catalogo citato pp. 326-327, n. 240; in quelli del Victoria and Albert (VICTORIA AND ALBERT MUSEUM, *Catalogue of italian majolica*... cit., nn. 961 e 964).

[69] Ad esempio in Victoria and Albert (VICTORIA AND ALBERT MUSEUM, *Catalogue of italian majolica*... cit., nn. 959, 961 e 963). Per quanto attiene alcune ipotesi formulate in passato sulla genesi di questo genere di rappresentazione paesaggistica, si veda O. MAZZUCCATO, *Il maestro del paesaggio*, in "Rassegna del Lazio", n. 7-8, luglio-agosto 1969, pp. 43-53.

[70] C. RAVANELLI GUIDOTTI, *Faenza-faïence. I "bianchi" di Faenza*, Ferrara 1996 p. 6: "Il 1540 viene tradizionalmente considerato dalle fonti e dagli studiosi come la data 'ufficiale' della nascita dei 'bianchi'; si sa infatti che in quell'anno Pier Agostino Valladori (o Vallatori) che è in relazione d'affari con Francesco Mezzarisa ed in società col Calamelli, stipula un contratto per la fornitura di una credenza di maiolica bianca...; ma, fatto ancor più importante, proprio in quell'anno il Mezzarisa assoldò un tecnico degli smalti per cinque anni. Il compito di quest'ultimo era unicamente quello di concordare *totum colorem album*... Che la fortuna dei "bianchi" si sia giocata sin dagli inizi sull'aspetto tecnologico, e poi sulla sua tenuta per molti decenni, lo confermano innumerevoli fonti, anch'esse proprio a partire da quel fatidico 1540".

[71] Perseguendo l'idea che "compendiario" significhi "rappresentazione impressionistica" sia il Ballardini che il Liverani vennero a discutere anche del tardo figurato di Montelupo, vedendo in esso una sorta di "popolarizzazione" dello stile compendiario, più aulico e raffinato, diffuso dalle botteghe faentine; a questo proposito vedi F. BERTI, *Storia della ceramica di Montelupo*... cit., vol. I, p. 70.

[72] Cfr. A. ALVERÀ BORTOLOTTO, *Storia della ceramica di Venezia*... cit., tavv. XLVI e XLVII b-c-d (datati tra il 1515 ed il 1540) ed i successivi esemplari riprodotti alle tavv. LIVb e LVb.

[73] Ad un riferimento di tipo locale abbiamo ad esempio fatto ricorso nel caso del boccale "alla porcellana" qui riprodotto alla *tav. 157*.

[74] Si veda, ad esempio, il rovescio dei vassoi riprodotti in A. ALVERÀ BORTOLOTTO, *Storia della ceramica di Venezia*... cit., tav. LIa, LIIb, LIVa, LXVIIIa e LXIIb (quest'ultimo attribuito a maestro Jacomo da Pesaro).

[75] Cfr. F. BERTI, *Storia della ceramica di Montelupo*... cit., vol. I, pp. 209-213.

[76] Vedi in questo volume alle pp. 147-148. Anche l'altra fascia di contorno del retro, composta da raggiature stilizzate e losanghe tagliate a croce non ha riscontri nella produzione veneziana nota. Per il volto dipinto nel disco solare (che peraltro costituisce una figurazione generica e non rappresenta, per quanto ci è dato di sapere, un segnacolo di bottega), cfr. ancora in questo volume, alla *tav. 157*.

[77] VICTORIA AND ALBERT MUSEUM, *Catalogue of italian majolica*... cit., n. 373.

[78] Avremo modo di vedere nel terzo volume di quest'opera il caso rappresentato dai vasi della spezieria di Santa Maria Novella, ove queste caratteristiche risaltano con particolare evidenza.

[79] Si tratta probabilmente di una sottocoppa, il cui centro rilevato era predisposto per l'appoggio del mesciroba.

[80] Cfr. VICTORIA AND ALBERT MUSEUM, *Catalogue of italian majolica*... cit., n. 962 (per la riproduzione, A. ALVERÀ BORTOLOTTO, *Storia della ceramica di Venezia*... cit., tav. LVb).

[81] Cfr. la nota precedente. La costruzione del motivo è infatti identica, anche se il pittore che ha eseguito l'esemplare della *tav. 209* ha suggerito le tenere foglioline che stanno tra le parti arricciate "a volute" mediante minuscoli segni triangolari.

[82] Per questo genere di contorno, già stilizzato nella bottega di maestro Lodovico (ma forse anche proveniente da un *atelier* padovano, dove esso si può incontrare anche nella produzione corrente, di assai più modesta qualità sotto il profilo estetico), cfr. ancora A. ALVERÀ BORTOLOTTO, *Storia della ceramica di Venezia*... cit., tav. XLVIId, LIVb, LXIIIa del Victoria and Albert (i primi due datati dall'A. al 1540 circa, il terzo al 1530-45); tav. LIIc e LXVc (del Kunstgewerbe di Berlino, il noto scodelliforme con stemma Meuting, anch'esso datato al 1540 circa, ed un altro con "tralcio popolato" assegnato al 1540-50, oltre agli esemplari "a foglie" della tav. LXXIVa-b-c, tutti assegnati anch'essi al 1540-50).

[83] A differenza di ciò che accade per quelle su basso piede, questo genere di alzata presenta sempre l'appoggio saldato a fresco (come si deduce chiaramente dai biscotti di questa forma, rinvenuti negli scarichi di fornace già comprensive della base), e non fissato in seconda cottura mediante lo smalto.

[84] Ricordo, ad esempio, una lunga comunicazione presentata da G.B. Siviero e D. Soave al Convegno Internazionale di Albisola (ma non acquisita agli atti), nella quale si mostrava con dovizia di particolari un genere di maioliche padovane che avevano queste caratteristiche, pur presentandosi con la fascia di contorno "veneta" sulla quale abbiamo avuto più volte occasione di soffermarci. Questi aspetti risaltano comunque con buona evidenza anche in AA.VV., *La ceramica nel Veneto. La Terraferma dal XIII al XVIII secolo*, Verona, 1990, in particolare alle pp. 214-216 (Padova).

[85] Tra gli studiosi che vennero alle prese con tale problema, non potendolo impostare con la dovuta ampiezza di prospettiva per mancanza di documentazione, è da segnalare in primo luogo Filippo Rossi (cfr. F. BERTI, *Storia della ceramica di Montelupo*... cit., vol. I, p. 61).

[86] Pur tra varie oscillazioni ("Montefeltro", etc. — esemplare a questo proposito è l'idea della "faentinità" espressa da C. MALAGOLA, *Memorie storiche sulle maioliche di Faenza. Studi e ricerche*, Bologna, 1880, pp. 143-144) — si può dire che sino al catalogo dei Musei francesi della Giacomotti questa maiolica fosse generalmente considerata di Montelupo; cfr. J. GIACOMOTTI, *Catalogue des majoliques des Musées Nationaux*... cit., p. 294, n. 915. Furono G. CORA e A. FANFANI (*La maiolica di Cafaggiolo*... cit., p. 152) a tentare di avvicinare questa maiolica a Cafaggiolo, pensando che *"in Monte"* potesse indicare la villa omonima, nei pressi di Galliano, località che tuttavia viene sempre qualificata come tale nella produzione dipendente dalla fornace della villa medicea. Tale ipotesi fu poi "perfezionata" tirando in ballo Montecarelli, un piccolo agglomerato lungo la strada che sale il colle della Futa, a qualche chilometro di distanza da Galliano, ove esisteva nel 1506 una "fornace da embrici e stoviglie" (cfr. G. CORA, A. FANFANI, *La maiolica di Cafaggiolo*... cit., p. 143. e p. n.n., nei documenti, in appendice *sub* Andrea di Lorenzo dalle Recci). Naturalmente è molto difficile pensare che un simile manufatto smaltato sia stato cotto in una fornace destinata anche alla produzione dei laterizi.

[87] Cfr. F. BERTI, *La maiolica di Montelupo. Secoli XIV-XVIII*, Venezia, 1986, p. 44.

[88] C. RAVANELLI GUIDOTTI, *"Alessandro di Giorgi da Faenza" maiolicaro itinerante del XVI secolo*, in Pennabilli nel Montefeltro, V Convegno della Ceramica, I Rassegna Nazionale, 1984, s.d., s.l., pp. 57-60.

[89] E. BIAVATI, *Alessandro fu Tommaso Giorgi da Faenza, maiolicaro a Montelupo, alla fine del secolo XVI*, in Pennabilli nel Montefeltro, VIII Convegno della Ceramica, IV Rassegna Nazionale, 1987, s.d.-s.l., pp. 17-20.

[90] C. RAVANELLI GUIDOTTI, *La donazione Angiolo Fanfani*... cit., p. 81. Il soggetto è una curiosa mescolanza tra i contenuti di due capitoli dell'*Esodo* relativi all'incontro tra Mosè e l'Onnipotente sul Sinai, anche se l'incisione dalla quale fu tratto riporta come riferimento il solo cap. XXXIII. In questo, da 18 a 23, come ben indica la Ravanelli Guidotti, Mosè chiede di vedere il Signore nella sua maestà, ed egli in

parte acconsente, ma gli impone di non vedere il suo volto, coprendogli gli occhi finché non sia passato di fronte a lui. Nell'incisione, però, si nota come l'Onnipotente accenni con la mano sinistra al popolo ebraico che, come si ricava dal precedente cap. XIX, 17-21 stava fuori delle tende, e premeva per salire sul monte assieme a Mosè. Questa parte della scena, che per l'incisore presenta evidentemente un significato rafforzativo, non è dipinta sul piatto in questione, ed è interessante chiedersi se ciò sia avvenuto semplicemente perché, come altre volte accade nell'"istoriato", il ceramista ha disinvoltamente eliminato alcune parti della composizione da lui ritenute accessorie, oppure se ciò sia dovuto ad una verifica del contenuto del capitolo biblico. Viene poi da domandarsi se l'argomento "vedere Iddio" (qui abbiamo un patriarca ed il popolo) non faccia parte delle questioni religiose del momento, ma questa non è purtroppo la sede per affrontare una simile questione, che pure sembra ben presente all'autore dell'incisione, Bernard Salomon.

[91] C. RAVANELLI GUIDOTTI, *La donazione Angiolo Fanfani*... cit., pp. 81-83.

[92] *Maioliche italiane* a cura di C. RAVANELLI GUIDOTTI (con un contributo di Margherita ANSELMI) in MONTE DEI PASCHI DI SIENA, *La collezione Chigi-Saracini*, 5, Firenze, SPES, 1992, pp. 96-98.

[93] Pubblicati in T. HAUSMANN, *Majolika. Spanische und italienische Keramik vom 14. bis zum 18. Jahrhundert*, Berlin, Gebr. Mann Verlag, 1972, (Kataloge des Kunstgewerbemuseums Berlin. Band VI), pp. 313-315.

[94] Pubblicato A.V.B. NORMAN, *Wallace Collection. Catalogue of Ceramics 1. Pottery, Majolica, Faience, Stoneware*, London, 1976, n. 156. Il Norman aveva ben individuato le caratteristiche "montelupine" di questo esemplare, pur assegnandolo ad un "unidentified italian workshop"; egli infatti così lo commenta "The earlier attribution to Rimini is difficult to substantiate, since little is known about work carried out there. Only a very few pieces have so far benn positively identified as being made there and none resemble this plate... The yellow sky and predominantly yellow ground, as well as the brown outline used to drawn the design, may perhaps indicate a Montelupo factory", *ivi*, p. 214.

[95] Pubblicata in J. GIACOMOTTI, *Catalogue des majoliques des Musées Nationaux*... cit., pp. 350-51, n. 1069.

[96] Cfr. in particolare in questo stesso volume alla nota 45.

[97] In merito alle oscillazioni attributive di questa marca, vedi quanto si contiene nel primo volume di questa *Storia* alla p. 60 ed alla relativa nota 112.

[98] Vedi un preciso riferimento tipologico a questo rovescio (anche nella fascia di bordatura in bleu) nel cavetto con Adamo ed Eva di Berlino pubblicato in T. HAUSMANN, *Majolika. Spanische und italienische Keramik*... cit., n. 128, pp. 172-73, prezioso anche perché l'esemplare in questione è datato al 1536 — anno assai prossimo al periodo (1537-40), al quale sembra appartenere il deposito archeologico che conteneva l'esemplare montelupino — ma i riferimenti si potrebbero moltiplicare a dismisura (ad es. con il cavetto del Fitzwilliam che porta la marca attribuita alla Ca' Pirota riprodotto in J. POOLE, *Italian Majolica and incised slipware in the Fitzwilliam Museum Cambridge*, Cambridge, Cambridge University Press, 1995, p. 255 n. 333, ivi datato al 1515-30, o con quello dell'Ashmolean di Oxford, con stemma Altoviti-Soderini, ultimamente datato al 1524 circa, poiché identico ad un esemplare della collezione Adda che porta questa data, e descritto in T. WILSON, *Italian majolica*... cit., pp. 54-55 n. 23). Possiamo d'altronde verificare (cfr. Genere 34. "Bleu graffito"), quanto numerosi siano i riferimenti che si possono stabilire tra certe tipologie decorative montelupine dell'inizio del XVI secolo e la produzione siglata con questa marca, già attribuita alla fornace faentina della Ca' Pirota.

[99] Sulla questione avremo agio di tornare nel quarto volume di questa opera. La presenza di ceramisti faentini in Montelupo era ampiamente nota sin dai tempi di Gaetano Guasti (cfr. G. GUASTI, *Di Cafaggiolo e d'altre fabbriche di ceramica in Toscana secondo studi e documenti in parte raccolti dal comm. Gaetano Milanesi. Commentario storico di Gaetano Guasti*, Firenze, 1902, pp. 292-294) ed è stata spesso volgarizzata in senso patriottico-campanilistico dagli studiosi romagnoli, sino a suggerire l'idea che la vicenda storica del centro ceramico valdarnese sia dipesa, per i suoi sviluppi più noti ed importanti, da quella di Faenza (cfr. G. LIVERANI, *La maiolica italiana*... cit., p. 50). Negli ultimi volgarizzamenti non si è poi mancato, sulla scorta di queste opinioni, di trasformare inopinatamente la vicenda di Montelupo in una sorta di *dépendence* faentina.

[100] Cfr. G. CORA, A. FANFANI, *Vasai di Montelupo (parte terza)*, in "Faenza", LXX (1984), 1-2, pp. 91-92.

[101] Stranamente ignorato nei documenti pubblicati da Cora e Fanfani, ma citato dal Guasti, *Di Cafaggiolo*... cit., p. 293, con riferimento ad un documento del 1523. Il nomignolo di Tommaso suggerisce un'origine (sua o del padre) dalla città marittima della Croazia che allora si chiamava Ragusa, oggi Dubrovnik ("raguseo" si trasforma facilmente nei documenti, per la caduta della vocale finale, in "raguse"), e, quindi, un suo passaggio nella città romagnola, ove potrebbe aver appreso o perfezionato l'arte del dipingere la maiolica. Non si tratterebbe, del resto, di un caso isolato per la Toscana, come si evince, ad esempio, dalla storia personale di Filippo di Dimitri "ischiavo", padre di Piero e Stefano "Fattorini" — i vasai di Cafaggiolo — che si mosse dalla nativa Zagabria per raggiungere Montelupo poco oltre la metà del XV secolo. Anche su Tommaso avremo modo di tornare nel quarto volume di quest'opera.
Quanto sia stata diffusa la presenza di vasai croati nell'Italia del Quattro e Cinquecento, specialmente e comprensibilmente nei centri della Marca, lo si può ben notare dall'elenco dei vasai presenti in Pesaro elaborato da P. BERARDI, *L'antica maiolica di Pesaro. Dal XIV al XVII secolo*, Firenze, 1984, che alle pp. 331-336 contiene i nomi (ivi, in ordine alfabetico) di Allegretto schiavone (1504), Filippo di Giacomo schiavone (1498-1514), Gaspare schiavone (1455), Giovanni di Luca schiavone (1490), Terenzio di Martino schiavone (1474). Quando i "ceramologi" nostrani troveranno il tempo di sottolineare l'apporto di questi artefici alla storia della ceramica italiana?

[102] ARCHIVIO STORICO DEL COMUNE DI MONTELUPO, *Podestarile*, 366 c. 20r, *sub* 15 gennaio 1540 ('41).

[103] Cfr. G. CORA, A. FANFANI, *Vasai di Montelupo (parte quinta)*, in "Faenza", LXX (1984), 5-6, pp. 535-536.

[104] Per quanto attiene Alessandro si rinvia sempre alle pp. 184-185 di questo volume; per il figlio Tommaso cfr. G. CORA, A. FANFANI, *Vasai di Montelupo (parte settima)*, in "Faenza", LXXI (1985), 4-5, p. 390.

[105] Cfr. G. CORA, A. FANFANI, *Vasai di Montelupo*, in "Faenza", LXXII (1986), 1-2, p.105.

[106] In un documento dell'*Archivio podestarile* di Montelupo (ASCM, 359 c. 29r) datato 12 ottobre 1532 si intima infatti da parte di Giovanni d'Antonio di Berto, a "Hieronymo Johannis de Faenza habitanti Empoli" di non perfezionare l'acquisto di "partem unius vineam [*sic*] positam in populo Samminiatello, loco dicto Schifanoia".

[107] Nella sua portata di Decima del 1536, ove si indica che egli "fa orciolaio et viene di nuovo in questo popolo" [di Samminiatello, *n.d.t.*], Girolamo denunzia infatti solo la proprietà di "un pezzo di terra vignata di staia 4 circa" posta nel luogo detto "Schifanoia", nei pressi dell'abitato di Montelupo, acquistato da Domenico di Puccio d'Antonio, che è evidentemente la proprietà oggetto della controversia di quattro anni prima con Giovanni d'Antonio di Berto.

[108] Molti si trovano a Braunschweig. In ordine cronologico citiamo l'esemplare definito "urbinate" ("herzogtum Urbino") dalla Lessmann in HERZOG

ANTON ULRICH-MUSEUM BRAUNSCHWEIG, *Italienische Majolika. Katalog der Sammlung* (a cura di J. LESSMANN) Braunschweig, 1979, p. 366 n. 522, e datato verso il 1550; seguono quello attribuito all'*atelier* pesarese del cosiddetto "pittore di Zenobia", datato tra il 1552 (data del piatto eponimo) ed il 1560 (*ivi*, p. 341 n. 479), e quelli dell'altro pesarese "Sforza", che rispettivamente portano la data "1563" (*ivi*, p. 345, n. 486) e "1576" (*ivi*, p. 351, n. 495). Lo stesso soggetto è dipinto anche sull'alzatina, già al museo parigino delle Terme di Cluny, pubblicata in J. GIACOMOTTI, *Catalogue des majoliques des Musées Nationaux*... cit., n. 1140, datata dalla Giacomotti alla seconda metà del XVI secolo ed attribuita a "fabrique indéterminée", *ivi*, p. 383. Si veda anche l'esemplare del Museo Civico di Pesaro in REGIONE MARCHE-COMUNE DI PESARO, *Maioliche del Museo Civico di Pesaro. Catalogo* (a cura di M. MANCINI DELLA CHIARA), Bologna, 1979, p. n.n., n. 261 (ivi datato al "terzo quarto del XVI secolo" ed attribuito a bottega urbinate). Tra i più antichi, anche quello pubblicato in C. CURNOW, *Italian Majolica in the National Museum of Scotland*, Edimburgo, 1992, p. 64 n. 67.

109 Nella tradizione pesarese (così come nell'esemplare di Cluny e in quello del Museo Civico di Pesaro), si nota come l'ingresso agli Inferi consista in una porta, dalla quale escono il fumo e le fiamme del mondo sotterraneo. Gli estremi cronologici della medesima, come si è visto, stanno tra il 1552 ed il 1576. La maiolica urbinate, datata dalla Lessmann "verso il 1550", non ha invece la porta e, soprattutto, si nota come la coperta dei cavalli trovi evidente corrispondenza formale con quella del documento di scavo montelupino. Altri particolari iconografici, quali la presenza della ninfa Cyane nel laghetto posto in primo piano rispetto alla scena, non sembrano avere importanza decisiva per questo aspetto.

110 Fatta salva, naturalmente, in ciò l'attitudine letteraria di Francesco Xanto Avelli, che lo indusse a suggellare il rovescio dell'esemplare del Louvre con i versi del Petrarca (*Trionfo d'Amore*, I): "Quest'el Pastor che mal mirò 'l bell volto / d'Helena Greca, e quel famoso rapto / Pel qual f[*u*] el mo[*n*]do sotto sopra volto/ fra. Xanto / Rovigiese" Cfr. J. GIACOMOTTI, *Catalogue des majoliques des Musées Nationaux*... cit., pp. 267-268.

111 Se si guarda con attenzione, è del resto possibile percepire la presenza di almeno un altro segno, assai simile ad una "l" corsiva, collocato al di sotto della parola "Monte", che potrebbe essere l'inizio di una parola evanita in cottura per mancanza di colore nel pennello o piuttosto — come crediamo più probabile — per una volontaria abrasione della parte restante della scritta. Nel XVI secolo la parola "Montelupo" si scriveva (più correttamente di oggi) nella forma staccata "Monte Lupo". L'ipotesi è resa plausibile dal fatto che Girolamo Mengari operava (a dispetto degli statuti del luogo, nei quali si vieta ad un maestro vasaio di far lavorare presso di sé un altro maestro) in fornaci di uno o più ceramisti montelupini; è perciò possibile che altri, in assenza dell'autore, abbia completato questa maiolica. È ancora più probabile, del resto, che per sfuggire ad uno dei tantissimi sequestri cautelativi di ceramiche sia cotte che da cuocere, disposte dal podestà di Montelupo in quegli anni, qualcuno abbia provveduto a cancellare rapidamente ogni riferimento a chi lo dipinse.

112 Per i riferimenti bibliografici, si veda J. GIACOMOTTI, *Catalogue des majoliques des Musées Nationaux*... cit., p. 268.

113 Cfr. G. CORA, A. FANFANI, *Vasai di Montelupo (parte terza)*, in "Faenza", LXX (1984), 1-2, p. 92.

114 Questa marca sul rovescio di una crespina "istoriata" ci è stata segnalata infatti da un esperto collezionista; non siamo però riusciti a procurarci la sua riproduzione fotografica e non sappiamo, perciò, se essa possa essere attribuita alla mano di quel "pittore di Cesare" di cui tratteremo di seguito.

115 Si veda il primo volume di questa *Storia* alla p. 70.

116 L'esemplare è di recente acquisizione e, pertanto, non risulta riprodotto nel catalogo del museo londinese.

117 Pubblicata in G. CONTI, *L'arte della maiolica in Italia*, seconda ediz., Busto Arsizio, 1980, n. 300. Si veda anche l'analisi della medesima contenuta in F. BERTI, *La maiolica di Montelupo*... cit., alla p. 44.

118 La prima fonte è dimostrata dalla Poole (in J. POOLE, *Italian majolica*... cit., pp. 388-389) per il fatto che nel rovescio della crespina con Aronne che veste l'abito sacerdotale è scritto "Aron gran sacerdote e Moisè", mentre nei versi che accompagnano l'incisione nell'opera in versi toscani del Maraffi si legge "D'Aron gran sacerdote...". Altre fonti, sempre dipendenti dalle incisioni di Bernard Salomon, sono citate dalla Ravanelli Guidotti, ad iniziare dalle *Figure del Nuovo Testamento illustrate da versi vulgari italiani* stampata parimenti in Lione da Guglielmo Rovillio (a proposito di *Mosè sul Sinai*), ed alla *Biblia Sacra ad optima quaeque vetris et vulgatae exemplaria*... sempre per i tipi lionesi del Rovillio, ma impressa nel 1566 (nel caso de *l'Angelo che appare ai genitori di Sansone*).

119 C. RAVANELLI GUIDOTTI, *La donazione Angiolo Fanfani*... cit., pp. 81-83.

120 Nel volume *Maioliche italiane* (a cura di C. RAVANELLI GUIDOTTI)... cit., alla p. 96.

121 T. HAUSMANN, *Majolika. Spanische und Italienische Keramik*... cit., pp. 313-315 "Im ganzen aber ergbit sich die Wahrscheinlichkeit, daß das zur Rede stehende Exemplar nicht italienischen Urpsrungs, sondern ein Erzeugnis der in Lyon ansaüssigen Italiener ist", *ivi*, p. 314.

122 L'episodio è anche in Luca, IV, 3-4, ma la scena è tratta piuttosto dal testo di Matteo, IV, 1-4 poiché in esso Gesù, dopo aver digiunato quaranta giorni, è tentato dal demonio, che gli mostra non una (come in Luca) ma alcune pietre (per l'incisore due), dicendogli: "Se tu sei figlio di Dio, dì che queste pietre diventino pani"

123 A.V.B. NORMAN, *Wallace Collection. Catalogue of Ceramics*... cit., c.156.

124 Cfr. la precedente nota 94.

125 *Maioliche italiane* (a cura di C. RAVANELLI GUIDOTTI)... cit., pp. 96-98, n. 9a.

126 Pubblicata da C. RAVANELLI GUIDOTTI in *La donazione Angiolo Fanfani*... cit., p. 82.

127 J.E. POOLE, *Italian maiolica and incised slipware*... cit., pp. 387-89 n. 421. L'A. non assegna però l'esemplare a Montelupo, ma, sia pure in maniera non definitoria, ad una bottega urbinate: ("Probably Urbino c. 1555-80").

128 Documentati in Montelupo rispettivamente dal 1563 (Lattanzio di Girolamo); G. CORA, A. FANFANI, *Vasai di Montelupo (parte sesta)*, in "Faenza", LXXI (1985), 1-3, p. 163, e 1543 (Girolamo di Lattanzio); G. CORA, A. FANFANI, *Vasai di Montelupo (parte quinta)*, in "Faenza", LXX (1984), 5-6, p. 535.

129 ARCHIVIO ARCIVESCOVILE FIORENTINO, *Libro dei Battezzati di San Giovanni Evangelista di Montelupo* (RPC 1172. 1), c. 125r. n. 2 (Livia); c. 141v. n. 4 (Ascanio); c.152r. n. 1 (Chelidonio); c. 210v. n. 1 (Claudia).

130 *Maioliche italiane* (a cura di C. RAVANELLI GUIDOTTI)... cit., p. 96.

131 Ultimamente pubblicata in P. BONALI, R. GRESTA, *Girolamo e Giacomo Lanfranco dalle Gabicce maiolicari a Pesaro nel secolo XVI*, Rimini, 1987, (Annali di studi. Serie monografica n. 2), pp. 42-43 (con la bibliografia aggiornata relativa).

132 Cfr. P. BONALI, R. GRESTA, *Girolamo e Giacomo*... cit., alle pp. 188-89. L' atto riguarda la vendita di un pezzo di terra effettuata da Girolamo, ed è rogato nella sua bottega in data 20 novembre 1561; tra i testimoni è citato "Alessandro de Giorgiis de Faventia" che il documento, pur trascritto in maniera davvero scorretta, in quanto non ne sono sciolte le abbreviazioni, prosegue designandolo come "figulo in supradicta apoteca".

[133] C. GRIGIONI, *Figuli romagnoli a Roma nel Quattro e Cinquecento. Documenti*, in "Faenza", XLVI (1955), p. 111; E. BIAVATI, *Alessandro fu Tommaso*... cit., p. 17.

[134] Nel 1574 Girolamo dichiarò infatti 74 anni (cfr. P. BONALI, R. GRESTA, *Girolamo e Giacomo*... cit., p. 200), mentre ad iniziare dal 1581 nei documenti compare suo figlio Marsilio, *ivi*, p. 203. Secondo P. Bonali (*ivi*, p. 151): "la morte di Girolamo è da collocarsi tra la fine del 1581 e l'inizio del 1582, all'età di 82 anni".

[135] Oltre ai particolari relativi all'anatomia, molto accentuata (ma anche ai calzari etc.,) è notabile il fatto che i piatti "istoriati" di questa serie denotino spesso una presentazione della scena su parti "gradonate", abbastanza frequenti proprio nella tradizione della bottega pesarese di Girolamo Lanfranco (anche se in epoca più antica, si veda, ad es. in P. BONALI, R. GRESTA, *Girolamo e Giacomo*... cit., le riproduzioni delle tavv. 51, 53, 55 e, soprattutto, il modo di finire la parte inferiore del piatto con Giuditta ed Oloferne della tav. 59), che manifesta evidenti similarità con i piatti dipinti in Cafaggiolo dal pittore "A f" (ad es. nel *Persio sturbatore delle nozze* e ne *La cena di Simone* — cfr. G. CORA, A. FANFANI, *La maiolica di Cafaggiolo*... cit., p. 105 e p. 129). E se con "A f" si fosse voluto intendere nient'altro che "Alexander faventinus"? La lettera "f" è infatti segnata in minuscolo. È certo troppo poco per dirlo, ma non è poi del tutto improbabile che Alessandro di Tommaso di Giorgio, pur risiedendo a Montelupo — o magari prima di trasferirsi stabilmente nella cittadina valdarnese — abbia lavorato per qualche periodo anche presso la fornace mugellana.

[136] ARCHIVIO ARCIVESCOVILE FIORENTINO, *Libro dei battezzati*... cit., RPC 1173.1 c. 33r. n.1.

[137] A. LANE, *A dish of 1593-94 pershaps made at Modena*, in "Faenza", XLVI (1955), p. 53 e tavv. XIIIa-b.

[138] Il vassoio porta infatti, secondo il Lane (*A dish of 1593*... cit.), al rovescio una segnatura su due livelli, divisi da una linea: nel registro superiore si leggerebbe "Federichus de mutanus fecit/ adì 24 de giugno 1594", mentre in quello inferiore "Al[*essandr*]o di Giorgi da Faenza pincit [*sic*] / adì ultimo di dicembre 1593". Abbiamo usato il condizionale poiché alcune parti della scritta non risultano chiare nella riproduzione fotografica del rovescio.

[139] Egli compare infatti per l'ultima volta nella documentazione sinora nota nel 1594 cfr. G. CORA, A. FANFANI, *Vasai di Montelupo (parte settima)*, in "Faenza", LXXI (1985), 4-5, p. 375 e E. BIAVATI, *Alessandro fu Tommaso*... cit., p. 18.

[140] Cfr. AA.VV., *Le maioliche cinquecentesche di Castelli. Una grande stagione artistica ritrovata*, Brescia, 1989, c.104-124.

[141] Cfr. G. CORA, A. FANFANI, *La maiolica di Cafaggiolo*... cit., in particolare alla tav. 69.

[142] T. HAUSMANN, *Majolika. Spanische und Italienische*... cit., pp. 166-167.

[143] Pubblicata in G. CORA, A. FANFANI, *La maiolica di Cafaggiolo*... cit., tav. 113 p. 126 (ivi attribuita erroneamente a Cafaggiolo).

[144] Una marca simile (ma assai meno stilizzata) sta nel rovescio dell'alzata del Museo di Sèvres, pubblicata dallo Chompret (*Répertoire de la majolique italienne*, Paris, 1949, vol. 2, n. 560) che è forse riferibile ad una bottega veneziana per il tipo di contorno "alla porcellana" che porta al rovescio.

[145] Pubblicata in C. RAVANELLI GUIDOTTI, *La donazione Angiolo Fanfani*... cit., p. 72, nn. 36e-f.

[146] Si veda, ad esempio, il tralcio vegetale di contorno del catino riprodotto alla tav. 116a, p. 443, in C. RAVANELLI GUIDOTTI, *Faenza-faïence. "Bianchi" di Faenza*... cit.

[147] Cfr. C. RAVANELLI GUIDOTTI, *Faenza-faïence. "Bianchi" di Faenza*... cit., p. 234 *passim* (in particolare alle pp. 242 e 260).

[148] La maiolica fa parte delle collezioni del Louvre, ed è riprodotta in J. GIACOMOTTI, *Catalogue des majoliques des Musées Nationaux*... cit., alla p. 271 n. 865.

[149] G. CORA, *Compendiari toscani*, in "Faenza", XLVI (1960), pp. 109-114.

[150] G. CORA, *Nuovi compendiari toscani*, in "Faenza", XLVII (1961), pp. 111-113. L'occasione di tornare sull'argomento era stata offerta al Cora — come egli dichiara all'inizio del suo contributo — "da un ritrovamento di frammenti di maiolica, avvenuto proprio a Montelupo alla fine dell'autunno scorso", *ivi*, p. 111.

[151] In attesa del terzo volume di questa *Storia*, si veda F. BERTI, *Le ceramiche della farmacia di San Marco*, San Casciano Val di Pesa, 1995.

[152] G. CORA, *Sulla fabbrica di maioliche sorta in Pisa alla fine del Cinquecento*, in "Faenza", L (1964), pp. 25-30. Il documento (del maggio 1601) riguarda in particolare la spedizione per via fluviale di questo genere di maioliche destinate a Dionigi Marmi, "guardaroba" della villa medicea del Poggio a Caiano: "e mandatoli da Pisa... 7 tazzette di terra d'Urbino, cioè *fatte in Pisa a modo di terra d'Urbino*..." (*ivi*, p. 26 — il corsivo è nostro). L'anfora in questione fu poi acquistata dallo stesso Cora, ed è pubblicata in MUSEO INTERNAZIONALE DELLE CERAMICHE IN FAENZA, *La donazione Galeazzo Cora*... cit., p. 260 n. 666.

[153] G. CORA, *Sulla fabbrica di maioliche*... cit., p. 28. "Posso dire che la fabbrica di Pisa dovrebbe avere iniziato il suo lavoro alla fine del 1593 o nel 1594, ciò in base a documenti che mi riservo di pubblicare ulteriormente, quando li avrò completati grazie a ricerche in corso". Si vedano, però, i documenti pubblicati in G. CORA, A. FANFANI, *Vasai di Firenze. Ultima parte*, in "Faenza", LXXII, (1986), nn. 5-6, pp. 344-348, che non ci sembrano poter sciogliere da par loro l'enigma, mostrando tutt'al più come il Sisti effettui delle spedizioni da Pisa già nel 1591, ma si tratta solo di "cristalli" (*ivi*, p. 345; anche in G. CORA, A. FANFANI, *La porcellana dei Medici*, Milano, 1986, pp. 29-39).

[154] G. CORA, *Sulla fabbrica di maioliche*... cit., p. 30.

[155] Questa impressione si è poi rafforzata per la scoperta di motivi dipinti su maiolica (da intendere genuinamente montelupina — come si nota nel contorno "a foglie" che la caratterizza), effettuata dallo stesso Cora (assieme ad A. Fanfani) nello studio sulla porcellana medicea (Cfr. G. CORA, A. FANFANI, *La porcellana dei Medici*... cit., pp. 13-14.

[156] In attesa del terzo volume di questa *Storia*, si veda F. BERTI, *Il "fornimento" in maiolica*... cit.

[157] Pubblicati da G. LIVERANI, *La suppellettile in maiolica di una antica casa italiana*, in "Faenza", XXX (1942), I-II, pp.15-26; sono ora riproposti in MUSEO INTERNAZIONALE DELLE CERAMICHE IN FAENZA, *Capolavori di maiolica della collezione Strozzi-Sacrati*, a cura di G.C. BOJANI e F. VOSSILLA, Firenze, 1998, pp. 55-56.

[158] Il documento relativo è pubblicato in G. GUASTI, *Di Cafaggiolo e d'altre fabbriche*... cit., pp. 306-307.

[159] Cfr. G. CORA, A. FANFANI, *Vasai di Firenze. Ultima parte* cit., p. 338-340 (ed ancora in G. CORA, A. FANFANI, *La porcellana dei Medici*... cit., pp. 41-43).

[160] In Faenza, ad esempio, i pittori dei "bianchi" si ispirarono per le loro figurazioni alla "grottesca" del voltone della Molinella realizzato da Marco Marchetti nel 1566, che suggerì loro quelle forme di rappresentazione "impressionistica" che furono alla base dello sviluppo del genere. (Cfr. C. RAVANELLI GUIDOTTI, *Faenza-faïence. I "bianchi" di Faenza*... cit., pp. 19-23).

[161] Vedi questi particolari nel contorno del noto piatto con stemma Meuting del Kunstgewerbe di Berlino (T. HASMANN, *Majolika. Spanische und Italienische*... cit., 325-326 n. 239) e in quello in *idem*, p. 527 n. 240 — insetti ed una sorta di "formiche" alate — e nel gran-

de scodelliforme con il putto al centro del Victoria and Albert (VICTORIA AND ALBERT MUSEUM, *Catalogue...* cit., plate 155 n. 961) — lumache, uccelli, insetti alati... Che questa produzione sia databile agli anni '40 del Cinquecento non contrasta ovviamente con il fatto che i vasai di Montelupo ne abbiamo appreso i modi, trasmettendoli poi attraverso la tradizione di bottega. Per i due esemplari è da vedere anche A. ALVERÀ BORTOLOTTO, *Storia della ceramica a Venezia...* cit., tavv. LIIc e LIVb.

[162] Pubblicato secondo varie vedute in G. LISE, *La ceramica italiana del Seicento*, Milano, 1974.

[163] Per la datazione di questa marca si vedano le osservazioni contenute in F. BERTI, *Le maioliche della spezieria di Santa Fina di San Gimignano*... cit., p. n.n.

[164] G. CORA, *Sulla fabbrica di maioliche...* cit., *passim*, oltre a E. BIAVATI, *Una maiolica di Pisa datata 1593*, in "Faenza", LIV (1968), pp. 29-30. L'A. illustra una crespina che presenta un putto centrale ed ha una targa datata "1593", ritenendola fabbricata in Pisa, nonostante si curi di precisare: "Le caratteristiche tecniche e decorative delle maioliche di Montelupo, compresa la larga fascia all'esterno, sul retro, in colore giallo 'Montelupo' sono evidentissime sulla ceramica qui illustrata, e ciò convalida la tesi che ceramisti di Montelupo si siano trasferiti a Pisa nel 1593 su invito dell'imprenditore Niccolò Sisti", e ciò, aggiungeva il Biavati, perché "In quel tempo Montelupo attraversava una crisi economica..", *ivi*, pp. 29-30.

[165] Un terzo è in una collezione privata della Toscana, mentre un quarto appartiene alle collezioni del Museo di Napoli ed è pubblicato in L. ARBACE, *Museo della Ceramica Duca di Martina. La maiolica italiana*, Napoli, 1996, p. 118 n. 155. Il quinto si trova al Museo Nazionale di Scozia (C. CURNOW, *Italian Majolica...* cit., p. 47 n. 40). Il sesto, marcato "Fo" è pubblicato in G. CONTI, *L'arte della maiolica...* cit., nn. 359-360.

[166] Ed anche in questo caso ogni riferimento a Montelupo sarebbe impossibile, visto che nell'emblema della comunità si rappresentava il lupo rampante su di un monte, con un giglio rosso alla zampa destra. È quindi probabile che si tratti dell'arme dei Biliotti fiorentini, anche se qui lo scudo è partito di verde (e non di rosso).

[167] Tra questi segnaliamo il suonatore di flauto del Bargello — Cfr. MUSEO NAZIONALE DI FIRENZE, PALAZZO DEL BARGELLO, *Catalogo delle maioliche*, a cura di G. CONTI, p. 138 — e il piatto con veduta di un porto datato 1613 del museo di Braunschweig — Cfr. HERZOG ANTON ULRICH-MUSEUM BRAUNSCHWEIG, *Italienische Majolika. Katalog der Sammlung* (a cura di J. LESSMANN) Braunschweig, 1979, pp. 134-135, n. 86. La discriminante più sicura (anche se sempre non definitoria in senso assoluto) tra le due produzioni è il tipo di rovescio, che nel caso dei manufatti alto-laziali è sempre di tipo invetriato e presenta il piede ad anello. Purtroppo questa confusione, nella quale per altri generi caddero anche studiosi del calibro di Galeazzo Cora (Cfr. il primo volume di questa *Storia*, alla p. 67 in riferimento all'articolo *"Cavalli" e maioliche*, che rappresentò il primo contributo scientifico nell'ambito della ceramologia dello studioso fiorentino), crea tuttora qualche problema agli studiosi stranieri, avvezzati dalla critica nostrana ad identificare come montelupino tutto ciò che presenta un gusto popolaresco nella pittura su ceramica (Cfr. il recente volume di AA.VV., *Un goût d'Italie. Céramiques et céramistes italiens en Provence du Moyen Âge au XXème siècle*, Aubagne, 1993, ove alla p. 82 si presenta un bacile frammentario battezzato "Le cavalier de Montelupo" che non ha niente a che fare con la ceramica valdarnese.

[168] Questa tendenza è ottimamente rappresentata da M. MANNINI, *Immagini di devozione*, Firenze, 1981, pp. 53-55.

[169] Cfr. F. BERTI, *La maiolica di Montelupo. Secoli XIV-XVIII*... cit., p. 44.

[170] C. RAVANELLI GUIDOTTI, *La donazione Angiolo Fanfani*... cit., pp. 81-82.

[171] C. RAVANELLI GUIDOTTI, *La donazione Angiolo Fanfani*... cit., pp. 87-91. Il riferimento è specialmente alle incisioni di Lucas Mayer pubblicate a Norimberga nel 1592 (nel testo non vi è un più preciso riferimento bibliografico).

[172] VICTORIA AND ALBERT MUSEUM, *Catalogue*... cit., vol. I, p. 157.

[173] Cfr. le precedenti pp. 184-185.

[174] Gli esempi di questo elmo nella produzione faentina si potrebbero moltiplicare, ma valga per tutti il riferimento a C. RAVANELLI GUIDOTTI, *Faenza-faïence. I "bianchi" di Faenza*... cit., pp. 442-443.

[175] F. BERTI, *La maiolica di Montelupo. Secoli XIV-XVIII*... cit., p. 44.

[176] Esistono anche due boccali con decoro "a figurato tardo" in una nota collezione privata inglese, della quale attendiamo da tempo il catalogo a stampa.

[177] Su questo argomento avremo agio di tornare nel quarto volume di questa *Storia*, allorquando ci occuperemo della ricostruzione delle vicende familiari dei vasai di Montelupo. Oltre alla scomparsa di molte famiglie che, spesso da oltre un secolo, si erano dedicate alle lavorazioni fittili, avremo anche modo di notare in quell'occasione il fenomeno di minore prolificità che sembra profilarsi nella storia personale di molti ceramisti, e che probabilmente trova riscontro nella regressione demografica locale, avvenuta all'incirca negli anni 1640-80, in proporzioni tali da non trovare riscontro nelle "terre murate" circostanti.

[178] Lo scavo del sito della fornace appartenente a questo esercizio ha infatti mostrato una palese decadenza qualitativa dei suoi manufatti smaltati, e l'ampia compresenza nello scarico che essa aveva prodotto di generi ad ingobbio, quali la graffita e, soprattutto, la marmorizzata, in connessione con gli anni — proprio quelli della peste — del 1630-32. Tale datazione è resa possibile da un frammento datato, con scritta verosimilmente in ricordo della fine dell'epidemia, rinvenuto all'interno della camera di cottura della fornace medesima, per cui si può anche dedurre come in quel lasso di tempo questo storico *atelier* montelupino (del quale, infatti, si perde da allora ogni documento marcato), venga definitivamente a cessare la sua attività, già peraltro neppure lontanamente paragonabile, per vivacità e, probabilmente, livello produttivo, a quella dell'inizio del XVI secolo. Pur non possedendo una documentazione paragonabile a questa, è evidente come le osservazione che si possono proporre in merito alla fornace "Lo" trovino riscontro nella parabola produttiva di altre botteghe che svilupparono la loro attività in parallelo a questa nel corso del primo periodo rinascimentale; la controprova di questa tendenza storica la si può dedurre, del resto, dal fatto che la seconda metà del Cinquecento già risulta dominata nel panorama locale da nuove marche di fabbrica ("La", "crescente lunare", etc.), le quali non hanno riscontro nella prima parte del secolo.

[179] Sull'argomento rinvio ovviamente a C. RAVANELLI GUIDOTTI, *Faenza-faïence. I "bianchi" di Faenza*... cit., ed in particolare alla p. 14. Debbo tuttavia osservare, avendo avuto il piacere di assistere a conversazioni tenute sull'argomento dall'A., che nel volume citato questo aspetto non assume il rilievo che si desidererebbe, o, comunque, che esso non è certo pari alla straordinaria documentazione che la stessa Autrice ha saputo con ammirevole erudizione raccogliere in merito agli sviluppi iniziali di questa famiglia decorativa faentina. Da quanto deduco dalle fonti citate, ritengo tuttavia giustificato parlare di "decadenza" — per lo meno sotto il profilo produttivo — anche nel caso faentino ad iniziare dagli anni successivi al quarto-quinto decennio del secolo, visto che a ciò accennano gli storici locali come il Cavina, i quali, pur scrivendo nel 1675, si riferiscono comunque ai tempi passati.

[180] Una maggiore attenzione sui movimenti quantitativi che caratterizzano nel corso del XVII secolo l'esportazione delle maioliche liguri dal porto di Genova (attraverso le Portate del porto di Livorno) sarebbe davvero benvenuta.

Da questo punto di vista, infatti, non è di nessun aiuto il contributo di D. PRESOTTO, *Notizie sul traffico della ceramica attraverso i registri della Gabella dei Carati* in CENTRO LIGURE PER LA STORIA DELLA CERAMICA, *Atti del IV Convegno Internazione della Ceramica* (1971), Genova, s.d., pp. 35-46.

181 È anche possibile che si tratti di una maschera locale, nella quale si rappresenta un personaggio con gobba, in merito alla quale, però, non ci è dato di possedere alcuna notizia.

182 La forma sulla quale è dipinta questa figura è infatti una di quelle "catinelle" che caratterizzeranno tanta parte della produzione settecentesca del centro ceramico valdarnese e che non compare nella nostra documentazione archeologica sino all'ultimo quarto del XVII secolo.

183 La datazione, oltre che da questa maiolica, la si può dedurre anche dalle pochissime notizie che al momento si hanno su Giovenale Terreni. Nei documenti pubblicati da G. CORA, A. FANFANI, *Vasai di Montelupo. Ultima parte*, in "Faenza", LXXII (1986), nn. 1-2, p. 98, oltre alla nostra sottocoppa, si cita infatti anche una targa maiolicata, ove è dipinta la Madonna, Gesù e San Giovannino, che sarebbe comparsa sul mercato antiquario, ed avrebbe avuto sul retro la scritta "Fece Giovanale [*sic*] Tereni", accompagnata da una sigla "LO" (entrambe le lettere maiuscole, a quanto è dato di capire) e dalla data "[*16*]69".

184 Essa, oltre ad attestare quella scomparsa di intere dinastie di ceramisti montelupini, alla quale si accennava poc'anzi, mostra con estrema eloquenza la rarefazione delle attività fittili in Montelupo: mentre, infatti, nel corso della prima metà del Cinquecento ogni carta degli *Atti Civili* del Tribunale podestarile montelupino si riempie dei nomi di uno o più vasai, può capitare di scorrere intere filze di questi documenti appartenenti agli anni 1680-1720 non trovando più di otto-nove indicazioni del genere, non poche delle quali, per di più, riguardanti l'attività dei produttori della terracotta.

185 In questo scarico sono state reperite diverse maioliche datate, con indicazioni cronologiche comprese tra il 1723 ed il 1792. Gran parte dei materiali risultano comunque appartenere al periodo 1730-60.

186 Per questi aspetti cfr. F. BERTI, *La tradizione ceramica a Montelupo ed a Capraia dal Medioevo alla fine del XIX secolo* in *Capraia '91. Ceramiche verso il XXI secolo*, Milano, 1991, pp. 15-28, particolarmente alle pp. 26-27.

187 Pubblicato da G. BERTI, *Ritrovamenti a Pisa di ceramiche del secolo XVII fabbricate a Montelupo*, in "Antichità pisane", II (1975), pp. 8-10. Una versione della "foglia verde" con tralci "abitati" da figurette di animali, "grottesche", etc., la si trova anche su un importante orcio da vino datato "1621", recentemente pubblicato in AA.VV., *Mallorca i el commerç de la ceràmica a la Mediterrània* (Catalogo della mostra, Palma di Maiorca 6 maggio-5 luglio 1988), s.d. (ma Palma), Fundacio "la Caixa", 1998, p. 119. Il Museo di Montelupo possiede anche un frammento di questo genere datato [*16*]42.

188 Questo fenomeno si può notare anche nella graffita tardo-seicentesca, ove spesso la decorazione si riduce alla rappresentazione sommaria di uno scudo araldico, il più delle volte irriconoscibile o risolto attraverso la stilizzazione dell'arme medicea (cfr. anche in questo volume la *tav. 187*).

189 La testa di cherubino sovrasta infatti lo stemma dei Serristori sia nella fornitura di Montelupo che in quella senese, dello spedale Serristori di Figline, databile tra la fine del XVII e il primo trentennio del XVIII secolo. Cfr. *Lo spedale Serristori di Figline. Documenti ed arredi*, Firenze, s.d. (ma 1982), p. 93 e p. 124 nn. 51-52 e p.127, n. 54.

190 Il motivo, oltre che in Montelupo, lo si ritrova ampiamente soprattutto nelle maioliche alto-laziali ad iniziare dalla seconda metà del Cinquecento.

Tavole

Avvertenza

Le misure degli esemplari riprodotti sono espresse in centimetri.
Il riferimento bibliografico fornito nel caso di manufatti già editi non è esauriente della bibliografia specifica, ma rimanda all'opera di maggior interesse per l'approfondimento dei medesimi o a quella che consente di ripercorrerne la storia sotto il profilo dell'acquisizione e della notorietà scientifica.
I cataloghi d'asta sono indicati nella didascalia mediante il riferimento alla Casa ed alla data in cui si è effettuata la vendita.
L'indicazione delle opere a stampa è semplificata; per risalire al titolo completo occorre pertanto utilizzare il seguente schema:

BERTI, 1986 = F. BERTI, *La maiolica di Montelupo. Secoli XIV-XVIII*, Venezia, 1986.

BERTI-PASQUINELLI, 1984 = F. BERTI, G. PASQUINELLI, *Antiche maioliche di Montelupo secoli XIV-XVIII*, Pontedera, 1984.

BOJANI ET ALII, 1985 = MUSEO INTERNAZIONALE DELLE CERAMICHE IN FAENZA, *La donazione Galeazzo Cora. Ceramiche dal Medioevo al XIX secolo*, a cura di G.C. BOJANI, C. RAVANELLI GUIDOTTI, A. FANFANI, Milano, 1985.

CONTI, 1971 = MUSEO NAZIONALE DI FIRENZE, PALAZZO DEL BARGELLO, *Catalogo delle maioliche*, a cura di G. CONTI, Firenze, 1971.

FIOCCO-GHERARDI, 1991 = MUSEO DEL VINO DI TORGIANO, *Ceramiche*, di C. FIOCCO e G. GHERARDI, Foligno, 1991.

GIACOMOTTI, 1974 = J. GIACOMOTTI, *Catalogue des majoliques des Musées Nationaux. Musée du Louvre et de Cluny, Musée national de céramique à Sèvres, Musée Adrien Dubouché à Limoges*, Paris, 1974.

HAUSMANN, 1972 = T. HAUSMANN, *Majolika. Spanische und italienische Keramik vom 14. bis zum 18. Jahrhundert*, Berlin, 1972.

NORMAN, 1976 = A.V.B. NORMAN, *Wallace Collection. Catalogue of Ceramics 1. Pottery, Majolica, Faience, Stoneware*, London, 1976.

RACKHAM, 1977 = VICTORIA AND ALBERT MUSEUM, *Catalogue of Italian ceramics by Bernard Rackham with emendations and additional bibliography by J.V.G. Mallet*, 2 volumi, London, 1977.

RASMUSSEN, 1989 = J. RASMUSSEN, *The Robert Lehman Collection*, X, *Italian Majolica*, Pricenton, 1989.

RAVANELLI GUIDOTTI, 1990 = C. RAVANELLI GUIDOTTI, *La donazione Angiolo Fanfani. Ceramiche dal Medioevo al XX secolo*, Faenza, 1990.

RAVANELLI GUIDOTTI, 1992 = MONTE DEI PASCHI DI SIENA, *Maioliche Italiane*, a cura di C. RAVANELLI GUIDOTTI, con un contributo di M. ANSELMI, Firenze, 1992 (Collezione Chigi Saracini, 5).

VANNINI, 1977 = *La maiolica di Montelupo. Scavo di uno scarico di fornace*, a cura di G. VANNINI, Montelupo, 1977.

Genere 15. Bleu robbiano

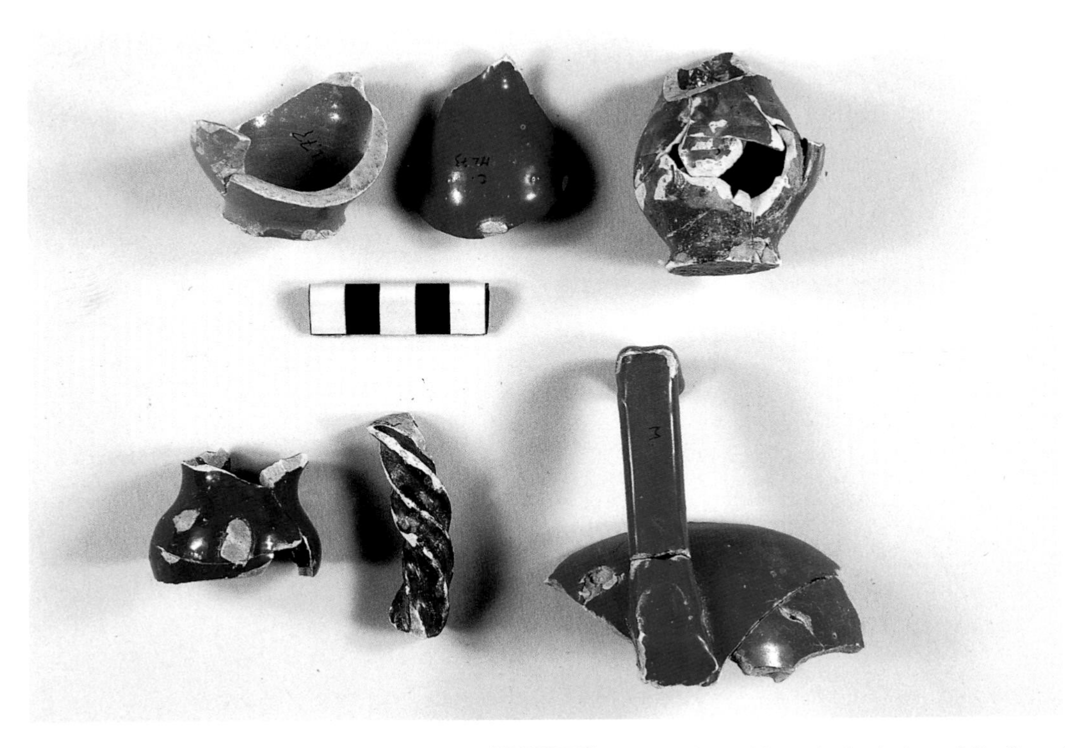

1. Montelupo, *Museo Archeologico e della Ceramica*
Da scavo "pozzo dei lavatoi". Inedito
Genere 15, 1480 - 1500

1
2

2. Montelupo, *Museo Archeologico e della Ceramica*
Da scavo "pozzo dei lavatoi". Inedito
Genere 15, 1480 - 1500

Genere 16. Imitazione della foglia valenzana

3. Montelupo, *Museo Archeologico e della Ceramica*
Da scavo adiacenze Museo. Inedito
Genere 16, 1480 - 1495
Ø max 33,6 - Ø piede 14 - h 6,4

3

Genere 16. Imitazione della foglia valenzana

4. Montelupo, *Museo Archeologico e della Ceramica*
Da scavo adiacenze Museo. Inedito
Genere 16, 1480 - 1495
Ø max 12,4 - Ø piede 8,2 - h 19,8

4	5

5. Montelupo, *Museo Archeologico e della Ceramica*
Da scavo adiacenze Museo. Inedito
Genere 16, 1480 - 1495
Ø max 21 - Ø piede 8,2 - h 4,2

Genere 17. Derivati dell'imitazione della foglia valenzana

6. Montelupo, *Museo Archeologico e della Ceramica*
Da scavo adiacenze Museo. Inedito
Gruppo 17.1, 1480 - 1495
Ø max 35,5 - Ø piede 15,8 - h 6

6

Genere 17. Derivati dell'imitazione della foglia valenzana

7. Montelupo, *Museo Archeologico e della Ceramica*
Da scavo adiacenze Museo. Inedito
Gruppo 17.1, 1480 - 1495
Ø max 20,8 - Ø piede 9,8 - h 3,5

7

8

8. Montelupo, *Museo Archeologico e della Ceramica*
Da scavo adiacenze Museo. Inedito
Gruppo 17.2, 1480 - 1495
Ø max 25,6 - Ø piede 10,8 - h 4

Genere 18. Fasce geometriche

9. Montelupo, *Museo Archeologico e della Ceramica*
Da scavo adiacenze Museo. Inedito
Gruppo 18.1, 1480 - 1495
Ø max 21,9 - Ø piede 8,7 - h 3,6

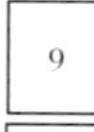

10. Montelupo, *Museo Archeologico e della Ceramica*
Da scavo adiacenze Museo. Inedito
Sottogruppo 18.1.1, 1480 - 1495
Ø max 28,5 - Ø piede 11,7 - h 4,9

Genere 18. Fasce geometriche

11	12
13	14

11. Montelupo, *Museo Archeologico e della Ceramica*
Da scavo adiacenze Museo. Inedito
Sottogruppo 18.1.3, 1480 - 1495
Ø max 18 - Ø piede 6,7 - h 5,5

12. Montelupo, *Museo Archeologico e della Ceramica*
Da scavo adiacenze Museo. Inedito
Sottogruppo 18.1.4, 1480 - 1495
Ø max 21,2 - Ø piede 9 - h 3,1

13. Montelupo, *Museo Archeologico e della Ceramica*
Da scavo adiacenze Museo. Inedito
Sottogruppo 18.1.5, 1480 - 1495
Ø max 22,3 - Ø piede9,5 - h 3,8

14. Montelupo, *Museo Archeologico e della Ceramica*
Da scavo adiacenze Museo. Inedito
Sottogruppo 18.1.5, 1480 - 1495
Ø max 22,6 - Ø piede 9,3 - h 3,7

Genere 18. Fasce geometriche

15. Montelupo, *Museo Archeologico e della Ceramica*
Da scavo adiacenze Museo. Inedito
Gruppo 18.3, 1480 - 1495
Ø max 21,4 - Ø piede 10 - h 4,2

16. Montelupo, *Museo Archeologico e della Ceramica*
Da scavo adiacenze Museo. Inedito
Gruppo 18.4, 1480 - 1495
Ø max 19,2 - Ø piede 6,9 - h 5

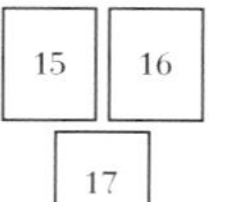

17. Montelupo, *Museo Archeologico e della Ceramica*
Da scavo adiacenze Museo. Inedito
Gruppo 18.2, 1480 - 1495
Ø max 19,2 - Ø piede 6,5 - h 4,6

18. Montelupo, *Museo Archeologico e della Ceramica*
Da scavo adiacenze Museo. Inedito
Gruppo 19.1, 1480 - 1495
Ø max 16 - Ø piede 10,2 - h 26

Genere 19. Settori puntinati

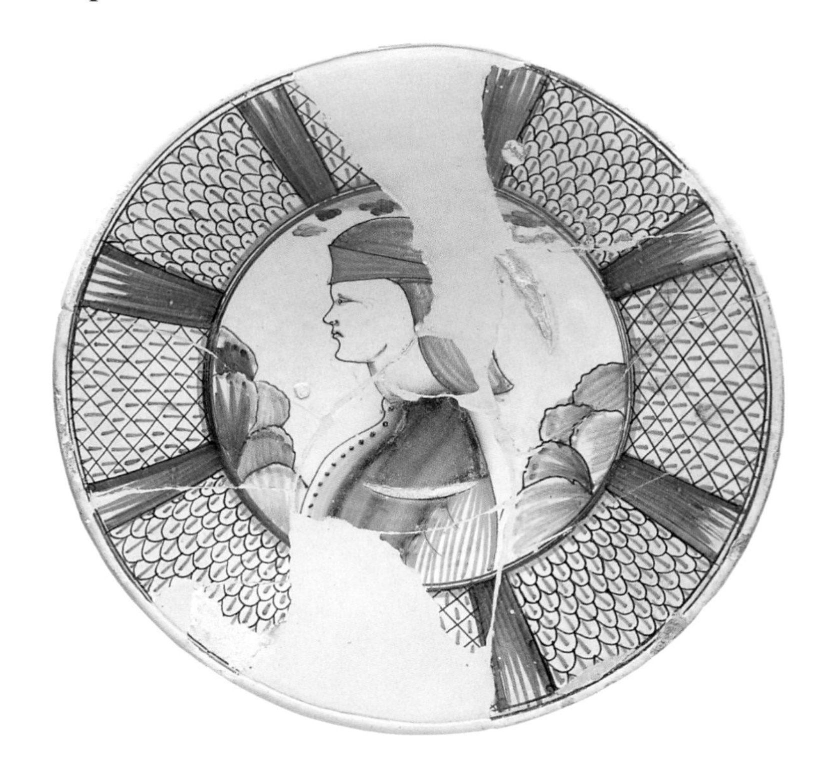

19. Montelupo, *Museo Archeologico e della Ceramica*
Da scavo adiacenze Museo. Inedito
Sottogruppo 19.2.1, 1480 - 1495
Ø max 26,3 - Ø piede 11 - h 4,2

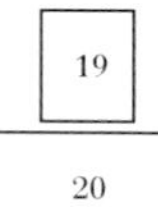

20. Montelupo, *Museo Archeologico e della Ceramica*
Da scavo adiacenze Museo. Inedito
Sottogruppo 19.2.2, 1480 - 1495
Ø max 35,5 - Ø piede 15,3 - h 7,8

Genere 20. "Penna di pavone"

21. Montelupo, *Museo Archeologico e della Ceramica*
Da scavo adiacenze Museo. Inedito
Gruppo 20.1, 1480 - 1495
Ø max 21,5 - Ø piede 8,4 - h 4

22. Montelupo, *Museo Archeologico e della Ceramica*
Da scavo adiacenze Museo. Inedito
Gruppo 20.2, 1480 - 1495
Ø max 26,2 - Ø piede10 - h 4

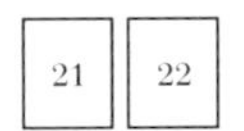

23. Montelupo, *Museo Archeologico e della Ceramica*
Da scavo "pozzo dei lavatoi". (BERTI, 1986, p. 71)
Gruppo 20.1, 1500 - 1510
Ø max 22,5 - Ø piede 8 - h 4

Genere 20. "Penna di pavone"

24. Londra, *Victoria and Albert Museum*
(RACKHAM, 1977, p. 115, n. 330)
Gruppo 20.3, 1500 - 1510
Ø max 23 - h 36

24

Genere 20. "Penna di pavone"

25	26
27	28

25. Montelupo, *Museo Archeologico e della Ceramica*
Da scavo "pozzo dei lavatoi". Inedito
Gruppo 20.3, 1500 - 1510
Ø max 18,5 - Ø piede 12,3 - h 17,6

26. Montelupo, *Museo Archeologico e della Ceramica*
Da scavo adiacenze Museo. Inedito
Sottogruppo 20.4.1, 1480 - 1495
Ø max 8,7 - Ø piede 5,4 - h 13

27. Toscana, *Collezione privata*
Inedito
Sottogruppo 20.4.2, 1500 - 1510
Ø max 12,5 - Ø piede 8,1 - h 19,5

28. Montelupo, *Museo Archeologico e della Ceramica*
Da scavo "pozzo dei lavatoi". (BERTI, 1986, p. 72)
Sottogruppo 20.4.3, 1510 - 1520
Ø max 12,5 - Ø piede 8,8 - h 19

Genere 21. "Palmetta persiana"

◀ **29.** Montelupo, *Museo Archeologico e della Ceramica*
Da scavo adiacenze Museo. Inedito
Gruppo 20.5. 1480 - 1495
Ø max 32,2 - Ø piede 14 - h 6,3

30

30. Parigi, *Musée du Louvre*
(GIACOMOTTI, 1974, p. 38, n. 141)
Gruppo 21.1, 1490 - 1510
Ø max 44 - h 6

Genere 21. "Palmetta persiana"

31. Montelupo, *Museo Archeologico e della Ceramica*
Da scavo adiacenze Museo. Inedito
Gruppo 21.2, 1480 - 1495
Ø max 26,2 - Ø piede 9,8 - h 5,5

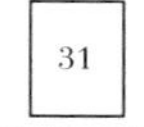

31

32

32. Montelupo, *Museo Archeologico e della Ceramica*
Da scavo adiacenze Museo. Inedito
Gruppo 21.2, 1480 - 1495

Genere 21. "Palmetta persiana"

33	
34	35

33. Montelupo, *Museo Archeologico e della Ceramica*
Da scavo adiacenze Museo. Inedito
Gruppo 21.3, 1480 - 1495
Ø max 26,5 - Ø piede 10,4 - h 5,8

34. Montelupo, *Museo Archeologico e della Ceramica*
Da scavo adiacenze Museo. Inedito
Gruppo 21.4, 1480 - 1495
Ø max 21,1 - Ø piede 8,6 - h 4,2

35. Montelupo, *Museo Archeologico e della Ceramica*
Da scavo adiacenze Museo. Inedito
Gruppo 21.5, 1480 - 1495
Ø max 26,2 - Ø piede 10,8 - h 5,3

Genere 21. "Palmetta persiana"

36. Montelupo, *Museo Archeologico e della Ceramica*
Da scavo adiacenze Museo. Inedito
Gruppo 21.6, 1480 - 1495
Ø max 29 - Ø piede 11,2 - h 5,7

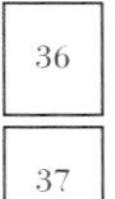

37. Montelupo, *Museo Archeologico e della Ceramica*
Da scavo "pozzo dei lavatoi". (Berti, 1986, p. 73)
Sottogruppo 21.5.1, 1500 - 1510
Ø max 26 - Ø piede 11,5 - h 3,7

38. Faenza, *Museo Internazionale delle Ceramiche*
Già collezione Cora. (Bojani *et alii*, 1985, p. 198, n. 492)
Sottogruppo 21.5.2, 1510 - 1520
Ø piede 10,7 - h 25

Genere 21. "Palmetta persiana"

39. Firenze, Palazzo del Bargello, *Museo Nazionale*
(Conti, 1971, n. 120)
Sottogruppo 21.5.2, 1510 - 1520
Ø max 16,5- Ø piede 10 - h 26

39 40 41

40 - 41. Faenza, *Museo Internazionale delle Ceramiche*
Già collezione Cora. (Bojani *et alii*, 1985, p. 195, n. 485)
Gruppo 21.2, 1500 - 1520
Ø piede 80 - h 19

Genere 22. Floreale evoluta

42	43
44	

42. Montelupo, *Museo Archeologico e della Ceramica*
Da scavo "pozzo dei lavatoi". (BERTI, 1986, p. 70)
Genere 22, 1500 - 1520
Ø max 11 - Ø piede 6,5 - h 15,5

43. Montelupo, *Museo Archeologico e della Ceramica*
Da scavo "pozzo dei lavatoi". Inedito
Genere 22, 1500 - 1520
Ø max 16,1 - Ø piede 11 - h 26,2

44. Montelupo, *Museo Archeologico e della Ceramica*
Da scavo "pozzo dei lavatoi". Inedito
Genere 22, 1500 - 1520
Ø max 14,5 - h 24,6 res.

Genere 23. Contorno a ghirlanda

45. Milano, *Fondazione Bagatti Valsecchi*
Inedito. Gruppo 23.1, 1480 - 1500
Ø max 23 - Ø piede 12 - h 18,3

46. Montelupo, *Museo Archeologico e della Ceramica*
Da scavo adiacenze Museo. Inedito
Gruppo 23.1, 1480 - 1495
Ø max 21,5 - Ø piede 8,2 - h 3,7

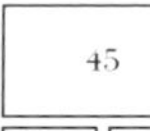

47. Montelupo, *Museo Archeologico e della Ceramica*
Da scavo adiacenze Museo. Inedito
Sottogruppo 23.1.1, 1480 - 1495
Ø max 15 - Ø piede 5,6 - h 3,2

Genere 23. Contorno a ghirlanda

48. Faenza, *Museo Internazionale delle Ceramiche*
Già collezione Cora. (BOJANI *et alii*, 1985, p. 203, n. 506)
Gruppo 23.2, 1480 - 1500
Ø max 35 - h 6.5

48
49

49. Montelupo, *Museo Archeologico e della Ceramica*
Da scavo adiacenze Museo. Inedito
Gruppo 23.3, 1480 - 1495
Ø max 33.8 - Ø piede 13.8 - h 7.5

Genere 23. Contorno a ghirlanda

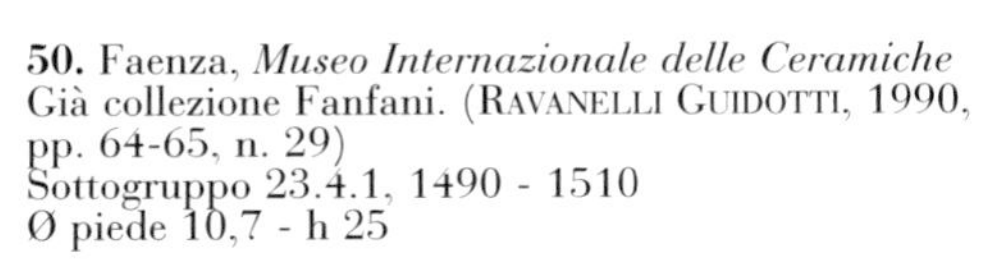

50. Faenza, *Museo Internazionale delle Ceramiche*
Già collezione Fanfani. (Ravanelli Guidotti, 1990, pp. 64-65, n. 29)
Sottogruppo 23.4.1, 1490 - 1510
Ø piede 10,7 - h 25

50
51 52

51 - 52. Montelupo, *Museo Archeologico e della Ceramica*
Da scavo fornace Scatragli, esterno. Inedito
Sottogruppo 23.4.2, 1490 - 1510
Ø max 30 - Ø piede 16,5 - h 21,2

Genere 23. Contorno a ghirlanda

53. Montelupo, *Museo Archeologico e della Ceramica*
Da scavo adiacenze Museo. Inedito
Sottogruppo 23.4.3, 1480 - 1495
Ø max 34 - Ø piede 15.2 - h 7

53
54

54. Montelupo, *Museo Archeologico e della Ceramica*
Da scavo adiacenze Museo. Inedito
Sottogruppo 23.4.3, 1480 - 1495
Ø max 33 - Ø piede 14.3 - h 6.5

Genere 23. Contorno a ghirlanda

55. Montelupo, *Museo Archeologico e della Ceramica*
Da scavo fornace Scatragli, esterno. Inedito
Sottogruppo 23.4.2, 1490 - 1510
Ø max 33,4 - Ø piede 14 - h 5,9

56

56. Montelupo, *Museo Archeologico e della Ceramica*
Da scavo "pozzo dei lavatoi". Inedito
Sottogruppo 23.4.4, 1500 - 1515
Ø max 20,4 - Ø piede 6,2 - h 4,4

Genere 24. Reticolo puntinato

57 - 58. Montelupo, *Museo Archeologico e della Ceramica*
Da scavo "pozzo dei lavatoi". Inedito
Gruppo 24.2, 1490 - 1510
Ø max 16 - Ø piede 9,5 - h 24

59. Montelupo, *Museo Archeologico e della Ceramica*
Da scavo adiacenze Museo. Inedito
Gruppo 24.1, 1480 - 1495
Ø max 15 - Ø piede 10,3 - h 24,6

Genere 24. Reticolo puntinato

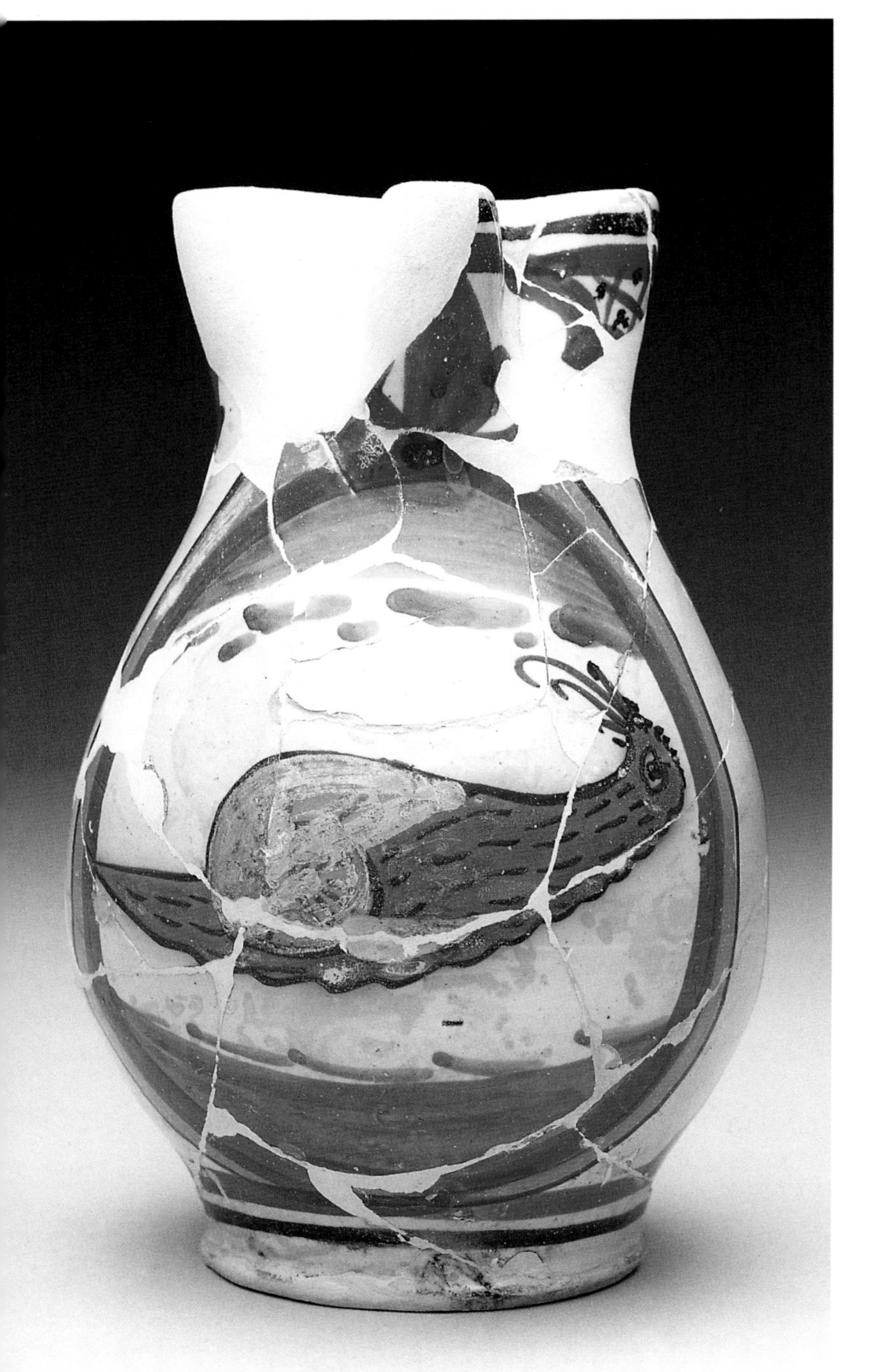

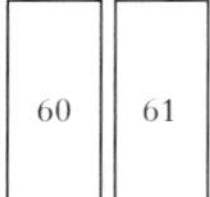

60. Montelupo, *Museo Archeologico e della Ceramica*
Da scavo "pozzo dei lavatoi". (Berti, 1986, p. 112)
Gruppo 24.2, 1510 - 1520
Ø max 12 - Ø piede 7,5 - h 19,5

61. Montelupo, *Museo Archeologico e della Ceramica*
Da scavo "pozzo dei lavatoi". (Berti, 1986, p. 108)
Gruppo 24.2, 1510 - 1520
Ø max 10 - Ø piede 6 - h 16

Genere 24. Reticolo puntinato

62 - 63. Montelupo, *Museo Archeologico e della Ceramica*
Da scavo "pozzo dei lavatoi". Inedito
Gruppo 24.3, 1490 - 1510
Ø max 13 - Ø piede 8,7 - h 20

62 | 63

Genere 25. Nastri

64. Montelupo, *Museo Archeologico e della Ceramica*
Da scavo adiacenze Museo. Inedito
Sottogruppo 25.1.1, 1480 - 1495
Ø max 33,8 - Ø piede 14 - h 6,2

64

65

65. Montelupo, *Museo Archeologico e della Ceramica*
Da scavo adiacenze Museo. Inedito
Sottogruppo 25.1.1, 1480 - 1495
Ø max 22 - Ø piede 8,7 - h 4,2

Genere 25. Nastri

66. Montelupo, *Museo Archeologico e della Ceramica*
Da scavo fornace Scatragli, esterno. Inedito
Sottogruppo 25.1.2, 1490 - 1510
Ø max 20,3 - Ø piede 8,5 - h 4,2

67. Montelupo, *Museo Archeologico e della Ceramica*
Da scavo adiacenze Museo. Inedito
Gruppo 25.2, 1480 - 1495
Ø max 36 - Ø piede 13,9 - h 6

68. Montelupo, *Museo Archeologico e della Ceramica*
Da scavo adiacenze Museo. Inedito
Gruppo 25.2, 1480 - 1495
Ø max 23,3 - Ø piede 9,7 - h 4,1

Genere 25. Nastri

69. Londra, *Victoria and Albert Museum*
(Rackham, 1977, p. 36, n. 130)
Gruppo 25.2, 1480 - 1500
Ø max 33,5

69

Genere 25. Nastri

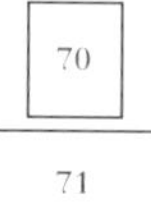

70. Montelupo, *Museo Archeologico e della Ceramica*
Da scavo adiacenze Museo. Inedito
Gruppo 25.2, 1480 - 1495
Ø max 27,8 - Ø piede 11,2 - h 4,9

71. Montelupo, *Museo Archeologico e della Ceramica*
Da scavo "pozzo dei lavatoi". Inedito
Gruppo 25.2, 1500 - 1510
Ø max 26,6 - Ø piede 11,4 - h 4,4

Genere 25. Nastri

72. Faenza, *Museo Internazionale delle Ceramiche*
Già collezione Cora. (BOJANI *et alii*, 1985, p. 208, n. 521)
Gruppo 25.2, 1540 - 1560
Ø max 25,5

72

73

73. Montelupo, *Museo Archeologico e della Ceramica*
Da scavo "pozzo dei lavatoi". Inedito
Gruppo 25.3, 1480 - 1500
Ø max 22 - Ø piede 7,5 - h 4,8

Genere 26. Fascia con "ovali e rombi"

74	75
76	77

74. Montelupo, *Museo Archeologico e della Ceramica*
Da scavo adiacenze Museo. Inedito
Gruppo 26.1, 1480 - 1495
Ø max 21,1 - Ø piede 8,8 - h 2,8

75. Montelupo, *Museo Archeologico e della Ceramica*
Da scavo "pozzo dei lavatoi". Inedito
Gruppo 26.2, 1490 - 1510
Ø max 21 - Ø piede 9 - h 3

76. Montelupo, *Museo Archeologico e della Ceramica*
Da scavo "pozzo dei lavatoi". Inedito
Gruppo 26.2, 1490 - 1510
Ø max 26,3 - Ø piede 12 - h 4

77. Montelupo, *Museo Archeologico e della Ceramica*
Da scavo "pozzo dei lavatoi". (BERTI, 1986, p. 103)
Gruppo 26.3, 1500 - 1515
Ø max 34,5 - Ø piede 15 - h 5,5

Genere 26. Fascia con "ovali e rombi"

78. Montelupo, *Museo Archeologico e della Ceramica*
Da scavo "pozzo dei lavatoi". Inedito
Gruppo 26.2, 1500 - 1510
Ø max 35,7 - Ø piede 15,1 - h 5,3

78

79 80

79 - 80. Montelupo, *Museo Archeologico e della Ceramica*
Da scavo "pozzo dei lavatoi". (Berti, 1986, p. 104)
Gruppo 26.2, 1510 - 1520
Ø max 15 - Ø piede 9 - h 25,5

81. Faenza, *Museo Internazionale delle Ceramiche*
Già collezione Cora. (Bojani *et alii*, 1985, p. 206, n. 515)
Gruppo 26.2, 1500 - 1520
Ø max 35,2 - h 5,4

▶

Genere 29. Armi e scudi

88. Montelupo, *Museo Archeologico e della Ceramica*
Da scavo "pozzo dei lavatoi". Inedito
Gruppo 29.1, 1490 - 1510
Ø max 34 - Ø piede 13,2 - h 5,7

89. Montelupo, *Museo Archeologico e della Ceramica*
Da scavo "pozzo dei lavatoi". Inedito
Gruppo 29.1, 1490 - 1510
Ø max 21 - Ø piede 10,2 - h 2,9

89
90

90. Faenza, *Museo Internazionale delle Ceramiche*
Già collezione Cora. (BOJANI *et alii*, 1985, p. 212, n. 531)
Gruppo 29.2, 1490 - 1510
Ø max 21,4 - h 3,4

Genere 30. Armi e tamburi

91. Montelupo, *Museo Archeologico e della Ceramica*
Da scavo "pozzo dei lavatoi". Inedito
Genere 30, 1490 - 1510
Ø max 20 - Ø piede 8,9 - h 2,8

91

92

92. Faenza, *Museo Internazionale delle Ceramiche*
Già collezione Cora. (BOJANI *et alii*, 1985, p. 208, n. 522)
Genere 30, 1500 - 1520
Ø max 21,7 - h 2,3

93. Già à Parigi, *Musée de Cluny*
(GIACOMOTTI, 1974, p. 121, n. 434)
Genere 30, 1500 - 1520
Ø max 35,5 - h 5,7

▶

Genere 30. Armi e tamburi

Genere 31. Figurato

94
95

94. Montelupo, *Museo Archeologico e della Ceramica*
Da scavo adiacenze Museo. Inedito
Genere 31, 1480 - 1495
Ø max 20,9 - Ø piede 8,3 - h 3,9

95. Montelupo, *Museo Archeologico e della Ceramica*
Da scavo "pozzo dei lavatoi". (Berti, 1986, p. 120)
Genere 31, 1510 - 1520
Ø max 35 - Ø piede 16 - h 5

Genere 31. Figurato

96. Londra, *Victoria and Albert Museum*
(RACKHAM, 1977, pp. 111-112, n. 318)
Genere 31, 1516 - 1517
Ø max 49

96

Genere 32. Girali fioriti

97 - 98. Londra, *Victoria and Albert Museum*
(RACKHAM, 1977, pp. 116-117, n. 334)
Genere 32, 1513 - 1521
Ø max 34 - h 45

97 | 98

Genere 32. Girali fioriti

99 - 100. Berlino, *Kunstgewerbemuseum*
(HAUSMANN, 1972, p. 124, n. 97)
Genere 32, 1505 - 1515
h 37

99	100

Genere 32. Girali fioriti

101

102

101. Londra, *Victoria and Albert Museum*
(Rackham, 1977, p. 119, n. 343)
Genere 32, datato 1544
Ø max 28 - h 43

102. Già a Limoges, *Musée Adrien Dubouché*
(Giacomotti, 1974, p. 125, n. 444)
Genere 32, 1540 - 1550
Ø max 26,5 - h 42

Genere 33. Grottesche

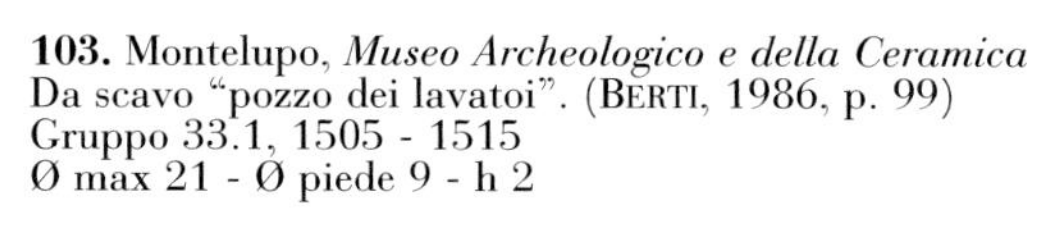

103. Montelupo, *Museo Archeologico e della Ceramica*
Da scavo "pozzo dei lavatoi". (BERTI, 1986, p. 99)
Gruppo 33.1, 1505 - 1515
Ø max 21 - Ø piede 9 - h 2

103	
104	105

104 - 105. Montelupo, *Museo Archeologico e della Ceramica*
Da scavo "pozzo dei lavatoi". (BERTI, 1986, p. 100)
Gruppo 33.1, 1510 - 1520
Ø max 100 - Ø piede 8,8 - h 19,5

Genere 33. Grottesche

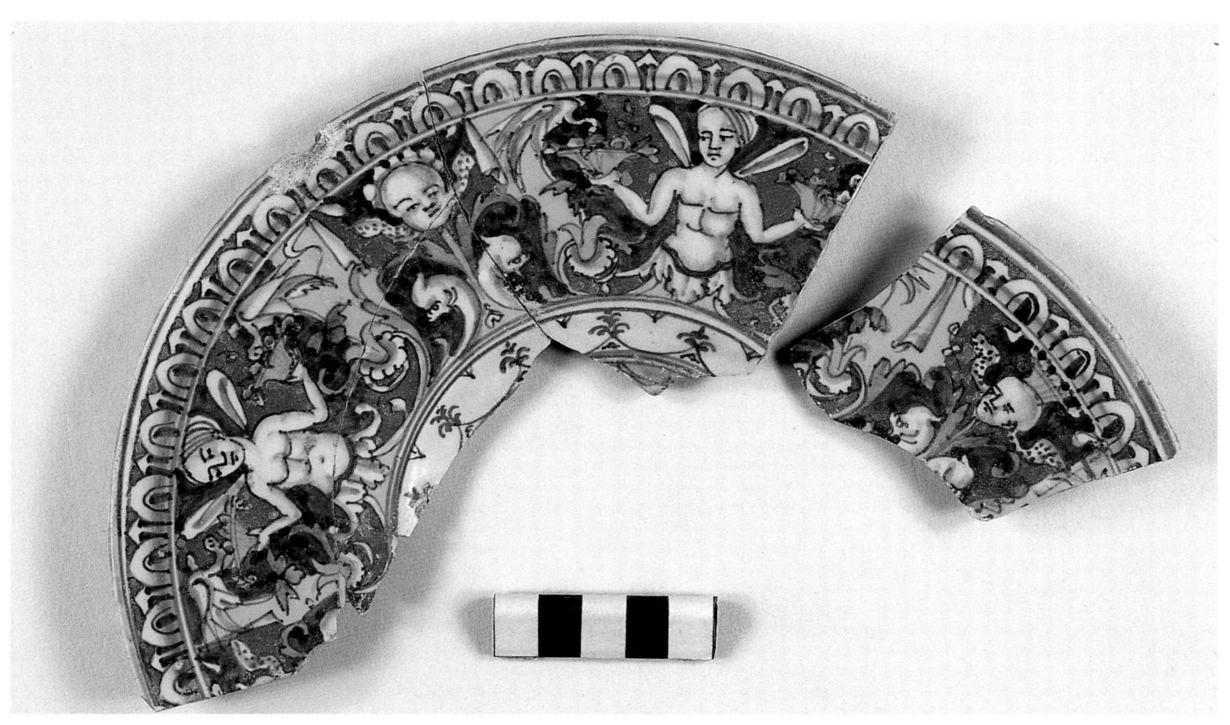

◀ **106 - 107.** Parigi, *Collezione privata*
Inedito.
Gruppo 33.2, datato 1509

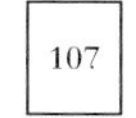

107

108

108. Montelupo, *Museo Archeologico e della Ceramica*
Da scavo fornace Scatragli, esterno. Inedito
Gruppo 33.2, 1508 - 1515

Genere 33. Grottesche

109	110
111	112

109. Montelupo, *Museo Archeologico e della Ceramica*
Da scavo "pozzo dei lavatoi". (Berti, 1986, p. 118)
Gruppo 33.3, 1510 - 1520
Ø max 26 - Ø piede 9 - h 4,5

110. Montelupo, *Museo Archeologico e della Ceramica*
Da scavo fornace Scatragli, esterno. Inedito
Gruppo 33.4, 1500 - 1510
Ø max 21,8 - Ø piede 6,6 - h 4,7

111. Faenza, *Museo Internazionale delle Ceramiche*
Già collezione Cora. (Bojani *et alii*, 1985, p. 206, n. 514)
Gruppo 33.4, 1500 - 1510
Ø max 28,4 - h 20,2

112. Montelupo, *Museo Archeologico e della Ceramica*
Da scavo "pozzo dei lavatoi". Inedito
Gruppo 33.4, 1500 - 1510
Ø max 21,1 - Ø piede 8 - h 2,3

Genere 34. Fascia con "bleu graffito"

113. Parigi. *Musée du Louvre*
(GIACOMOTTI, 1974, p. 124, n. 442)
Gruppo 34.1, 1505 - 1515
Ø max 34 - h 5

113

Genere 34. Fascia con "bleu graffito"

114. Montelupo, *Museo Archeologico e della Ceramica*
Da scavo "pozzo dei lavatoi". (Berti, 1986, p. 93)
Gruppo 34.2, 1510 - 1520
Ø max 21 - Ø piede 9 - h 3

115. Montelupo, *Museo Archeologico e della Ceramica*
Da scavo "pozzo dei lavatoi". Inedito
Gruppo 34.2, 1510 - 1520
Ø max 33,5 - Ø piede 12,8 - h 5,8

114	115
116	117

116. Montelupo, *Museo Archeologico e della Ceramica*
Da scavo "pozzo dei lavatoi". (Berti, 1986, p. 92)
Gruppo 34.2, 1510 - 1520
Ø max 16,5 - Ø piede 9 - h 3,5

117. Montelupo, *Museo Archeologico e della Ceramica*
Da scavo "pozzo dei lavatoi". (Berti-Pasquinelli, 1984, p. 65). Gruppo 34.2, 1510 - 1520
Ø max 25,5 - Ø piede 11,5 - h 4,5

Genere 34. Fascia con “bleu graffito”

118. Montelupo, *Museo Archeologico e della Ceramica*
Da scavo “pozzo dei lavatoi”.
(BERTI-PASQUINELLI, 1984, p. 109)
Gruppo 34.2, 1510 - 1520
Ø max 35,5 - Ø piede 15 - h 5

118

Genere 34. Fascia con "bleu graffito"

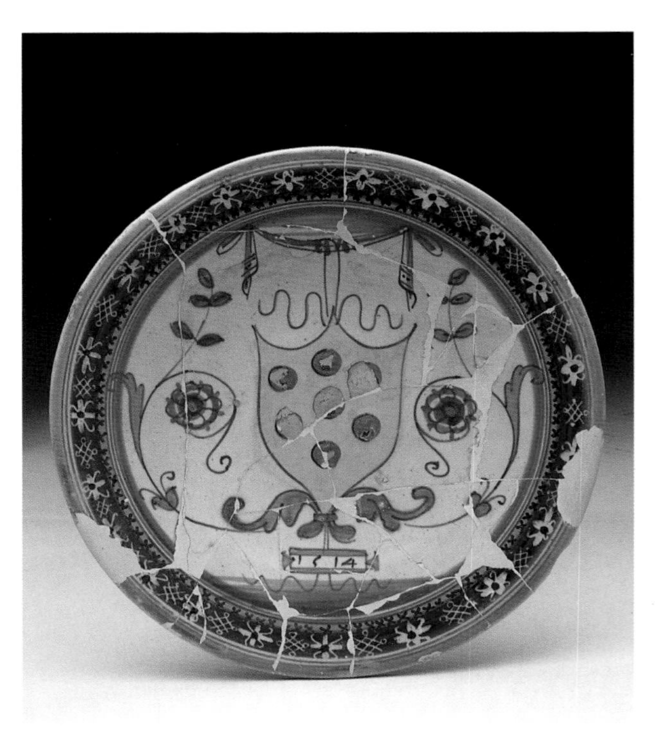

119. Montelupo, *Museo Archeologico e della Ceramica*
Da scavo "pozzo dei lavatoi". Inedito
Gruppo 34.3, 1510 - 1520
Ø max 34,1 - Ø piede 14,1 - h 5

120. Montelupo, *Museo Archeologico e della Ceramica*
Da scavo "pozzo dei lavatoi". (Berti, 1986, p. 98)
Gruppo 34.2, datato 1514
Ø max 21 - Ø piede 10 - h 2,5

119
120 121

121. Montelupo, *Museo Archeologico e della Ceramica*
Da scavo "pozzo dei lavatoi". Inedito
Gruppo 34.2, 1513 - 1521
Ø max 21,7 - Ø piede 9,5 - h 2,4

Genere 34. Fascia con "bleu graffito"

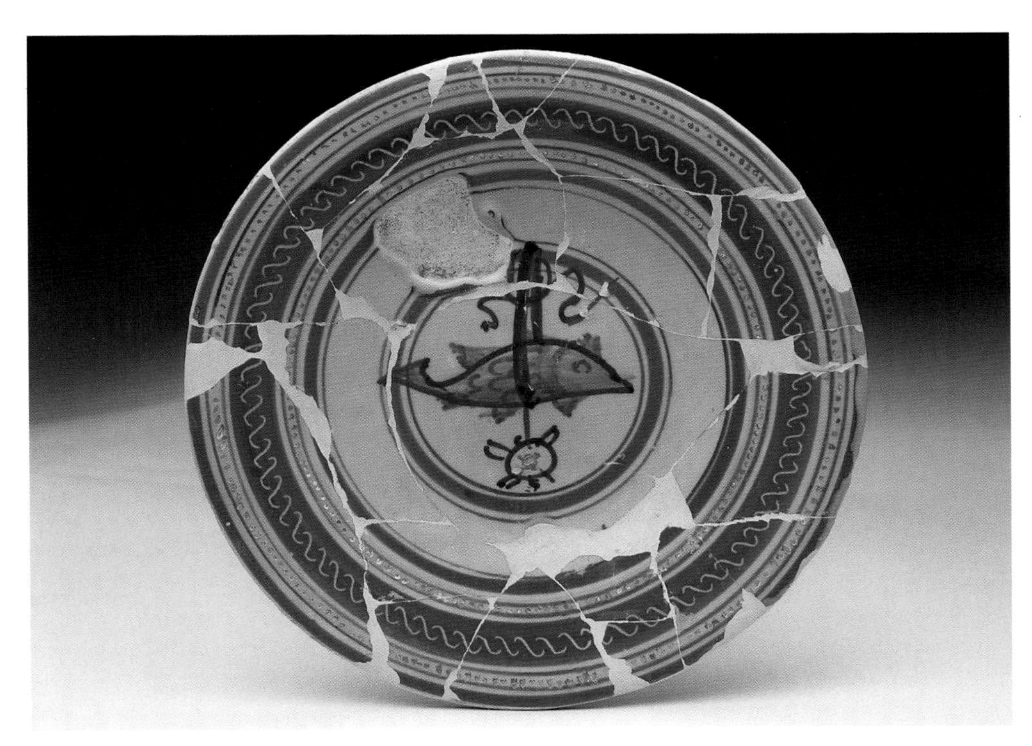

122. Montelupo, *Museo Archeologico e della Ceramica*
Da scavo "pozzo dei lavatoi". (VANNINI, 1977, tav. XX)
Gruppo 34.2. 1510 - 1520
Ø max 22 - Ø piede 9 - h 2,8

122
123

123. Montelupo, *Museo Archeologico e della Ceramica*
Da scavo "pozzo dei lavatoi". Inedito
Gruppo 34.2. 1510 - 1520
Ø max 22 - Ø piede 10 - h 2,5

Genere 34. Fascia con "bleu graffito"

124
125

124. Montelupo, *Museo Archeologico e della Ceramica*
Da scavo "pozzo dei lavatoi". Inedito
Gruppo 34.2, 1510 - 1520
Ø max 21,7 - Ø piede 10,2 - h 2,3

125. Montelupo, *Museo Archeologico e della Ceramica*
Da scavo "pozzo dei lavatoi". Inedito
Gruppo 34.2, 1510 - 1520
Ø max 26,5 - Ø piede 11,5 - h 4,4

126. Montelupo, *Museo Archeologico e della Ceramica*
Da scavo "pozzo dei lavatoi". Inedito
Gruppo 34.2, 1510 - 1520
Ø max 25,7 - Ø piede 11,2 - h 3,7

▶

Genere 35. Decori atipici con stemmi

127. Montelupo, *Museo Archeologico e della Ceramica*
Da scavo "pozzo dei lavatoi". (Berti, 1986, p. 119)
Gruppo 35.1, 1510 - 1520
Ø max 20,5 - Ø piede 8 - h 2,5

127

Genere 35. Decori atipici con stemmi

128. Montelupo, *Museo Archeologico e della Ceramica*
Dall'area del castello di Montelupo, ex Vannocci. Inedito
Gruppo 35.2, 1510 - 1520
Ø max 23,5 - Ø piede 7,4 - h 3,1

128

Genere 36. Corone di foglie

129. Montelupo, *Museo Archeologico e della Ceramica*
Dall'area del castello di Montelupo, ex Vannocci. Inedito
Genere 36, 1510 - 1520
Ø max 25,6 - Ø piede 12,5 - h 4,1

129

Genere 37. Emblemi conventuali

130. Montelupo, *Museo Archeologico e della Ceramica*
Da scavo "pozzo dei lavatoi". Inedito
Genere 37, 1505 - 1515
Ø max 9,5 - Ø piede 6,5 - h 8,3

130

Genere 38. Piatti baccellati

131. Montelupo, *Museo Archeologico e della Ceramica*
Da scavo "pozzo dei lavatoi". Inedito
Genere 38, 1505 - 1515
Ø max 20 - Ø piede 8 - h 3,1

131

132

132. Montelupo, *Museo Archeologico e della Ceramica*
Da scavo "pozzo dei lavatoi". Inedito
Genere 38, 1505 - 1515
Ø max 20,5 - Ø piede 9,2 - h 3,4

133. New York, *Metropolitan Museum of Art*
Collezione Lehman (Rasmussen, 1989, pp. 29-30, n. 17)
Genere 39, 1540 - 1560
Ø max 27

Genere 40. Motivi vegetali della "famiglia bleu"

136	137
138	139

136. Montelupo, *Museo Archeologico e della Ceramica*
Da scavo adiacenze Museo. Inedito
Gruppo 40.1, 1480 - 1495
Ø max 20,8 - Ø piede 9 - h 3,2

137. Berlino, *Kunstgewerbemuseum*
(HAUSMANN, 1972, p. 119, n. 92)
Gruppo 40.1, 1480 - 1500
Ø max 21,3

138. Montelupo, *Museo Archeologico e della Ceramica*
Da scavo "pozzo dei lavatoi". Inedito
Gruppo 40.1, 1500 - 1510
Ø max 25,6 - Ø piede 11,3 - h 4,2

139. Montelupo, *Museo Archeologico e della Ceramica*
Da scavo "pozzo dei lavatoi". Inedito
Gruppo 40.1, 1480 - 1500
Ø max 16,2 - Ø piede 7,8 - h 7

Genere 40. Motivi vegetali della "famiglia bleu"

140 - 141. Faenza, *Museo Internazionale delle Ceramiche*
Già collezione Cora. (Bojani *et alii*, 1985, p. 162, n. 395)
Gruppo 40.1, 1490 - 1510
Ø piede 13,2 - h 31,2

140	141

Genere 40. Motivi vegetali della "famiglia bleu"

142
143

142. Montelupo, *Museo Archeologico e della Ceramica*
Da scavo "pozzo dei lavatoi". Inedito
Sottogruppo 40.1.1, 1513 - 1520
Ø max 33,5 - Ø piede 15,5 - h 4,7

143. Montelupo, *Museo Archeologico e della Ceramica*
Da scavo "pozzo dei lavatoi". (BERTI, 1986, p. 82)
Sottogruppo 40.1.2, 1520 - 1530
Ø max 24,5 - Ø piede 11 - h 4,5

Genere 40. Motivi vegetali della "famiglia bleu"

144. Montelupo, *Museo Archeologico e della Ceramica*
Da scavo "pozzo dei lavatoi". Inedito
Gruppo 40.2, 1505 - 1515
Ø max 26,5 - Ø piede 11 - h 4

144

Genere 40. Motivi vegetali della "famiglia bleu"

145. Montelupo, *Museo Archeologico e della Ceramica*
Da scavo "pozzo dei lavatoi". (Berti, 1986, p. 81)
Gruppo 40.2, 1505 - 1515
Ø max 25,5 - Ø piede 11 - h 4

145
146

146. Montelupo, *Museo Archeologico e della Ceramica*
Da scavo "pozzo dei lavatoi". (Berti, 1986, p. 79)
Gruppo 40.2, 1510 - 1520
Ø max 34 - Ø piede 15 - h 4,5

Genere 40. Motivi vegetali della "famiglia bleu"

147. Già a Parigi, *Musée de Cluny*
(GIACOMOTTI, 1974, p. 122, n. 438)
Sottogruppo 40.4.4, 1530 - 1540
Ø max 42 - h 6,7

147

Genere 40. Motivi vegetali della "famiglia bleu"

148. Montelupo, *Museo Archeologico e della Ceramica*
Da scavo "pozzo dei lavatoi". (BERTI, 1986, p. 84)
Gruppo 40.3, 1510 - 1520
Ø max 13 - Ø piede 8 - h 19,5

149. Montelupo, *Museo Archeologico e della Ceramica*
Da scavo "pozzo dei lavatoi". Inedito
Sottogruppo 40.4.1, 1505 - 1515
Ø max 21 - Ø piede 8,7 - h 3,6

148	
149	150

150. Montelupo, *Museo Archeologico e della Ceramica*
Da scavo "pozzo dei lavatoi". (BERTI, 1986, p. 85)
Sottogruppo 40.4.3, 1510 - 1520
Ø max 27 - Ø piede 11,5 - h 3,9

Genere 40. Motivi vegetali della "famiglia bleu"

151. Faenza, *Museo Internazionale delle Ceramiche*
Già collezione Cora. (Bojani *et alii*, 1985, p. 200, n. 499)
Sottogruppo 40.4.4, 1530 - 1550
Ø max 34,4 - h 3,7

152. Montelupo, *Museo Archeologico e della Ceramica*
Da scavo Casa Sinibaldi. Inedito
Sottogruppo 40.1.3, 1530 - 1540
Ø max 22,3 - Ø piede 10,7 - h 2,8

	151
152	153

153. Montelupo, *Museo Archeologico e della Ceramica*
Da scavo Casa Sinibaldi. Inedito
Sottogruppo 40.1.3, 1530 - 1540
Ø max 34,2 - Ø piede 14,5 - h 4,5

154. Montelupo, *Museo Archeologico e della Ceramica*
Dall'area del castello di Montelupo, scavo "tridente".
Inedito. Sottogruppo 40.4.5, 1520 - 1530
Ø max 13,5 - Ø piede 9 - h 20

Genere 40. Motivi vegetali della “famiglia bleu”

Genere 40. Motivi vegetali della "famiglia bleu"

155. Faenza, *Museo Internazionale delle Ceramiche*
Già collezione Cora. (Bojani *et alii*, 1985, p. 164, n. 401)
Gruppo 40.5, 1520 - 1530
Ø max 26 - h 4

155
156

156. Montelupo, *Museo Archeologico e della Ceramica*
Da scavo Casa Sinibaldi. Inedito
Sottogruppo 40.5.1, 1530 - 1550
Ø max 21,7 - Ø piede 10,2 - h 2,5

Genere 40. Motivi vegetali della "famiglia bleu"

Genere 42. Motivi vegetali della "famiglia bleu" e "nodo orientale"

157. Montelupo, *Museo Archeologico e della Ceramica*
Da scavo Casa Sinibaldi. Inedito
Gruppo 40.6, 1535 - 1550
Ø max 13,7 - Ø piede 8,7 - h 20,7

158. Montelupo, *Museo Archeologico e della Ceramica*
Da scavo "pozzo dei lavatoi". Inedito
Sottogruppo 42.1.1, 1520 - 1530
Ø max 17,2 - Ø piede 6 - h 2,8

Genere 40. Motivi vegetali della "famiglia bleu"

Genere 42. Motivi vegetali della "famiglia bleu" e "nodo orientale"

159. Montelupo, *Museo Archeologico e della Ceramica*
Da scavo "pozzo dei lavatoi". (BERTI, 1986, p. 86)
Gruppo 40.7, 1520 - 1530
Ø max 20,5 - Ø piede 9,3 - h 3,5

159
160

160. Montelupo, *Museo Archeologico e della Ceramica*
Da scavo "pozzo dei lavatoi". (BERTI, 1986, p. 87)
Sottogruppo 42.1.2, 1520 - 1530
Ø max 20 - Ø piede 8,3 - h 4

Genere 43. "Nodo orientale" della "famiglia bleu"

161	162
163	164

161. Montelupo, *Museo Archeologico e della Ceramica*
Da scavo "pozzo dei lavatoi". (BERTI, 1986, p. 90)
Sottogruppo 43.1.1, 1515 - 1525
Ø max 13,8 - Ø piede 6,5 - h 5,5

162. Montelupo, *Museo Archeologico e della Ceramica*
Da scavo "pozzo dei lavatoi". (BERTI, 1986, p. 89)
Sottogruppo 43.1.2, 1520 - 1530
Ø max 20,5 - Ø piede 9 - h 4

163. Montelupo, *Museo Archeologico e della Ceramica*
Da scavo "pozzo dei lavatoi". Inedito
Sottogruppo 43.1.3, 1520 - 1530
Ø max 26 - Ø piede 11 - h 4,5

164. Montelupo, *Museo Archeologico e della Ceramica*
Dall'area del castello di Montelupo, scavo "tridente". Inedito
Gruppo 43.2, 1530 - 1540
Ø max 20 - Ø piede 7,4 - h 4,3

Genere 41. Armi e trofei della "famiglia bleu"

165. Montelupo, *Museo Archeologico e della Ceramica*
Da scavo Casa Sinibaldi. Inedito
Genere 41, 1530 - 1550
Ø max 23 - Ø piede 10,7 - h 1,8

165

Classe B. Ingobbiate e graffite sotto vetrina

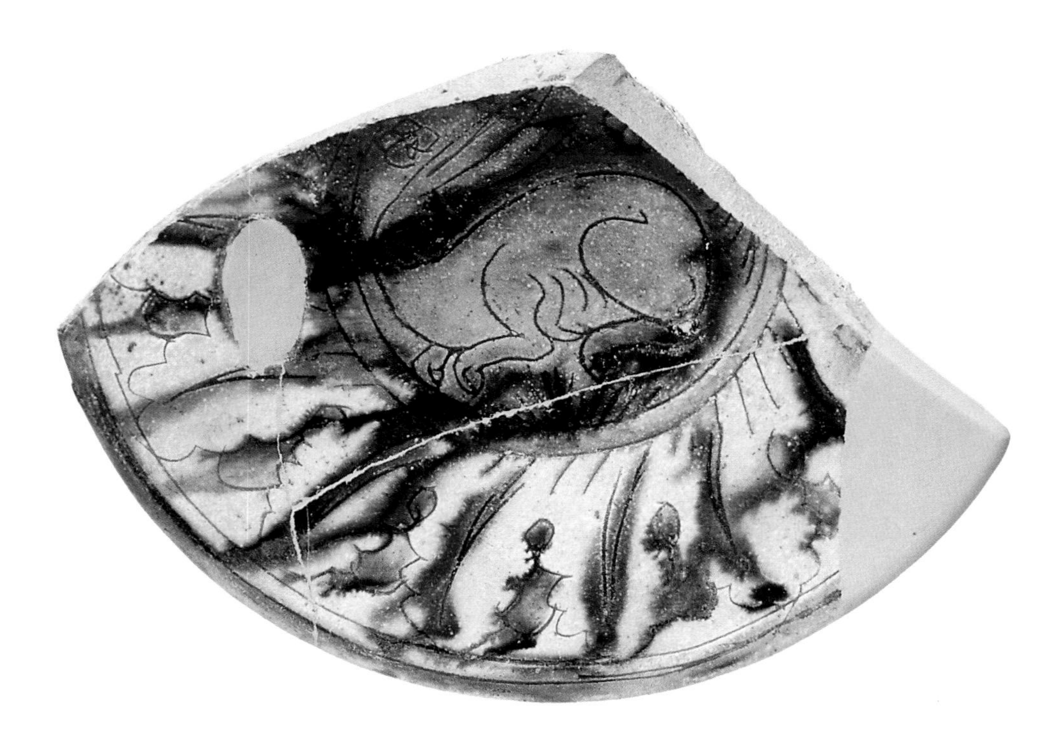

166. Montelupo, *Museo Archeologico e della Ceramica*
Da scavo ex fornace Bellucci. Inedito
Gruppo 1b.1, 1460 - 1480
Ø max 21 - Ø piede 7,2 - h 4,6

167. Montelupo, *Museo Archeologico e della Ceramica*
Da scavo adiacenze Museo. Inedito
Gruppo 1b.2, 1480 - 1495
Ø max 12,1 - Ø piede 4,4 - h 4,1

166
167 168

168. Montelupo, *Museo Archeologico e della Ceramica*
Da scavo Casa Sinibaldi. Inedito
Genere 2b, 1530 - 1550
Ø max 14,5 - Ø piede 5,7 - h 6,4

Classe B. Ingobbiate e graffite sotto vetrina

169. Montelupo, *Museo Archeologico e della Ceramica*
Da scavo "pozzo dei lavatoi". Inedito
Genere 3b, 1500 - 1515
Ø max 39 - Ø piede 17 - h 8,3

170. Montelupo, *Museo Archeologico e della Ceramica*
Dall'area del castello di Montelupo, scavo "tridente". Inedito
Genere 4b, 1530 - 1540
Ø max 38,5 - Ø piede 15,3 - h 7,4

170	
171	172

171. Montelupo, *Museo Archeologico e della Ceramica*
Da scavo "pozzo dei lavatoi". Inedito
Genere 4b, 1510 - 1520
Ø max 22,5 - Ø piede 9,5 - h 5

172. Montelupo, *Museo Archeologico e della Ceramica*
Da scavo "pozzo dei lavatoi". Inedito
Genere 5b, 1500 - 1510
Ø max 19,8 - Ø piede 8,1 - h 3,6

Classe B. Ingobbiate e graffite sotto vetrina

173. Montelupo, *Museo Archeologico e della Ceramica*
Dall'area del castello di Montelupo, scavo "tridente". Inedito
Genere 6b, 1540 - 1570
Ø max 28,5 - Ø piede 11 - h 7,7

174. Montelupo, *Museo Archeologico e della Ceramica*
Dall'area del castello di Montelupo, scavo "tridente". Inedito
Genere 7b, 1540 - 1570
Ø max 20,5 - Ø piede 7,1 - h 5,7

173	174
175	176

175. Montelupo, *Museo Archeologico e della Ceramica*
Dall'area del castello di Montelupo, scavo "tridente". Inedito
Genere 8b, 1540 - 1570
Ø max 20,1 - Ø piede 9 - h 2,6

176. Montelupo, *Museo Archeologico e della Ceramica*
Dall'area del castello di Montelupo, scavo "tridente". Inedito
Genere 9b, 1570 - 1600
Ø max 21,7 - Ø piede 7 - h 5

Classe B. Ingobbiate e graffite sotto vetrina

177. Montelupo, *Museo Archeologico e della Ceramica*
Dall'area del castello di Montelupo, scavo "tridente". Inedito
Genere 10b, 1570 - 1600
Ø max 23,8 - Ø piede 7,6 - h 7

177
178

178. Montelupo, *Museo Archeologico e della Ceramica*
Dall'area del castello di Montelupo, scavo "tridente". Inedito
Genere 11b, 1570 - 1600
Ø max 30,3 - Ø piede 12 - h 5,7

Classe B. Ingobbiate e graffite sotto vetrina

179 | 180

179. Montelupo, *Museo Archeologico e della Ceramica*
Dall'area del castello di Montelupo, scavo "tridente". Inedito
Gruppo 12b.1, 1570 - 1600
Ø max 23 - Ø piede 8 - h 5,9

180. Montelupo, *Museo Archeologico e della Ceramica*
Da scavo Casa Sinibaldi. Inedito
Gruppo 12b.2, 1580 - 1620
Ø max 21 - Ø piede 7 - h 3,3

Classe B. Ingobbiate e graffite sotto vetrina

181. Montelupo, *Museo Archeologico e della Ceramica*
Dall'area del castello di Montelupo, scavo "tridente". Inedito
Gruppo 12b.1, 1580 - 1620
Ø max 29,2 - Ø piede 12 - h 6,3

181
182

182. Montelupo, *Museo Archeologico e della Ceramica*
Dall'area del castello di Montelupo, scavo "tridente". Inedito
Gruppo 12b.1, 1580 - 1620
Ø max 23,5 - Ø piede10,4 - h 2,1

Classe B. Ingobbiate e graffite sotto vetrina

183. Montelupo, *Museo Archeologico e della Ceramica*
Dall'area del castello di Montelupo, scavo "tridente". Inedito
Gruppo 12b.1, 1580 - 1620
Ø max 22,1 - Ø piede 9,4 - h 3,2

183

Classe B. Ingobbiate e graffite sotto vetrina

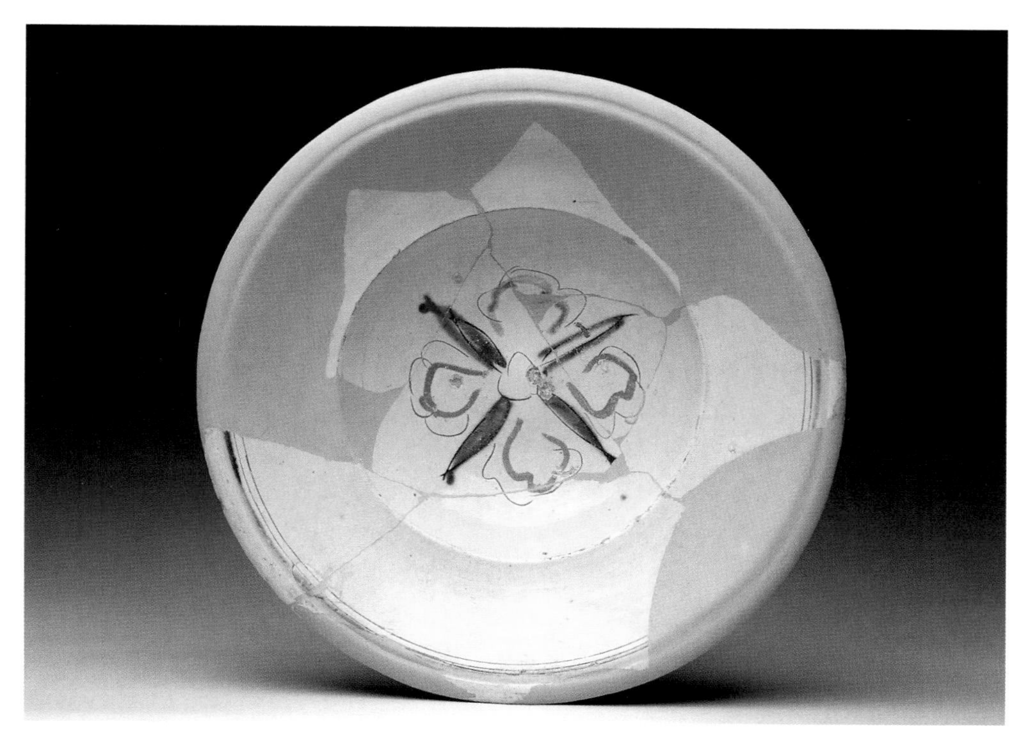

184. Montelupo, *Museo Archeologico e della Ceramica*
Dall'area del castello di Montelupo, scavo "tridente". Inedito
Genere 13b, 1600 - 1630
Ø max 24 - Ø piede 9 - h 6,5

184
185

185. Montelupo, *Museo Archeologico e della Ceramica*
Dall'area del castello di Montelupo, scavo "tridente". Inedito
Gruppo 14b.1, 1630 - 1680
Ø max 25,5 - Ø piede 7,9 - h 7,1

Classe B. Ingobbiate e graffite sotto vetrina

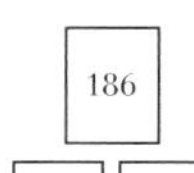

186. Montelupo, *Museo Archeologico e della Ceramica*
Dall'area del castello di Montelupo, scavo "tridente". Inedito
Gruppo 14b.2, 1630 - 1680
Ø max 22,5 - Ø piede 8,1 - h 3,7

187. Montelupo, *Museo Archeologico e della Ceramica*
Dall'area del castello di Montelupo, scavo "tridente". Inedito
Gruppo 14b.1, 1630 - 1680
Ø max 27,6 - Ø piede 8,6 - h 6,1

188. Montelupo, *Museo Archeologico e della Ceramica*
Dall'area del castello di Montelupo, scavo "tridente". Inedito
Gruppo 14b.3, 1650 - 1700
Ø max 24,5 - Ø piede 8,2 - h 6,9

Classe C. Ingobbiate sotto vetrina

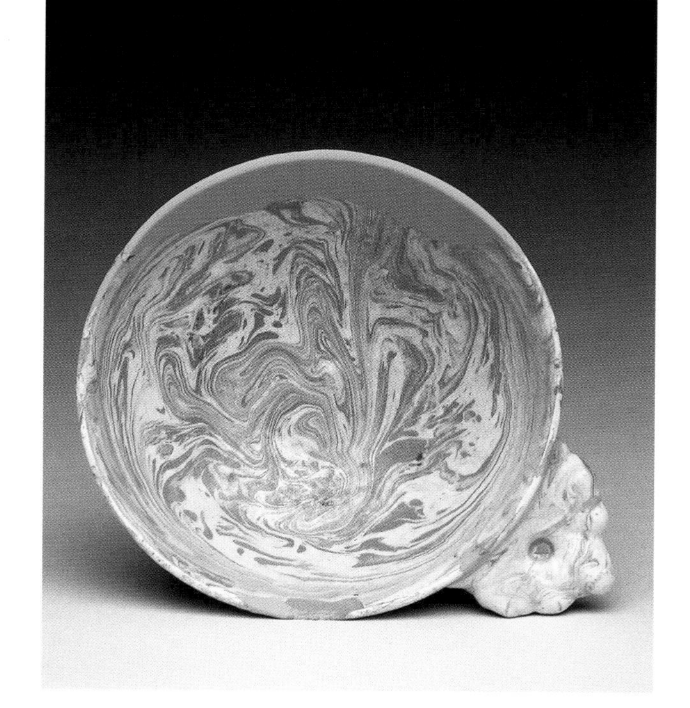

189. Montelupo, *Museo Archeologico e della Ceramica*
Dall'area del castello di Montelupo, scavo "tridente". Inedito
Gruppo 1c.1, 1540 - 1570
Ø max 23,3 - Ø piede 10 - h 2,7

190. Montelupo, *Museo Archeologico e della Ceramica*
Dall'area del castello di Montelupo, scavo "tridente". Inedito
Gruppo 1c.1, 1540 - 1570
Ø max 16 - Ø piede 5,2 - h 4

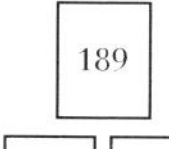

191. Montelupo, *Museo Archeologico e della Ceramica*
Dall'area del castello di Montelupo, scavo "tridente". Inedito
Gruppo 1c.2, 1550 - 1600
Ø max 11,2 - Ø piede 6 - h 4,8

Classe D. Ingobbiate a schizzo sotto vetrina. - Genere 44. Maiolica schizzata

192. Montelupo, *Museo Archeologico e della Ceramica*
Dall'area del castello di Montelupo, scavo "tridente". Inedito
Genere 1d, 1550 - 1600
Ø max 21,5 - Ø piede 8 - h 8,5

193. Montelupo, *Museo Archeologico e della Ceramica*
Dall'area del castello di Montelupo, scavo "tridente". Inedito
Genere 2d, 1540 - 1580

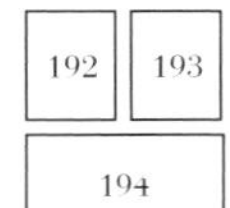

194. Montelupo, *Museo Archeologico e della Ceramica*
Dall'area del castello di Montelupo, scavo Casa Sinibaldi. Inedito
Genere 44, 1550 - 1600
Ø max 36 - h 16,5 res.

Genere 45. Compendiario della "famiglia bleu"

195. Toscana, *Collezione privata*
Inedito. Gruppo 45.1, 1540 - 1570
Ø max 28,3 - Ø piede 12 - h 3,5

195

Genere 45. Compendiario della "famiglia bleu"

196	197
198	199

196. Toscana, *Collezione privata*
Inedito.
Gruppo 45.1, 1540 - 1570
Ø max 28,3 - Ø piede 12 - h 3,5

197. Faenza, *Museo Internazionale delle Ceramiche*
Già collezione Cora. (Bojani *et alii*, 1985, p. 211, n. 530)
Gruppo 45.1, 1540 - 1570
Ø max 21,5 - h 5,4

198. Montelupo, *Museo Archeologico e della Ceramica*
Da scavo Casa Sinibaldi. Inedito
Gruppo 45.1, 1540 - 1570
Ø max 22,2 - Ø piede 9,2 - h 1,6

199. Faenza, *Museo Internazionale delle Ceramiche*
Già collezione Cora. (Bojani *et alii*, 1985, p. 211, n. 529)
Gruppo 45.1, 1540 - 1570
Ø max 23,5 - h 5,5

Genere 45. Compendiario della "famiglia bleu"

200. Montelupo, *Museo Archeologico e della Ceramica*
Dall'area del castello di Montelupo, scavo "tridente". Inedito
Gruppo 45.2, 1540 - 1570
Ø max 13,8 - Ø piede 9 - h 19,5

201. Montelupo, *Museo Archeologico e della Ceramica*
Dall'area del castello di Montelupo, scavo "tridente". Inedito
Gruppo 45.1, 1540 - 1570
Ø max11.5 - h 20,1 res.

200	201
202	

202 - 203. Parigi, *Musée du Louvre*
(GIACOMOTTI, 1974, pp. 121-122, n. 436)
Gruppo 45.2, 1540 - 1570
Ø max 41 - h 5

▶

Genere 45. Compendiario della "famiglia bleu"

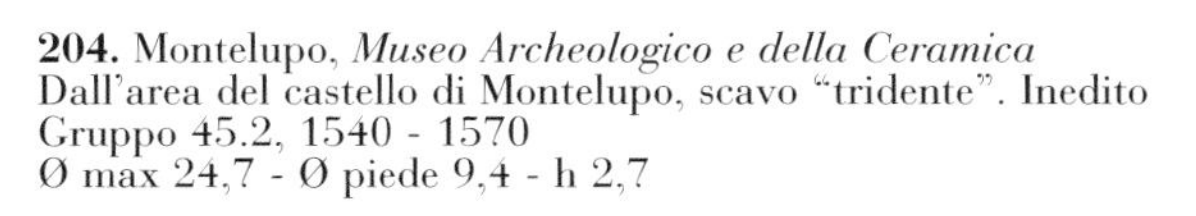

204. Montelupo, *Museo Archeologico e della Ceramica*
Dall'area del castello di Montelupo, scavo "tridente". Inedito
Gruppo 45.2, 1540 - 1570
Ø max 24,7 - Ø piede 9,4 - h 2,7

204	
205	206

205 -206. Faenza, *Museo Internazionale delle Ceramiche*
Già collezione Cora. (BOJANI *et alii*, 1985, p. 160, n. 391)
Gruppo 45.2, datato 1570
Ø max 19 - h 4,2

Genere 45. Compendiario della "famiglia bleu"

207. Montelupo, *Museo Archeologico e della Ceramica*
Da scavo Casa Sinibaldi. Inedito
Sottogruppo 45.3.1, 1540 - 1550
Ø max 25 - Ø piede 11 - h 2,4

207

208

208. Montelupo, *Museo Archeologico e della Ceramica*
Dall'area del castello di Montelupo, scavo "tridente". Inedito
Sottogruppo 45.3.2, 1540 - 1560
Ø max 24,9 - Ø piede 8,5 - h 3,3

Genere 45. Compendiario della "famiglia bleu"

209. Montelupo, *Museo Archeologico e della Ceramica*
Dall'area del castello di Montelupo, scavo "tridente". Inedito
Sottogruppo 45.3.3, 1560 - 1580
Ø max 33,5 - Ø piede 15 - h 5

210. Montelupo, *Museo Archeologico e della Ceramica*
Da scavo Casa Sinibaldi. Inedito
Sottogruppo 45.3.3, 1560 - 1580
Ø max 22,5 - Ø piede 9,5 - h 3,2

211. Montelupo, *Museo Archeologico e della Ceramica*
Da scavo Casa Sinibaldi. Inedito
Sottogruppo 45.3.3, 1560 - 1580
Ø max 22,4 - Ø piede 6,6 - h 5,7

Genere 45. Compendiario della "famiglia bleu"

212 - 213. Montelupo, *Museo Archeologico e della Ceramica*
Dall'area del castello di Montelupo, scavo "tridente". Inedito
Sottogruppo 45.3.3, 1540 - 1570
Ø max 33,8 - Ø piede 15 - h 19

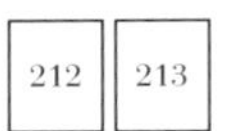

214. Montelupo, *Museo Archeologico e della Ceramica*
Da scavo Casa Sinibaldi. Inedito
Sottogruppo 45.4.1, 1550 - 1580
Ø max 23 - Ø piede 6,8 - h 5,5

Genere 46. Istoriato

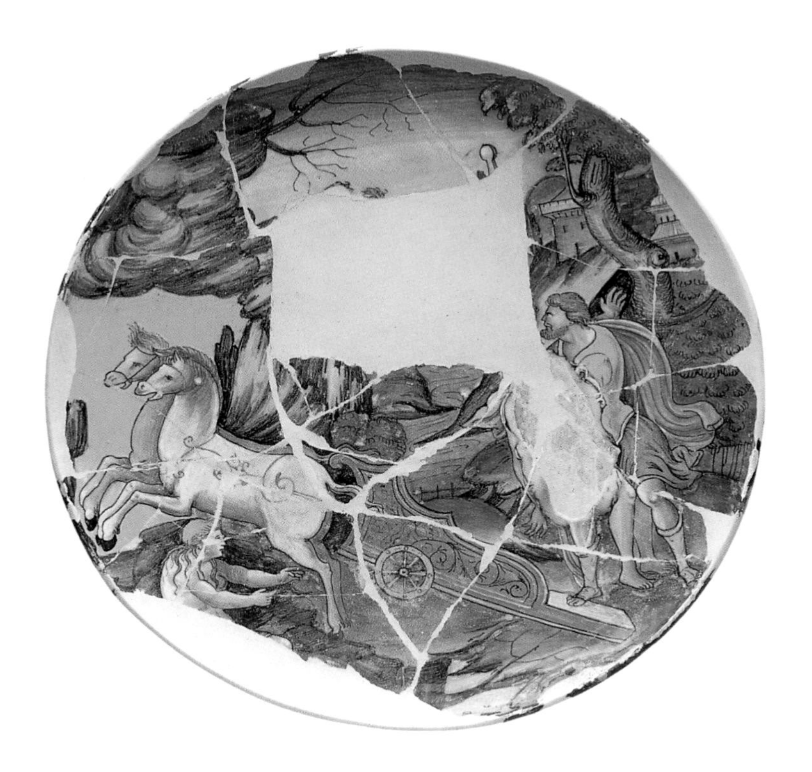

215 - 216. Montelupo, *Museo Archeologico e della Ceramica*
Dall'area del castello di Montelupo, scavo "tridente". Inedito
Genere 46, 1530 -1540
Ø max 25.5 - Ø piede 11.5 - h 5.3

215
216

Genere 46. Istoriato

◀ **217.** Già a Parigi, *Musée de Cluny*
(Giacomotti, 1974, p. 294, n. 915)
Genere 46, 1538 -1545
Ø max 40,7 - h 3,9

218. Londra, *Victoria and Albert Museum*
Inedito
Genere 46, 1560 -1580

218

219

219. Berlino, *Kunstgewerbemuseum*
(Hausmann, 1972, pp. 313-314, n. 230)
Genere 46, 1554 -1575
Ø max 22 - h 3,1

220. Londra, *Wallace Collection*
(Norman, 1976, c.156)
Genere 46, 1554 -1575 ▶

Genere 46. Istoriato

◀◀ **221.** Siena, *Collezione Chigi Saracini*
(RAVANELLI GUIDOTTI 1992, pp. 96-98, n. 9)
Genere 46, 1554 -1575
Ø max 22 - Ø piede 8 - h 4

◀ **222.** Berlino, *Kunstgewerbemuseum*
(HAUSMANN, 1972, pp. 314-315, n. 231)
Genere 46, 1554 -1575
Ø max 21,7 - h 3,6

223 | 224
225

223 - 224. Faenza, *Museo Internazionale delle Ceramiche*
Già collezione Fanfani. (RAVANELLI GUIDOTTI, 1990, pp. 81-83, n. 45). Genere 46, 1554 -1575
Ø max 42,3 - h 8

225. Montelupo, *Museo Archeologico e della Ceramica*
Da scavo Casa Sinibaldi. Inedito
Genere 46, 1575 -1590
Ø max 35,5 - Ø piede 16,5 - h 5,1

Genere 47. Smalto colorato

226. Già a Sèvres, *Musée national de céramique*
(Giacomotti, 1974, p. 81, n. 319)
Gruppo 47.1, 1530 - 1545
Ø max 27 - h 7,5

226

Genere 47. Smalto colorato

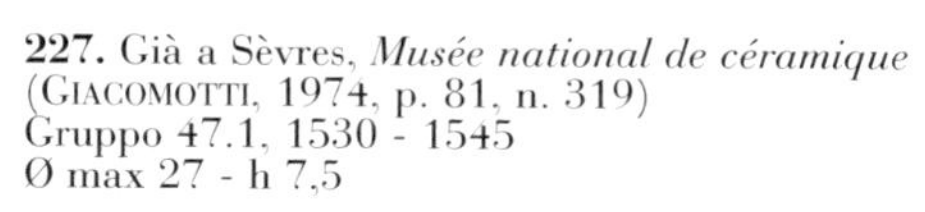

227. Già a Sèvres, *Musée national de céramique*
(GIACOMOTTI, 1974, p. 81, n. 319)
Gruppo 47.1, 1530 - 1545
Ø max 27 - h 7,5

227
228 229

228 - 229. Berlino, *Kunstgewerbemuseum*
(HAUSMANN, 1972, pp. 166-167, n. 123)
Gruppo 47.1, 1530 - 1545
Ø max 38,7 - h 5,4

Genere 47. Smalto colorato

230. Montelupo, *Museo Archeologico e della Ceramica*
Da scavo Casa Sinibaldi. Inedito
Gruppo 47.1, 1540 - 1550
Ø max 38 - h 14,2 res

230
231 232

231 - 232. Montelupo, *Museo Archeologico e della Ceramica*
Dall'area del castello di Montelupo, scavo "tridente". Inedito
Gruppo 47.1, 1535 - 1550
Ø max 13,5 - Ø piede 5,9 - h 4,3

Genere 47. Smalto colorato

233 - 234. Montelupo, *Museo Archeologico e della Ceramica*
Da scavo Casa Sinibaldi. Inedito
Gruppo 47.2, 1530 - 1550
Ø max 25 - h 9,8 res

233	
234	235

235. Montelupo, *Museo Archeologico e della Ceramica*
Da scavo Casa Sinibaldi. Inedito
Gruppo 47.3, 1530 - 1550
Ø max 24,5 - Ø piede 11,3 - h 6,9

Genere 48. Fascia in arancio con fregi in nero

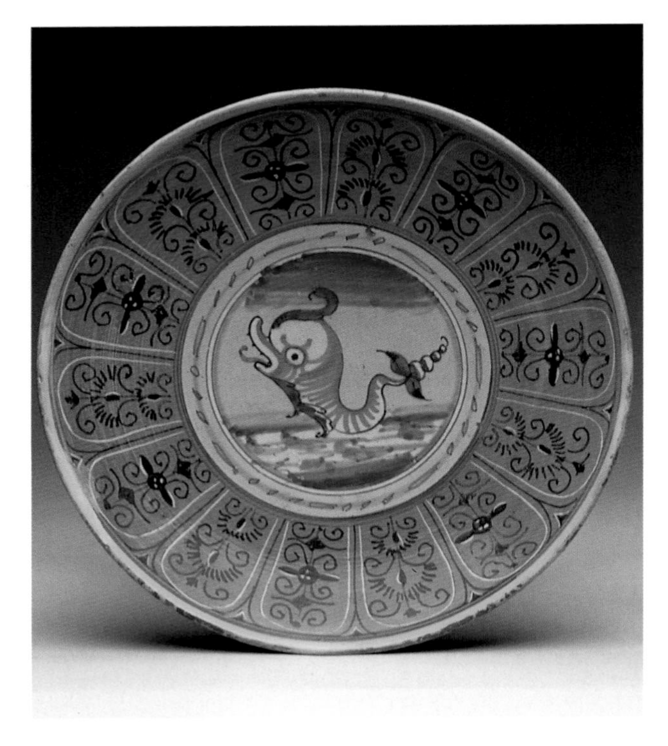

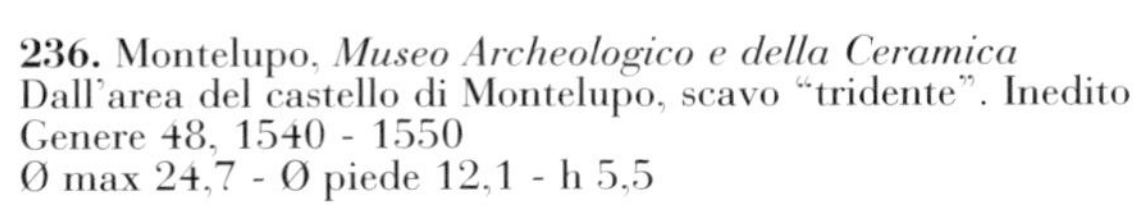

236. Montelupo, *Museo Archeologico e della Ceramica*
Dall'area del castello di Montelupo, scavo "tridente". Inedito
Genere 48, 1540 - 1550
Ø max 24,7 - Ø piede 12,1 - h 5,5

236
237 238

237 - 238. Faenza, *Museo Internazionale delle Ceramiche*
Già collezione Cora. (Bojani *et alii*, 1985, p. 216, n. 545)
Genere 48, 1540 - 1560
Ø max 26 - h 6

239. Faenza, *Museo Internazionale delle Ceramiche*
Già collezione Cora. (Bojani *et alii*, 1985, p. 214, n. 539)
Genere 49, 1540 - 1580
Ø max 28 - h 6,5

▶

Genere 49. Fruttiere farcite

240. Faenza, *Museo Internazionale delle Ceramiche*
Già collezione Cora. (BOJANI *et alii*, 1985, p. 214, n. 539)
Genere 49, 1540 - 1580
Ø max 28 - h 6,5

240
241 · 242

241 - 242. Già a Sèvres, *Musée national de céramique*
(GIACOMOTTI, 1974, p. 73, n. 289)
Genere 49, 1540 - 1580
Ø max 25,5 - h 7,5

Genere 49. Fruttiere farcite

243 - 244. Faenza, *Museo Internazionale delle Ceramiche*
Già collezione Cora. (BOJANI *et alii*, 1985, p. 215, n. 540)
Genere 49, 1540 - 1580
Ø max 20 - h 9

243	244
245	246

245 - 246. Torgiano, *Museo del Vino*
(FIOCCO-GHERARDI, 1991, p. 104, n. 140)
Genere 49, 1540 - 1580
Ø max 26,2 - Ø piede 11, 8 - h 10

Genere 50. Piatti pseudobaccellati

247
248

247. Montelupo, *Museo Archeologico e della Ceramica*
Dall'area del castello di Montelupo, scavo "tridente". Inedito
Genere 50, 1550 - 1580
Ø max 16,5 - Ø piede 5,3 - h 3,7

248. Montelupo, *Museo Archeologico e della Ceramica*
Dall'area del castello di Montelupo, scavo "tridente". Inedito
Genere 50, 1550 - 1580
Ø max 34,6 - Ø piede 15,7 - h 5,7

249. Già a Sèvres, *Musée national de céramique*
(Giacomotti, 1974, p. 435, n. 1300)
Gruppo 51.1, 1550 - 1570
Ø max 25,5 - h 5,3

▶

MOTELVP

Genere 51. "Tamburi" evoluti

250. Già a Sèvres, *Musée national de céramique*
(Giacomotti, 1974, p. 435, n. 1300)
Gruppo 51.1, 1550 - 1570
Ø max 25.5 - h 5.3

250
251

251. Montelupo, *Museo Archeologico e della Ceramica*
Da scavo Casa Sinibaldi. Inedito
Gruppo 51.2, 1550 - 1570
Ø max 21.5 - Ø piede 6 - h 5.3

252. Faenza, *Museo Internazionale delle Ceramiche*
Già collezione Cora. (Bojani *et alii*, 1985, p. 215, n. 542)
Gruppo 52.1, 1560 - 1570
Ø max 28.3 - h 7.3

▶

Genere 52. Crespine “a quartieri”

253. Faenza, *Museo Internazionale delle Ceramiche*
Già collezione Cora. (Bojani *et alii*, 1985, p. 215, n. 542)
Gruppo 52.1, 1560 - 1570
Ø max 28,3 - h 7,3

253
254 255

254 -255. Toscana, *Collezione privata*
Bonhams, vendita 12 dicembre 1994 n.141
Gruppo 52.2, 1570 - 1580
Ø max 27,4 - Ø piede 14 - h 7,2

Genere 52. Crespine "a quartieri"

256. Faenza, *Museo Internazionale delle Ceramiche*
Già collezione Cora. (BOJANI *et alii*, 1985, p. 216, n. 543)
Gruppo 52.2, 1580 - 1600
Ø max 17,4 - h 5

257. Milano, *Fondazione Bagatti Valsecchi*
Inedito
Gruppo 52.2, 1580 - 1590
Ø max 25 - Ø piede 12 - h 5,8

256	
257	258

258. Milano, *Fondazione Bagatti Valsecchi*
Inedito
Gruppo 52.2, 1590 - 1600
Ø max 23,6 - h4,5 res.

Genere 52. Crespine "a quartieri"

259. Roma, Palazzo Venezia, *Museo Nazionale*
Inedito
Gruppo 52.3, 1560 - 1580
Ø max 32,5- Ø piede 14,6 - h 10,2

259

Genere 52. Crespine "a quartieri"

260. Toscana, *Collezione privata*
Inedito
Gruppo 52.3, 1580 - 1600
Ø max 26 - Ø piede 11,5 - h 6,4

261. Montelupo, *Museo Archeologico e della Ceramica*
Dall'area del castello di Montelupo, scavo "tridente". Inedito
Gruppo 52.3, 1580 - 1600
Ø max 25 - h 5,5 res.

262. Montelupo, *Museo Archeologico e della Ceramica*
Dall'area del castello di Montelupo, scavo "tridente". Inedito
Gruppo 52.3, 1590 - 1610
Ø max 27,5 - h 6,1 res.

Genere 52. Crespine “a quartieri”

263. Londra, *Wallace Collection*
(Norman, 1976, pp. 133-134, c.61)
Gruppo 52.3, 1590 - 1610

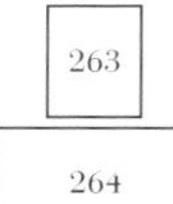

264. Toscana, *Collezione privata*
Inedito
Gruppo 52.3, 1590 - 1620
Ø max 21,5 - Ø piede 9,8 - h 6

Genere 53. "Estenuazione" dei motivi rinascimentali

265	266
267	268

265. Montelupo, *Museo Archeologico e della Ceramica*
Da scavo Casa Sinibaldi. Inedito
Genere 53, 1560 - 1580
Ø max 15,5 - Ø piede 10,8 - h 23,8

266. Montelupo, *Museo Archeologico e della Ceramica*
Da scavo Casa Sinibaldi. Inedito
Genere 53, 1590 - 1620
Ø max 13,2 - Ø piede 10 - h 17,6

267. Toscana, *Collezione privata*
Inedito
Genere 53, 1590 - 1620
Ø max 35 - Ø piede 16,6 - h 6

268. Montelupo, *Museo Archeologico e della Ceramica*
Da scavo fornace Scatragli. Inedito
Genere 53, 1600 - 1620
Ø max 36,7 - Ø piede 11,7 - h 6,4

Genere 53. "Estenuazione" dei motivi rinascimentali

269	270
271	272

269. Faenza, *Museo Internazionale delle Ceramiche*
Già collezione Cora. (Bojani *et alii*, 1985, p. 207, n. 518)
Genere 53, 1590 - 1610
Ø max 35 - h 6,2

270. Faenza, *Museo Internazionale delle Ceramiche*
Già collezione Cora. (Bojani *et alii*, 1985, p. 212, n. 532)
Genere 53, 1590 - 1610
Ø max 32,1 - h 5,6

271. Toscana, *Collezione privata*
Inedito
Genere 53, 1580 - 1600
Ø max 27 - h 4,5

272. Montelupo, *Museo Archeologico e della Ceramica*
Cisterna, scavo via San Giuseppe. Inedito
Genere 53, 1610 - 1640
Ø max 14,2 - Ø piede 10,5 - h 20

Genere 54. Spirali arancio

273. Montelupo, *Museo Archeologico e della Ceramica*
Da scavo adiacenze Museo. Inedito
Gruppo 54.1, 1480 - 1495
Ø max 26 - Ø piede 9,9 - h 3,2

273

Genere 54. Spirali arancio

274. Montelupo, *Museo Archeologico e della Ceramica*
Da scavo Casa Sinibaldi. Inedito
Gruppo 54.2, 1550 - 1580
Ø max 34,5 - Ø piede 15,6 - h 5,5

275. Faenza, *Museo Internazionale delle Ceramiche*
Già collezione Cora. (Bojani *et alii*, 1985, p. 225, n. 567)
Gruppo 54.2, 1550 - 1580
Ø max 35,2 - h 6

276. Montelupo, *Museo Archeologico e della Ceramica*
Da scavo Casa Sinibaldi. Inedito
Gruppo 54.2, 1570 - 1590
Ø max 34,1 - Ø piede 14,1 - h 6

Genere 55. Strisce policrome

277. Montelupo, *Museo Archeologico e della Ceramica*
Da scavo Fraternita Misericordia. Inedito
Gruppo 55.2, 1560 - 1590
Ø max 15,6 - Ø piede 11,4 - h 20,4

278. Montelupo, *Museo Archeologico e della Ceramica*
Da scavo fornace Scatragli. Inedito
Gruppo 55.3, 1600 - 1615
Ø max 13 - Ø piede 10,5 - h 16,8

277
278
279

279. Montelupo, *Museo Archeologico e della Ceramica*
Da scavo Casa Sinibaldi. Inedito
Gruppo 55.1, 1530 - 1550
Ø max 13,2 - Ø piede 9,5 - h 20,3

Genere 56. Nodo orientale evoluto

◀ **280 - 281.** Toscana, *Collezione privata*
Inedito
Gruppo 56.1, 1560 - 1580
Ø max 40 - Ø piede 19,5 - h 24,5

281
282

282. Milano, Castello Sforzesco, *Civiche Raccolte d'Arte*
Inedito
Gruppo 56.2, 1550 - 1580
Ø max 32,3 - Ø piede 15,2 - h 4,9

Genere 56. Nodo orientale evoluto

283. Faenza, *Museo Internazionale delle Ceramiche*
Già collezione Cora. (BOJANI *et alii*, 1985, p. 205, n. 512)
Gruppo 56.2, 1590 - 1610
Lato 29 - h 2,7

284. Montelupo, *Museo Archeologico e della Ceramica*
Dall'area del castello di Montelupo, scavo "tridente". Inedito
Gruppo 56.2, 1570 - 1590
Ø max 26 - Ø piede 11,5 - h 4,6

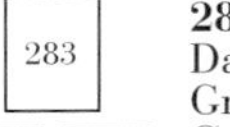

285. Montelupo, *Museo Archeologico e della Ceramica*
Dall'area del castello di Montelupo, scavo "tridente". Inedito
Gruppo 56.3, 1560 - 1590
Ø max 30 - Ø piede 14,5 - h 5

Genere 56. Nodo orientale evoluto

286. Montelupo, *Museo Archeologico e della Ceramica*
Da scavo Casa Sinibaldi. Inedito
Gruppo 56.4, 1590 - 1620
Ø max 13,3 - Ø piede 9,5 - h 17

286	287

287. Faenza, *Museo Internazionale delle Ceramiche*
Già collezione Cora. (BOJANI *et alii*, 1985, p. 241, n. 612)
Gruppo 56.4, 1590 - 1620
Ø piede 10 - h 16,8

Genere 57. Fondale in bleu graffito

288 - 289. Parigi, *Musée du Louvre*
(Giacomotti, 1974, p. 437, n. 1306)
Genere 57, 1570 - 1590
Ø max 21 - h 32,5

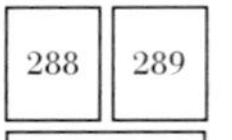

290. Montelupo, *Museo Archeologico e della Ceramica*
Dall'area del castello di Montelupo, scavo "tridente". Inedito
Genere 57, 1580 - 1600
Ø max 11 - Ø piede 7 - h 19,8

Genere 57. Fondale in bleu graffito

291 - 292. Faenza, *Museo Internazionale delle Ceramiche*
Già collezione Cora. (BOJANI *et alii*, 1985, p. 210, n. 526)
Genere 57, 1560 - 1590
Ø max 32,2 - h 19

291	292
293	294

293 - 294. Montelupo, *Museo Archeologico e della Ceramica*
Da scavo Casa Sinibaldi. Inedito
Genere 57, 1560 - 1590
Ø max 35 - Ø piede 13,3 - h 18,1

Genere 58. Foglia bleu

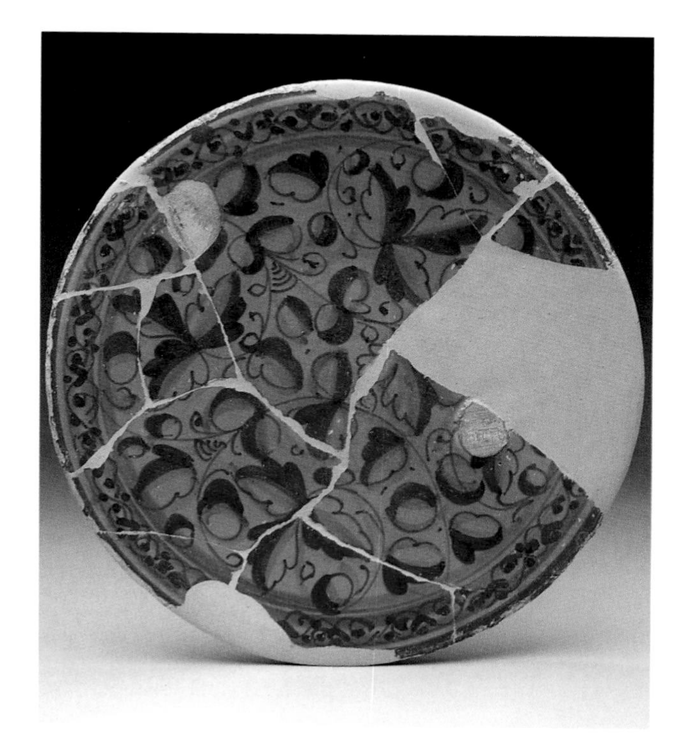

295. Montelupo, *Museo Archeologico e della Ceramica*
Da scavo Fraternita Misericordia. Inedito
Gruppo 58.1, 1560 - 1580
Ø max 10,7 - Ø piede 6,5 - h 16,7

296. Faenza, *Museo Internazionale delle Ceramiche*
Già collezione Cora. (BOJANI *et alii*, 1985, p. 230, n. 581)
Gruppo 58.1, 1570 - 1590
Ø piede 15,7 - h 36,2

296	
297	298

297. Montelupo, *Museo Archeologico e della Ceramica*
Dall'area del castello di Montelupo, scavo "tridente". Inedito
Gruppo 58.1, 1540 - 1560
Ø max 21,5 - Ø piede 9 - h 2,8

298. Montelupo, *Museo Archeologico e della Ceramica*
Dall'area del castello di Montelupo, scavo "tridente". Inedito
Gruppo 58.2, 1540 - 1560
Ø max 21 - Ø piede 9,2 - h 2,4

Genere 59. Foglia con frutta policroma

299 - 300. Torgiano, *Museo del Vino*
(Fiocco-Gherardi, 1991, p. 139, n. 197)
Gruppo 59.1, 1570 - 1590
Ø max 28,7 - Ø piede 14 - h 8,6

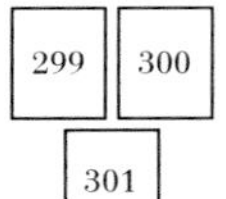

301. Torgiano, *Museo del Vino*
(Fiocco-Gherardi, 1991, p. 139, n. 198)
Gruppo 59.2, 1580 - 1600
Ø max 27,5 - Ø piede 12,7 - h 8,2

Genere 59. Foglia con frutta policroma

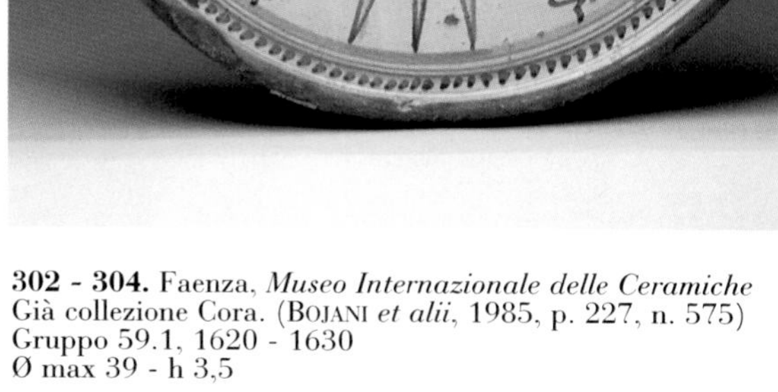

302 - 304. Faenza, *Museo Internazionale delle Ceramiche*
Già collezione Cora. (BOJANI *et alii*, 1985, p. 227, n. 575)
Gruppo 59.1, 1620 - 1630
Ø max 39 - h 3,5

302 | 303
304

303. Faenza, *Museo Internazionale delle Ceramiche*
Già collezione Cora. (BOJANI *et alii*, 1985, p. 229, n. 578)
Gruppo 59.3, 1570 - 1590
Ø piede 13,5 - h 37,7

Genere 60. Bianchi

305 - 306. Montelupo, *Museo Archeologico e della Ceramica*
Da scavo Casa Sinibaldi. Inedito
Genere 60, datato 1597
Larghezza max res. 21

305 | 306

Genere 61. Compendiario

307. Montelupo, *Museo Archeologico e della Ceramica*
Dall'area del castello di Montelupo, scavo "tridente". Inedito
Genere 61, 1580 -1600
Ø max 22,5 - h 4,6 res.

307

Genere 62. Compendiario "a settori"

309	310
311	

◀ **308.** Londra, *Victoria and Albert Museum*
(RACKHAM, 1977, pp. 347-348, n. 1032)
Gruppo 62.1, 1560 - 1580
Ø max 28

309. Montelupo, *Museo Archeologico e della Ceramica*
Donazione Pallanti. Area del Castello. (BERTI, 1986, p. 125)
Gruppo 62.2.1, 1560 - 1580
Ø max 22- h 4 res.

310. Toscana, *Collezione privata*
Inedito
Sottogruppo 62.2.2, 1560 - 1580
Ø max 26 - Ø piede 12,21 - h 7,5

311. Montelupo, *Museo Archeologico e della Ceramica*
Da scavo Casa Sinibaldi. Inedito
Gruppo 62.3, 1575 -1600
Ø max 11 - Ø piede 5 - h 4,2

Genere 62. Compendiario "a settori"

312. Faenza, *Museo Internazionale delle Ceramiche*
Già collezione Cora. (Bojani *et alii*, 1985, p. 217, n. 548)
Sottogruppo 62.2.3, 1590 - 1620
Ø max 22,3 - h 7

313. Montelupo, *Museo Archeologico e della Ceramica*
Dall'area del castello di Montelupo, scavo "tridente". Inedito
Gruppo 62.1.4, 1580 -1620
Ø max 17,7 - Ø piede 8,3 - h 24

314. Montelupo, *Museo Archeologico e della Ceramica*
Dall'area del castello di Montelupo, scavo "tridente". Inedito
Sottogruppo 62.2.4, 1590 - 1620
Ø max 27,7 - Ø piede 10,5 - h 8,5

Genere 62. Compendiario "a settori"

315 - 316. Montelupo, *Museo Archeologico e della Ceramica*
Dall'area del castello di Montelupo, scavo "tridente". Inedito
Gruppo 62.5, 1620 -1640
Ø max 14,7 - Ø piede 10 - h 22,3

315 316
317

317. Faenza, *Museo Internazionale delle Ceramiche*
Già collezione Cora. (BOJANI *et alii*, 1985, p. 218, n. 550)
Gruppo 62.1.6, datato 1642
Ø max 22,3 - h 7

Genere 63. Figurato con fascia arancio

318 / 319

318. Montelupo, *Museo Archeologico e della Ceramica*
Dall'area del castello di Montelupo, scavo "tridente". Inedito
Genere 63, 1570 -1600
Ø max 21,5 - Ø piede 9,8 - h 3,3

319. Montelupo, *Museo Archeologico e della Ceramica*
Dall'area del castello di Montelupo, scavo "tridente". Inedito
Genere 63, 1590 -1620
Ø max 25,3 - Ø piede 11,2 - h 3,8

Genere 64. Settori contrapposti

320. Montelupo, *Museo Archeologico e della Ceramica*
Cisterna, scavo via San Giuseppe. Inedito
Genere 64, 1630 -1640
Ø max 16,6 - Ø piede 11,4 - h 23,6

320

Genere 65. Raffaellesca

321. Londra, *Victoria and Albert Museum*
(Rackham, 1977, pp. 318-319, n. 950)
Gruppo 65.1, 1600 -1620
Ø max 27 - h 49

321

Genere 65. Raffaellesca

322 - 323 - 324 - 325. Faenza, *Museo Internazionale delle Ceramiche*
Già collezione Cora. (BOJANI *et alii*, 1985, p. 221, n. 558)
Gruppo 65.1, 1591 -1592
Ø piede 12,8 - h 39

322	323
324	325

Genere 65. Raffaellesca

326. Londra, *Victoria and Albert Museum*
(RACKHAM, 1977, pp. 319-320, nn. 951-952)
Gruppo 65.1, 1591 -1592
sin: Ø max 30,5 - h 38,5; dex: Ø max 30,5 - h 40,5

326

Genere 65. Raffaellesca

327 - 328. Faenza, *Museo Internazionale delle Ceramiche*
Già collezione Cora. (BOJANI *et alii*, 1985, p. 224, n. 565)
Gruppo 65.2, datato 1619
Ø piede 14,7 - h 40,2

327	328

Genere 65. Raffaellesca

329 - 330. Milano, *Fondazione Bagatti Valsecchi*
Inedito
Gruppo 65.3, 1610 -1630
Ø max 14,7 - Ø piede 9,7 - h 25

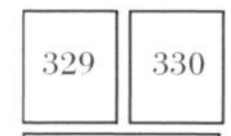

331. Montelupo, *Museo Archeologico e della Ceramica*
Dall'area del castello di Montelupo, scavo "tridente". Inedito
Gruppo 65.3, prob. datato 1617
Ø max 22,5 - Ø piede 8,5 - h 3

Genere 65. Raffaellesca

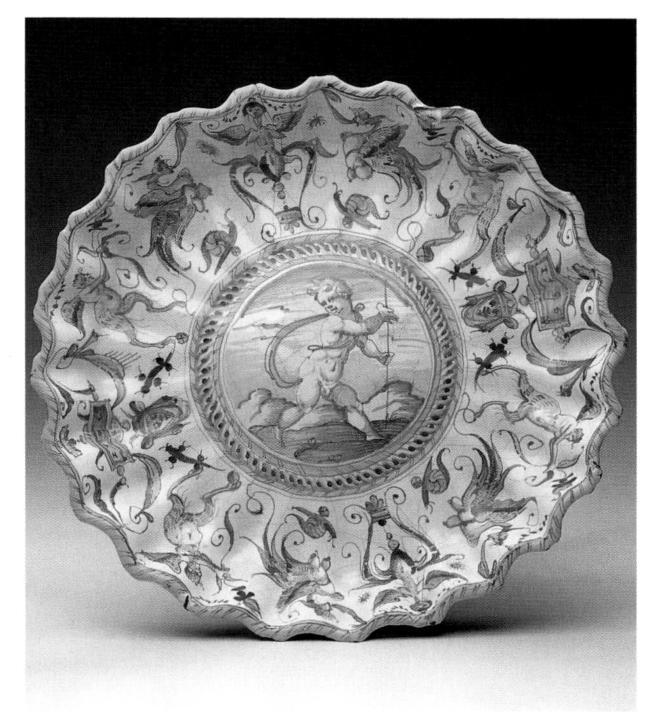

332 - 333. Milano, *Fondazione Bagatti Valsecchi*
Inedito
Gruppo 65.3, 1610 -1630
Ø max 15 - Ø piede 6,7 - h 7,3

334. Faenza, *Museo Internazionale delle Ceramiche*
Già collezione Cora. (BOJANI *et alii*, 1985, p. 261, n. 668)
Gruppo 65.3, 1590 -1610
Ø max 30,5 - h 6,5

332	333
334	335

335. Faenza, *Museo Internazionale delle Ceramiche*
Già collezione Cora. (BOJANI *et alii*, 1985, p. 260, n. 667)
Gruppo 65.3, datata 1596
Ø max 29 - h7,3

Genere 66. Vassoi baccellati

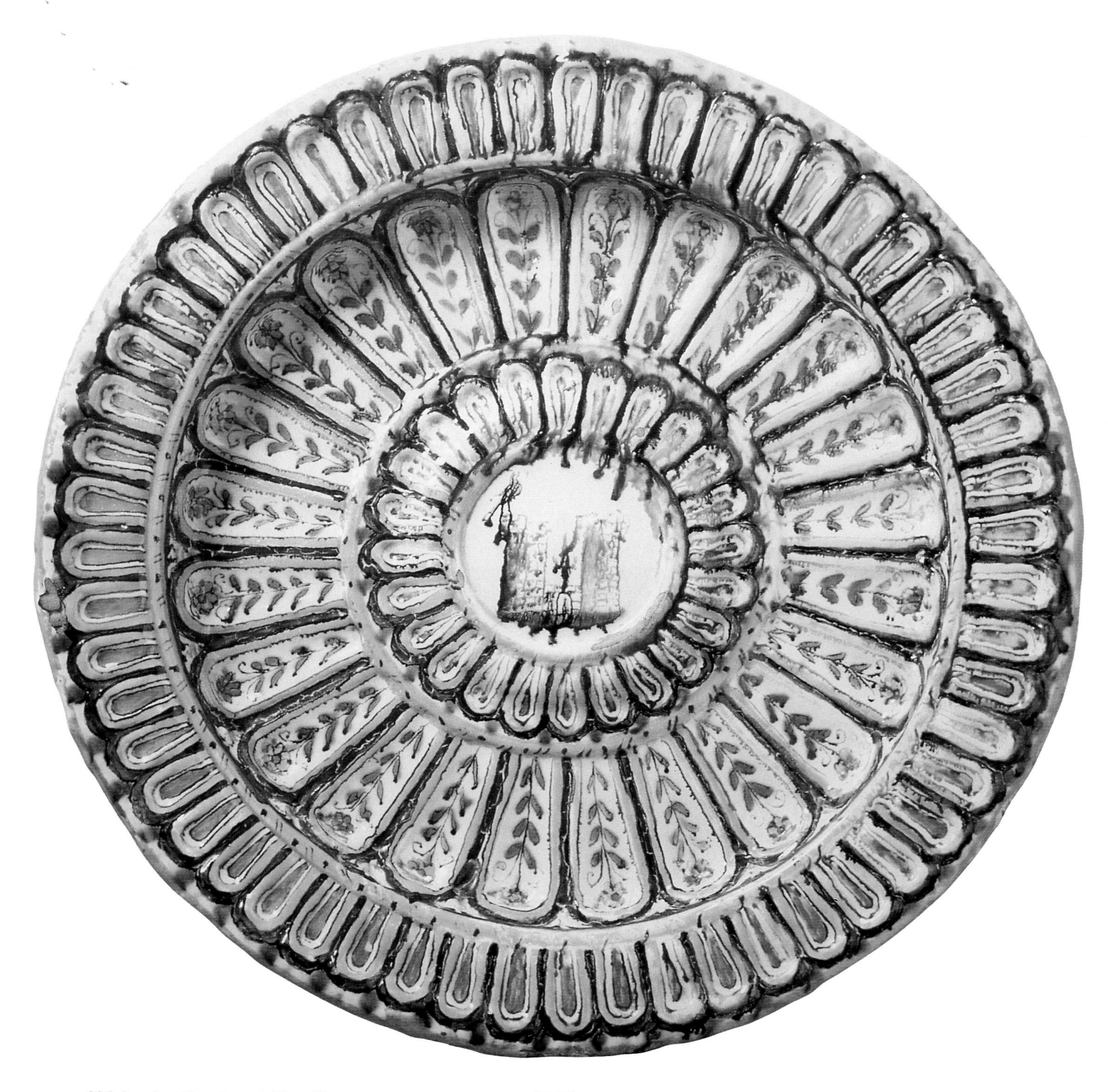

336. Londra, *Victoria and Albert Museum*
(Rackham, 1977, p. 358, n. 1076)
Genere 66, datato 1627
Ø max 47,5

336

337. Londra, *Victoria and Albert Museum*
(Rackham, 1977, p. 359, n. 1080)
Genere 66, datato 1663
Ø max 45

338. Berlino, *Kunstgewerbemuseum*
(Hausmann, 1972, pp. 339-340, n. 253)
Genere 67, datato 1622
Ø max 49,9 - h 6,9

Genere 68. Figurato tardo

339. Londra, *Victoria and Albert Museum*
(Rackham, 1977, p. 357, n. 1070)
Gruppo 68.1, 1570 -1590
Ø max 36

340. Toscana, *Collezione privata*
Inedito
Gruppo 68.1, 1580 -1600
Ø max 34,5 - Ø piede 17,3 - h 5,5

340
341 342

341. Toscana, *Collezione privata*
Inedito
Gruppo 68.1, 1580 -1600
Ø max 30 - Ø piede 13 - h 5

342. Londra, *Victoria and Albert Museum*
(Rackham, 1977, p. 358, n. 1079)
Gruppo 68.2, datata 1639
Ø max 28

Genere 68. Figurato tardo

343. Toscana, *Collezione privata*
Inedito
Gruppo 68.2, 1620 -1640
Ø max 25,5 - Ø piede 9,6 - h 5,5

344. Toscana, *Collezione privata*
Inedito
Gruppo 68.2, 1620 -1640
Ø max 31 - Ø piede 15,4 - h 4,5

	343	
344		345

345. Toscana, *Collezione privata*
Inedito
Gruppo 68.2, 1620 -1640
Ø max 36,8 - Ø piede 17 - h 6,5

Genere 68. Figurato tardo

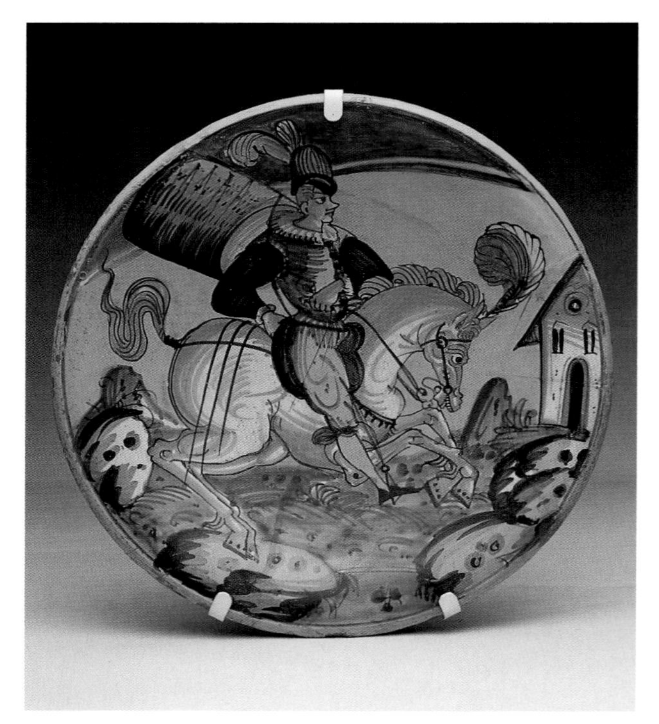

346. Londra, *Victoria and Albert Museum*
(RACKHAM, 1977, p. 358, n. 1078)
Gruppo 68.2, datato 1632
Ø max 32

347. Toscana, *Collezione privata*
Inedito
Gruppo 68.2, 1620 -1640
Ø max 31 - Ø piede 14,1 - h 5,5

346	347
348	349

348. Roma, Palazzo Venezia, *Museo Nazionale*
Inedito
Gruppo 68.2, 1610 -1630
Ø max 32- Ø piede 14,7 - h 5

349. Toscana, *Collezione privata*
Inedito
Gruppo 68.2, 1620 -1640
Ø max 32,2 - Ø piede 13 - h 5,4

Genere 68. Figurato tardo

350. Toscana, *Collezione privata*
Già collezione Serra.
Finarte, vendita 21-22 novembre 1963 n.148
Gruppo 68.2, 1620 -1640
Ø max 31,4 - Ø piede 13,8 - h 6,8

351. Toscana, *Collezione privata*
Inedito. Gruppo 68.2, 1620 -1640
Ø max 32 - Ø piede 15 - h 5,2

350	351
352	353

352. Faenza, *Museo Internazionale delle Ceramiche*
Già collezione Cora. (Bojani *et alii*, 1985, p. 249, n. 635)
Gruppo 68.2, 1620 -1640
Ø max 31,2 - h 6

353. Faenza, *Museo Internazionale delle Ceramiche*
Già collezione Cora. (Bojani *et alii*, 1985, p. 247, n. 629)
Gruppo 68,2, 1620 -1640
Ø max 35,5 - h 5,8

Genere 68. Figurato tardo

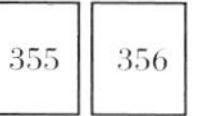

354. Montelupo, *Museo Archeologico e della Ceramica*
Dall'area del castello di Montelupo, scavo "tridente". Inedito
Gruppo 68.2, 1620 -1640
Ø max 25,7 - Ø piede 12 - h 3,3

355. Toscana, *Collezione privata*
Inedito
Gruppo 68.2, 1620 -1640
Ø max 31,2 - Ø piede 14,7 - h4,2

356. Toscana, *Collezione privata*
Inedito
Sottogruppo 68.2.1, 1640 -1670
Ø max 32 - Ø piede 14 - h 5,5

357. Toscana, *Collezione privata*
Inedito
Sottogruppo 68.2.1, 1640 - 1670
Ø max 36,5 - Ø piede 14,2 - h 5,2

Genere 68. Figurato tardo - Genere 69. Figurato atipico dell'ultima fase

358. Toscana, *Collezione privata*
Inedito
Gruppo 68.3, 1675 - 1700
Ø max 32,5 - Ø piede 13,8 - h 8

358

359

359. Già a Sèvres, *Musée national de céramique*
(GIACOMOTTI, 1974, p. 440, n. 1316)
Genere 69, 1650 - 1670
Ø max 26,5 - h 7

Genere 70. Foglia verde

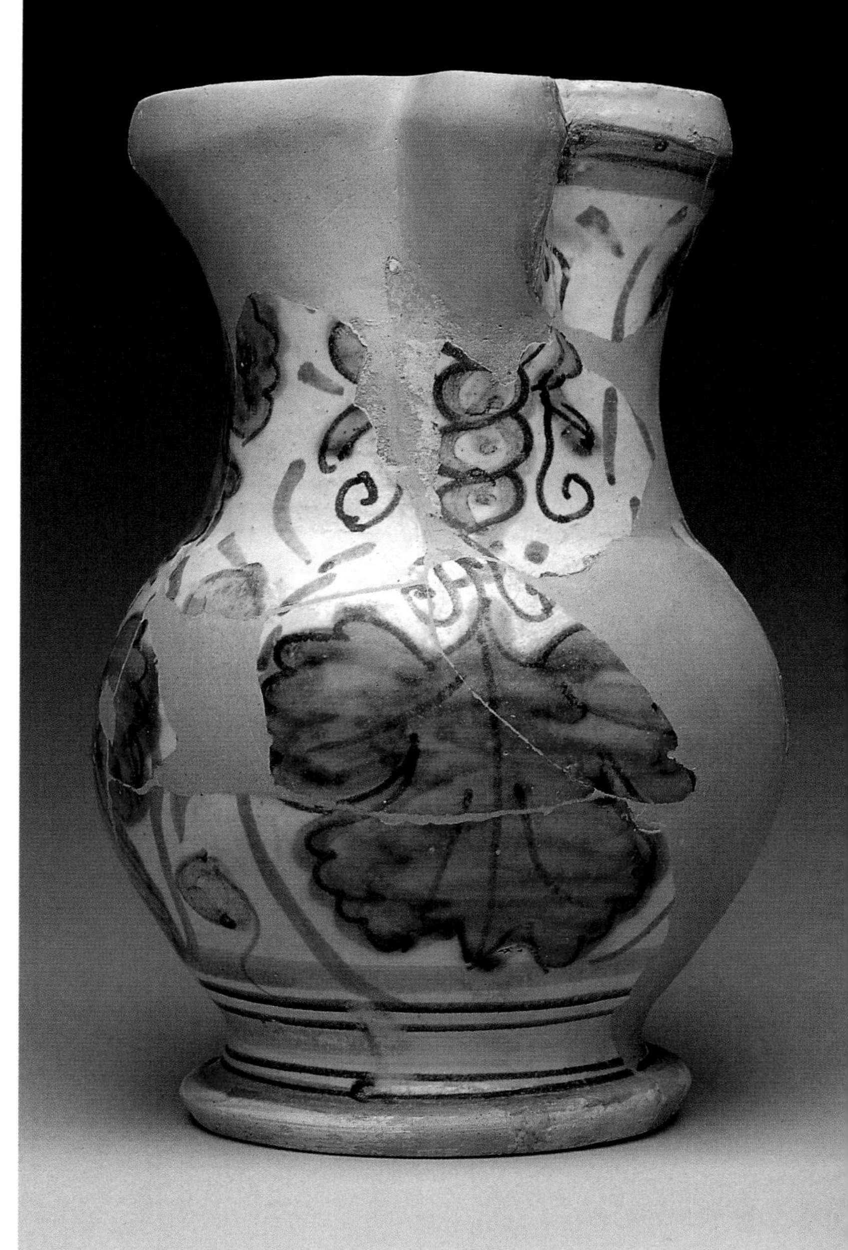

360. Torgiano, *Museo del vino*
(FIOCCO-GHERARDI, 1991, p. 140, n. 200)
Genere 70, 1630 - 1650
Ø max 25 - h 4,2

361. Montelupo, *Museo Archeologico e della Ceramica*
Dall'area del castello di Montelupo, scavo "tridente". Inedito
Genere 70, 1630 - 1650
Ø max 12,3 - Ø piede 8,8 - h 19,2

360	361
362	

362. Montelupo, *Museo Archeologico e della Ceramica*
Donazione F. Gallotti. Inedito
Genere 70, 1730 - 1750
Ø max 20,2 - Ø piede 9,2 - h 2,3

Genere 71. Decoro "a stemmi"

363. Faenza, *Museo Internazionale delle Ceramiche*
Già collezione Cora. (Bojani *et alii*, 1985, p. 254, n. 652)
Gruppo 71.1, 1730 - 1760
Ø piede 11 - h 31

364. Montelupo, *Museo Archeologico e della Ceramica*
Da scavo via XX Settembre, (Berti, 1986, p. 195)
Gruppo 71.1, 1730 - 1760
Ø max 14,6 - Ø piede 8,8 - h 22,8

363
364 365

365. Montelupo, *Museo Archeologico e della Ceramica*
Da scavo via XX Settembre. Inedito
Gruppo 71.2, 1730 - 1760
Ø max 14,1 - Ø piede 9,7 - h 24

Genere 72. Spirali verdi

366. Montelupo, *Museo Archeologico e della Ceramica*
Da scavo via XX Settembre, (BERTI, 1986, p. 189)
Genere 72, 1730 - 1760
Ø max 30,5 - Ø piede 12- h 8

366

Genere 73. Compendiario finale - Genere 74. Mazzetto fiorito bleu

367. Montelupo, *Museo Archeologico e della Ceramica*
Da scavo via XX Settembre, (Berti, 1986, p. 201)
Genere 73, 1730 - 1760
Ø max 21,8 - Ø piede 8,5 - h 3,3

368. Montelupo, *Museo Archeologico e della Ceramica*
Da scavo via XX Settembre. Inedito
Gruppo 74.1, 1730 - 1750
Ø max 15,1 - Ø piede 8,7 - h 22,4

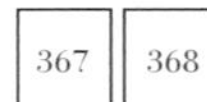

369. Montelupo, *Museo Archeologico e della Ceramica*
Da scavo via XX Settembre. Inedito
Gruppo 74.2, 1730 - 1750
Ø max 31,5 - Ø piede 10,5 - h 10

Genere 74. Mazzetto fiorito bleu - Genere 75. Mazzetto fiorito verde

370. Montelupo, *Museo Archeologico e della Ceramica*
Da scavo via XX Settembre, (Berti, 1986, p. 186)
Gruppo 74.3, 1730 - 1750
Ø max 30,7 - Ø piede 11,5 - h 5

370
371

371. Montelupo, *Museo Archeologico e della Ceramica*
Da scavo via XX Settembre, (Berti, 1986, p. 184)
Gruppo 75.1, 1730 - 1760
Ø max 21,5 - Ø piede 9,3 - h 3,2

Genere 76. Cerchiatura segmentata

372. Montelupo, *Museo Archeologico e della Ceramica*
Da scavo via XX Settembre. Inedito
Gruppo 76.1, 1730 - 1760
Ø max 15,3 - Ø piede 10 - h 19,4

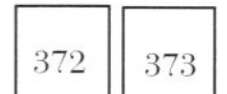

373. Montelupo, *Museo Archeologico e della Ceramica*
Da scavo via XX Settembre, (BERTI, 1986, p. 196)
Gruppo 76.2, 1730 - 1760
Ø max 15,5 - Ø piede 10,5 - h 21

Genere 77. Mazzetto policromo con corolle

374. Montelupo, *Museo Archeologico e della Ceramica*
Da scavo via XX Settembre. (Berti, 1986, p. 197)
Genere 77, 1730 - 1760
Ø max 15 - Ø piede 8.4 - h 24.5

374

Genere 78. Figurato finale

375. Montelupo, *Museo Archeologico e della Ceramica*
Da scavo via XX Settembre, (Berti, 1986, p. 192)
Genere 78, 1750 - 1780
Ø max 21,8 - Ø piede 8 - h 3,5

375

Genere 79. Monocromi bianchi

376. Montelupo, *Museo Archeologico e della Ceramica*
Da scavo via XX Settembre (BERTI, 1986, p. 180)
Genere 79, 1750 - 1780
Ø max 26 - Ø piede 8,7 - h 5

377. Montelupo, *Museo Archeologico e della Ceramica*
Da scavo via XX Settembre, (BERTI, 1986, p. 179)
Genere 79, 1750 - 1780
Ø max 43,7 - Ø piede 17 - h 4,2

376	377
378	

378. Montelupo, *Museo Archeologico e della Ceramica*
Da scavo via XX Settembre. Inedito
Genere 79, 1750 - 1780
Ø max 24,6 - Ø piede 13 - h 2,7

Genere 80. Uccellino centrale

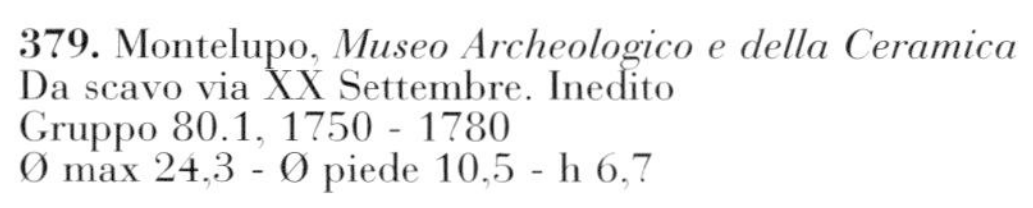

379. Montelupo, *Museo Archeologico e della Ceramica*
Da scavo via XX Settembre. Inedito
Gruppo 80.1, 1750 - 1780
Ø max 24,3 - Ø piede 10,5 - h 6,7

380. Montelupo, *Museo Archeologico e della Ceramica*
Da scavo via XX Settembre, (Berti, 1986, p. 194)
Gruppo 80.2, 1750 - 1780
Ø max 14,5 - Ø piede 9 - h 2,4

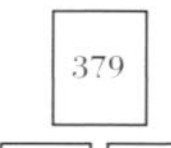

381. Toscana, *Collezione privata*
Inedito
Gruppo 80.3, 1770 - 1790
Ø max - Ø piede - h

Genere 81. Monogrammi e date

382. Montelupo, *Museo Archeologico e della Ceramica*
Da scavo via XX Settembre. Inedito
Genere 81, datato 1758
Ø max 16,3 - Ø piede 7,2 - h 4,1

382

Genere 82. Rametto fiorito

383. Montelupo, *Museo Archeologico e della Ceramica*
Da scavo via XX Settembre. Inedito
Genere 82, 1770 - 1790
Ø max 19,7 - Ø piede 9,2 - h 3,7

Forme

Avvertenza

La maggior complessità dei riferimenti ai generi impone in questo volume della *Storia della ceramica di Montelupo* una diversa intestazione dei gruppi morfologici. Qui, infatti, il riferimento al *genere* deve essere ricercato nella tabella seguente: esso non precede perciò la definizione della forma. In tal modo le diverse morfe si qualificano per il numero romano (I = aperte; II = chiuse) e per la lettera che ne indica il tipo; la cifra araba a fianco di ciascun disegno si riferisce perciò alla variante.

forma n.	*genere*
1	**16**
2	**31**
3	**25**
4	**25**
5	**43**
6	**25**
7	**25**
8	**34**
9	**45**
10	**40**
11	**68**
12	**40**
13	**45**
14	**38**
15	**38**
16	**40**
17	**40**
18	**40**
19	**40**
20	**43**
21	**33**
22	**26**
23	**18**
24	**42**
25	**40**
26	**21**
27	**19**
28	**40**
29	**25**
30	**40**
31	**54**
32	**26**
33	**18**
34	**54**
35	**43**
36	**54**
37	**33**
38	**43**
39	**43**
40	**18**
41	**45**
42	**40**
43	**18**
44	**26**
45	**16**
46	**26**
47	**43**
48	**40**
49	**23**
50	**16**
51	**58**
52	**43**
53	**40**
54	**75**
55	**75**
56	**72**
57	**56**
58	**45**
59	**81**
60	**81**
61	**79**
62	**79**
63	**34**
64	**37**
65	**37**
66	**63**
67	**15**
68	**34**
69	**79**
70	**37**
71	**45**
72	**45**
73	**40**
74	**biscotto**
75	**68**
76	**79**
77	**72**
78	**75**
79	**74**
80	**48**
81	**46**
82	**61**
83	**52**
84	**52**
85	**52**
86	**23**
87	**23**
88	**33**
89	**45**
90	**45**
91	**16**
92	**37**
93	**40**
94	**40**
95	**1c**
96	**1b**
97	**1b**
98	**1c**
99	**1b**
100	**1b**
101	**1b**
102	**1b**
103	**1b**
104	**1c**
105	**1c**
106	**1b**
107	**1b**
108	**24**
109	**21**
110	**21**
111	**55**
112	**53**
113	**55**
114	**20**
115	**58**
116	**58**
117	**76**
118	**74**
119	**77**
120	**74**
121	**74**
122	**71**
123	**80**
124	**74**
125	**79**
126	**40**
127	**ospedaliera**
128	**ospedaliera**
129	**21**
130	**40**
131	**33**
132	**45**
133	**79**
134	**26**
135	**58**
136	**71**
137-138	**65**
139	**58**
140	**biscotto**
141	**77**
142	**80**

I.G. (Piatti a piede piano)

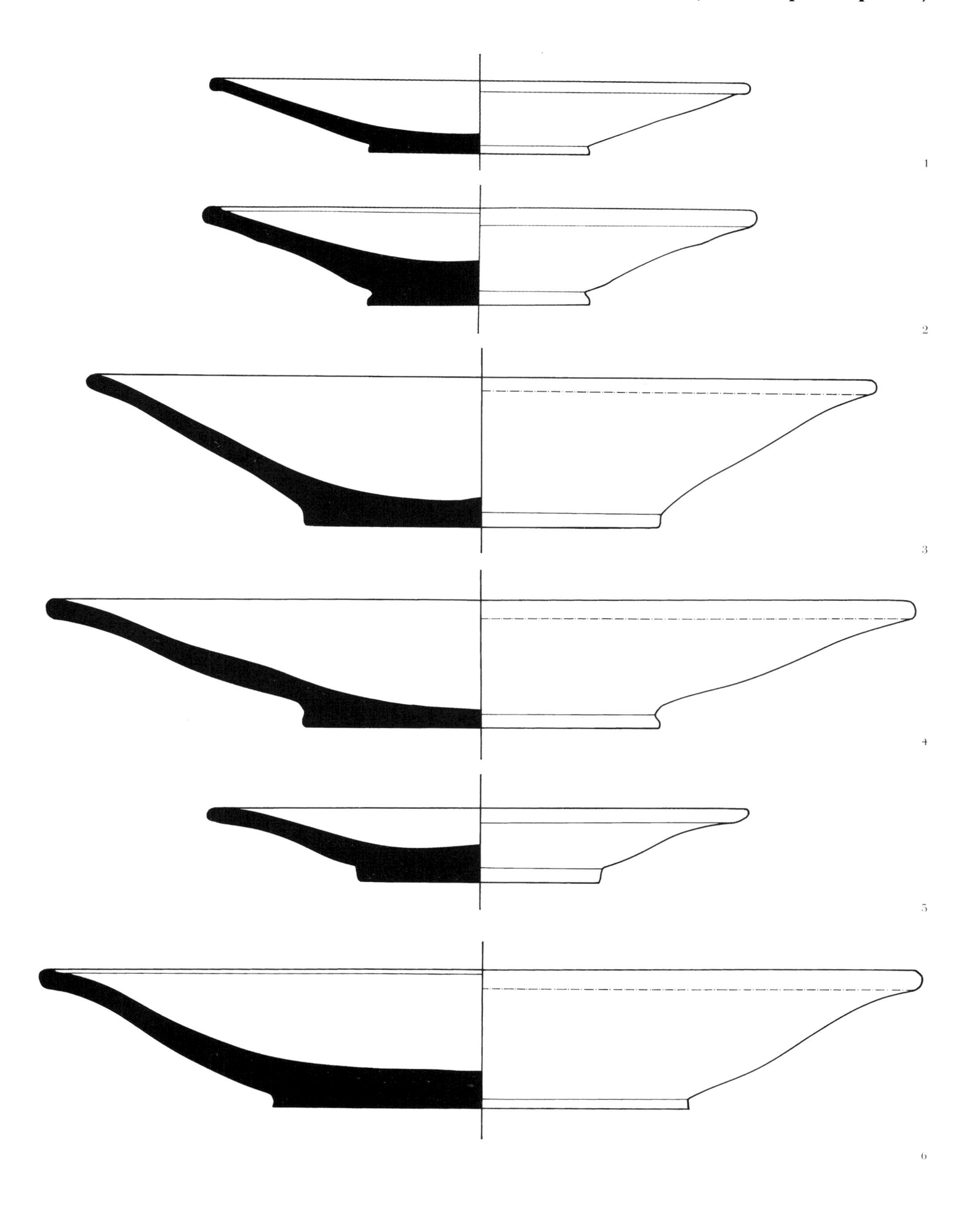

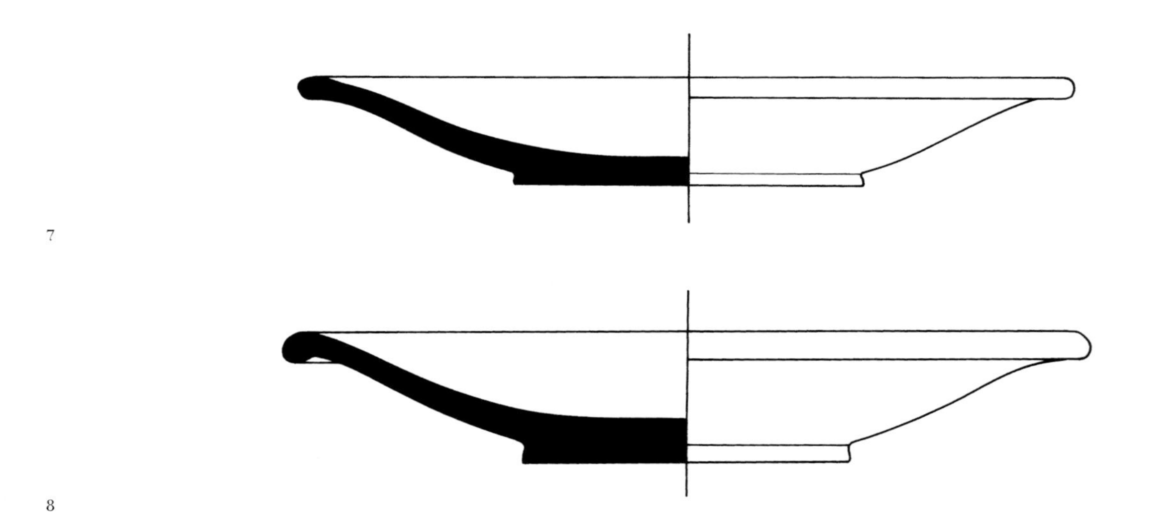

7

8

I.G. (Piatti a piede umbonato)

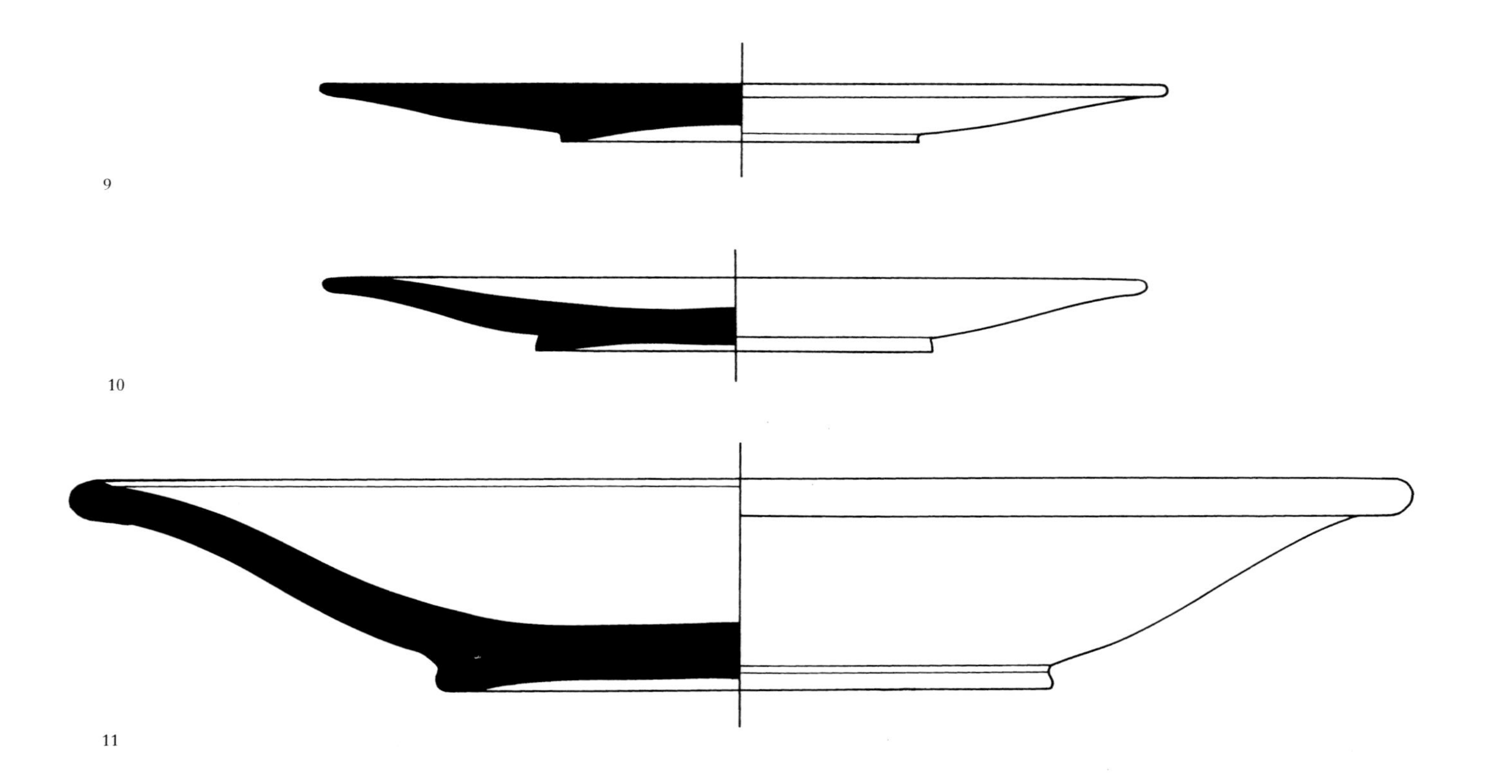

9

10

11

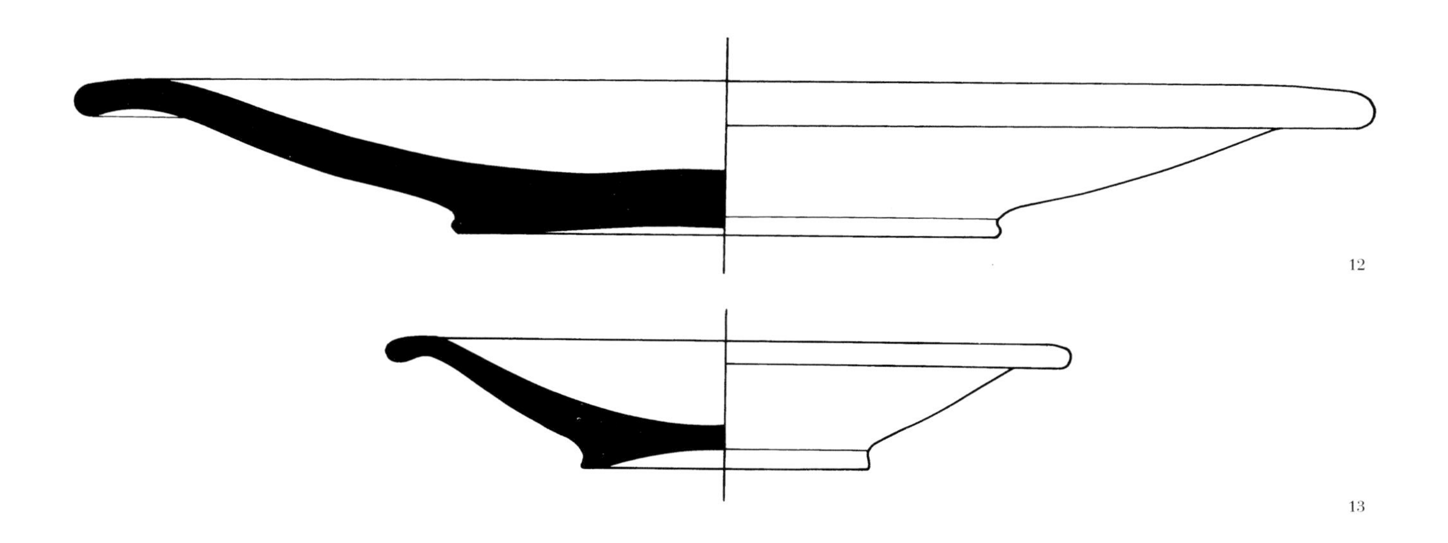

I.L. (Crespine)

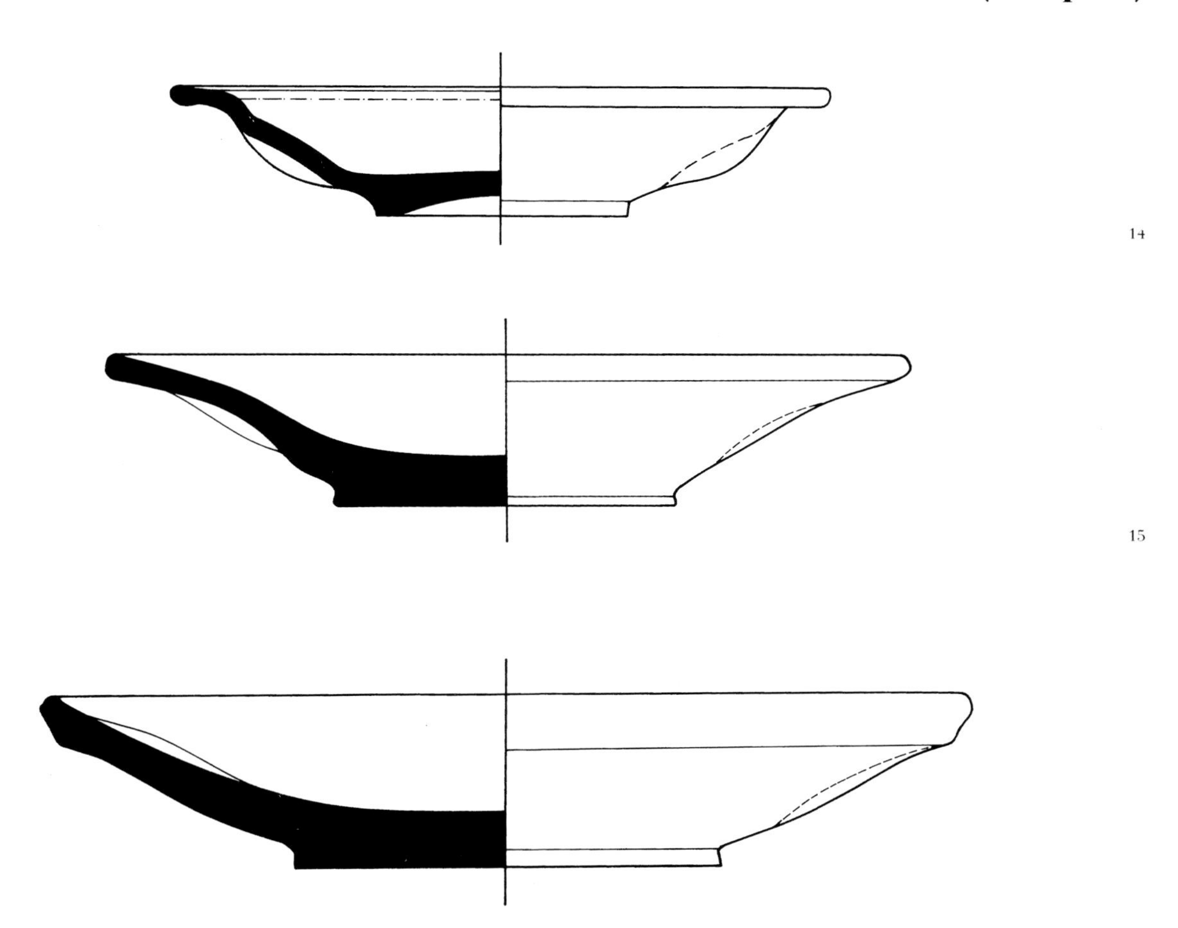

16

I.F1. (Piatti scodelliformi a larga tesa con piede umbonato e piano)

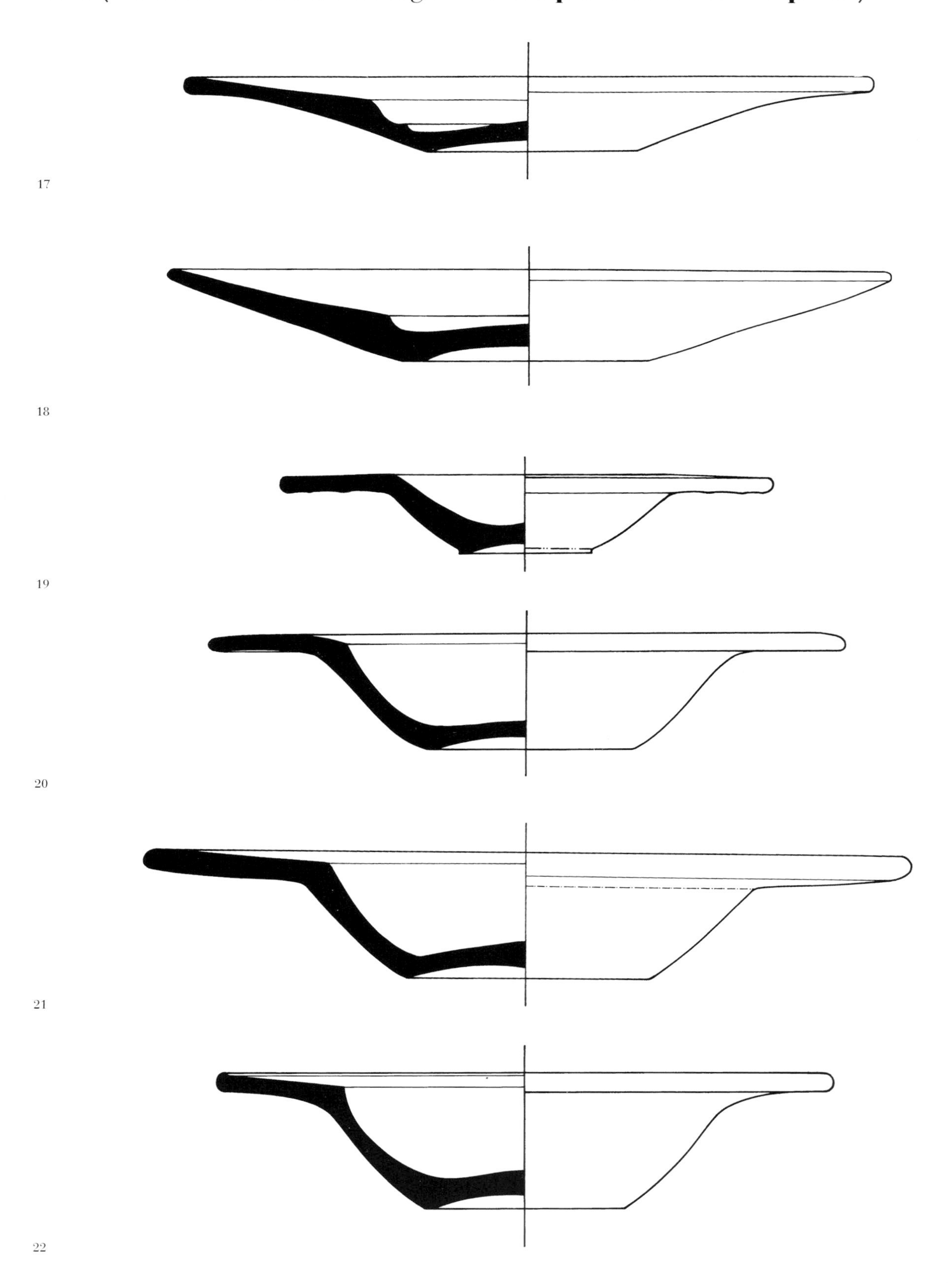

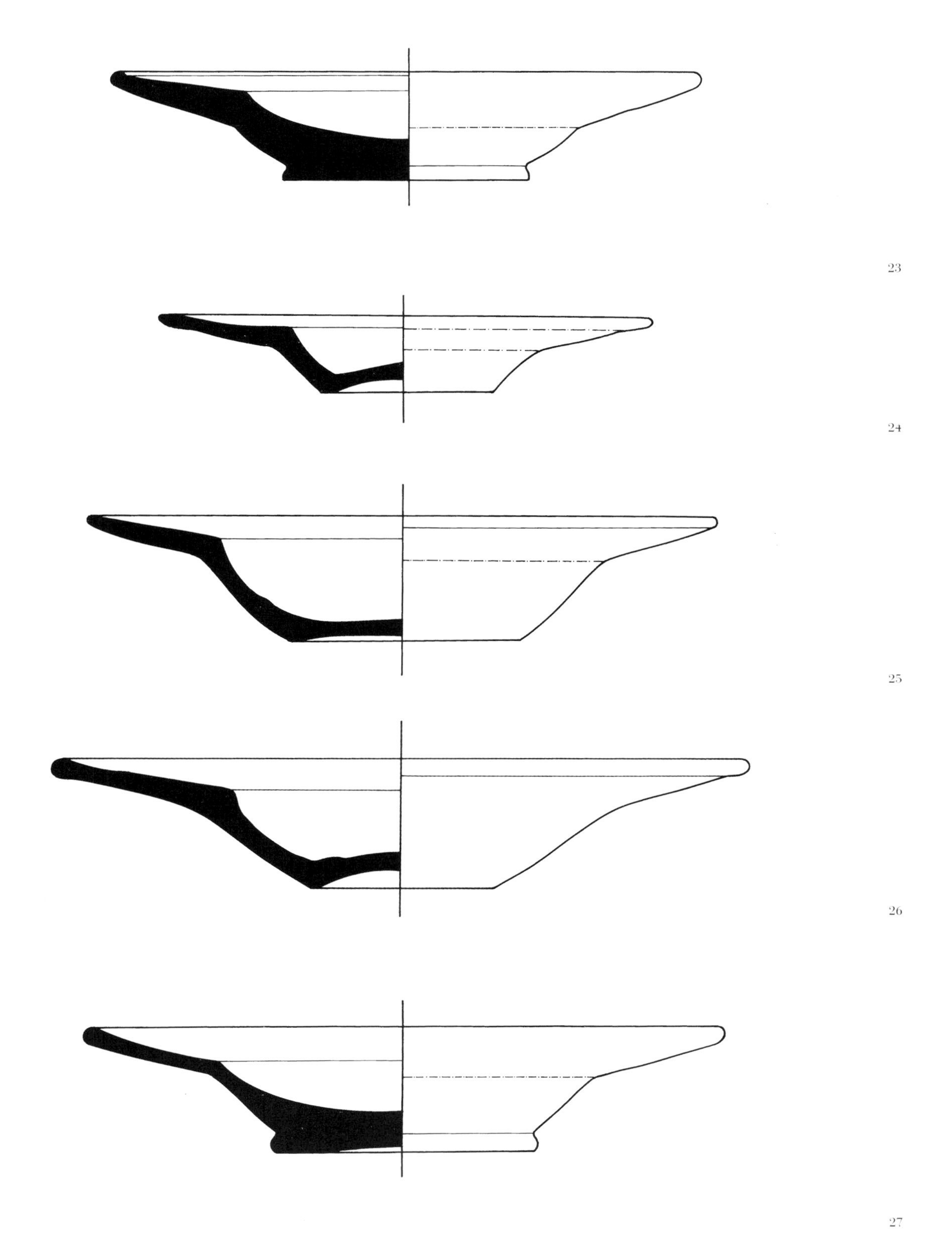
23
24
25
26
27

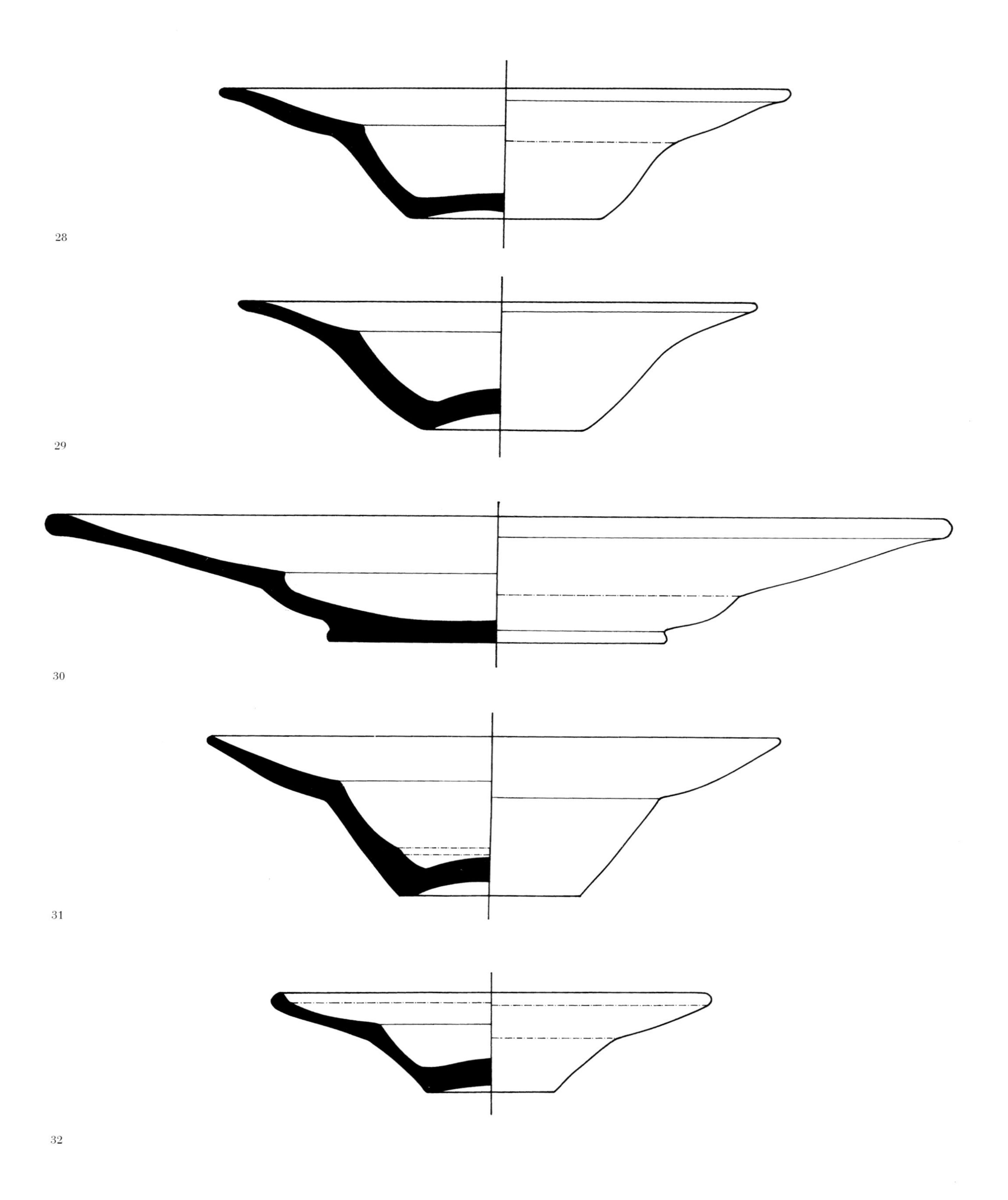
28
29
30
31
32

I.F2. (Piatti scodelliformi a media e breve tesa con piede piano)

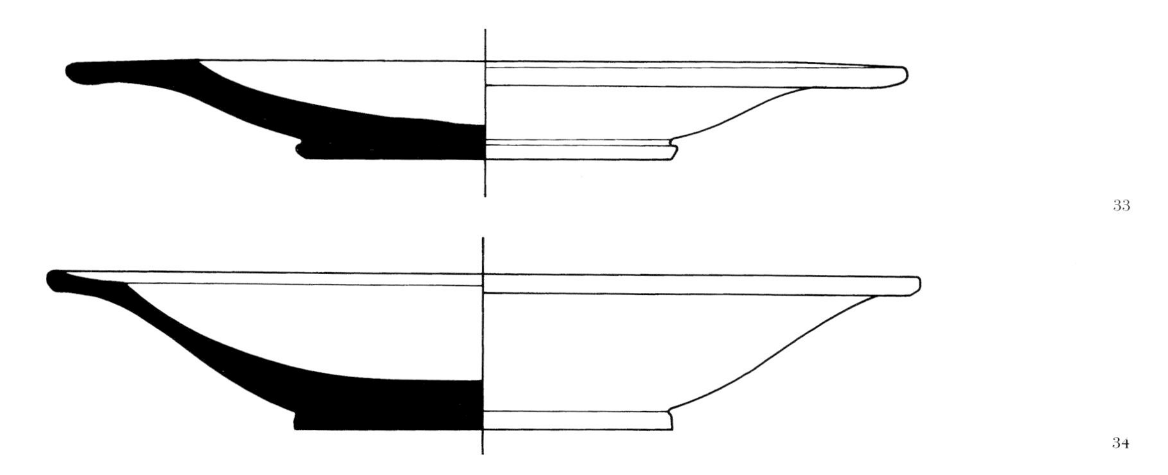

I.F3. (Piatti scodelliformi a media e breve tesa con piede umbonato)

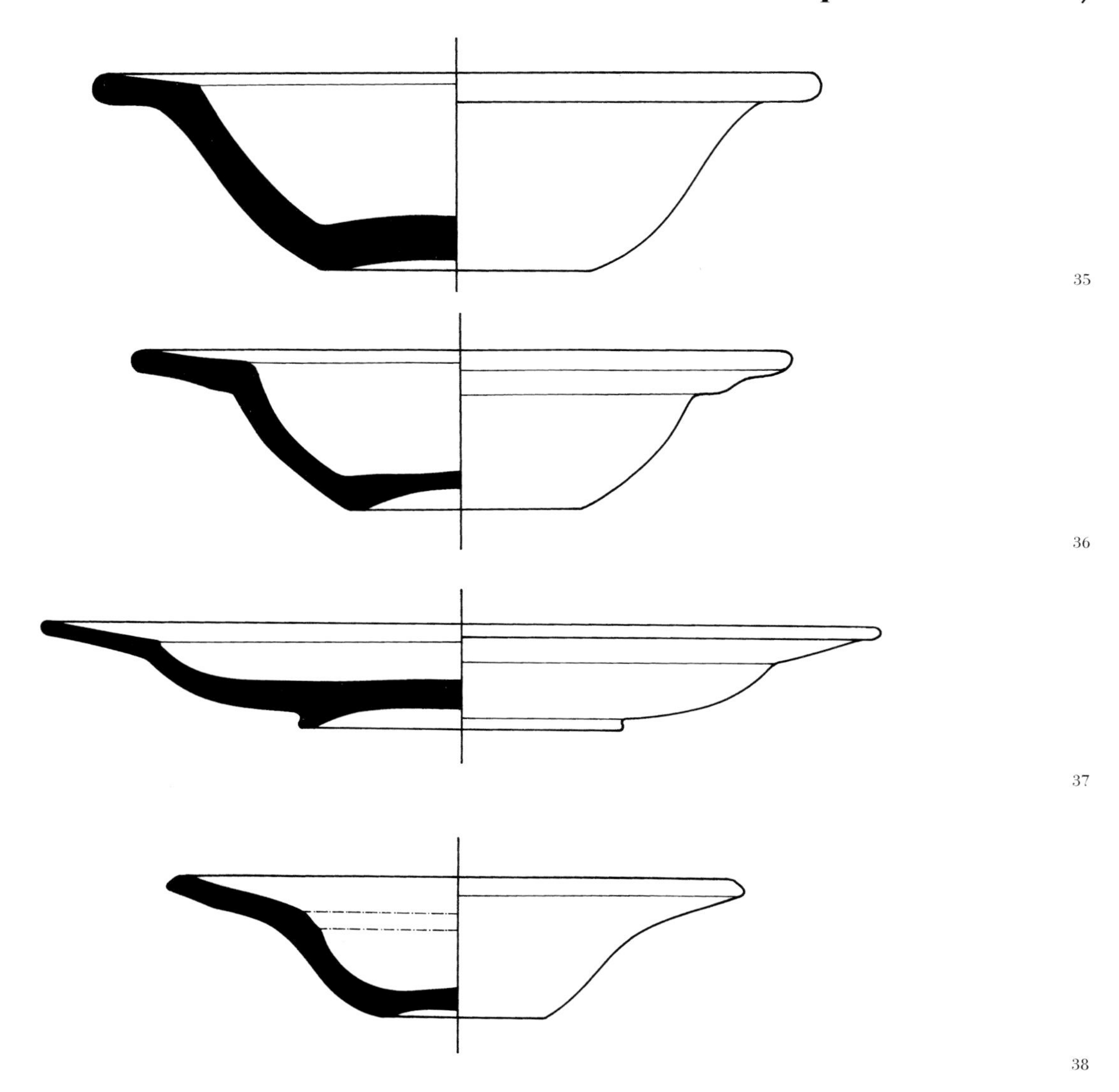

I.F4. (Piatti Scodelliformi a testa ridotta o extroflessa a piede umbonato)

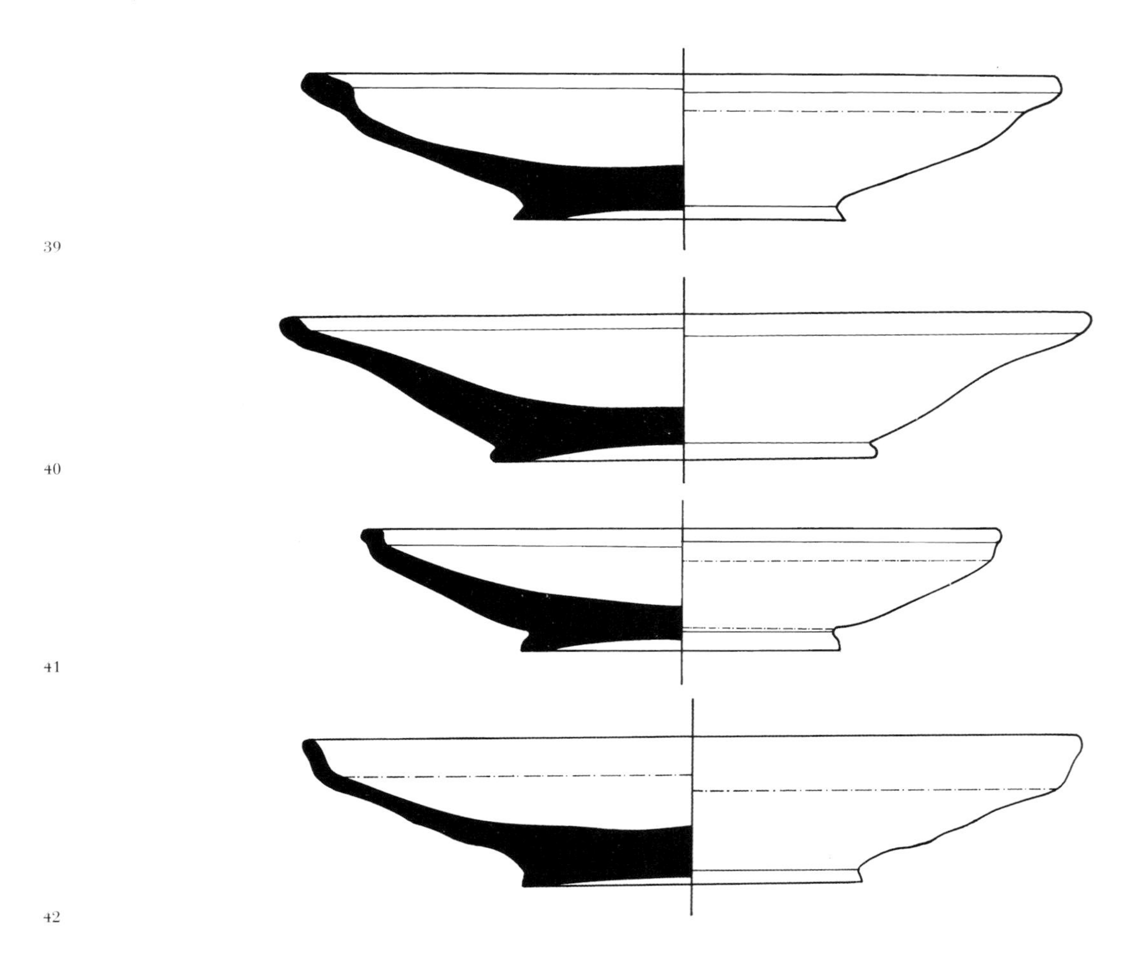

I.F5. (Piatti scodelliformi a testa ridotta o extroflessa a piede piano)

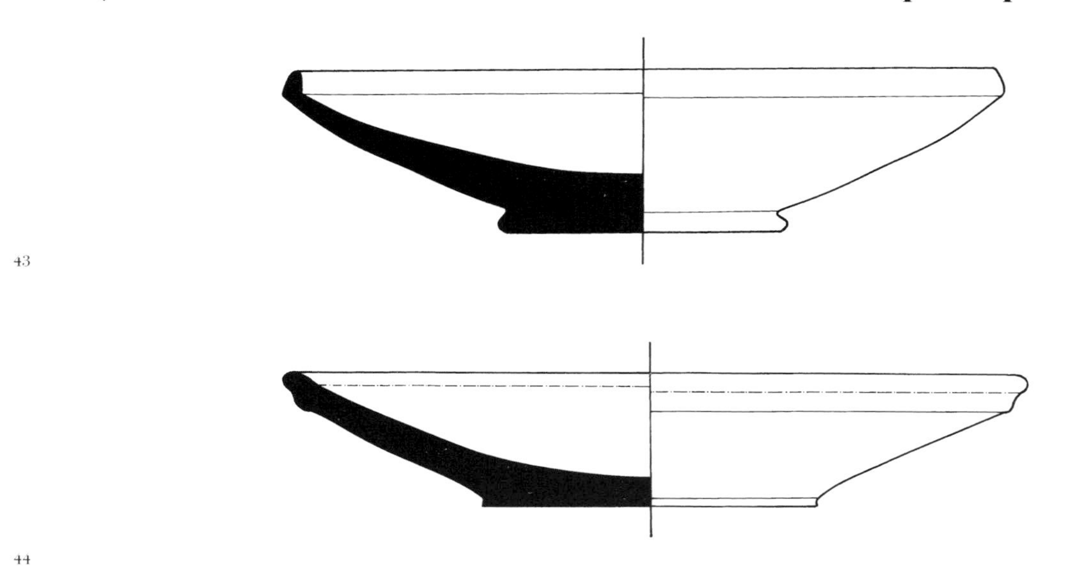

I.D7. (Scodellini su piede)

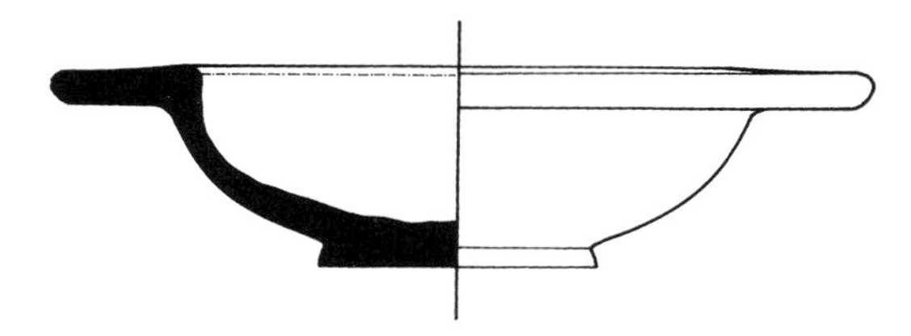

45

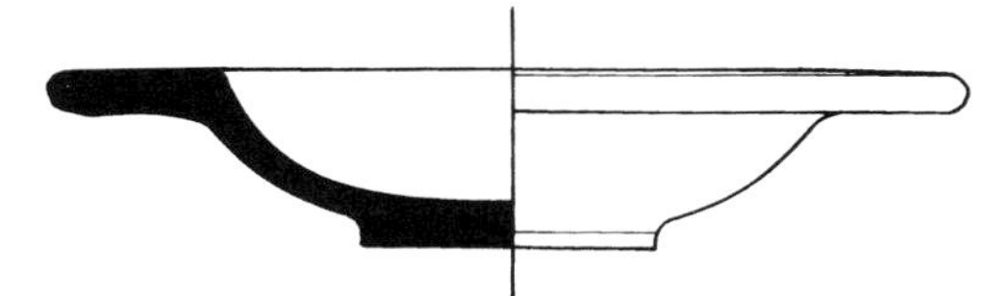

46

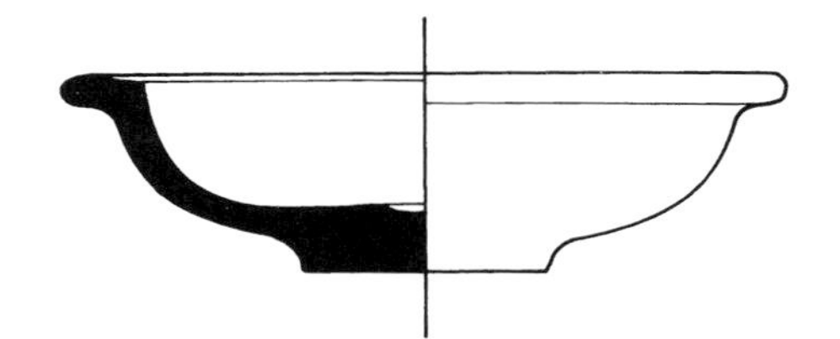

47

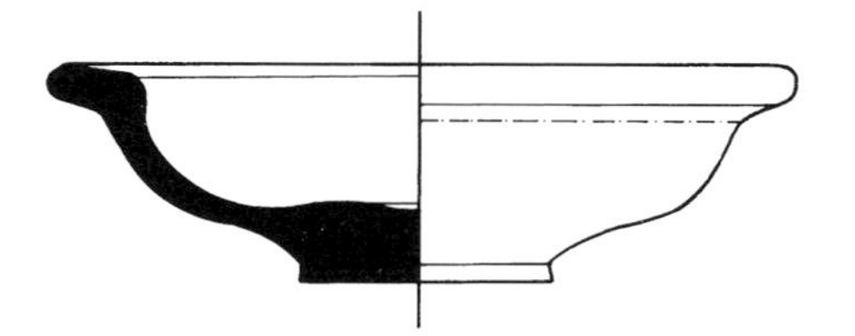

48

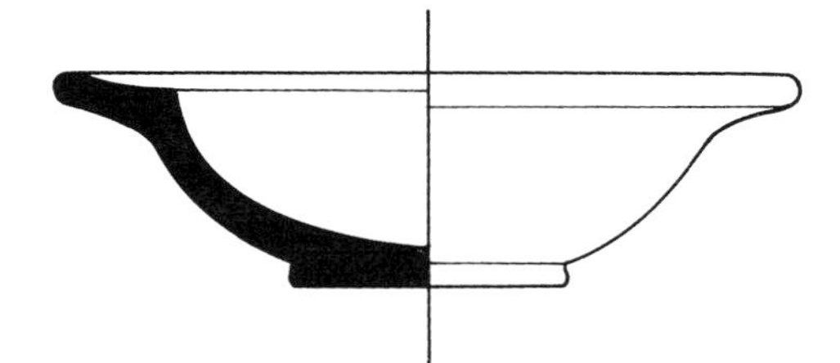

49

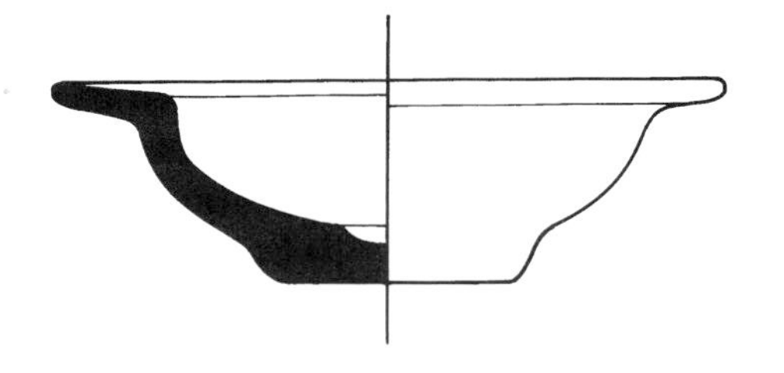

50

I.D3. (Scodelle a tesa ristretta)

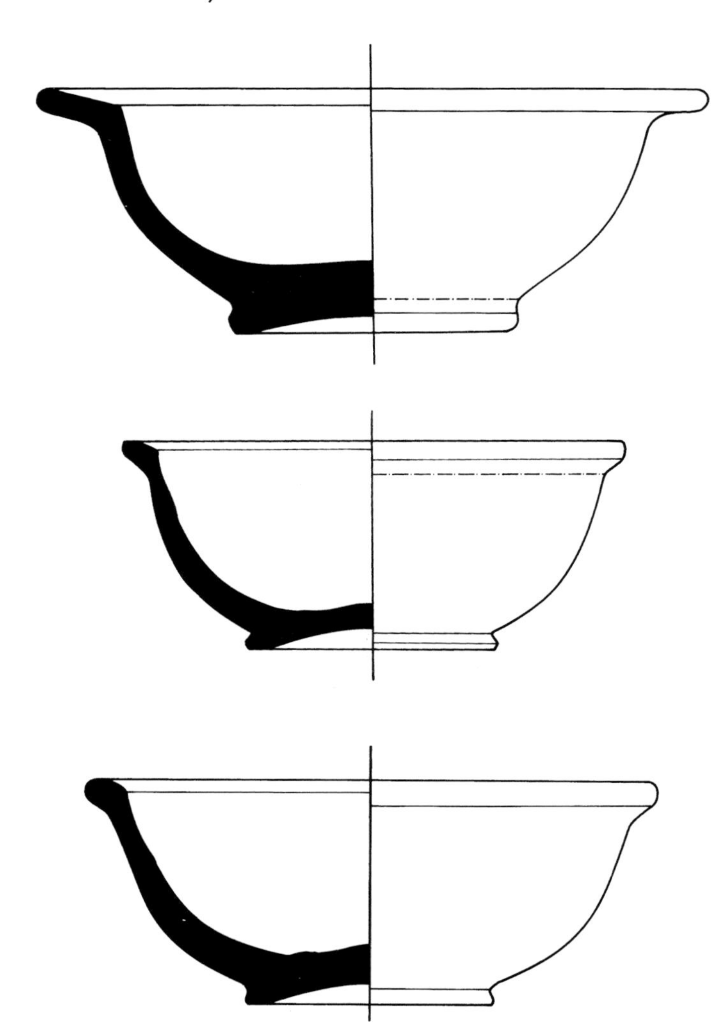

51

52

53

I.G2. (Piatti tardi)

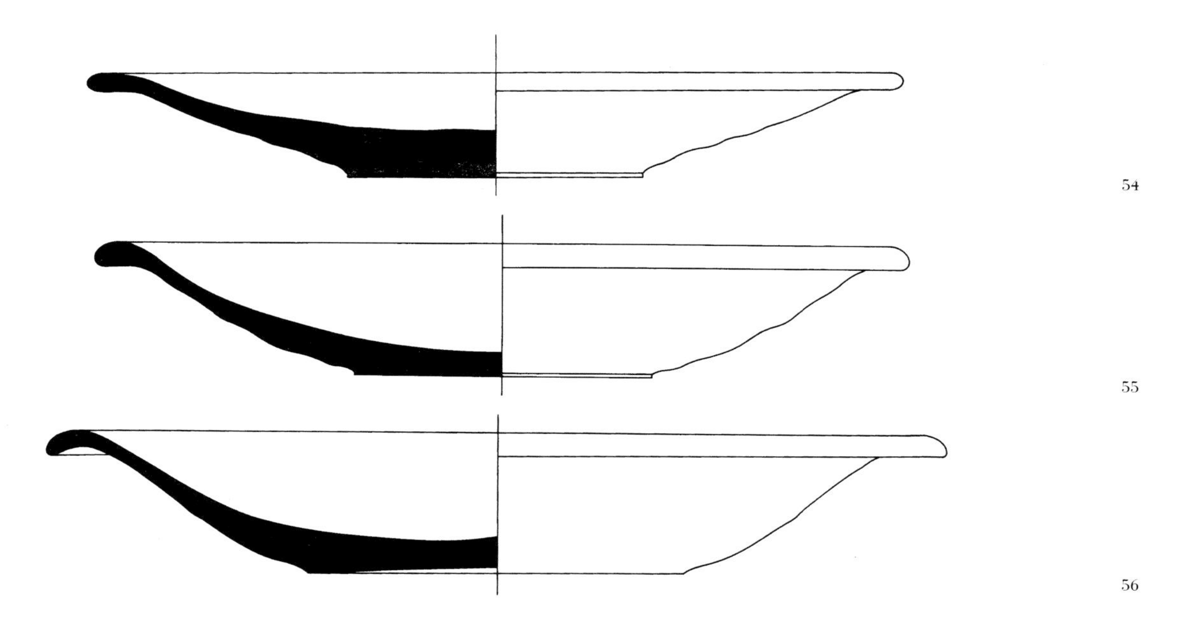

I.C2. (Ciotole troncoconiche)

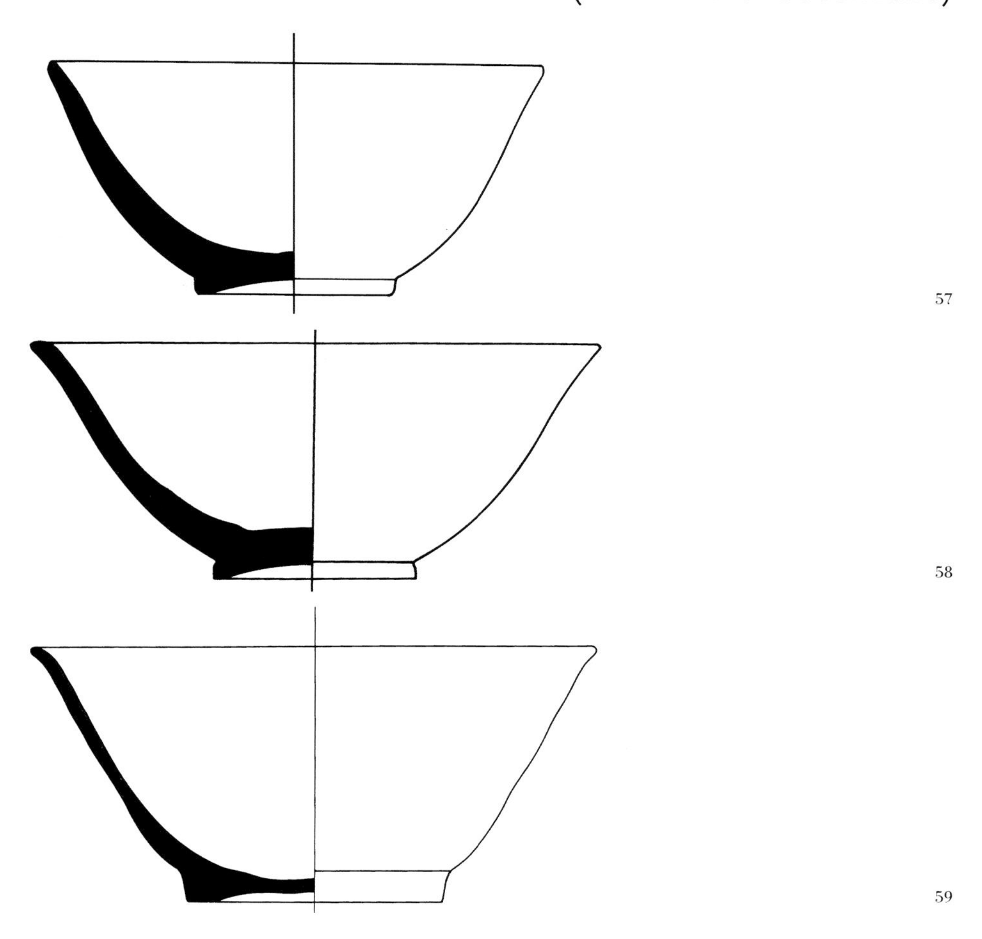

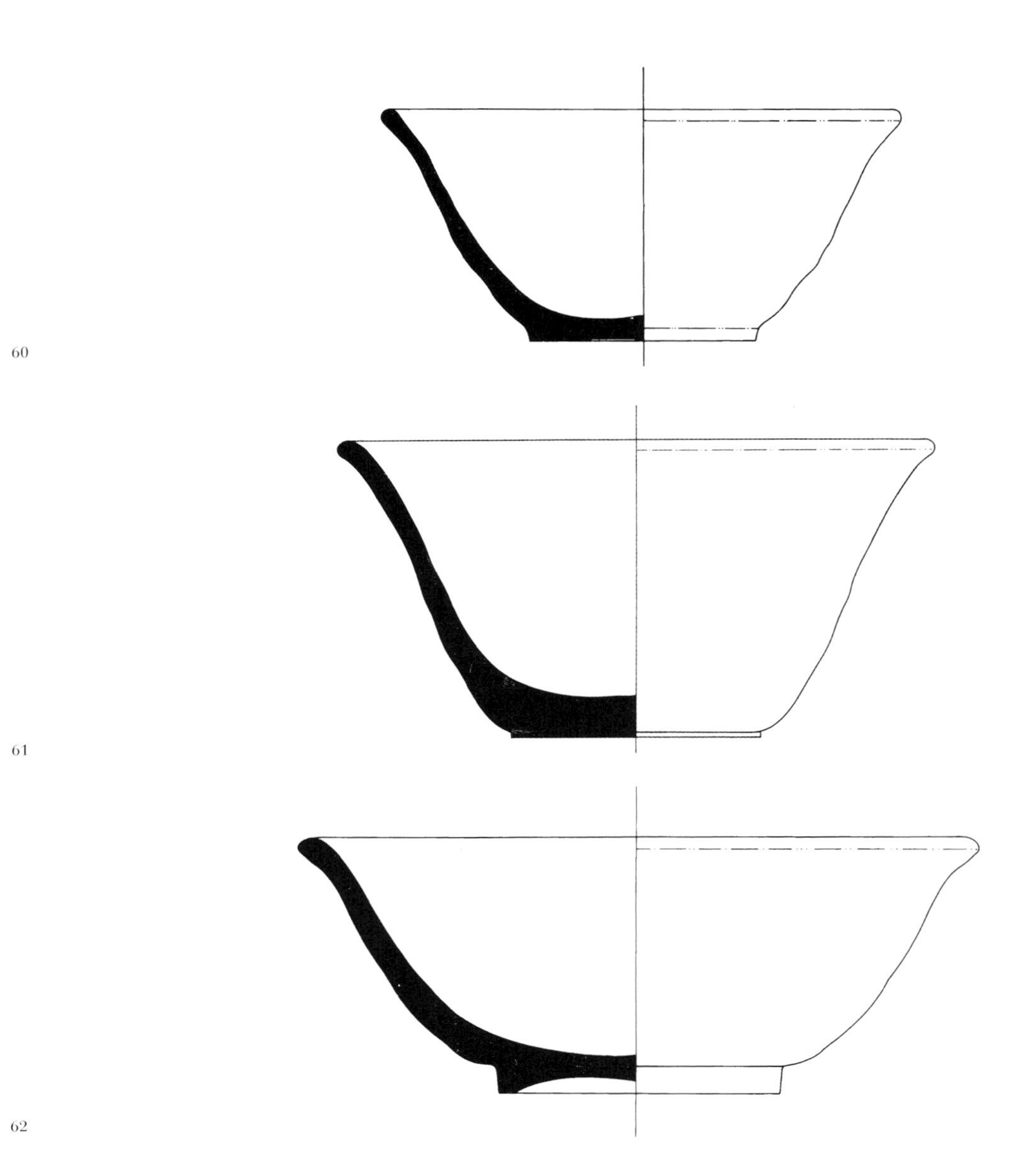

60

61

62

I.C. (Ciotole emisferiche)

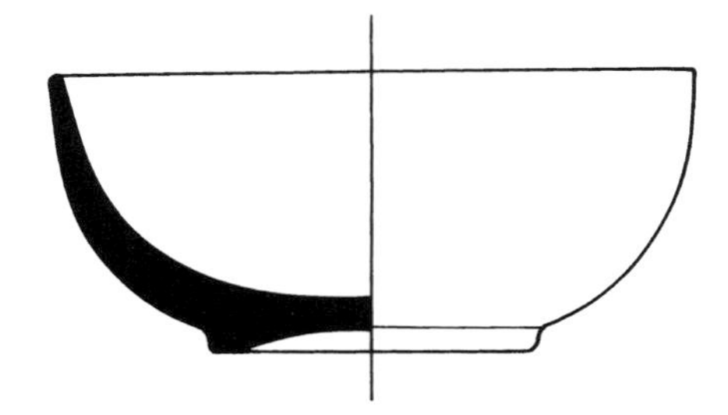

63

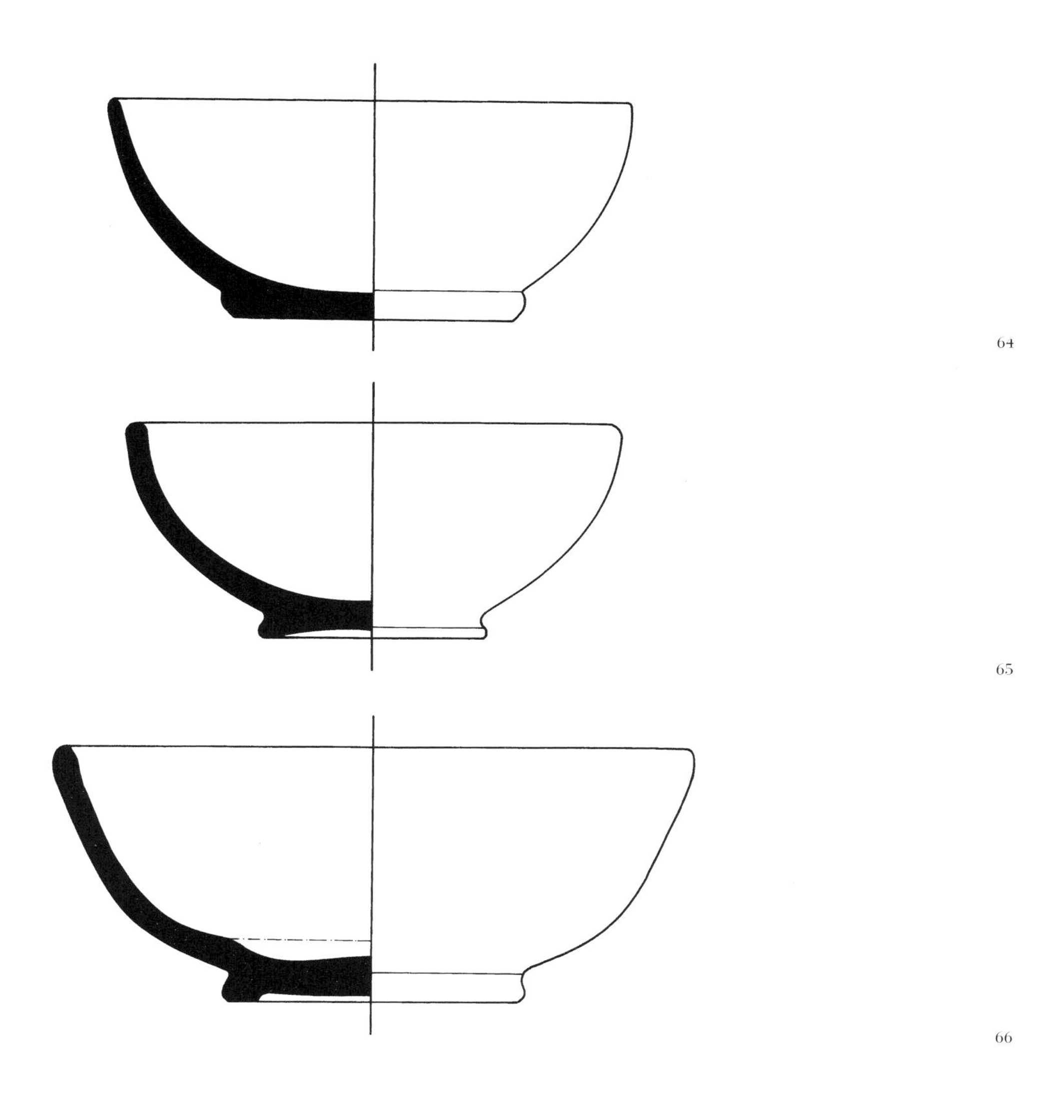

I.C3. (Microciotola)

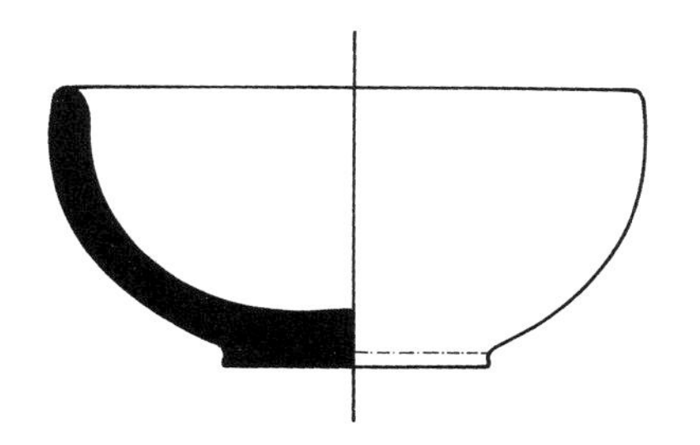

67

I.C4. (Ciotola a pareti sottili)

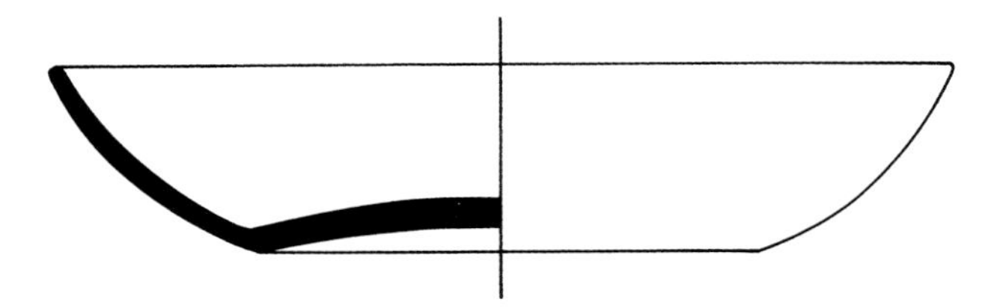

· 68

I.C5. (Ciotola a pareti raddrizzate)

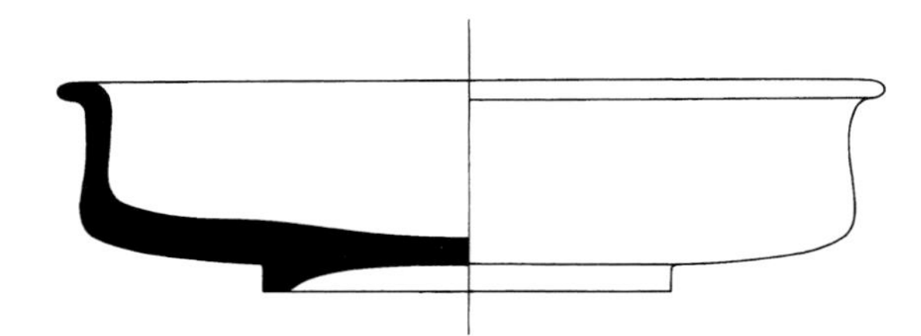

69

I.M. (Tazza biansata)

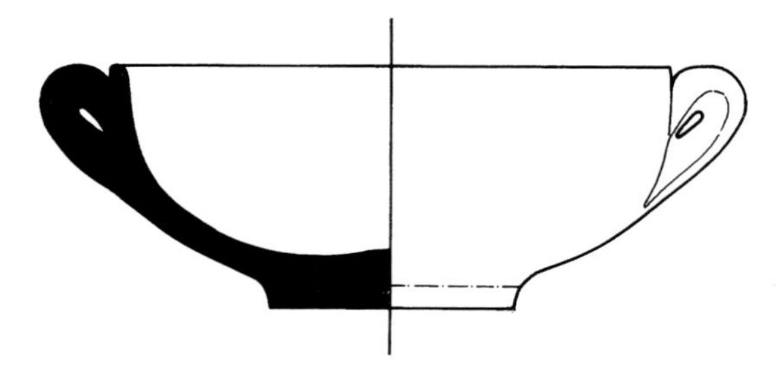

70

I.C1. (Ciotole da impagliata)

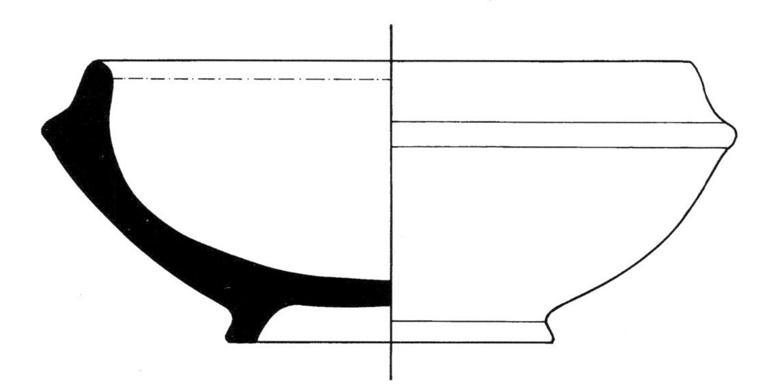

71

I.D4. (Scodella da impagliata)

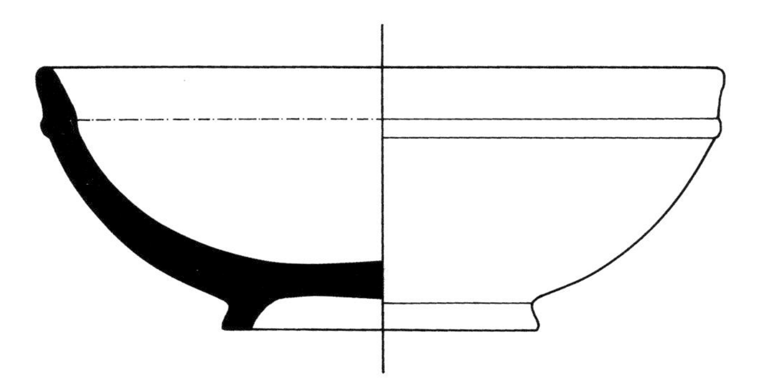

72

I.C1. e I.D4. (Ciotola [a] e scodella [b] da impagliata)

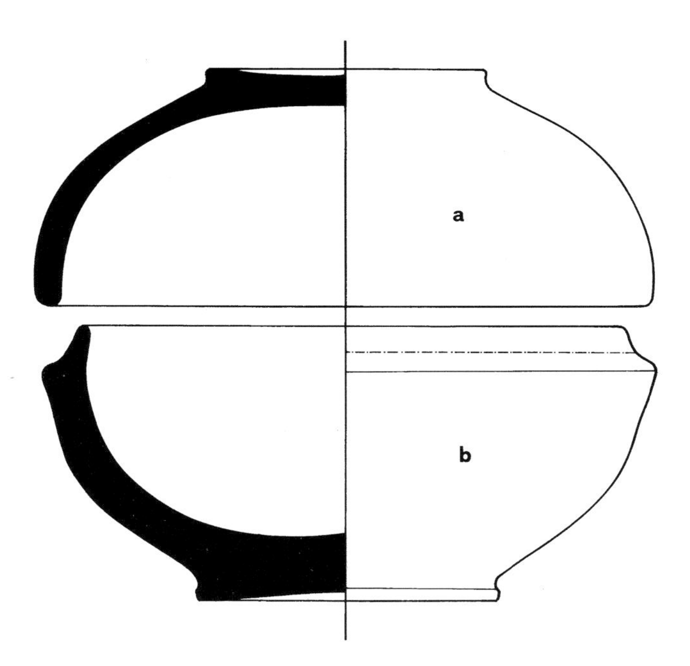

73

I.N, I.C1, ID4. (Coppa [a], ciotola [b] e scodella [c] da impagliata)

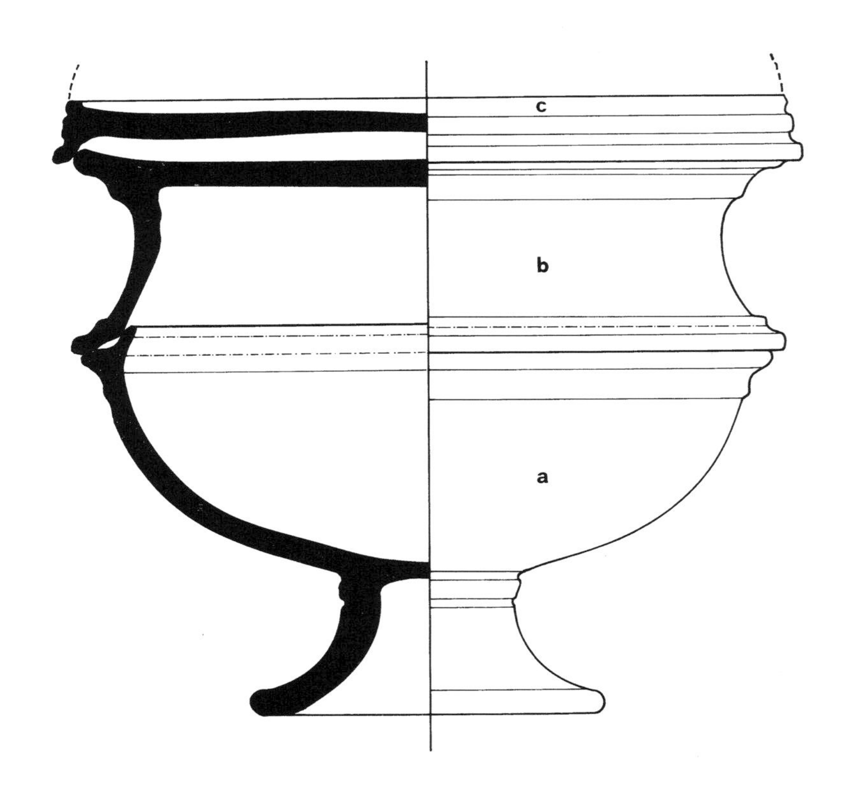

74

I.N. (Coppa da impagliata)

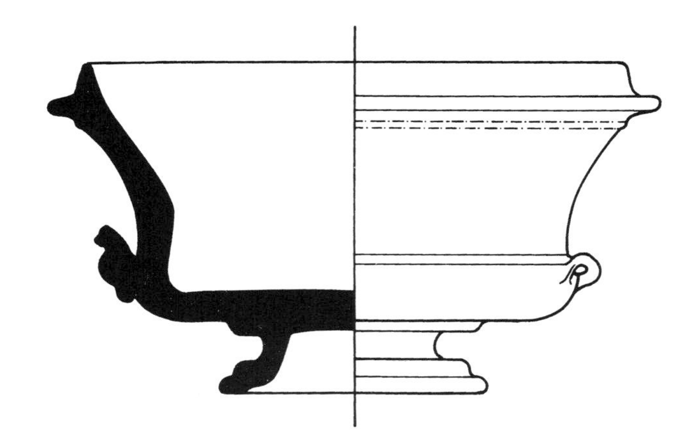

75

I.A. (Bacili)

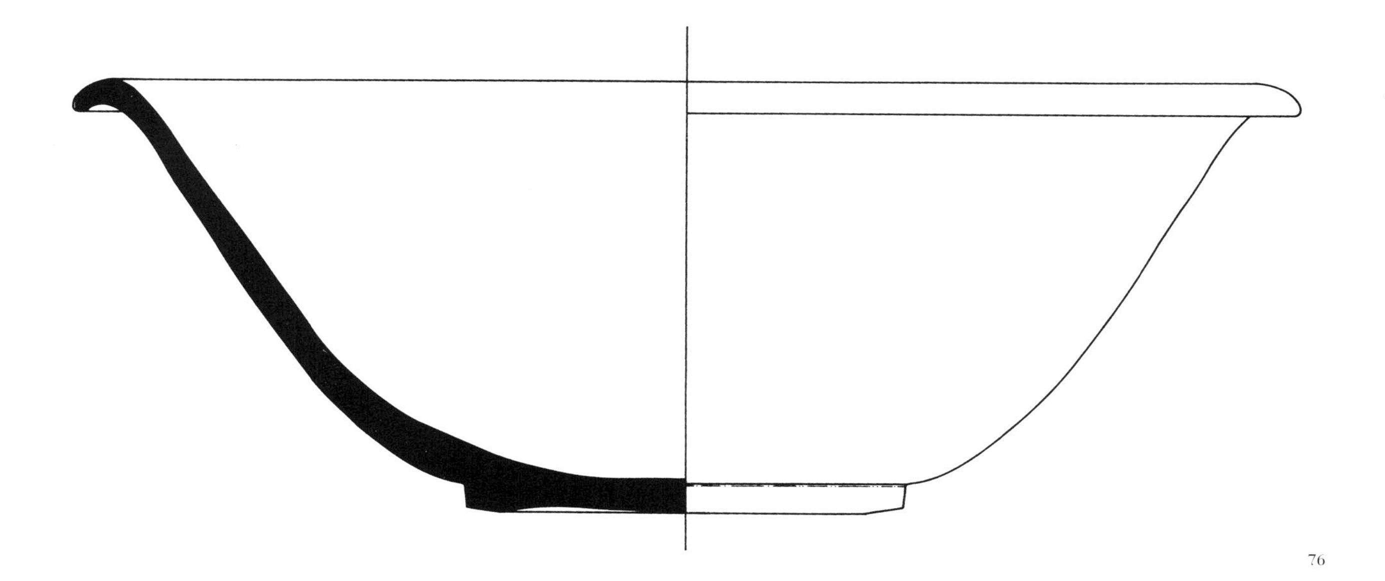

76

I.N. (Catinelle)

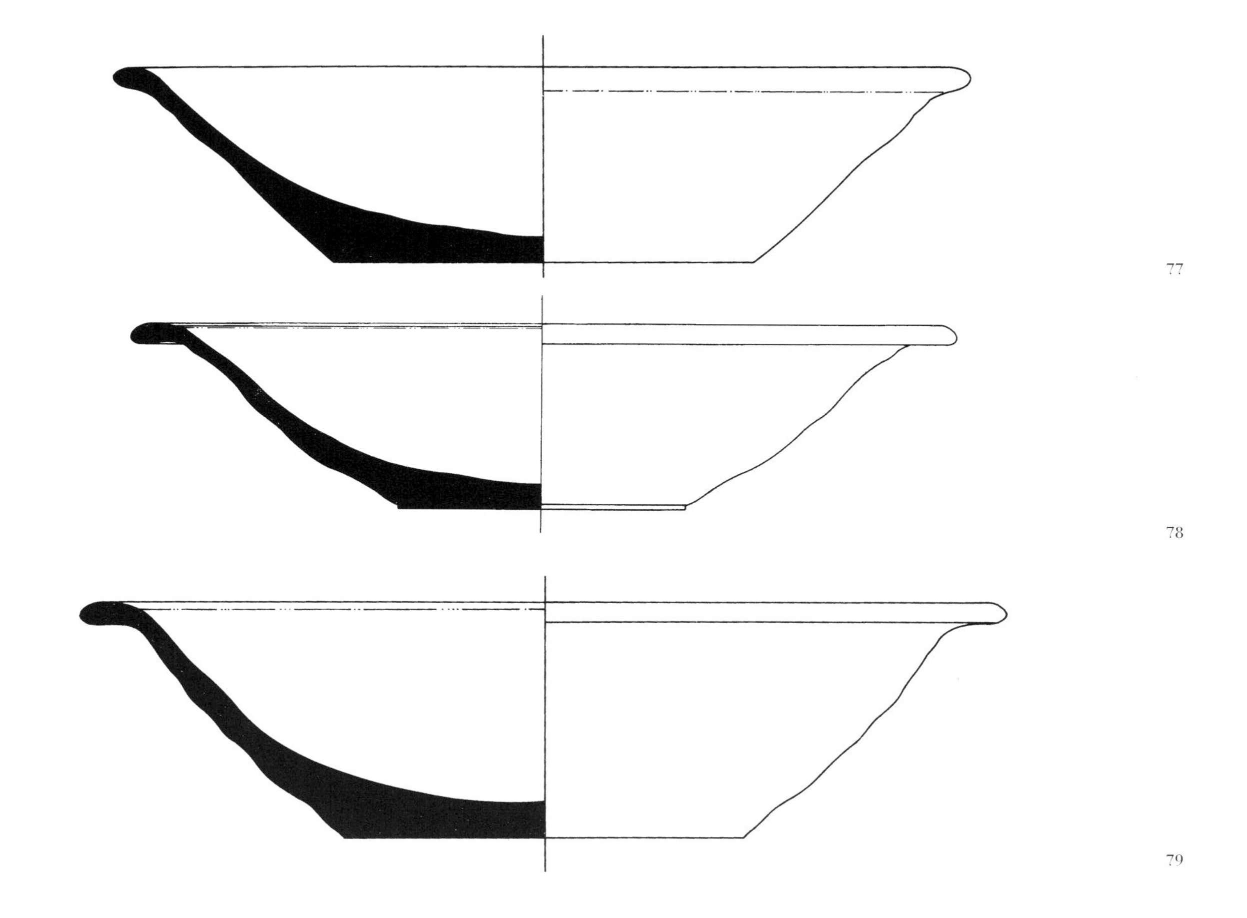

77

78

79

I.O. (Alzate su basso piede)

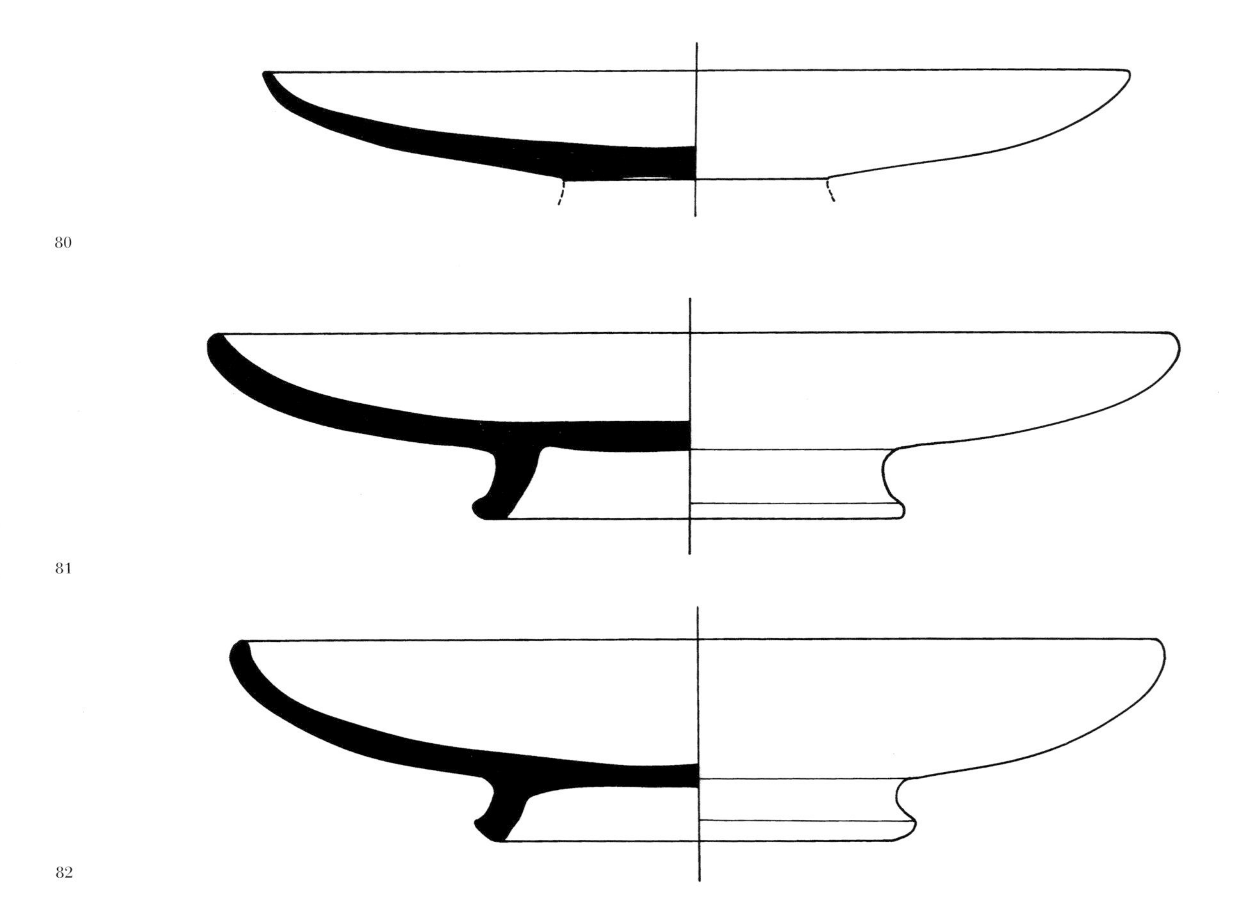

80

81

82

I.P. (Alzate baccellate su basso piede)

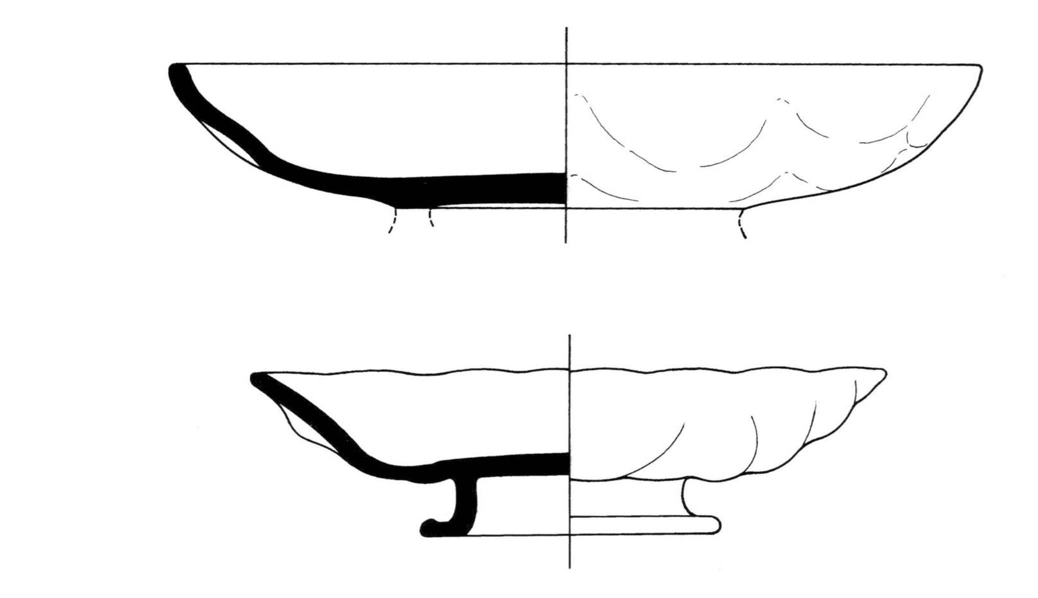

83

84

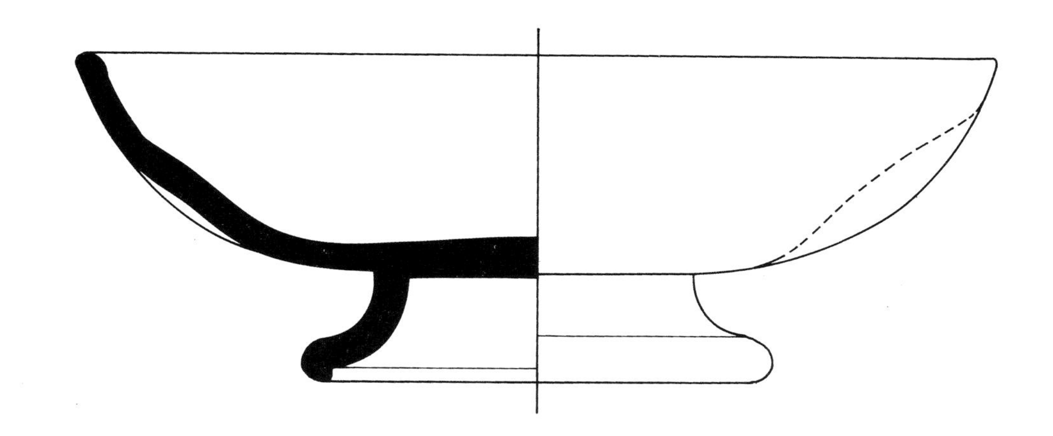

85

I.Q. (Alzate su alto piede)

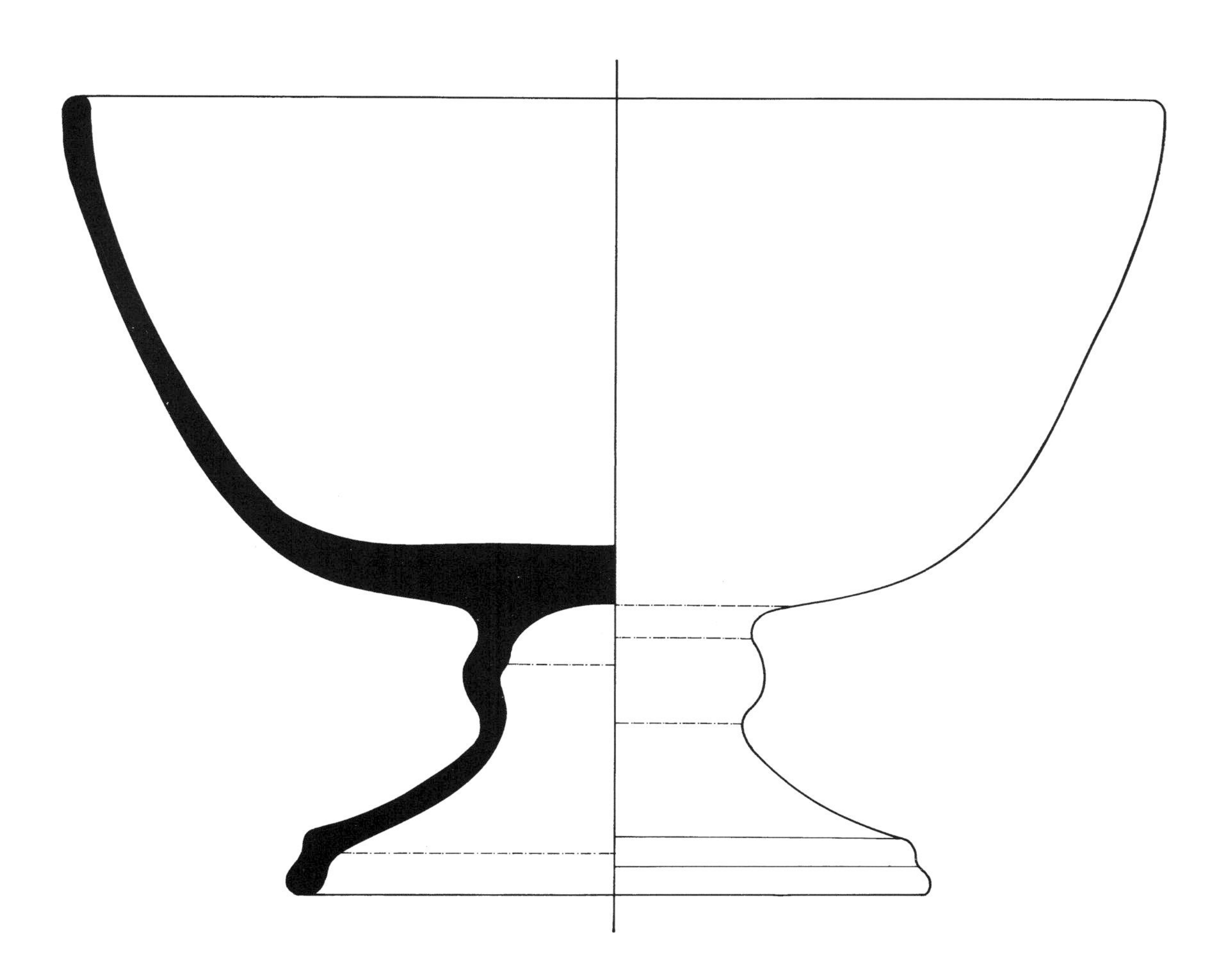

86

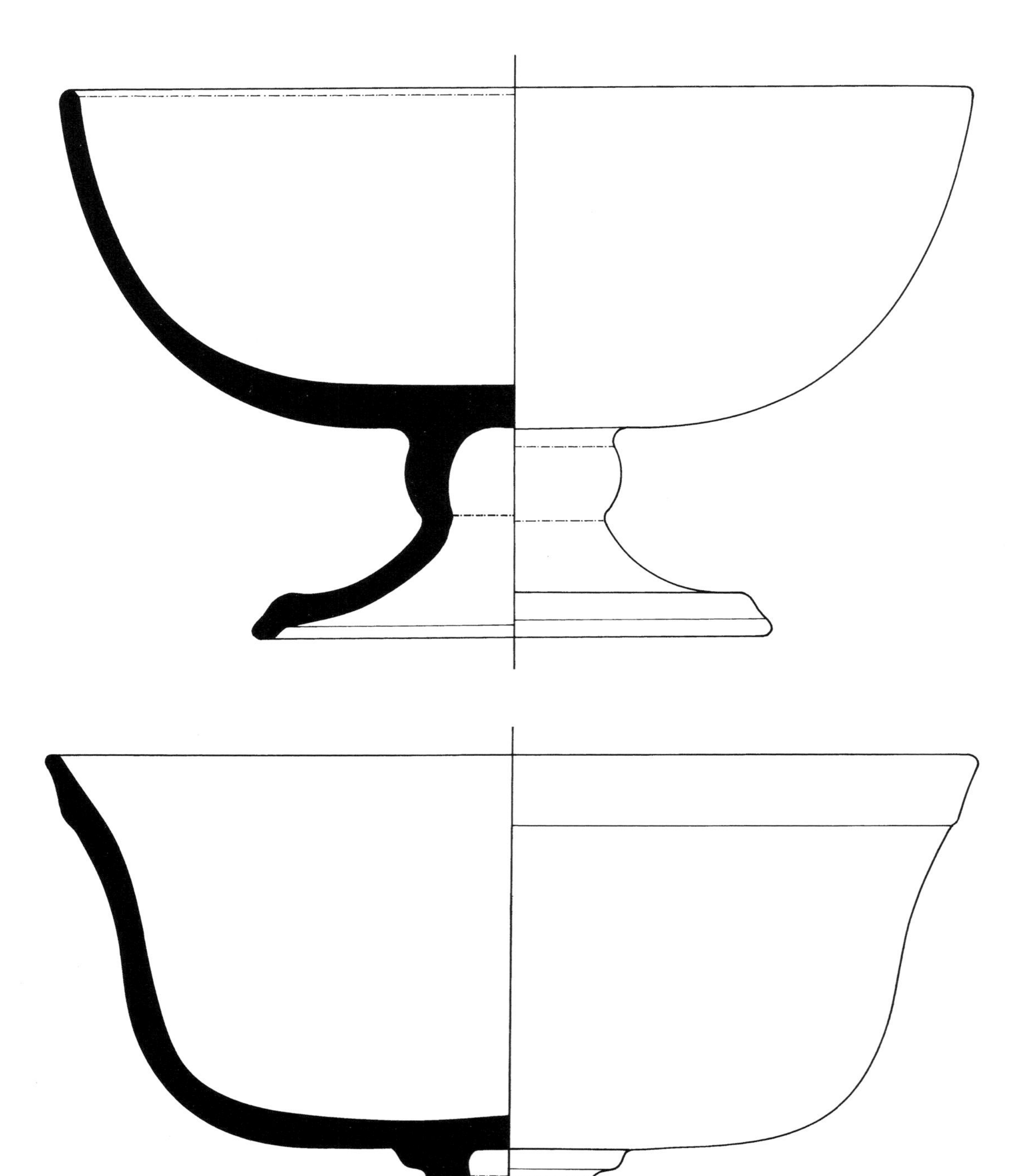

87

88

I.R. (Alzate campaniformi su alto piede)

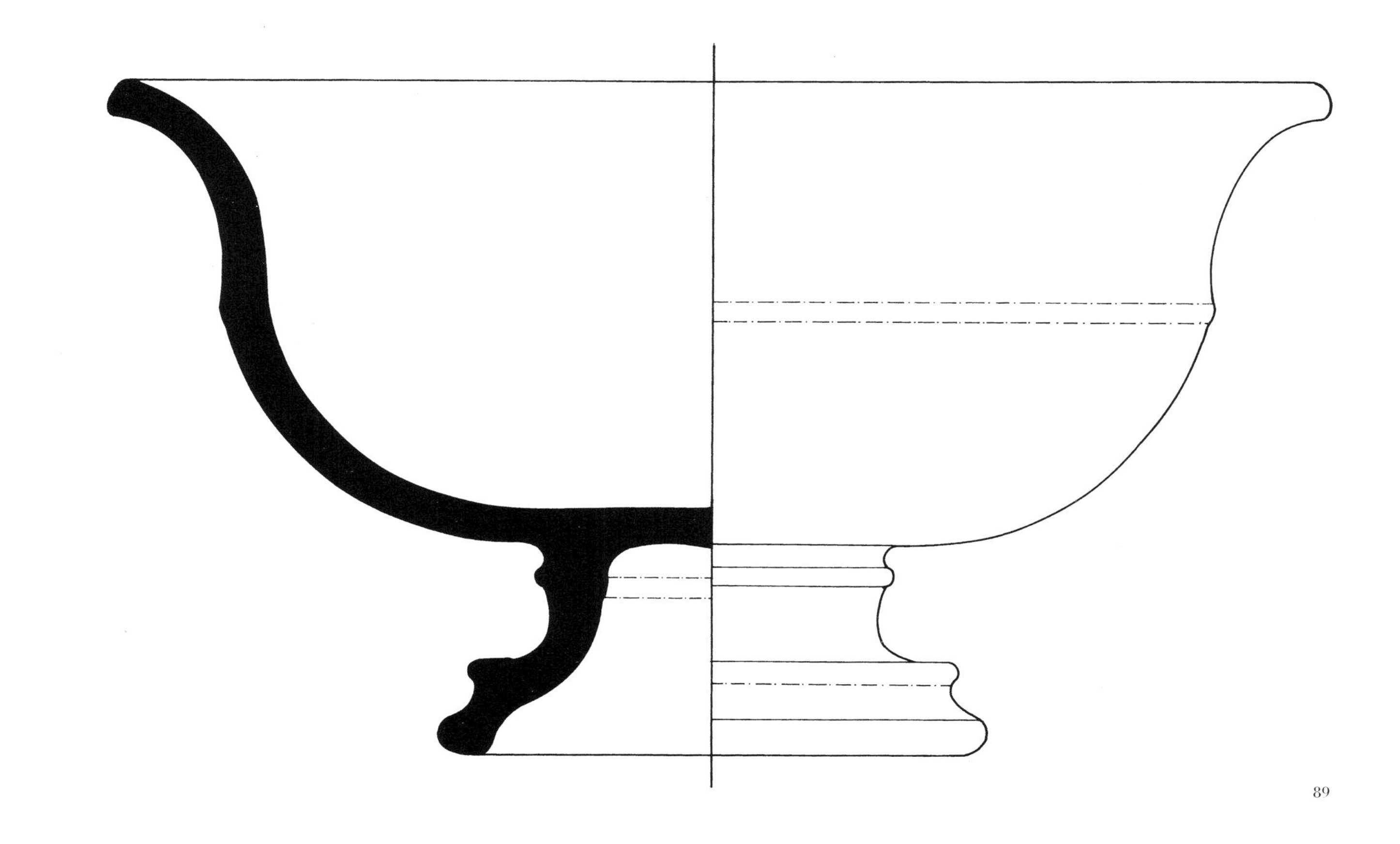

89

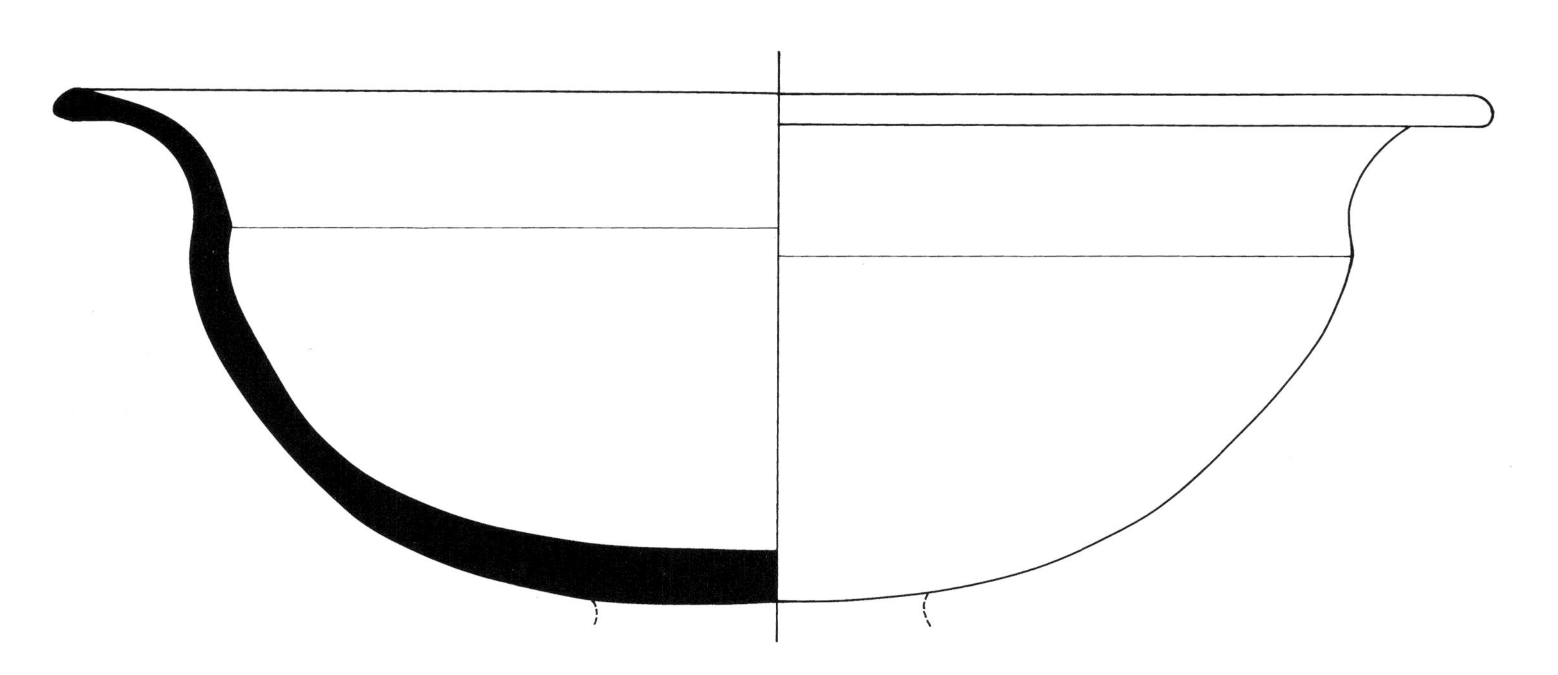

90

I.S. (Bicchieri)

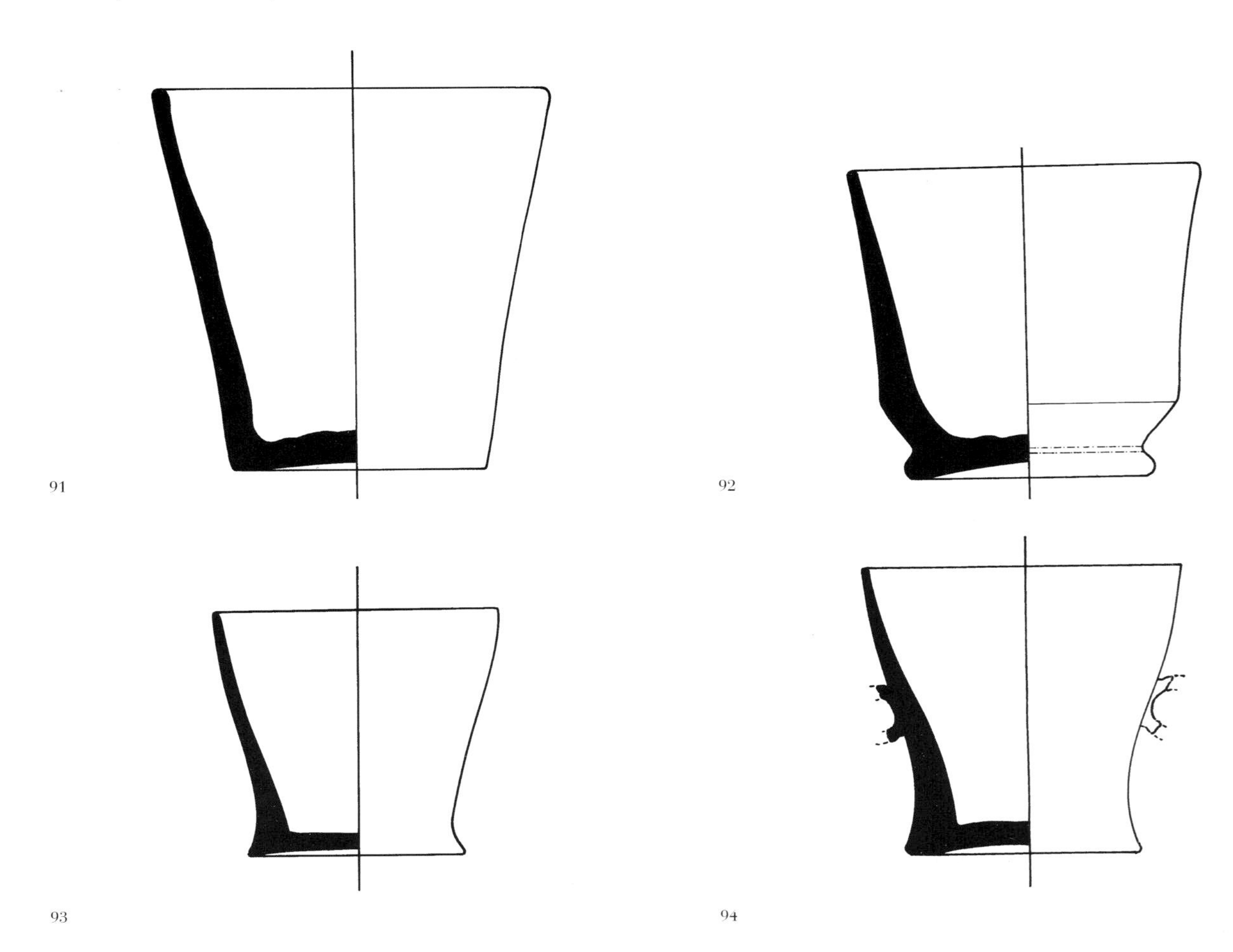

91

92

93

94

I.G1. (Ingobbiata, piatti)

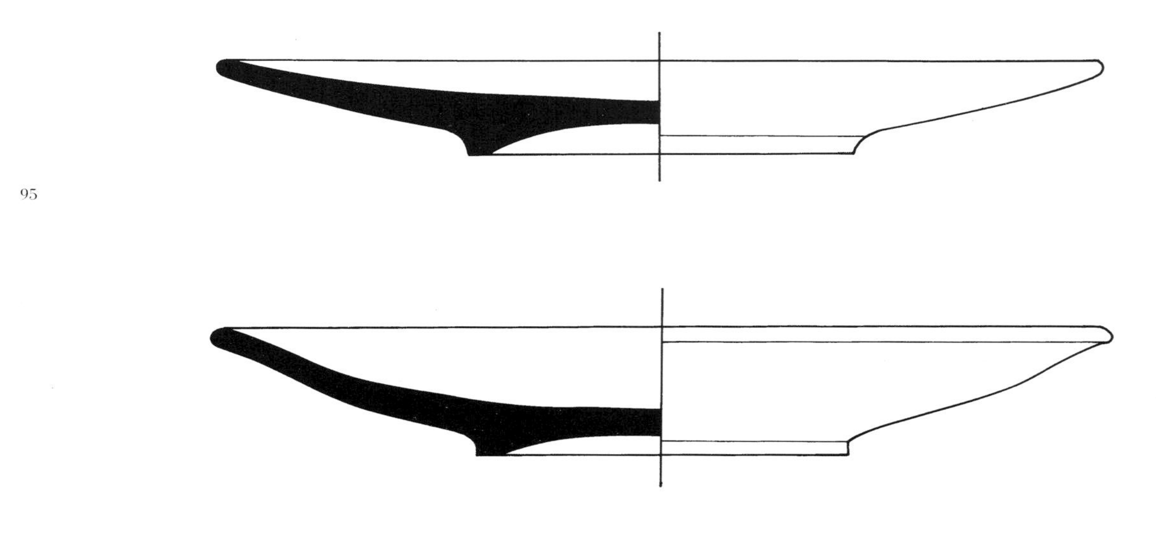

95

96

I.D. (Ingobbiata e graffita, scodelle)

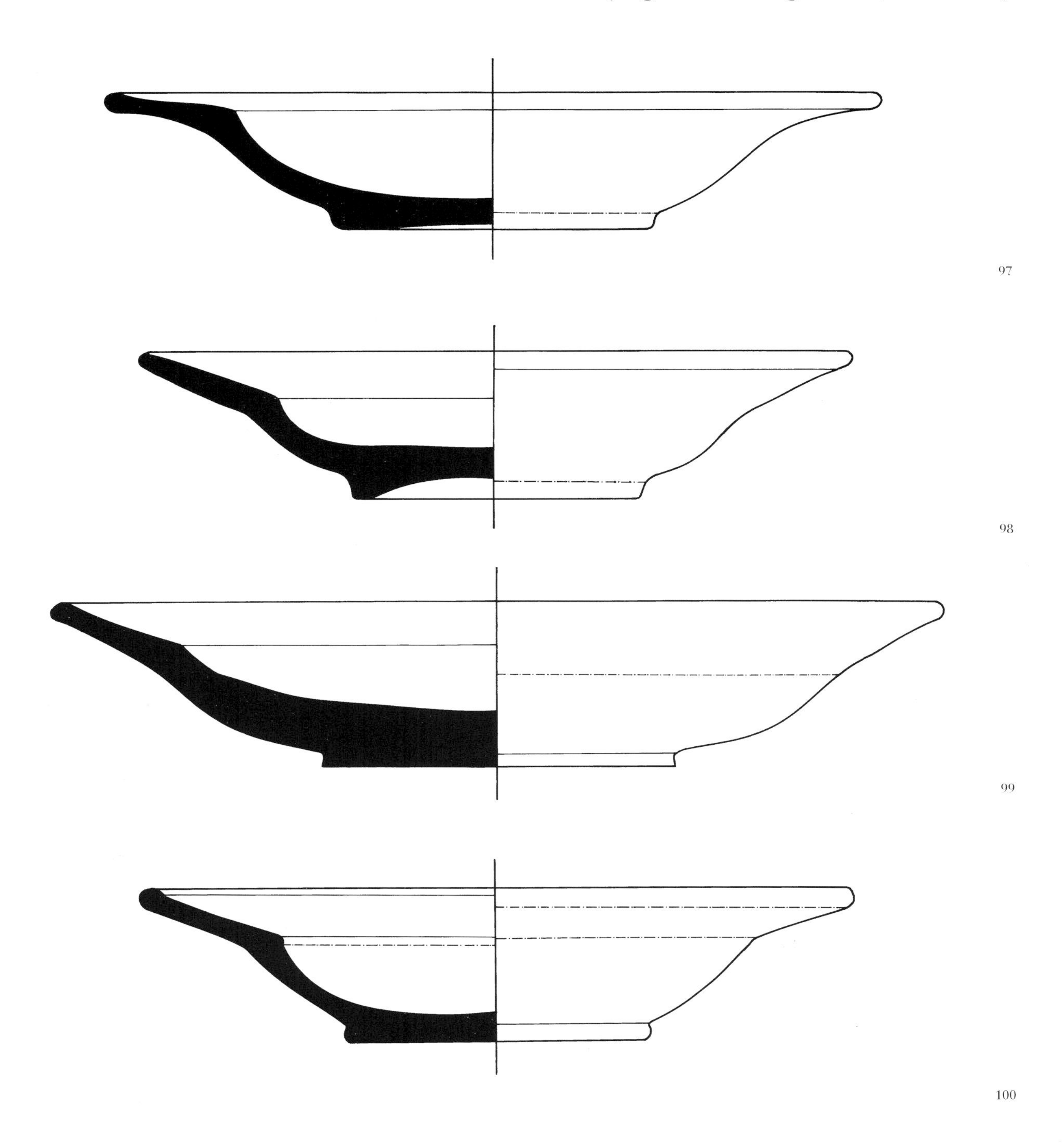

I.D. (Ingobbiata, scodelle)

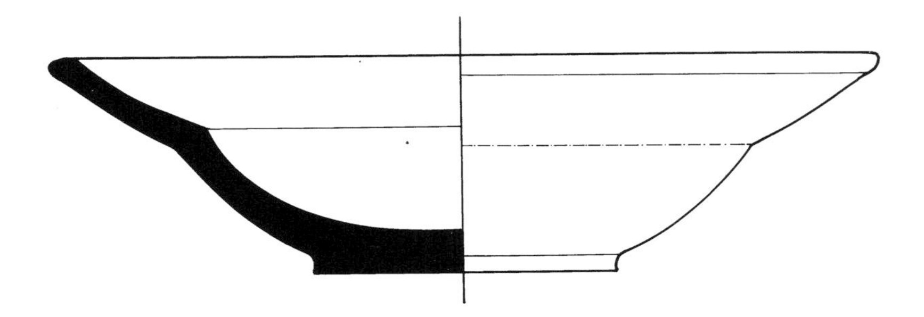

101

I.N. (Ingobbiata, catinelle)

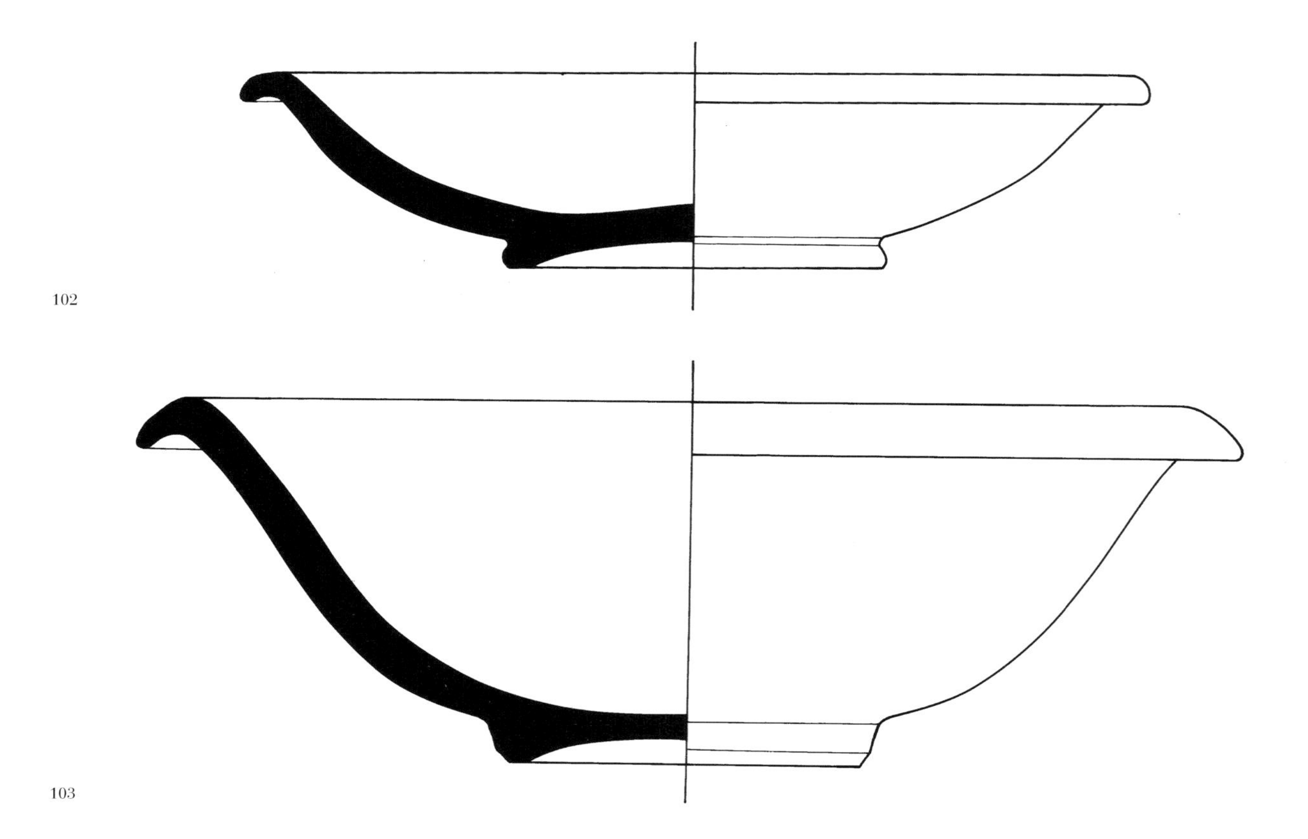

102

103

I.A. (Ingobbiata, bacile)

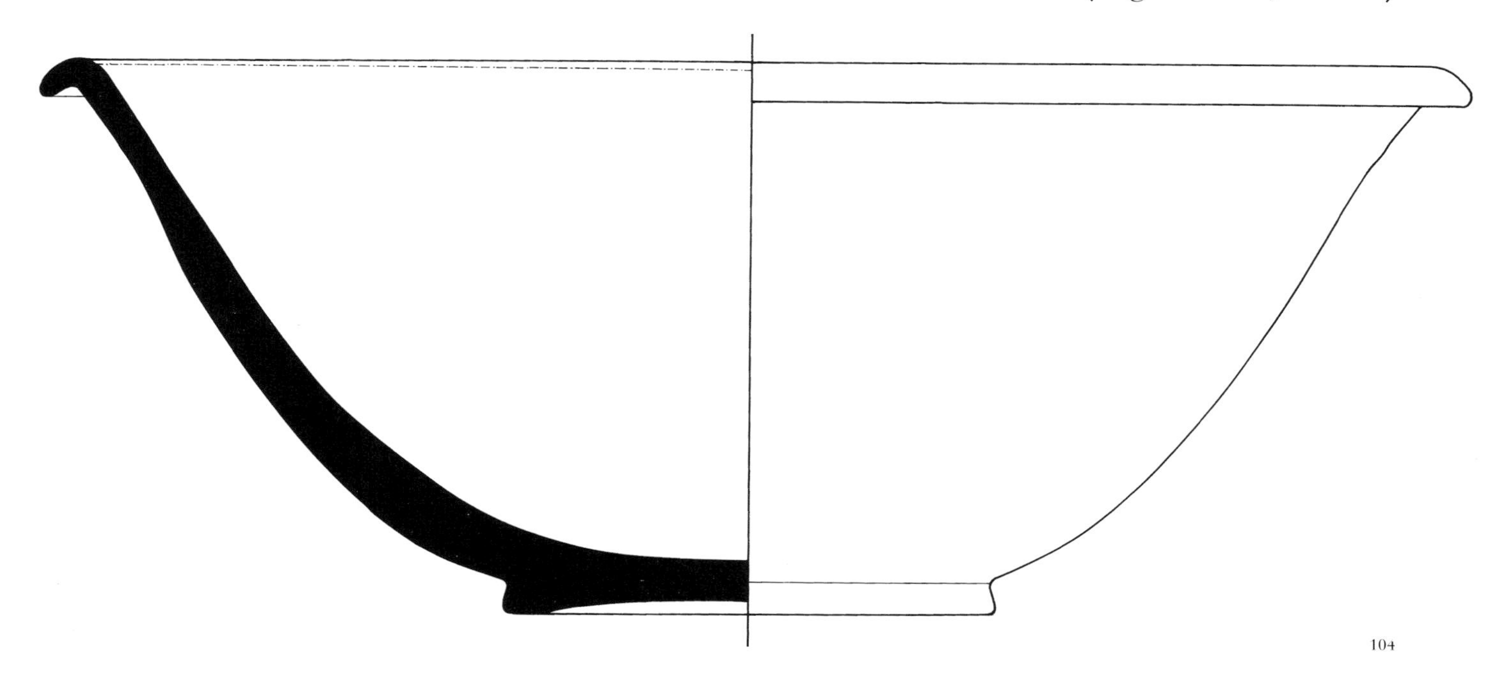

104

I.M. (Ingobbiata, tazza biansata)

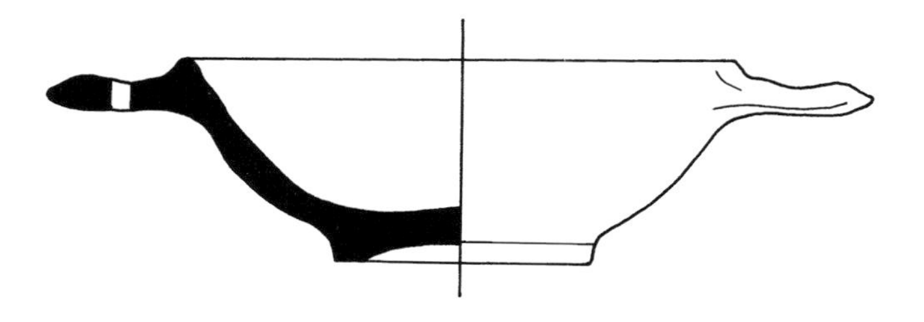

105

I.M. (Ingobbiata, ciotole)

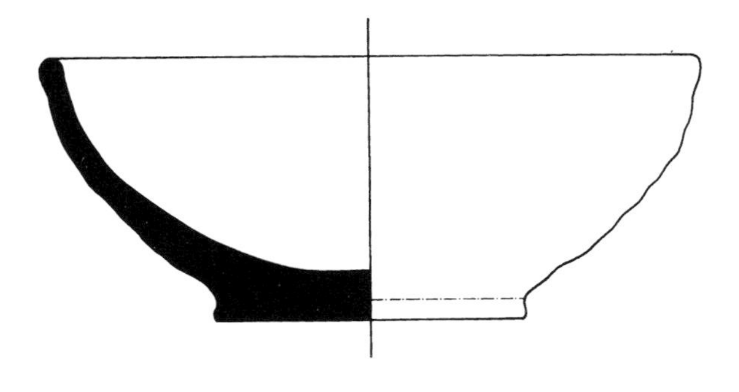

106

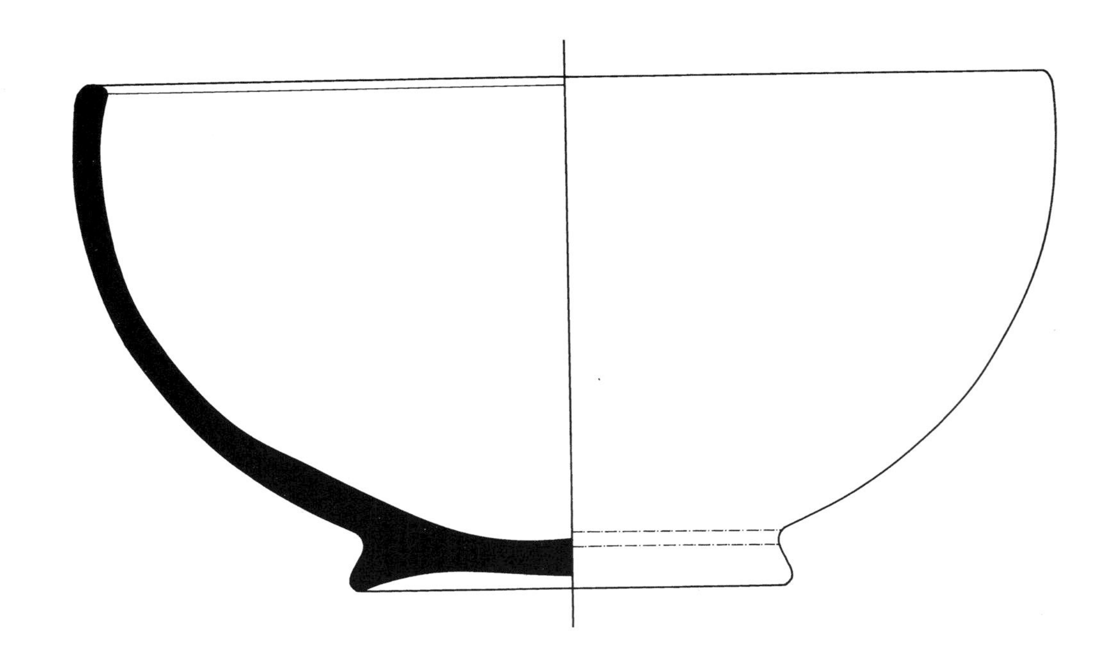

107

II.A. (Boccali)

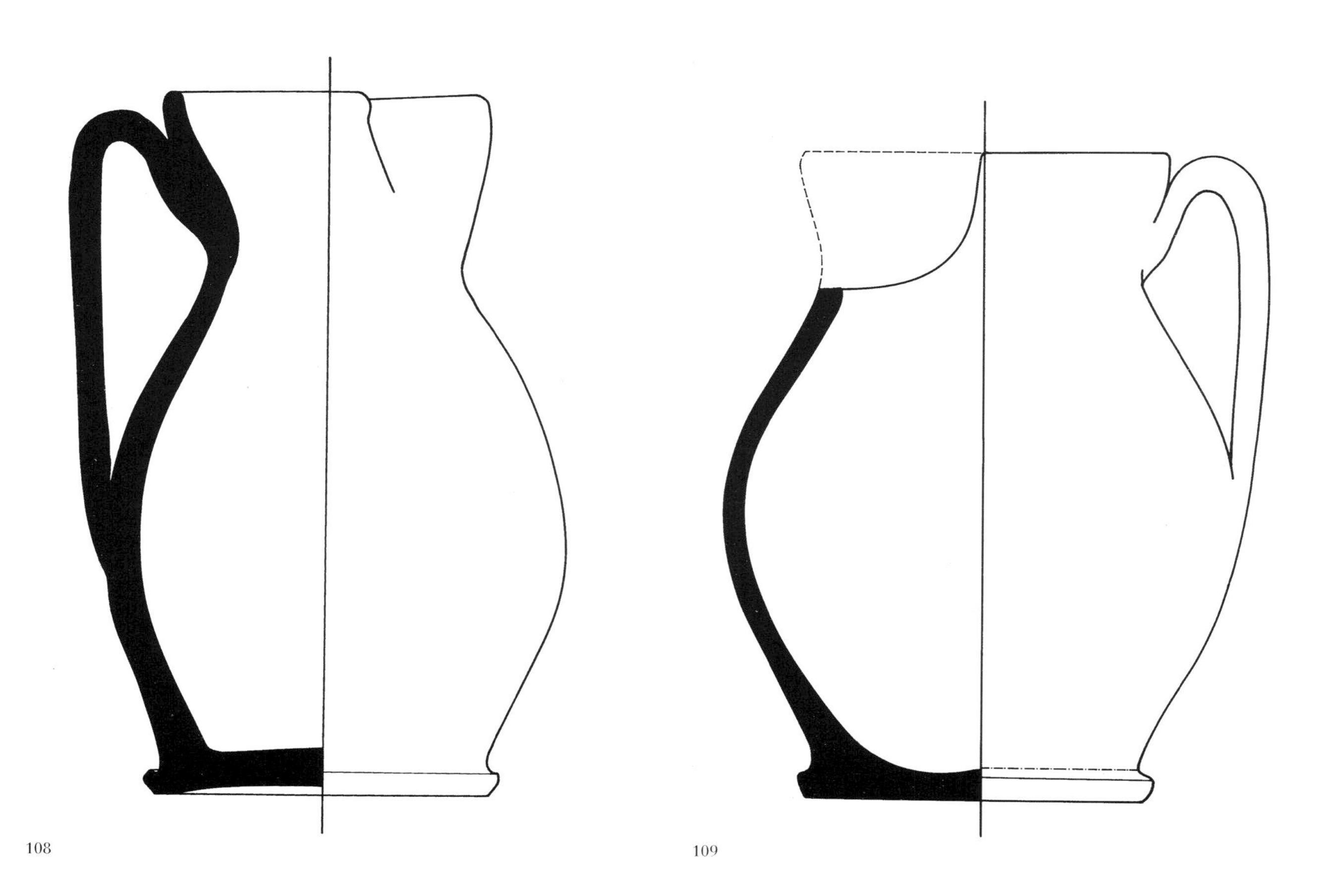

108   109

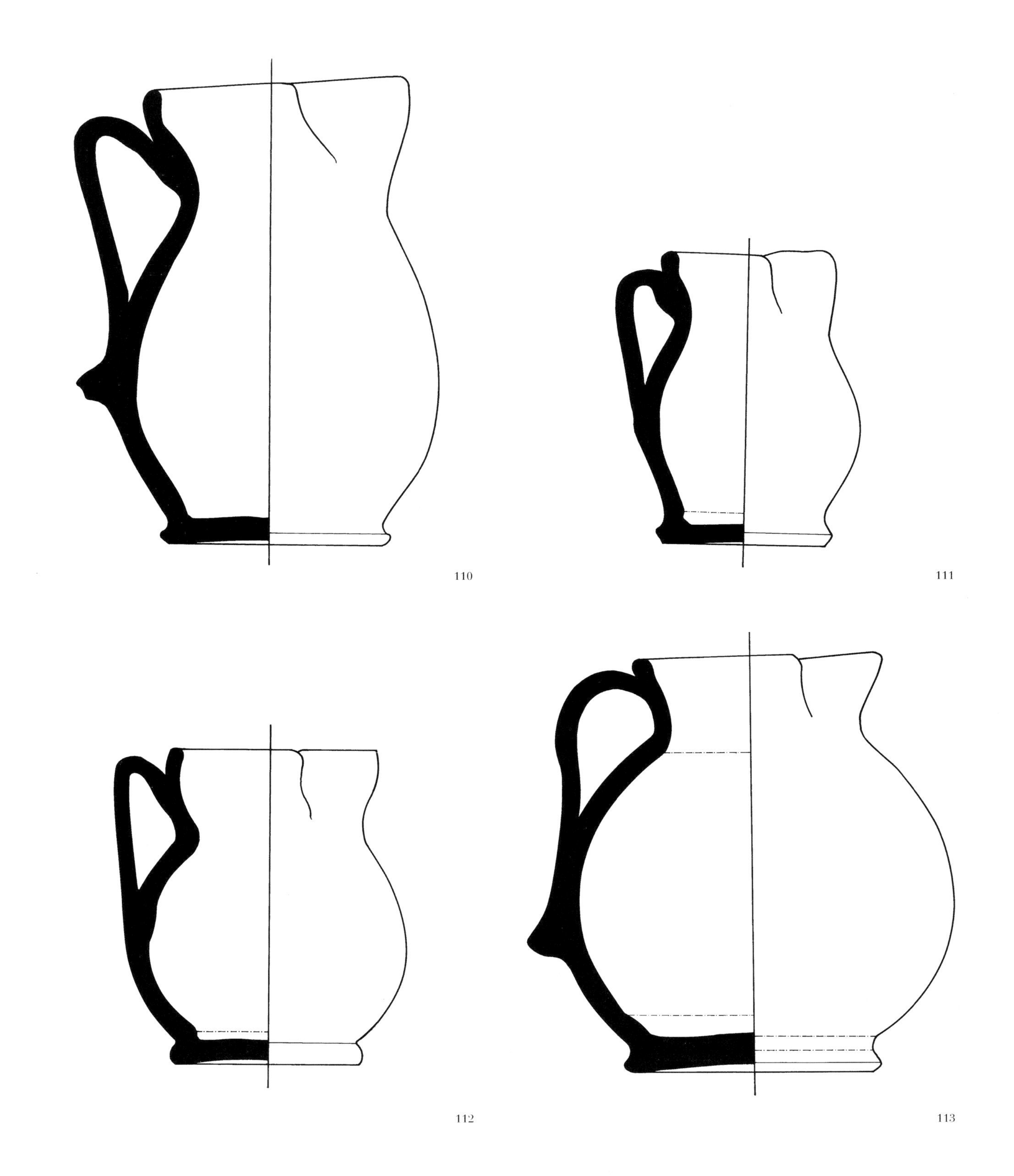

110
111
112
113

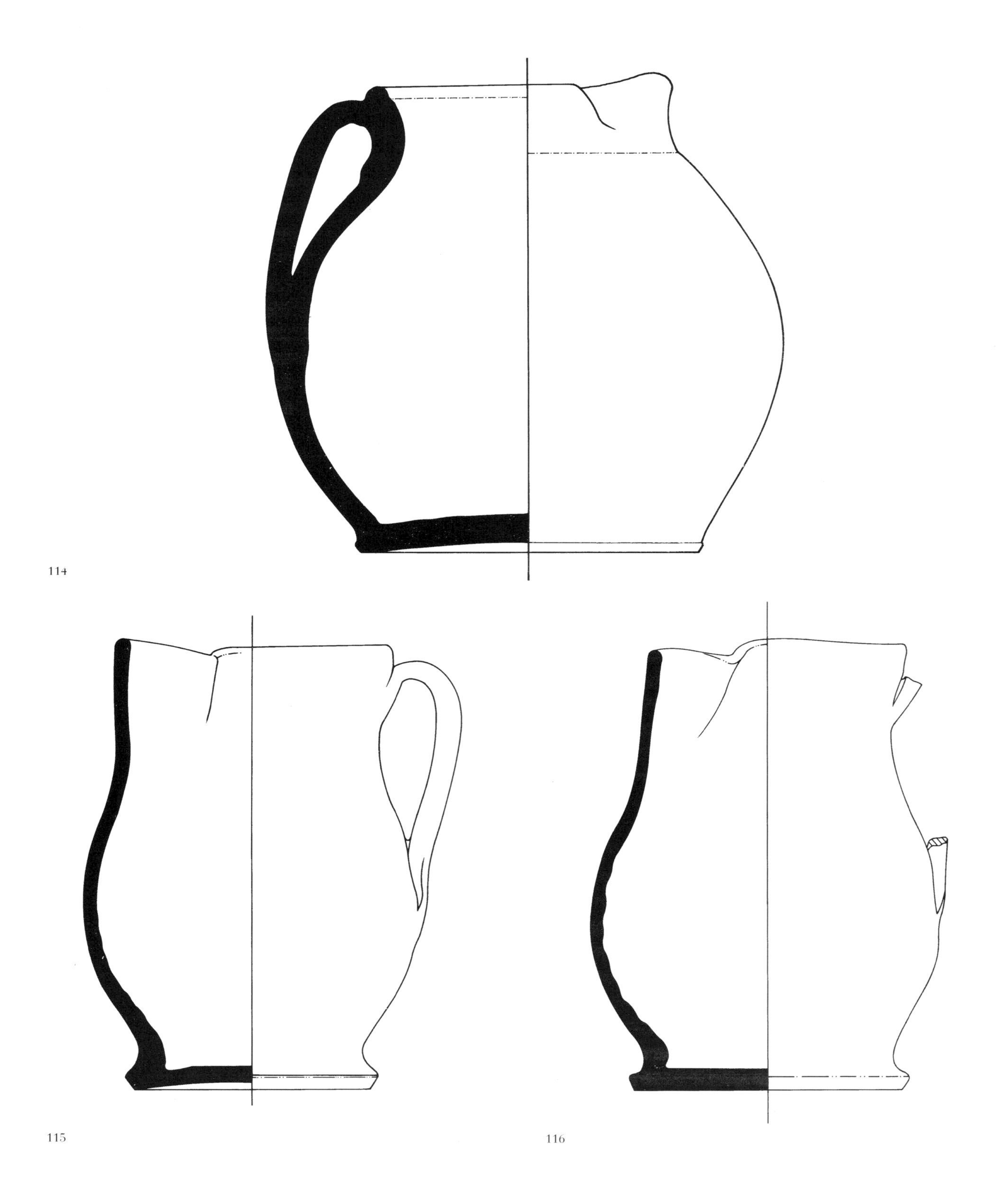
114
115
116

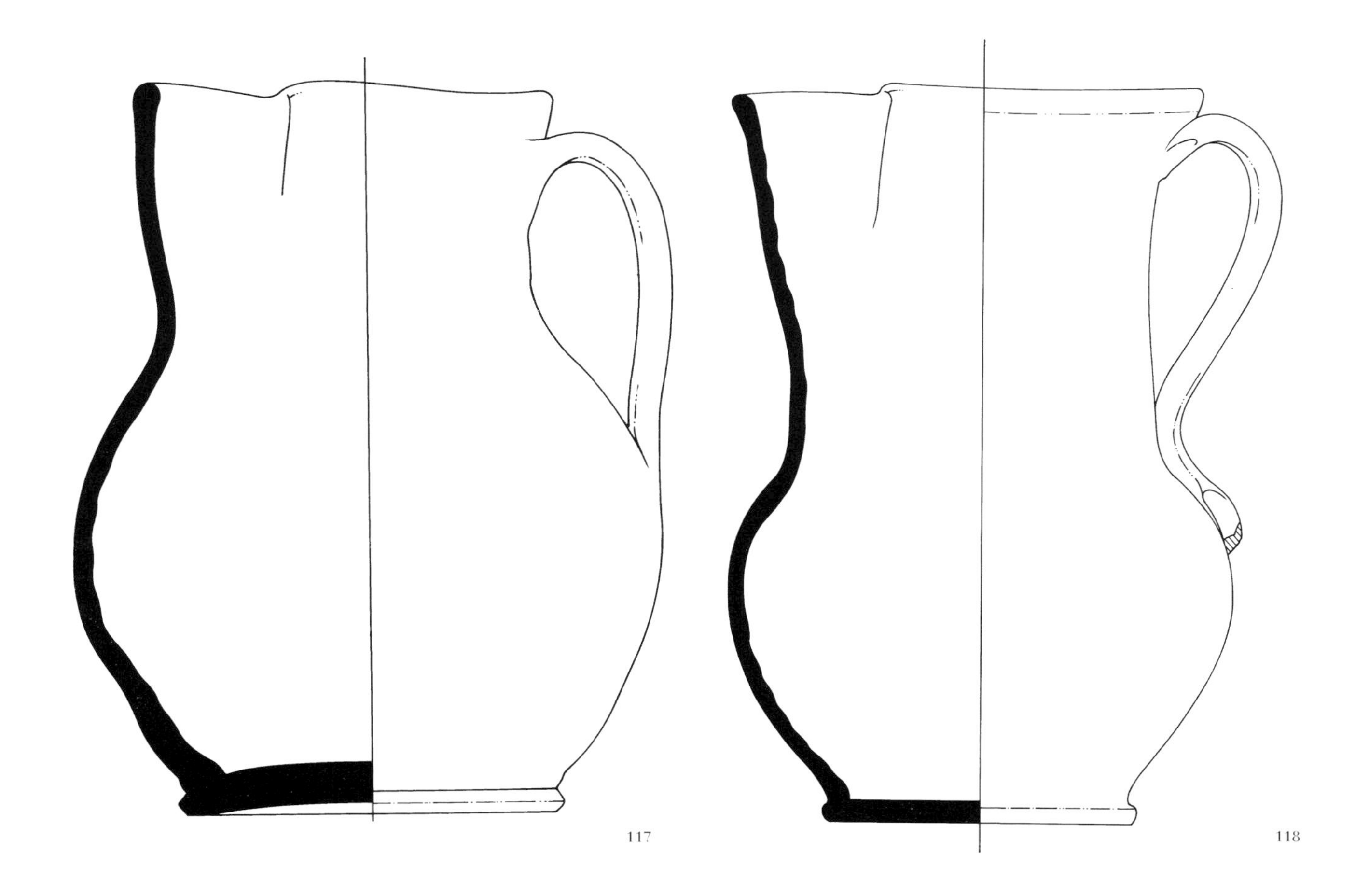
117
118

119
120
121
122

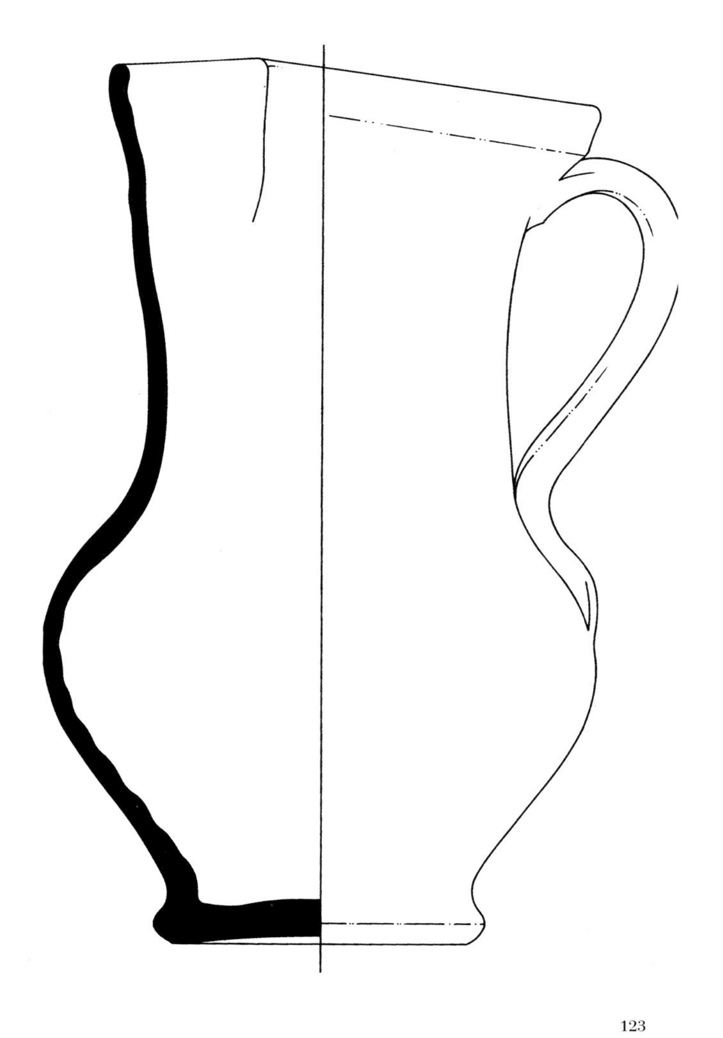

123

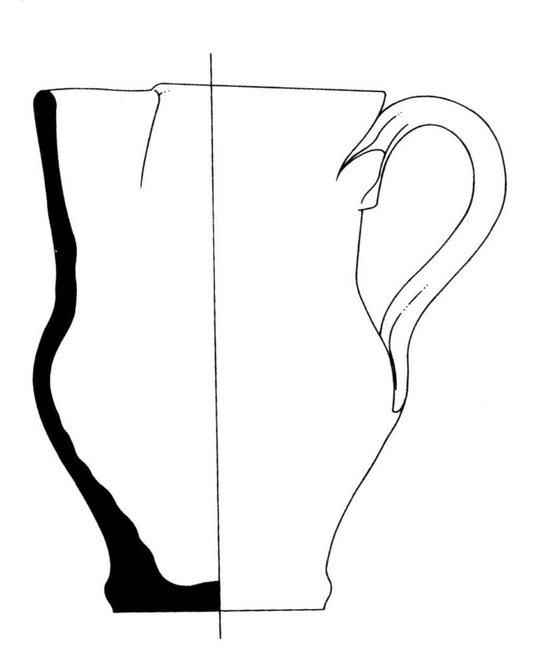

124

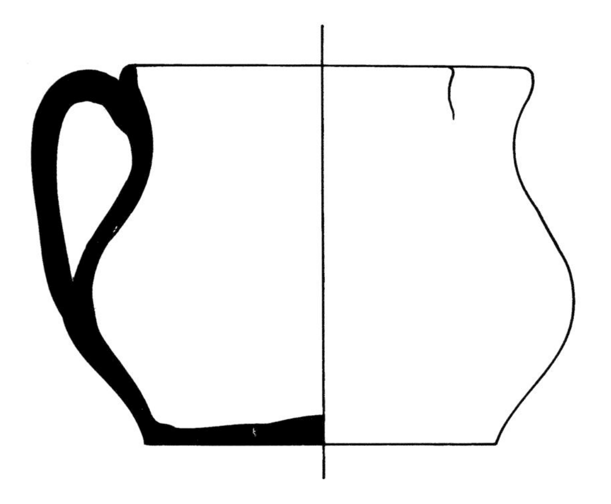

125

II.C. (Boccali non trilobati)

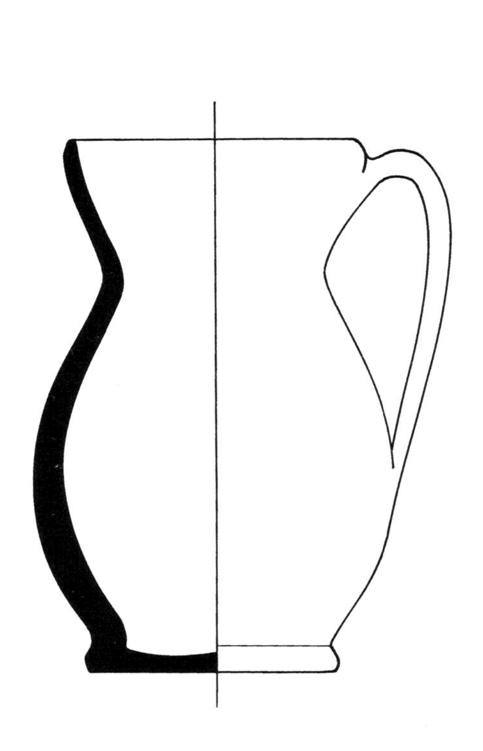

126

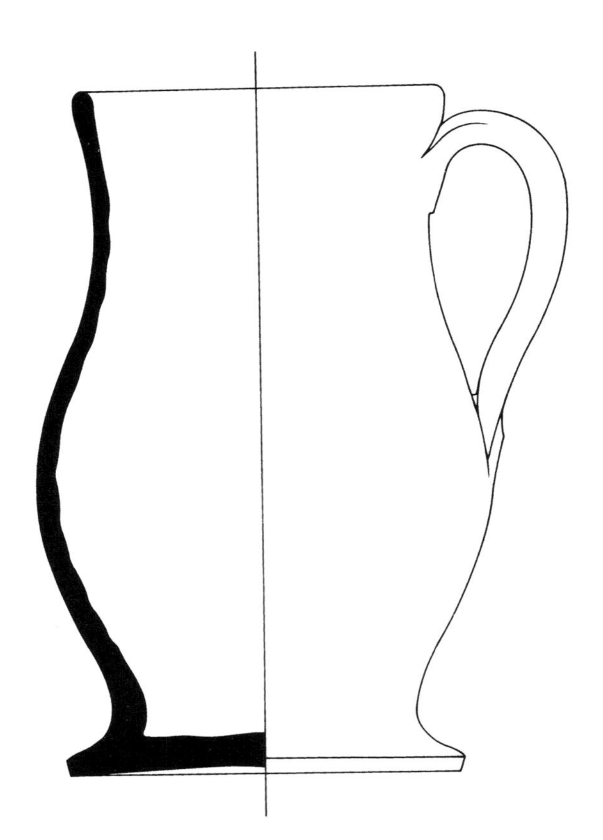

127

II.A. (Boccali produzione ospedaliera)

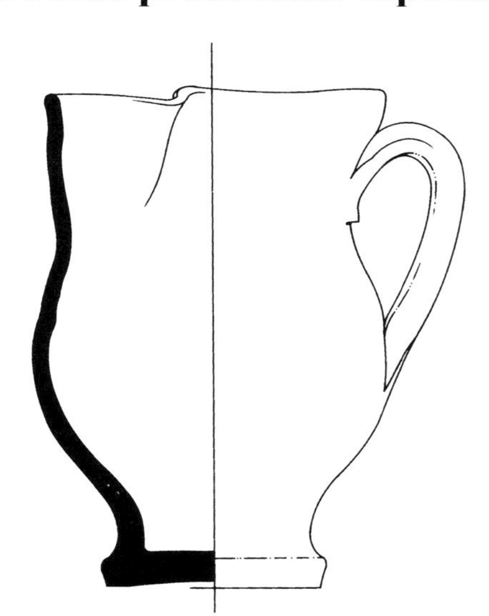

128

II.T. (Bottiglie)

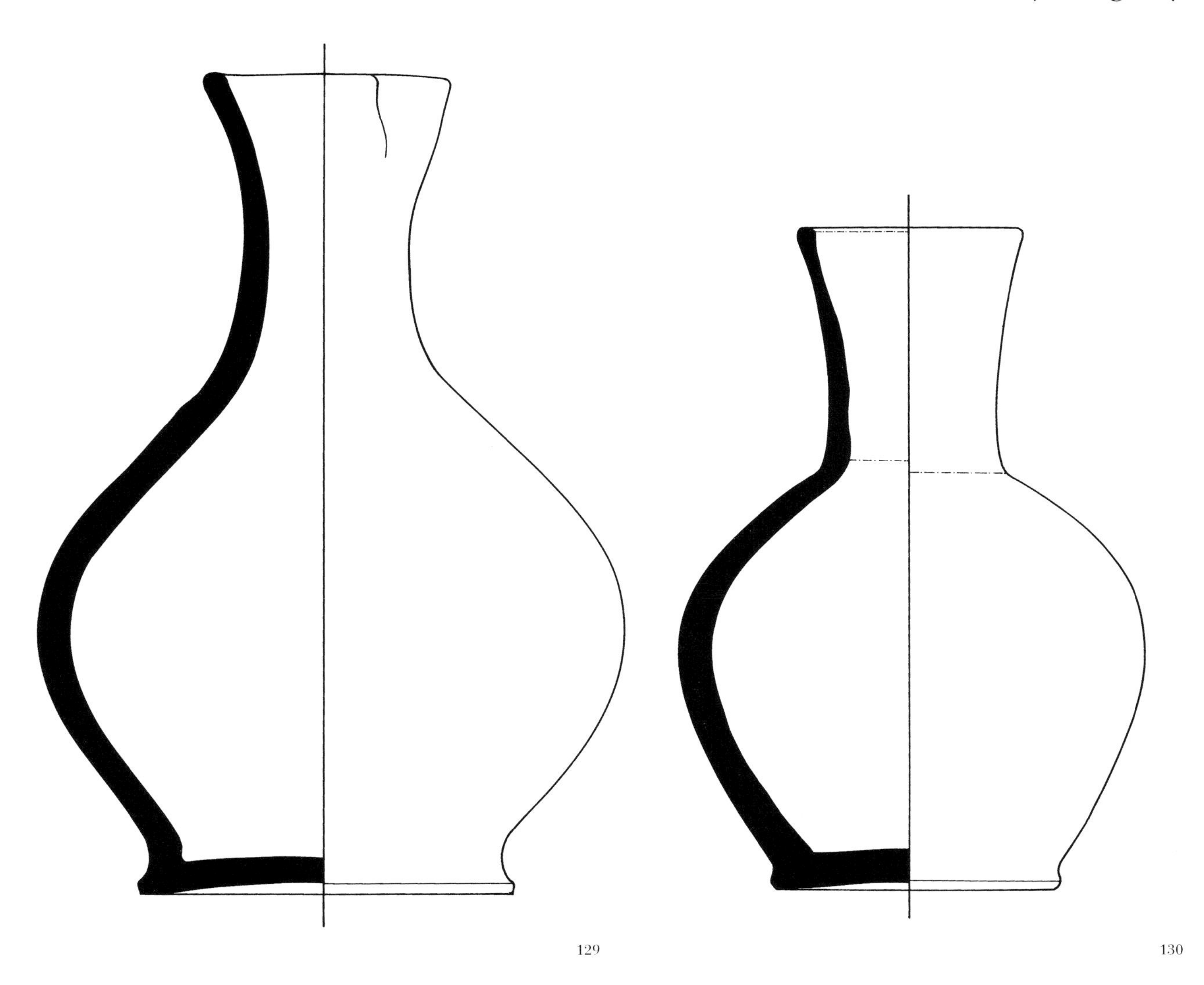

II.U. (Mescirobe)

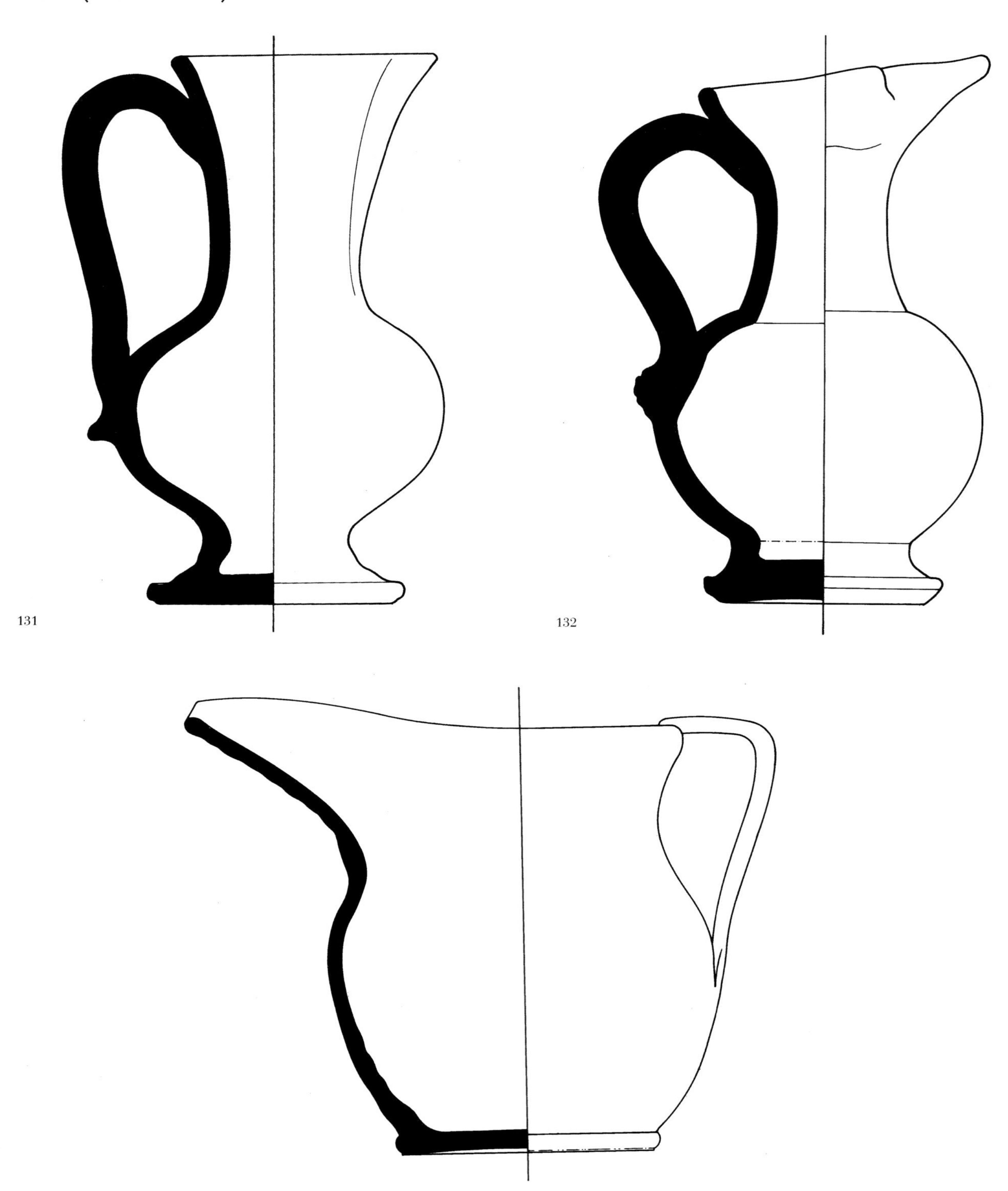

II.V. (Ampolle)

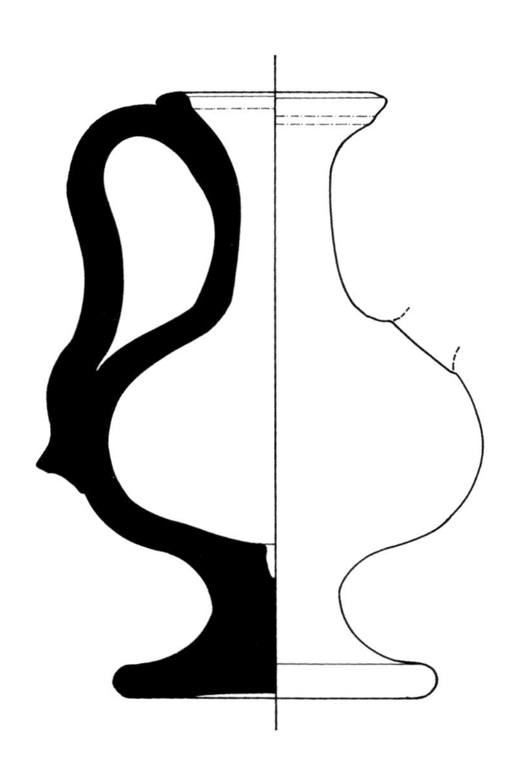

134

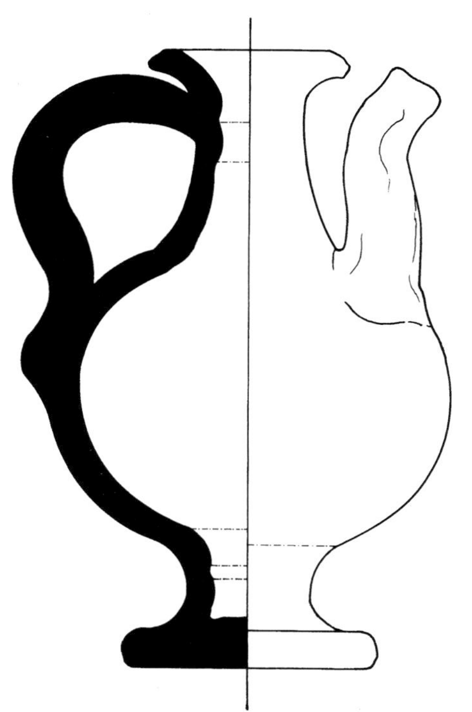

135

II.Z. (Fiasche)

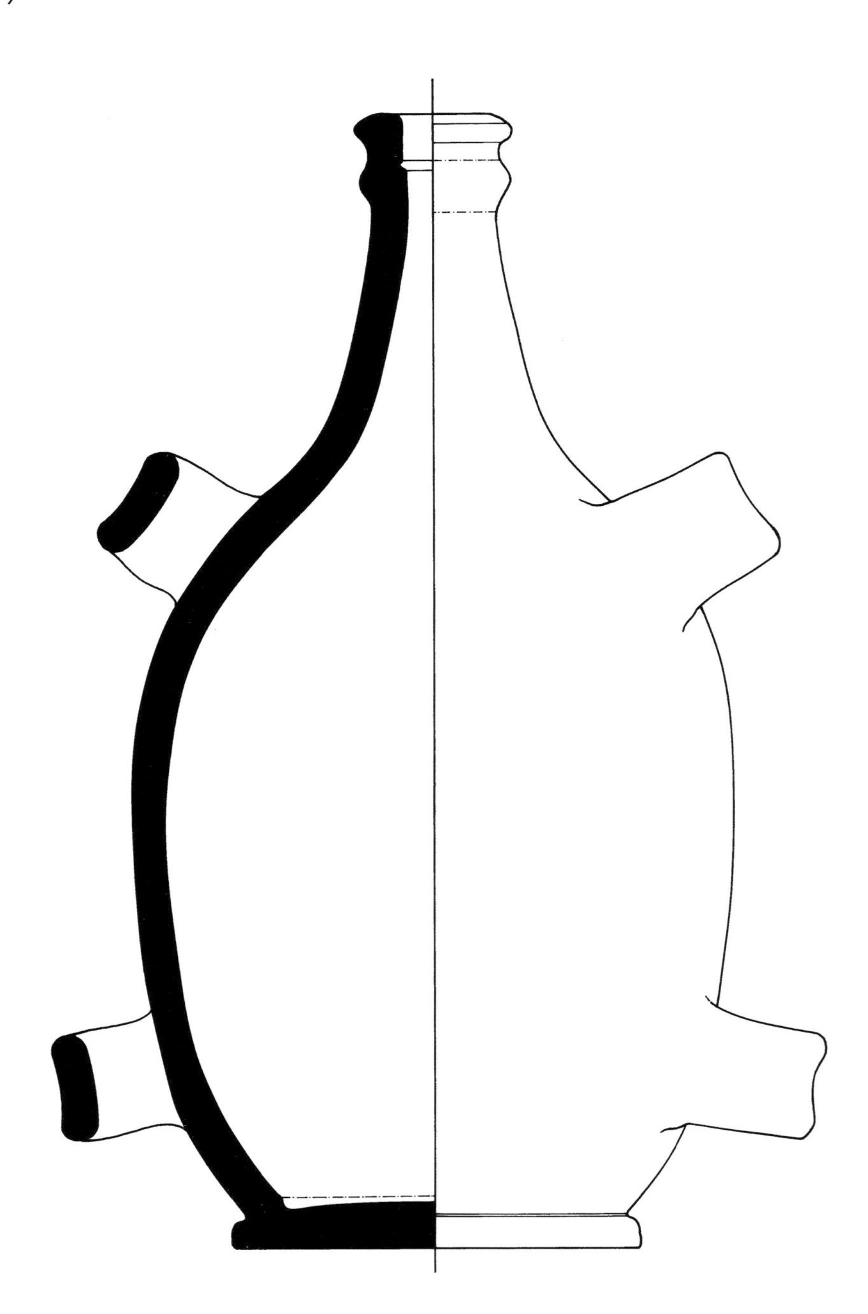

136

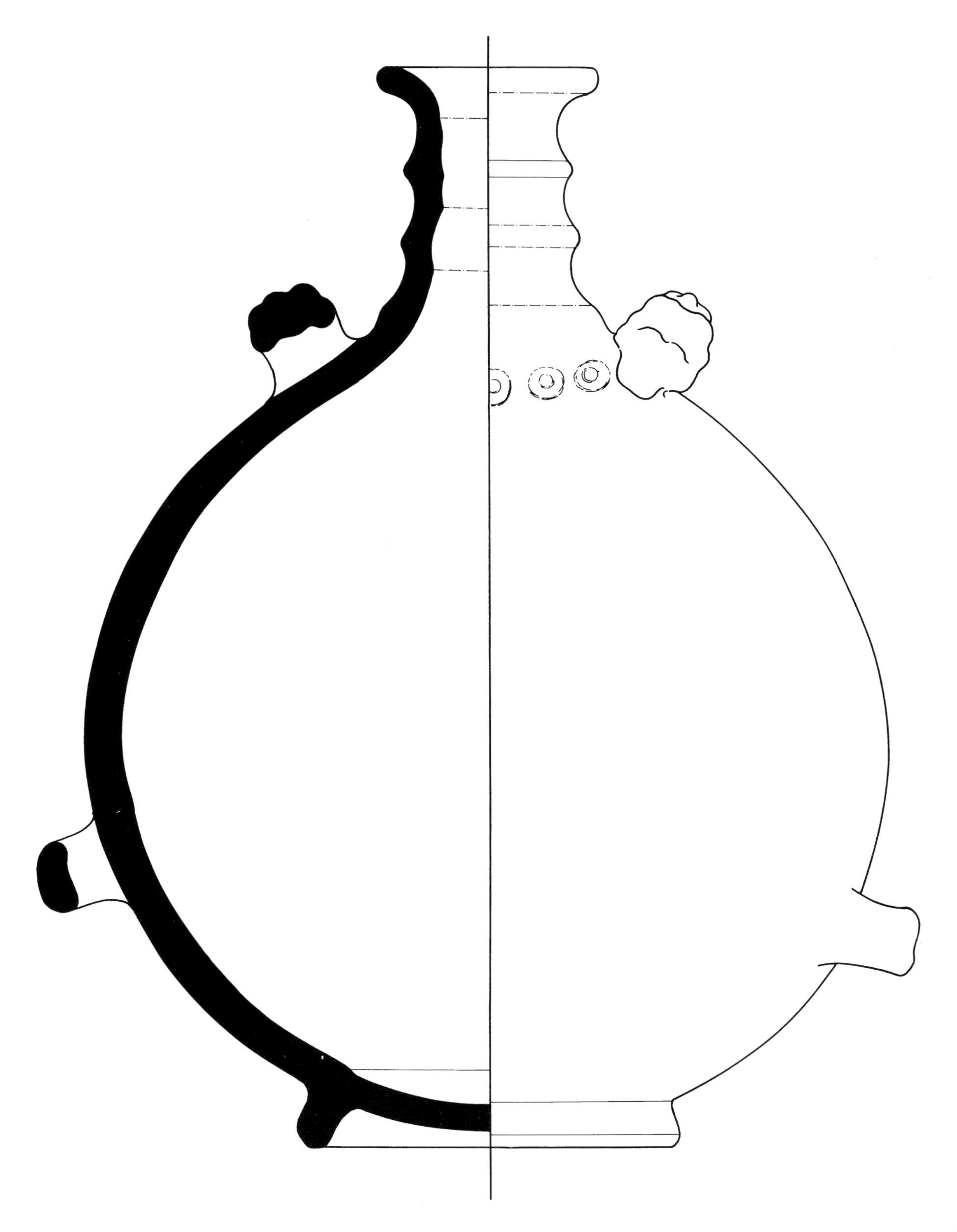

137

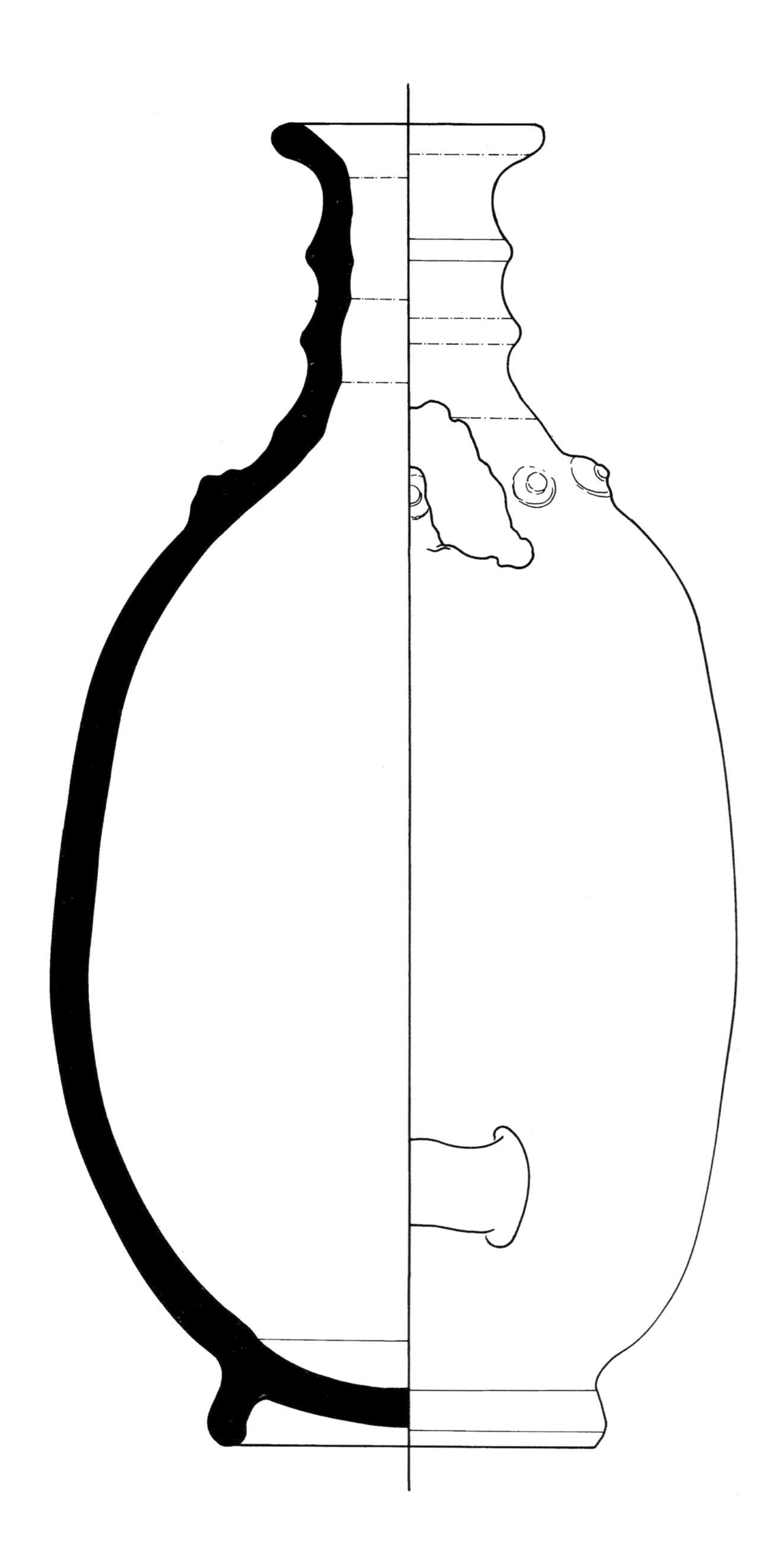

138

II.X. (Mezzine)

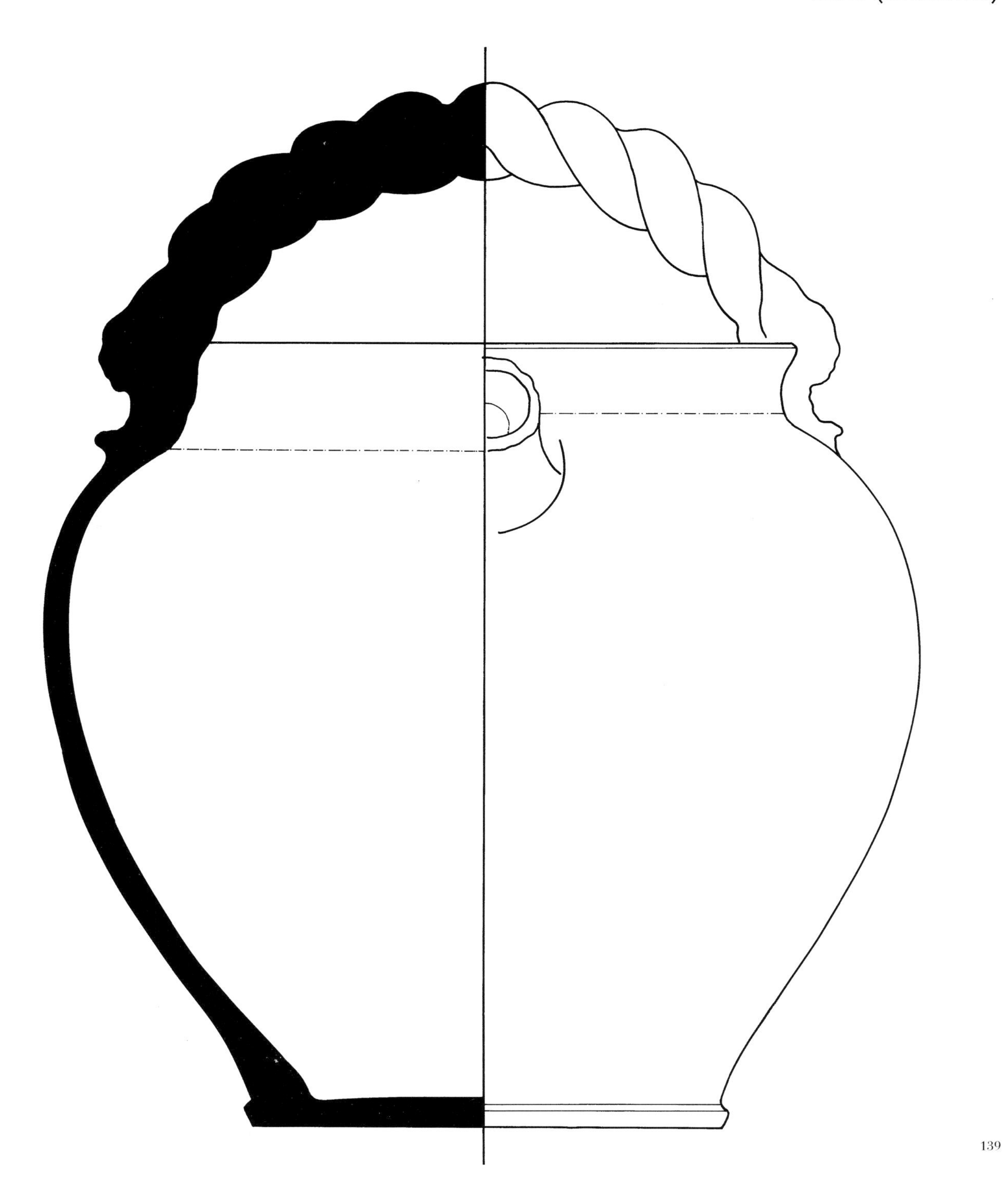

139

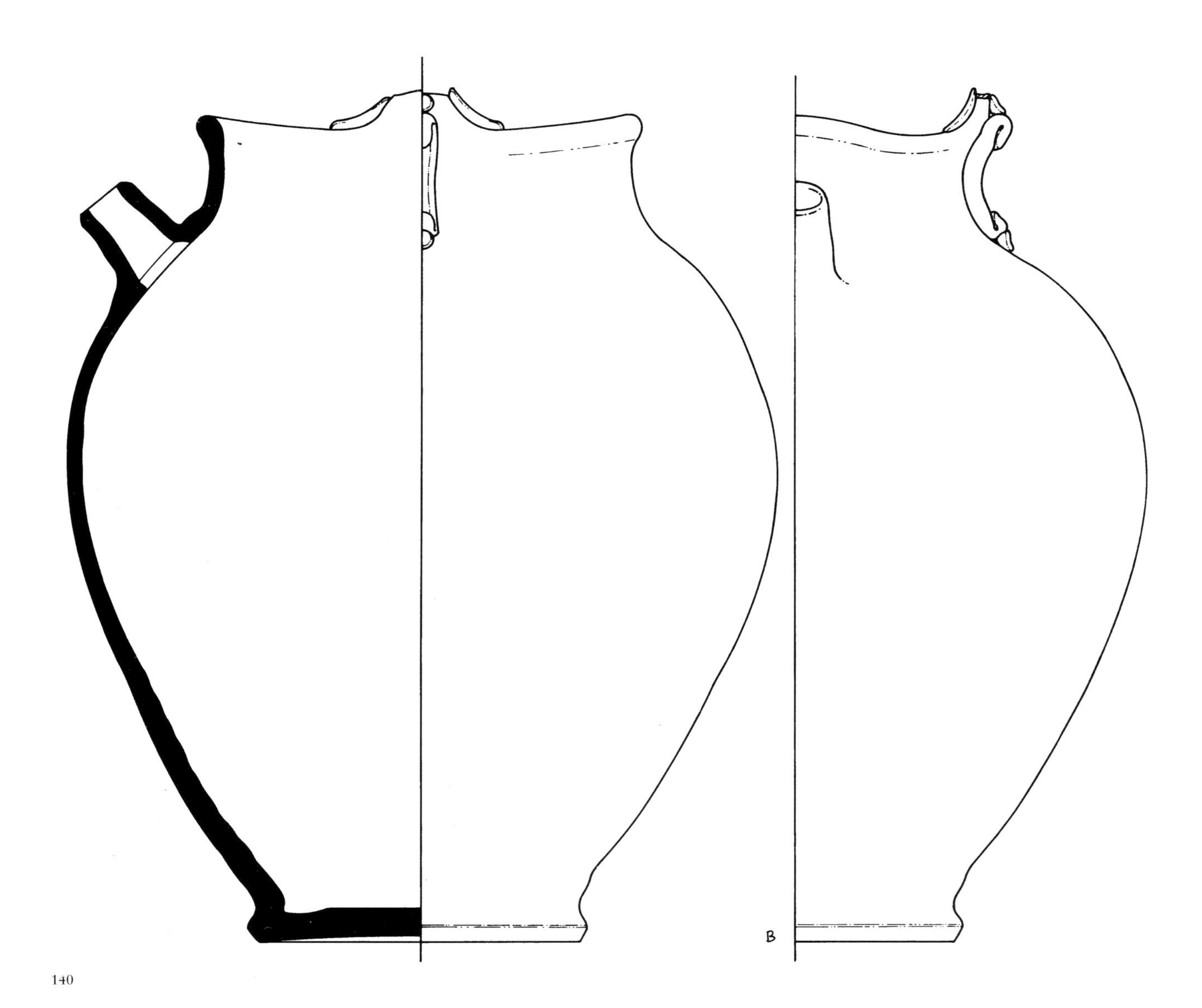

140

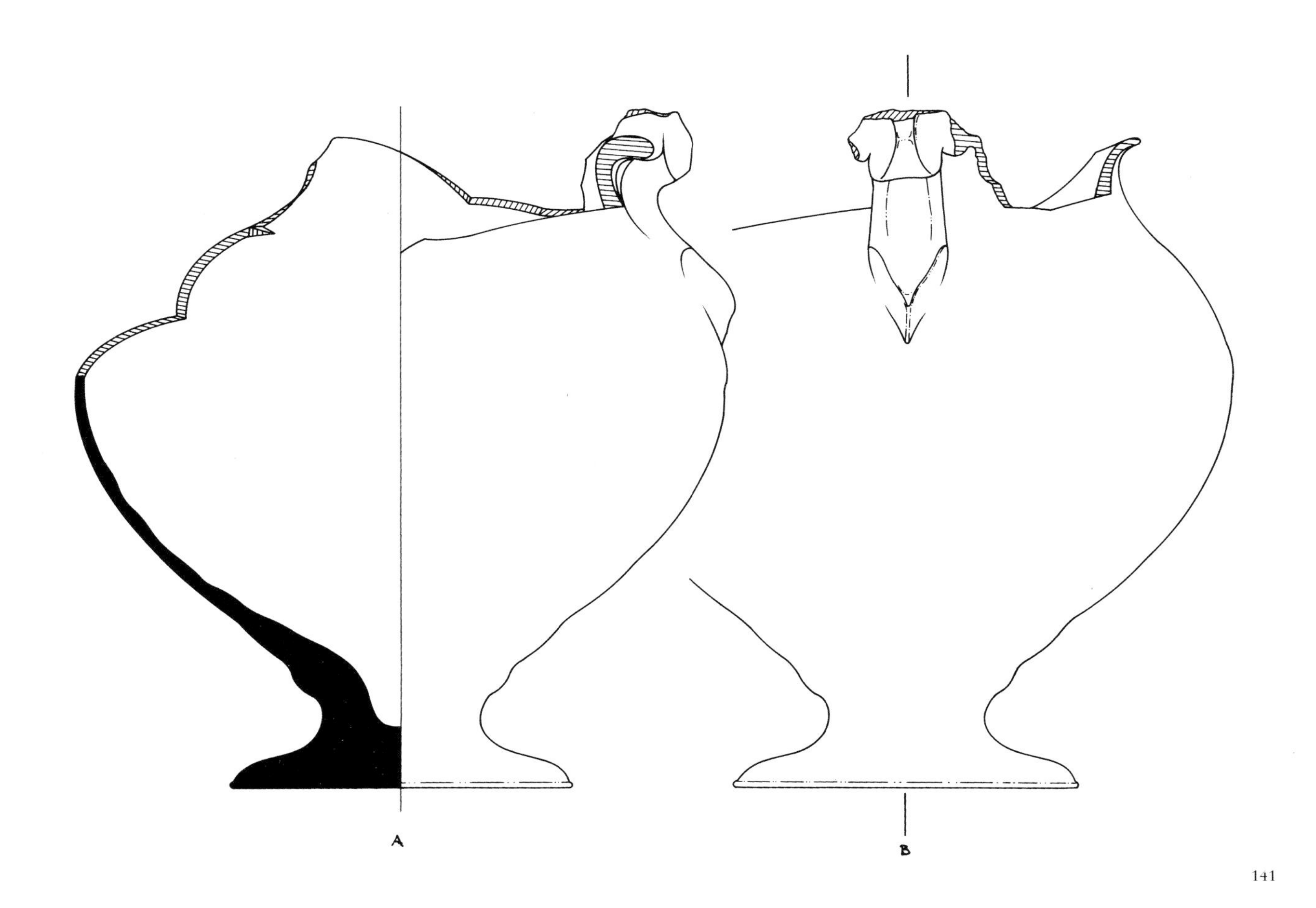

141

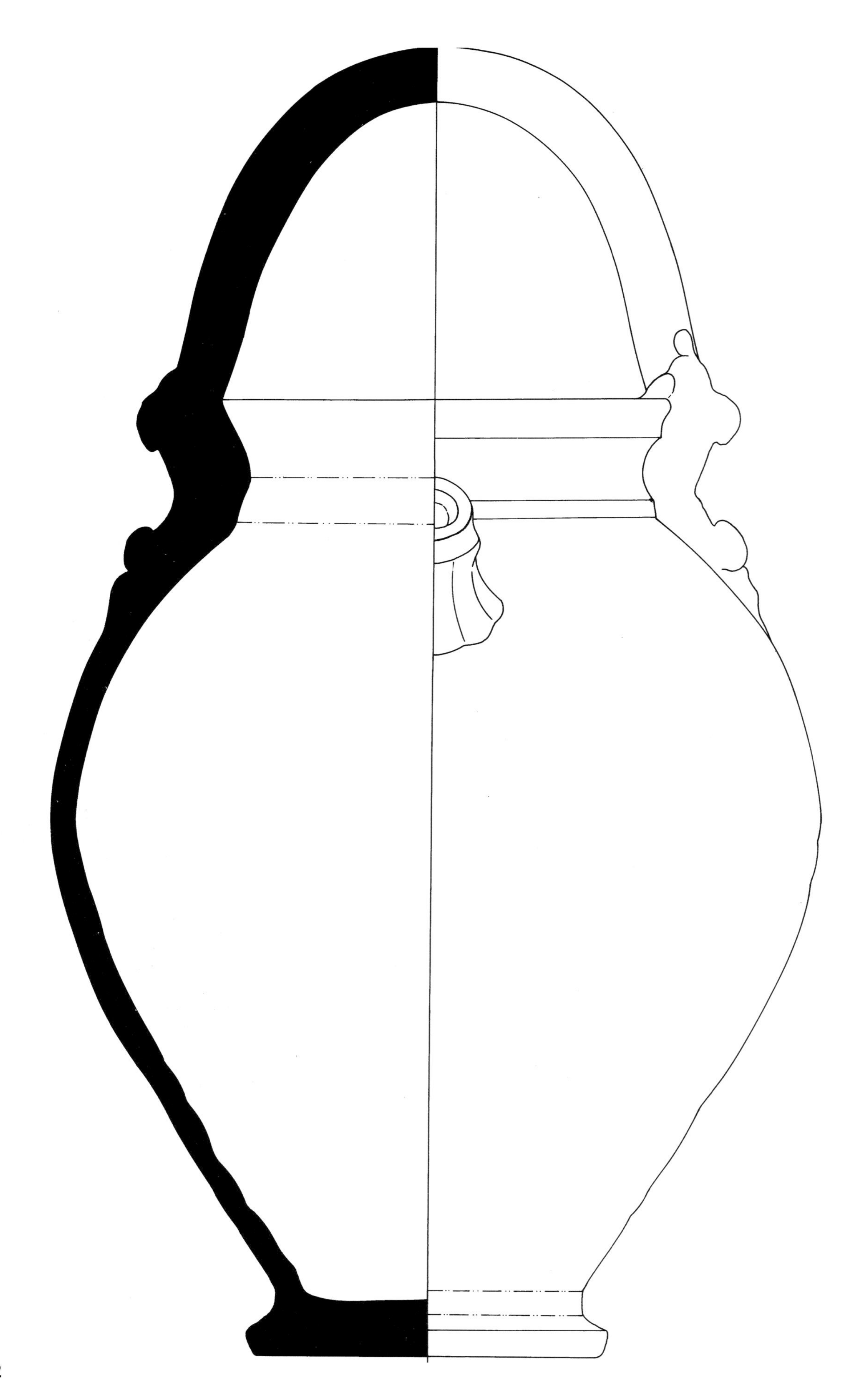

142

Bibliografia

AA.VV., *La civiltà del cotto. Arte della terracotta nell'area fiorentina dal XV al XX secolo*, Firenze, 1980.

AA.VV., *La ceramica nel Veneto. La Terraferma dal XIII al XVIII secolo*, Verona, 1990.

AA.VV., *Le maioliche cinquecentesche di Castelli. Una grande stagione artistica ritrovata*, Brescia, 1989.

AA.VV., *Ceramica chigiana a San Quirico. Una manifattura settecentesca in Val d'Orcia*, San Quirico, 1996.

AA.VV., *Mallorca i el commerç de la ceràmica a la Mediterrània* (Catalogo della mostra, Palma di Maiorca 6 maggio-5 luglio 1988), s.d. (ma Palma), Fundacio "la Caixa", 1998.

AA.VV., *Un gôut d'Italie. Céramiques et céramistes italiens en Provence du Moyen Âge au XXème siècle*, Aubagne, 1993.

W. ABEL, *Agrakrisen und Agrakonjunktur. Eine Geschichte der Land-und Ernäbrungswirtschaft Mitteleuropas seit dem Mittelalter*, Hamburg und Berlin, 1962, trad. it. *Congiuntura agraria e crisi agrarie. Storia dell'agricoltura e della produzione alimentare nell'Europa centrale dal XIII secolo all'Età Industriale*, Torino, 1976.

W. ABEL, *Wustungen und Preisfall im spät mittelalterlichen Europa* in "Jahrbücher für Nationalökonomie und Statistik", CLXV (1953), trad. it. *Spopolamento dei villaggi e caduta dei prezzi in Europa nel Basso Medioevo* in *Saggi di storia dei prezzi raccolti e presentati da R. Romano*, Torino, 1967.

E. ABELA, *La chiesa rinascimentale di Santa Giustina a Lucca. La ricostruzione di un monumento scomparso attraverso il confronto tra i risultati dell'indagini archeologiche e le fonti documentarie* in "Momus. Rivista di studi umanistici", VII-VIII (1997).

A. ALINARI, *Una bottega di maioliche di Montelupo agli inizi del XVI secolo* in *Atti del XVI Convegno Internazionale della Ceramica*, Albisola 28-30 maggio 1983, Albisola-Savona, 1985.

A. ALINARI, *Un pavimento maiolicato nella Stanza della Stufa di Palazzo Pitti* in *Atti del XX Convegno Internazionale della Ceramica*, Albisola 29-31 maggio 1987, Albisola, 1991.

A. ALVERÀ BORTOLOTTO, *Storia della ceramica a Venezia dagli albori alla fine della Repubblica*, Firenze, 1981.

L. ARBACE, *Museo della Ceramica Duca di Martina. La maiolica italiana*, Napoli, 1996.

B. ARDITI, *Diario di Firenze e di altre parti della Cristianità (1574-1579)*, a cura di R. CANTAGALLI, Firenze, 1970.

F. ARGNANI, *Il Rinascimento delle ceramiche maiolicate in Faenza. con appendice di documenti inediti forniti dal prof. Carlo Malagola*, Faenza, G. Montanari, 1898.

T. ASTON, *Crisis in Europe: 1560-1660. Essays from Past and Present*, London, 1965.

T. ASTON, *The General Crisis of the Seventeenth Century* (trad. it. *La crisi generale del XVII secolo*, Genova, 1988).

B. BALDINUCCI, *Notizie dei professori del disegno*, Firenze, Battelli, 1847.

G. BALLARDINI, *Note di critica ceramica*, in "Romagna", 1910.

G. BALLARDINI, *Vi furono fabbriche di maioliche in Arezzo?*, in "Faenza", V, 1917.

G. BALLARDINI, *Alcuni cenni sull'influenza mongolo-persiana nelle faenze del secolo decimosesto*, in "Faenza", VII (1919), III-IV.

G. BALLARDINI, *Una nuova coppa manfrediana al museo di Faenza*, in "Faenza", XV (1927), VI.

G. BALLARDINI (a cura di), *Corpus della maiolica italiana. Le maioliche datate fino al 1530*, Libreria dello Stato, 1933, 2 volumi.

G. BALLARDINI, *La maiolica italiana (dalle origini alla fine del Cinquecento)*, Firenze, 1938.

P. BATTARA, *Botteghe e pigioni nella Firenze del Cinquecento*, in "Archivio Storico Italiano", XCV (1937), II.

A. BELLETTINI, *La popolazione italiana dall'inizio dell'era volgare ai giorni nostri* in *Storia d'Italia*, vol. 5, t. I, Torino, 1973.

K.J. BELOCH, *Bevölkerungsgeschicte Italiens*, Berlin-Leipzig, 1937-61 (trad. it. *Storia della popolazione d'Italia*, Firenze, 1994).

P. BERARDI, *L'antica maiolica di Pesaro. Dal XIV al XVII secolo*, Firenze, 1984.

M. BERENGO, *Nobili e mercanti nella Lucca del Cinquecento*, Torino, 1965.

F. BERTI, *La maiolica di Montelupo. Secoli XIV - XVIII*, Venezia, 1986.

F. BERTI, *Domenico Lorenzo Levantino ad Empoli (1765-1808)* in *Atti XVIII Convegno Internazionale della Ceramica*, Albisola, 31 maggio-2 giugno 1985, s.d. (ma 1988), s.l.

F. BERTI, *Montelupo. La produzione ceramica dalle origini al XVII secolo*, in *Ceramica toscana dal Medioevo al XVIII secolo*, a cura di G.C. BOJANI, Città di Castello, s. d. (ma 1990).

F. BERTI, *La tradizione ceramica a Montelupo ed a Capraia dal Medioevo alla fine del XIX secolo* in *Capraia '91. Ceramiche verso il XXI secolo*, Milano, 1991.

F. BERTI, *La villa romana di Pulica* in *Montelupo Fiorentino. Il paese della ceramica fra Arno e Pesa*, Firenze, 1993.

F. BERTI, *Il "fornimento" in maiolica della farmacia di Santa Maria Novella in Firenze*, Lastra a Signa, 1994.

F. BERTI, *Le ceramiche della farmacia di San Marco*, San Casciano Val di Pesa, 1995.

F. BERTI, *Le ceramiche della spezieria di Santa Fina di San Gimignano*, Lastra a Signa, 1996.

F. BERTI, *Storia della ceramica di Montelupo. Uomini e fornaci in un centro di produzione dal XIV al XVIII secolo*, vol. I, Cinisello Balsamo, 1997.

G. BERTI, *Ritrovamenti a Pisa di ceramiche del XVII secolo fabbricate a Montelupo*, in "Antichità pisane", II (1975), pp. 8-10.

G. BERTI, *Le produzioni locali dei secoli XIII-XVII dal Museo Nazionale di San Matteo*, in G.C. BOJANI (a cura di), *Ceramica toscana. Dal Medioevo al XVIII secolo*, s.d. (ma 1990).

G. BERTI, *Pisa. Le "maioliche arcaiche". Secc. XIII-XV (Museo Nazionale di San Matteo)*, Firenze, 1997, (Ricerche di Archeologia Altomedievale e Medievale, 23-24).

G. BERTI, E. TONGIORGI, *Aspetti della produzione pisana di ceramica ingobbiata* in "Archeologia Medievale", IX (1982).

G. BERTI, L. TONGIORGI, *Ceramica pisana. Secoli XIII-XV*, Pisa, 1977.

G. BERTI, L. TONGIORGI, *Ceramica decorata a occhio di penna di pavone nella produzione di una fabbrica pisana*, in "Faenza", LXV (1979), 6.

G. BERTI, L. CAPPELLI, *Lucca. Le produzioni locali dei secc. XV-XVII dal Museo nazionale di Villa Guinigi*, in G.C. BOJANI (a cura di) *Ceramica Toscana. Dal Medioevo al XVIII secolo* sd., sl. (ma Roma, 1990, Catalogo della mostra, Monte San Savino, 2 giugno-6 agosto 1990).

E. BIAVATI, *Ceramica seicentesca di Montelupo. La filatrice*, in "Faenza", LVI (1970).

E. BIAVATI *Maioliche fiorentine del secolo XV* in "Faenza", XLV (1959).

E. BIAVATI, *Maioliche toscane. Marche di fabbrica del secolo XVI*, in "Faenza", XLVIII (1962).

E. BIAVATI, *Domenico Lorenzo Levantini, "oriundo genovese", maiolicaro "alla francese" in Empoli nel 1776*, in *Atti del VI Convegno Internazionale sulla Ceramica*, Albisola 30 maggio-3 giugno 1973, Albisola s.d.

E. BIAVATI, *La marca di Andrea fu Palazzo ceramista del secolo XVI a Montelupo* in *Atti del XVII Convegno Internazionale della Ceramica*, Albisola 25-27 maggio 1984, Albisola, 1986.

E. BIAVATI, *Alessandro fu Tommaso Giorgi da Faenza, maiolicaro a Montelupo, alla fine del secolo XVI*, in Pennabilli nel Montefeltro, VIII Convegno della Ceramica, IV Rassegna Nazionale, 1987, s.d.-s.l.

W. BODE, *Die Anfänge der majolikakunst in Toskana unter besonderer berucksichtigung der Florentiner Majoliken Von W.B.*, J. Bard, Berlin, 1911.

G.C. BOJANI (a cura di), *Ceramica toscana. Dal Medioevo al XVIII secolo*, s.d. (ma 1990).

G.C. BOJANI (a cura di), *Ceramiche fra Marche e Umbria dal Medioevo al Rinascimento*, Faenza, 1992.

P. BONALI, R. GRESTA, *Girolamo e Giacomo Lanfranco dalle Gabicce maiolicari a pesaro nel secolo XVI*, Rimini 1987 (Annali di studi. Serie monografica n. 2).

F. BRAUDEL, *La Méditerranée et le monde méditerranéen à l'époque de Philippe II*, trad. it. *Civiltà e imperi del Mediterraneo nell'epoca di Filippo II*, 2 volumi, Torino, 1976.

F. BRAUDEL, *Civiltà materiale, economia e capitalismo (secoli XV-XVIII)*, Torino 1982.

F. BRAUDEL, *L'Italia fuori d'Italia. Due secoli e tre Italie* in *Storia d'Italia*, V volume.

F. BRAUDEL, R. ROMANO, *Navires et marchandises à l'entrée du port de Livourne (1547-1611)*, Paris, 1951.

F. BRAUDEL, F.C. SPOONER, *Prices in Europe from 1450 to 1750* in *The Cambridge Economic History of Europe*, IV, Cambridge, 1967 (trad. it. *I prezzi in Europa dal 1450 al 1750* in *Storia Economica di Cambridge*, IV Torino, 1975).

A. CAMEIRANA, *La terraglia nera ad Albisola all'inizio dell'Ottocento*, Savona, 1971.

L. CAPPELLI, *Siena. Aspetti della produzione ceramica fra XIII e XV secolo* in *Ceramica toscana dal Medioevo al XVIII secolo*, a cura di G.C. BOJANI, Città di Castello, s.d. (ma 1990).

M. CARMONA, *La Toscane face à la crise de l'industrie lainière: techiniques et mentalités économiques aux XVIe et XVIIe siècles, in Produzione, commercio e consumo dei panni di lana (nei secoli XII-XVIII)*, a cura di M. SPALLANZANI, Istituto Internazionale di Storia Economica "F. Datini", Prato, 2, Firenze, 1976.

H. e P. CHANU, *Séville et l'Atlantique*, Paris 1956, 12 volumi.

J. CHOMPRET, *Répertoire de la majolique italienne*, 2 volumi, Paris, 1949, (ma anche Milano, 1986).

G. CIAMPOLTRINI, G. BERTI, D. STIAFFINI, *La suppellettile da tavola del tardo Rinascimento a Lucca. Un contributo archeologico* in "Archeologia Medievale", XXI (1994).

C.M. CIPOLLA, *Chi ruppe i rastelli a Monte Lupo?*, Bologna, 1977.

C.M. CIPOLLA, *I "Libri dei morti" di Firenze*, in ID. *Saggi di storia economica e sociale*, Bologna, 1988.

E. CONTI, *La formazione della struttura agraria moderna nel Contado fiorentino, I, Le campagne nell'età precomunale*, Roma, 1965.

G. CONTI, *Catalogo delle maioliche*, Museo Nazionale di Firenze, Palazzo del Bargello, Firenze, 1971.

G. CONTI, *L'arte della maiolica in Italia*, seconda ediz., Busto Arsizio, 1980.

G. CONTI ET ALII, *Zaffera et similia nella maiolica italiana*, Viterbo, s.d. (ma 1991).

E. COORNAERT, *Draperie rurales, draperies urbaines. L'évolution de l'industrie flamande au Moyen Age e au XVIe siècle* in "Revue belge de philologie et d'histoire", XXVIII (1950).

G. CORA, *"Cavalli" e maioliche italiane*, in "Faenza", XXXVII (1951).

G. CORA, *Compendiari toscani*, in "Faenza", XLVI (1960).

G. CORA, *Sulla fabbrica di maioliche sorta in Pisa alla fine del Cinquecento* in "Faenza", L (1964).

G. CORA, *Storia della maiolica di Firenze e del Contado*, 2 volumi, Firenze, 1973.

G. CORA, A. FANFANI, *La maiolica di Cafaggiolo*, Firenze, 1982.

G. CORA, A. FANFANI (a cura di), *Vasai di Firenze e del Contado (parte prima)*, in "Faenza", LXIX (1983), 3-4.

G. CORA, A. FANFANI, *Vasai di Montelupo (parte seconda)*, in "Faenza", LXIX (1983), 5-6.

G. CORA, A. FANFANI, *Vasai di Montelupo (parte terza)*, in "Faenza", LXX (1984), 1-2.

G. CORA, A. FANFANI, *Vasai di Montelupo (parte quarta)* in "Faenza", LXX (1984), 3-4.

G. CORA, A. FANFANI, *Vasai di Montelupo (parte quinta)*, in "Faenza", LXX (1984), 5-6.

G. CORA, A. FANFANI, *Vasai di Montelupo (parte sesta)*, in "Faenza", LXXI (1985), 1-3.

G. CORA, A. FANFANI, *Vasai di Montelupo (parte settima)*, in "Faenza", LXXI (1985), 4-5.

G. CORA, A. FANFANI, *Vasai di Firenze. Ultima parte*, in "Faenza", LXXII (1986), 5-6.

G. CORA, A. FANFANI, *La porcellana dei Medici*, Milano, 1986.

G. CORA, A. FANFANI, *Vasai del Contado di Firenze*, in "Faenza", LXXIII (1987), 1-3.

G. CORA, A. FANFANI, *Vasai del Contado di Firenze*, in "Faenza", LXXIII (1987), 4-5.

C.A. CORSINI, *La demografia fiorentina nell'età di Lorenzo il Magnifico*, in "Comitato Nazionale per le celebrazioni del V centenario della morte di Lorenzo il Magnifico. La Toscana al tempo di Lorenzo il Magnifico. Politica, Economia, Cultura, Arte", Convegno di studi promosso dalle Università di Firenze, Pisa e Siena, 5-8 novembre 1992, Pisa 1996.

G. CORTI, J.G. DA SILVA, *Note sur la production de la soie à Florence au XVe siècle*, in "Annales" (E.S.C.), XX (1965).

A. COSCARELLA, M. DE MARCO, G. PASQUINELLI, *Testimonianze archeologiche della produzione ceramica a Pomarance*, in "Archeologia Medievale", XVI (1987)

C. CURNOW, *Italian Majolica in the National Museum of Scotland*, Edimburgo, 1992.

L. DAL PANE, *Storia del lavoro in Italia dagli inizi del secolo XVIII al 1815*, Milano 1944.

A. DEL VITA, *Vi furono fabbriche di maioliche in Arezzo?*, in "Faenza", VII (1919), 2.

A. DE MADDALENA, *Moneta e mercato nel Cinquecento. La rivoluzione dei prezzi*, Firenze, 1973.

F. DIAZ, *Il Granducato di Toscana. I Medici*, Torino, 1976 (*Storia d'Italia*. vol. XIII, tomo I) pp. 328-342.

B. DINI, *L'economia fiorentina dal 1450 al 1538* in "Comitato Nazionale per le celebrazioni del V centenario della morte di Lorenzo il Magnifico. La Toscana al tempo di Lorenzo il Magnifico. Politica, Economia, Cultura, Arte", Convegno di studi promosso dalle Università di Firenze, Pisa e Siena, 5-8 novembre 1992, Pisa 1996.

M. DOBB, *Problemi di storia del capitalismo*, Roma 1958.

S.R. EPSTEIN, *Stato territoriale ed economia regionale nella Toscana del Quattrocento* in "Comitato Nazionale per le celebrazioni del V centenario della morte di Lorenzo il Magnifico. La Toscana al tempo di Lorenzo il Magnifico. Politica, Economia, Cultura, Arte", Convegno di studi promosso dalle Università di Firenze, Pisa e Siena, 5-8 novembre 1992, Pisa 1996.

A.L. ERMETI, *La graffita arcaica nelle Marche settentrionali: appunti per una tipologia* in *La céramique médiévale en Méditerranée. Actes du VIe Congrès de l'AIECM2*, Aix-en-Provence 13-18 novembre 1995, Aix-en-Provence, 1997.

M. FOSCARI, in *Relazioni degli ambasciatori veneti al Senato*, a cura di A. SEGARIZZI, Bari, 1916.

G. FOWST, *Frammenti ceramici liguri del Cairo*, in *Atti del V Convegno internazionale della Ceramica*, Albisola, 31 maggio-4 giugno 1972, Albisola, s.d.

R. FRANCOVICH, *La ceramica medievale a Siena e nella Toscana meridionale (Secc. XIV-XV). Materiali per una tipologia*, Firenze, 1982, (Ricerche di Archeologia Altomedievale e Medievale, 5-6).

R. FRANCOVICH, S. GELICHI (a cura di), *La ceramica della fortezza medicea di Grosseto*, Roma, 1980.

R. FRANCOVICH, S. GELICHI, *La ceramica medievale nelle raccolte del Museo Medievale e Moderno di Arezzo*, Firenze, 1983, (Ricerche di Archeologia Altomedievale e Medievale, 8).

L. FRATTARELLI FISCHER, *Livorno 1676: la città e il porto franco* in F. ANGIOLINI, V. BECAGLI, M. VERGA (a cura di), *La Toscana nell'Età di Cosimo III*. Atti del convegno, Pisa-San Domenico di Fiesole, 1990, Firenze 1993.

GABINETTO NAZIONALE DELLE STAMPE, *Grafica per orafi. Modelli del Cinque e Seicento. Mostra di incisioni da collezioni italiane*. Catalogo a cura di A. OMODEO, Bologna, 1975.

R. GALLUZZI, *Istoria del Granducato di Toscana sotto il governo della casa Medici*. voll. 5, Firenze, Cambiagi, 1781.

A. GENOLINI, *Maioliche italiane*, Milano, Goerlich, 1881.

J. GIACOMOTTI, *Catalogue des majoliques des Musées Nationaux. Musée du Louvre et de Cluny, Musée national de céramique à Sèvres, Musée Adrien Dubouché à Limoges*, Paris, 1974.

M. GINATEMPO, L. SANDRI, *L'Italia delle città*, Firenze, 1990.

R.A. GOLDTHWAITE, *I prezzi del grano a Firenze dal XIV al XV secolo*, in "Quaderni Storici", 28, gennaio-aprile 1975.

M. GONZALEZ MARTI, *Ceramica del Levante español. Siglos Medievales*, tomi 3, Barcelona-Madrid (Buenos Aires-Rio de Janeiro), 1944.

C. GRIGIONI, *Figuli romagnoli a Roma nel Quattro e Cinquecento. Documenti*, in "Faenza", XLVI (1955).

E.J. GRUBE, *Islamic pottery of the Eigth to the Fifteenth century in the Keir Collection*, London, 1976.

G. GUASTI, *Di Cafaggiolo e d'altre fabbriche di ceramica in Toscana, secondo studi e documenti in parte raccolti dal comm. Gaetano Milanesi. Commentario storico di Gaetano Guasti*, Firenze, 1902.

L. GUERRINI, *Empoli dalla peste del 1523-26 a quella del 1631*, Firenze, 1990, voll. 2.

E.J. HAMILTON, *American Treasure and Andalusian Prices, 1503-1160. A Study in the Spanish Price Revolution*, in "Journal of Economic and Business History", I (1928).

T. HAUSMANN, *Majolika. Spanische und italienische Keramik vom 14 bis zum 18 Jahrhundert*, Berlin, 1972.

D. HERLIHY, C. KLAPISCH ZUBER, *I Toscani e le loro famiglie. Uno studio sul catasto fiorentino del 1427*, Bologna, 1988.

HERZOG ANTON ULRICH - MUSEUM BRAUNSCHWEIG, *Italienische Majolika. Katalog der Sammlung*, (a cura di J. LESSMANN) Braunschweig, 1979.

H. HOSHINO, *L'arte della lana in Firenze nel Basso Medioevo. Il commercio della lana e il mercato dei panni fiorentini nei secoli XIII-XV*, Firenze, 1980, (Biblioteca Storica Toscana, XXI).

J.G. HURST, D.S. NEAL, H.J.E. VAN BEUNINGEN, *Pottery produced and traded in north-west Europe. 1350 1650*, Rotterdam, 1986, (Rotterdam Papers, VI).

P. IRCANI MENICHINI, *Fornitori di ceramiche e di stoviglie alla SS. Annunziata (secoli XV-XIX)* in AA.VV., *Da "una casupola" nella Firenze del sec. XIII. Celebrazioni giubilari dell'Ordine dei Servi di Maria. Cronaca, liturgia, arte*, Firenze, 1990.

E. LABROUSSE, *Prix et structure régionale: le froment dans les régions françaises (1782-1790)*, in "Annales d'histoire sociale", I (1939); trad. it. *Prezzi e struttura regionale: il grano nelle regioni francesi dal 1782 al 1790*, in *I prezzi in Europa*... cit.

La Sacra Bibbia, traduzione italiana dai testi originali di F. NARDONI, Firenze, 1960.

A. LANE, *A dish of 1593-94 pershaps made at Modena*, in "Faenza", XLVI (1955).

M. LAMA, *Temi ornamentali del Quattrocento. II.- Il motivo del melograno o della palmetta persiana*, in "Faenza", XXIX (1941), 2.

M. LASTRI, *L'osservatore fiorentino*, Firenze, 1776.

E. LE ROY LADURIE, *Histoire et climat* (già in "Annales E.S.C:", XIV [1959], 1, gennaio-marzo, pp. 3-34), trad. it. *Storia e clima* in *Problemi di metodo storico*, Bari, 1973.

G. LISE, *La ceramica italiana del Seicento*, Milano, 1974.

G. LIVERANI, *Un piatto mediceo di Cafaggiolo*, in "Faenza", XXIV (1936), 3.

G. LIVERANI, *La maiolica italiana sino alla comparsa della porcellana europea*, Venezia, s.d.

M. LUCCARELLI, *Contributo alla conoscenza della maiolica senese. Di un piatto nel Musée des Antiquités di Rouen*, in "Faenza", LXV (1975), 4-5.

M. LUCCARELLI, *Contributo alla conoscenza della maiolica senese. Di un piatto nel Musée des Antiquités di Rouen*, in "Faenza", LXVIII (1982), 1-2.

M. LUCCARELLI, *Contributo alla conoscenza della maiolica senese. Fedele da Urbino*, in "Faenza", LXIX (1983), 3-4.

M. LUCCARELLI, *Contributo alla conoscenza della maiolica senese. Il pavimento della cappella Bichi in Sant'Agostino*, in "Faenza", LXIX (1983), 3-4.

M. LUCCARELLI, *Contributo alla conoscenza della maiolica senese. La "maniera di Mastro Benedetto"*, in "Faenza", LXX (1984), 3-4.

M. LUCCARELLI, *Contributo alla conoscenza della maiolica senese. Il pavimento della cappella Docci nella Basilica di San Francesco in Siena*, in "Faenza", LXX (1984), 5-6.

M. LUCCARELLI, *Antiche maioliche senesi*, Siena, 1988.

M. LUCCARELLI, *La maiolica senese del Rinascimento*, in *Ceramica toscana dal Medioevo al XVIII secolo*, a cura di G.C. BOJANI, Città di Castello, s.d. (ma 1990).

C. MALAGOLA, *Memorie storiche sulle maioliche di Faenza. Studi e ricerche*, Bologna, 1880.

P. MALANIMA, *I Riccardi di Firenze. Una famiglia ed un patrimonio nella Toscana dei Medici*, Firenze, 1977.

P. MALANIMA, *La decadenza di un'economia cittadina. L'industria di Firenze nei secoli XVI-XVIII*, Bologna, 1982.

P. MALANIMA, *La perdita del primato*, in "Rivista di storia economica", nuova serie, XIII (1997), 2.

A. MALVOLTI, *Un documento per la storia economica di Fucecchio nell'Età di Cosimo I*, in "Bullettino Storico Empolese", a. XXXI (1987).

M. MANNINI, *Immagini di devozione*, Firenze, 1981.

G. MARTINELLI, G. PUCCINELLI, *Le mura del Cinquecento. Lucca*, Lucca, 1983.

O. MAZZUCCATO, *Il maestro del paesaggio*, in "Rassegna del Lazio", n. 7-8, luglio-agosto 1969.

A. MIGLIORI LUCCARELLI, *Orciolai a Siena*, in "Faenza", LXIX (1983), 3-4.

A. MIGLIORI LUCCARELLI, *Orciolai a Siena. Parte seconda*, in "Faenza", LXIX (1983), 5-6.

M. MILANESE, *La maiolica ligure come indicatore archeologico del commercio di Età Moderna e la sua diffusione nei contesti archeologici della Toscana*, in *Atti del XXV Convegno Internazionale della Ceramica*, Albisola, 1992.

M. MILANESE, *Archeologia postmedievale in Toscana* in "Archeologia postmedievale. Società, ambiente, produzione", I (1997).

M. MILANESE, *La ceramica post-medievale in Toscana: centri di produzione e manufatti alla luce delle fonti archeologiche* in *Atti del XXVII convegno Internazionale della Ceramica*, Albisola, 27-29 maggio 1994, Firenze 1997.

MUSEO DEL VINO DI TORGIANO, *Ceramiche*, di C. FIOCCO e G. GHERARDI, Foligno, 1991.

MUSEO INTERNAZIONALE DELLE CERAMICHE IN FAENZA, *La donazione Galeazzo Cora. Ceramiche dal Medioevo al XIX secolo a cura di* G.C. BOJANI, C. RAVANELLI GUIDOTTI, A. FANFANI, Milano, 1985.

MUSEO INTERNAZIONALE DELLE CERAMICHE IN FAENZA, *Capolavori di maiolica della collezione Strozzi-Sacrati*, a cura di G.C. BOJANI e F. VOSSILLA, Firenze, 1998.

A.V.B. NORMAN, *Wallace Collection. Catalogue of Ceramics 1. Pottery, Majolica, Faience, Stoneware*, London, 1976.

G. PALAGI, *Due proverbi storici toscani illustrati da Giuseppe Palagi*, Firenze, Eredi Le Monnier (per le nozze Bessi-Cappugi), 1876.

G. PARENTI, *Prime ricerche sulla rivoluzione dei prezzi in Firenze*, Firenze, 1939.

G. PARENTI, *Prezzi e mercato del grano a Siena*, Firenze, 1942.

G. PARENTI, *Fonti per lo studio della demografia fiorentina. I libri dei morti*, in "Genus", VI-VIII (1943-49).

G. PASSERI, *Istoria delle pitture in maiolica fatte in Pesaro e ne' luoghi circonvicini descritta da Giambattista Passeri pesarese*, 1ª ediz., Venezia, 1758; 2ª ediz., Bologna, 1775; quindi Nobili, Pesaro, 1857.

G. PASQUINELLI, *La ceramica di Volterra nel Medioevo (secc. XIII-XV)*, Firenze, 1987 (Quaderni dell'insegnamento di Archeologia Medievale della facoltà di Lettere e Filosofia dell'Università di Siena, 9).

E. PELLIZZONI, G. ZANCHI, *La maiolica dei Terchi. Una famiglia di vascellari romani nel Settecento tra Lazio e Impero austro-ungarico*, Firenze, 1982.

O. PENZIG, *Flora popolare italiana. Raccolta dei nomi dialettali delle principali piante indigene e coltivate in Italia*, voll. 2, Genova, 1924.

C. PICCOLPASSO, *I tre libri dell'Arte del Vasaio nei quali si tratta non solo la pratica, ma brevemente tutti i secreti di essa cosa che persino al di d'oggi è stata sempre tenuta ascosta del Cav. C.P. Durantino*, Pesaro, A. Nobili, 1879.

P. PIRILLO, *Dal XIII secolo alla fine del Medioevo: le componenti e gli attori di una crisi* in *Storia di Castelfiorentino*, voll. 3, Pisa, 1994-97, vol. 2. *Dalle origini al 1737*.

D. PRESOTTO, *Notizie sul traffico della ceramica attraverso i registri della Gabella dei Carati* in CENTRO LIGURE PER LA STORIA DELLA CERAMICA, *Atti del IV Convegno Internazione della Ceramica* (1971), Genova, s.d.

J. POOLE, *Italian Majolica and incised slipware in the Fitzwilliam Museum Cambridge*, Cambridge, Cambridge University Press, 1995.

A.M. PULT QUAGLIA, *"Per provvedere ai popoli". Il sistema annonario nella Toscana dei Medici*. Firenze, 1990, (Biblioteca Storica Toscana, XXVII).

F. QUINTERIO, *Dalla pietra alla ceramica: presenza dell'araldica medicea nell'architettura*, in *Ceramica e araldica medicea*, Città di Castello, 1992.

A. RAGONA, *Opera di Pisa di un ceramista italiano operante in Montelupo, spedita a Palermo nel 1556*, in "Faenza", LXIX (1983), 5-6.

J. RASMUSSEN, *The Robert Lehman Collection, X, Italian Majolica*, Princeton, 1989.

C. RAVANELLI GUIDOTTI, *"Alessandro di Giorgi da Faenza" maiolicaro itinerante del XVI secolo*, in Pennabilli nel Montefeltro, V Convegno della Ceramica, I Rassegna Nazionale, 1984, s.d.-s.l.

C. RAVANELLI GUIDOTTI, *Il pavimento della capella Vaselli in San Petronio a Bologna*, Bologna, 1988.

C. RAVANELLI GUIDOTTI, *La donazione Angiolo Fanfani. Ceramiche dal Medioevo al XX secolo*, Faenza, 1990.

C. RAVANELLI GUIDOTTI (a cura di), *Maioliche italiane*, (con un contributo di M. ANSELMI) in MONTE DEI PASCHI DI SIENA, *La collezione Chigi-Saracini*, 5, Firenze, SPES, 1992.

C. RAVANELLI GUIDOTTI, *Faenza-faïence. I "bianchi" di Faenza*, Ferrara, 1996.

REGIONE MARCHE, COMUNE DI PESARO, *Maioliche del Museo civico di Pesaro. Catalogo* (a cura di M. MANCINI DELLA CHIARA), Bologna, 1979.

R. ROMANO, *À Florence au XVIIe siècle. Industries textiles et conjoncture*, in "Annales E.S.C.", 7, 1952.

R. ROMANO, *L'Italia nella crisi del secolo XVII*, in "Studi Storici", IX (1980), n. 3-4, poi pubblicato in *Tra due crisi: l'Italia del Rinascimento*, Torino, 1971.

R. ROMANO, *Opposte congiunture. La crisi del Seicento in Europa e in America*, Venezia, 1992.

R. ROMANO, *Paese Italia. Venti secoli d'identità*, Roma, 1997.

G. RUSSO PEREZ, *Di una marca faentina*, in "Faenza", XX (1932).

G. SARCHIANI, *Ragionamento sul commercio arti e manifatture della Toscana*, Firenze, 1781.

G. SIVORI, *Il tramonto dell'industria serica genovese*, in "Rivista storica italiana", LXXXIV (1972).

J. SOUSTIEL, *La céramique islamique*, Fribourg, 1985.

M. SPALLANZANI, *Ceramiche orientali a Firenze nel Rinascimento*, Firenze, 1978.

G. STROCCHI, *La "Pavona" cristiana e la "Pavona" di Galeotto Manfredi*, in "Faenza", I (1913), IV.

A. TAMBURINI, *Vita economica e sociale del comune di Montaione tra la fine del XIV e l'inizio del XV secolo*, in "Miscellanea Storica della Valdelsa", LXXXIII (1977), 3.

A. VANNI DESIDERI, *Fornaci e vasellami in un centro minore del Basso Valdarno* in "Archeologia medievale", IX (1982).

G. VANNINI, *La maiolica di Montelupo. Scavo di uno scarico di fornace*, Montelupo, 1977.

G. VANNINI, *Firenze, Prato, Pistoia. Aspetti di produzione e consumo della ceramica nel Medio Valdarno medioevale*, in G.C. BOJANI, (a cura di), *Ceramica toscana dal Medioevo al XVIII secolo*, Città di Castello, s.d. (ma 1990).

G. VANNINI, *La spezieria: formazione e dotazione*, in AA.VV., *Una spezieria preindustriale in Valdelsa*, Certaldo, 1983.

C. VARALDO, *La graffita arcaica tirrenica* in *La céramique médiévale en Méditerranée. Actes du VIe Congrès de l'AIECM2*, Aix-en-Provence 13-18 novembre 1995, Aix-en-Provence, 1997.

B. VARCHI, *Storia fiorentina*, in *Opere*, Trieste, 1858.

VICTORIA AND ALBERT MUSEUM, *Departement of ceramics, Catalogue of italian majolica by Bernard Rackham, with emendations and additional bibliography by J.V.G. Mallet*, London, 1977.

G. VILLANI, *Cronica di Giovanni Villani a migliore lezione ridotta coll'aiuto de' testi a penna*, Firenze, 1823, (rist. anast. Roma, 1980).

H. WALLIS, *The Godman Collection: Persian ceramic art*, London, 1894.

H. WALLIS, *The Oriental influence on the ceramic art of the italian Renaissance with illustrations by Henry Wallis*, London, B. Quaritch, 1900.

T. WILSON, *Italian majolica*, Oxford, 1989.

S. WORMS, *Il problema della "decadenza" italiana nella recente storiografia*, in "Clio", XI, 1975.

Referenze fotografiche

FIGURE NEL TESTO

a) Museo Archeologico e della Ceramica di Montelupo (Alessio Ferrari): 1, 2, 3, 4, 5, 6, 7, 8, 9, 10, 11, 12, 14, 15, 16, 17, 19, 20, 21, 22, 23, 24, 25, 28, 35
b) Collezione privata, Toscana (A. Ferrari): 29
c) Museo Internazionale delle Ceramiche in Faenza (A. Ferrari): 30
d) Réunion des Musées Nationaux, Paris, Agence photographique: 18, 26 (G. Blot), 34; (M. Beck Coppola)
e) Victoria & Albert Museum, London (Courtesy of the Board of Trustees of the Victoria and Albert Museum): 31, 32, 33
f) Kunstgewerbemuseum Berlin, Staatliche Museen zu Berlin - Preußischer Kulturbesitz: 27
g) Metropolitan Museum of Art, New York: 13.

TAVOLE

a) Museo Archeologico e della Ceramica di Montelupo (A. Ferrari): 1, 2, 3, 4, 5, 6, 7, 8, 9, 10, 11, 12, 13, 14, 15, 16, 17, 18, 19, 20, 21, 22, 23, 25, 26, 28, 29,31, 32, 33, 34, 35, 36, 37, 42, 43, 44, 46, 47, 49, 51, 52, 53, 54, 55, 56, 57,58, 59, 60, 61, 62, 63, 64, 65, 66, 67, 68, 70, 71, 73, 74, 75, 76, 77, 78, 79, 80, 82, 83, 84, 85, 86, 88, 89, 91, 94, 95, 103, 104, 108, 109, 110, 112, 114, 115, 116, 117, 118, 119, 120, 121, 122, 123, 124, 125, 126, 127, 128, 129, 130, 131, 132, 136, 138, 139, 142, 143, 144, 145, 146, 148, 149, 150, 152, 153, 154, 156, 157, 158, 159, 160, 161, 162, 163, 164, 165, 166, 167, 168, 169, 170, 171, 172, 173, 174, 175, 176, 177, 178, 179, 180, 181, 182, 183, 184, 185, 186, 187, 188, 189, 190, 191, 192, 193, 194, 198, 200, 201, 204, 207, 208, 209, 210, 211, 212, 213, 214, 215, 216, 225, 230, 231, 232, 233, 234, 235, 236, 247, 248, 251, 261, 262, 265, 266, 268, 272, 273, 274, 276, 277, 278, 279, 284, 285, 286, 290, 293, 294, 295, 297, 298, 305, 306, 307, 308, 309, 311, 313, 314, 315, 316, 318, 319, 320, 331, 354, 361, 362, 364, 365, 366, 367, 368, 369, 370, 371, 372, 373, 374, 375, 376, 377, 378, 379, 380, 382, 383.
b) Collezione privata, Toscana (A. Ferrari): 27, 195, 196, 254, 255, 260, 264, 267, 271, 280, 281, 310, 340, 341, 343, 344, 345, 347, 349, 350, 351, 355, 356, 357, 359, 381.
c) Museo Internazionale delle Ceramiche in Faenza (A. Ferrari): 38, 40, 41, 48, 50, 72, 81, 90, 92, 111, 140, 141, 151, 155, 197, 199, 205, 206, 223, 224, 237, 238, 239, 240, 243, 244, 252, 253, 256, 269, 270, 275, 283, 287, 291, 292, 296, 302, 303, 304, 312, 317, 322, 323, 324, 325, 327, 328, 334, 335, 352, 353, 363.
d) Museo Nazionale, Firenze (A. Ferrari): 39.
e) Museo Nazionale, Palazzo di Venezia, Roma (A. Ferrari): 259, 348.
f) Réunion des Musées Nationaux, Paris, Agence photographique: 30, 113, 202, 203, 226, 227, 241, 242, 249, 250, 288, 289, 358 (M. Beck-Coppola). 93 (Photo RMN). 102 (Magnoux). 147, 217 (G. Blot)
g) Victoria & Albert Museum, London (Courtesy of the Board of Trustees of the Victoria and Albert Museum): 24, 69, 96, 97, 98, 101, 218, 308, 321, 326, 336, 337, 339, 342, 346,
h) Wallace Collection, London (Reproduced by permission of the Trustees of the Wallace Collection): 220, 263.
i) Kunstgewerbemuseum Berlin (Staatliche Museen zu Berlin - Preußischer Kulturbesitz): 99, 100, 134, 135, 137, 219, 222, 228, 229, 338.
j) Civiche raccolte d'arte applicata, Milano, Castello Sforzesco (A. Ferrari): 282.
k) Fondazione Bagatti Valsecchi, Milano (A. Ferrari): 45, 257, 258, 329, 330, 332, 333.
l) Collezione Chigi Saracini, Siena (A. Ferrari): 221.
m) Museo del Vino, Torgiano (A. Ferrari): 245, 246, 299, 300, 301, 360.
n) Metropolitan Museum of Art, New York 87, 133.
o) Collezione privata, Paris: 106, 107.

FORME

I rilievi ed i disegni delle forme sono stati eseguiti da Gabriele Migliori.

Finito di stampare
nel novembre 1998
da Amilcare Pizzi
a Cinisello Balsamo (Milano)
per conto di
Aedo srl